U0217486

"十三五"国家重点出版物出版规划项目

国家出版基金项目
NATIONAL PUBLICATION FOUNDATION

中国中药资源大典

中国中药资源大典

资源大典

重庆卷

③

黄璐琦 / 总主编

钟国跃　瞿显友　刘正宇 / 主　编

北京科学技术出版社

图书在版编目（CIP）数据

中国中药资源大典 . 重庆卷 . 3 / 钟国跃，瞿显友，刘正宇主编 . — 北京：北京科学技术出版社，2020.10
ISBN 978-7-5714-1059-9

Ⅰ. ①中… Ⅱ. ①钟… ②瞿… ③刘… Ⅲ. ①中药资源—资源调查—重庆 Ⅳ. ① R281.4

中国版本图书馆 CIP 数据核字 (2020) 第 137419 号

策划编辑：李兆弟　侍　伟
责任编辑：侍　伟　王治华
责任校对：贾　荣
图文制作：樊润琴
责任印制：李　茗
出 版 人：曾庆宇
出版发行：北京科学技术出版社
社　　址：北京西直门南大街16号
邮政编码：100035
电　　话：0086-10-66135495（总编室）　　0086-10-66113227（发行部）
网　　址：www.bkydw.cn
印　　刷：北京捷迅佳彩印刷有限公司
开　　本：889mm×1194mm　　1/16
字　　数：1110千字
印　　张：50.25
版　　次：2020年10月第1版
印　　次：2020年10月第1次印刷
ISBN 978-7-5714-1059-9

定　　价：790.00元

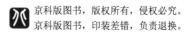

目 录
Contents

被子植物

毛茛科 Ranunculaceae   铁破锣属 Beesia

铁破锣
Beesia calthifolia (Maxim.) Ulbr.

| 药 材 名 | 铁破锣（药用部位：根茎。别名：猴儿七、白细辛、土黄连）。

| 形态特征 | 多年生草本。根茎斜，长约10cm，直径3～7mm。基生叶2～4，叶片肾形、心形或心状卵形，长（1.5～）4.5～9.5cm，宽（1.8～）5.5～16cm，先端圆形、短渐尖或急尖，基部深心形，边缘密生圆锯齿（锯齿先端具短尖），两面无毛，稀在背面沿脉被短柔毛；叶柄长（5.5～）10～26cm，具纵沟，基部稍变宽，无毛。花葶高（14～）30～58cm，有少数纵沟，下部无毛，上部花序处密被开展的短柔毛。花序长为花葶长度的1/6～1/4，宽1.5～2.5cm；苞片通常钻形，有时披针形，间或匙形，长1～5mm，无毛；花梗长5～10mm，密被伸展的短柔毛；萼片白色或带粉红色，狭卵形或椭圆形，长3～5（6～8）mm，宽1.8～2.5（～3）mm，先端急尖

铁破锣

或钝，无毛；雄蕊比萼片稍短，花药直径约 0.3mm；心皮长 2.5～3.5mm，基部疏被短柔毛。蓇葖果长 1.1～1.7cm，扁，披针状线形，中部稍弯曲，下部宽3～4mm，在近基部处疏被短柔毛，其余无毛，约有 8 斜横脉，喙长 1～2mm；种子长约 2.5mm，种皮具斜的纵皱褶。花期 5～8 月。

| **生境分布** | 生于海拔 1400～2500m 的山谷林下阴湿处。分布于重庆城口、巫溪、丰都、石柱、南川、云阳等地。

| **资源情况** | 野生资源稀少。药材来源于野生。

| **采收加工** | 秋季采挖，除去须根，洗净，晒干。

| **药材性状** | 本品呈条状，斜生，略扁，长可超 10cm，直径 3～7mm，有数个分枝，节明显，节间长 0.5～1.2cm；表面黄棕色至棕色，有纵直皱纹。须根多数，表面棕色至棕褐色。根茎肉质，能折断，断面棕色。气微，味苦、辛。

| **功能主治** | 辛、苦，凉。祛风，清热，解毒。用于风热感冒，目赤肿痛，咽喉疼痛，风湿骨痛。外用于疮疖，毒蛇咬伤。

| **用法用量** | 内服煎汤，6～15g。外用适量，研粉调敷。

毛茛科 Ranunculaceae 驴蹄草属 Caltha

驴蹄草
Caltha palustris L.

| **药材名** | 驴蹄草（药用部位：全草。别名：马蹄叶、马蹄草）。 |

| **形态特征** | 多年生草本，全部无毛，有多数肉质须根。茎高（10 ~ ）20 ~ 48cm，直径（1.5 ~ ）3 ~ 6mm，实心，具细纵沟，在中部或中部以上分枝，稀不分枝。基生叶 3 ~ 7，有长柄；叶片圆形、圆肾形或心形，长（1.2 ~ ）2.5 ~ 5cm，宽（2 ~ ）3 ~ 9cm，先端圆形，基部深心形或基部 2 裂片互相覆压，边缘全部密生正三角形小牙齿，叶柄长（4 ~ ）7 ~ 24cm；茎生叶通常向上逐渐变小，稀与基生叶近等大，圆肾形或三角状心形，具较短的叶柄或最上部叶完全不具柄。茎或分枝顶部有由 2 花组成的简单的单歧聚伞花序；苞片三角状心形，边缘生牙齿；花梗长（1.5 ~ ）2 ~ 10cm；萼片 5，黄色，倒卵形或狭倒卵形，长 1 ~ 1.8（ ~ 2.5）cm，宽 0.6 ~ 1.2 |

驴蹄草

（～1.5）cm，先端圆形；雄蕊长 4.5～7（～9）mm，花药长圆形，长 1～1.6mm，花丝狭线形；心皮（5～）7～12，与雄蕊近等长，无柄，有短花柱。蓇葖果长约 1cm，宽约 3mm，具横脉，喙长约 1mm；种子狭卵球形，长 1.5～2mm，黑色，有光泽，有少数纵皱纹。花期 5～9 月，果期 6 月开始。

| **生境分布** | 生于海拔 1300～2000m 的山地溪谷边、湿草甸或草坡、林下阴湿处。分布于重庆城口、巫溪、云阳、开州、南川等地。

| **资源情况** | 野生资源稀少。药材主要来源于野生。

| **采收加工** | 夏、秋季采收，洗净，鲜用或晒干。

| **功能主治** | 辛、微苦，凉。祛风，解暑，活血消肿。用于伤风感冒，中暑发痧，跌打损伤，烫火伤。

| **用法用量** | 内服煎汤，9～15g；或泡酒。外用适量，捣敷；或拌酒糟，烘热外敷；或煎汤洗。

毛茛科 Ranunculaceae 升麻属 Cimicifuga

小升麻 *Cimicifuga acerina* (Sieb. et Zucc.) Tanaka

| 药 材 名 | 小升麻（药用部位：根茎。别名：金丝三七、拐枣七、棉花七）。

| 形态特征 | 多年生草本。根茎横走，近黑色，生多数细根。茎直立，高 25 ～ 110cm，下部近无毛或疏被伸展的长柔毛，上部密被灰色的柔毛。叶 1 或 2，近基生，为三出复叶；叶片宽达 35cm，小叶有长 4 ～ 12cm 的柄；顶生小叶卵状心形，长 5 ～ 20cm，宽 4 ～ 18cm，7 ～ 9 掌状浅裂，浅裂片三角形或斜梯形，边缘有锯齿，侧生小叶比顶生小叶略小并稍斜，表面只在近叶缘处被短糙伏毛，其他部分无毛或偶尔也有毛，背面沿脉被白色柔毛；叶柄长达 32cm，疏被长柔毛或近无毛。花序顶生，单一或有 1 ～ 3 分枝，长 10 ～ 25cm；花序轴密被灰色短柔毛；花小，直径约 4mm，近无梗；萼片白色，椭圆形至倒卵状椭圆形，长 3 ～ 5mm；退化雄蕊圆卵形，长约 4.5mm，基部具

小升麻

蜜腺；花药椭圆形，长 1 ～ 1.5mm，花丝狭线形，长 4 ～ 7mm；心皮 1 或 2，无毛。蓇葖果长约 10mm，宽约 3mm，宿存花柱向外方伸展；种子 8 ～ 12，椭圆状卵球形，长约 2.5mm，浅褐色，表面有多数横向的短鳞翅，四周无翅。8 ～ 9 月开花，10 月结果。

| **生境分布** | 生于海拔 800 ～ 2600m 的山地林下或林缘。分布于重庆城口、巫溪、开州、丰都、涪陵、石柱、武隆、彭水、酉阳、秀山、南川等地。

| **资源情况** | 野生资源稀少。药材主要来源于野生。

| **采收加工** | 夏、秋季采挖，洗净，晒干。

| **药材性状** | 本品呈不规则块状，分枝多，呈结节状，长 4 ～ 10cm，直径 0.5 ～ 1.2cm。表面灰褐色或灰黄色，较平坦，上面有圆洞状或稍凹陷茎基痕，直径 2 ～ 6cm，高 1.5 ～ 4cm；下面有坚硬的残存须根。体实，质坚韧，不易折断，断面稍平坦，稀中空，粉性，木部灰褐色或黄褐色，髓部黄绿色。气微香，味微苦、涩。

| **功能主治** | 甘、苦，寒；有小毒。清热解毒，疏风透疹，活血止痛，降压。用于咽痛，疖肿，斑疹不透，劳伤，腰腿痛，跌打损伤，高血压。

| **用法用量** | 内服煎汤，3 ～ 9g；或浸酒。外用适量，捣敷。

| **附　　注** | 在 FOC 中，本种的拉丁学名被修订为 *Cimicifuga japonica* (Thunberg) Sprengel。

毛茛科 Ranunculaceae 升麻属 Cimicifuga

升麻 *Cimicifuga foetida* L.

升麻

药材名

升麻（药用部位：根茎。别名：周升麻、周麻、鸡骨升麻）。

形态特征

多年生草本。根茎粗壮，坚实，表面黑色，有许多内陷的圆洞状老茎残迹。茎高 1 ~ 2m，基部直径达 1.4cm，微具槽，分枝，被短柔毛。叶为二至三回三出羽状复叶；茎下部叶的叶片三角形，宽达 30cm；顶生小叶具长柄，菱形，长 7 ~ 10cm，宽 4 ~ 7cm，常浅裂，边缘有锯齿，侧生小叶具短柄或无柄，斜卵形，比顶生小叶略小，表面无毛，背面沿脉疏被白色柔毛；叶柄长达 15cm。花序上部的茎生叶较小，具短柄或无柄。花序具分枝 3 ~ 20，长达 45cm，下部的分枝长达 15cm；花序轴密被灰色或锈色的腺毛及短毛；苞片钻形，比花梗短；花两性；萼片倒卵状圆形，白色或绿白色，长 3 ~ 4mm；退化雄蕊宽椭圆形，长约 3mm，先端微凹或 2 浅裂，几膜质；雄蕊长 4 ~ 7mm，花药黄色或黄白色；心皮 2 ~ 5，密被灰色毛，无柄或有极短的柄。蓇葖果长圆形，长 8 ~ 14mm，宽 2.5 ~ 5mm，被伏毛，基部渐狭成长 2 ~ 3mm 的柄，先端有短喙；种子椭圆形，褐色，长 2.5 ～ 3mm，有横向的膜质鳞翅，四周有鳞翅。花期 7 ～ 9 月，果期 8 ～ 10 月。

| 生境分布 | 生于海拔 1700 ～ 2500m 的山地林缘、林中或路旁草丛中。分布于重庆秀山、城口、巫山、奉节、石柱、南川、开州、巫溪、云阳等地。

| 资源情况 | 野生资源较丰富。药材主要来源于野生，亦有少量栽培。

| 采收加工 | 秋季采挖，除去泥沙，晒至须根干时，燎去或除去须根，晒干。

| 药材性状 | 本品呈不规则的长块状，多分枝，呈结节状，长 10 ～ 20cm，直径 2 ～ 4cm。表面黑褐色或棕褐色，粗糙不平，有坚硬的细须根残留，上面有数个圆形空洞的茎基痕，洞内壁显网状沟纹；下面凹凸不平，具须根痕。体轻，质坚硬，不易折断，断面不平坦，有裂隙，纤维性，黄绿色或淡黄白色。气微，味微苦、涩。

| 功能主治 | 辛、微甘，微寒。归肺、脾、胃、大肠经。发表透疹，清热解毒，升举阳气。用于风热头痛，齿痛，口疮，咽喉肿痛，麻疹不透，阳毒发斑，脱肛，子宫脱垂。

| 用法用量 | 内服煎汤，3 ～ 10g。阴虚阳浮、喘满气逆及麻疹已透者忌服，服用过量可导致头晕、震颤、四肢拘挛等。

| 附　注 | 本种喜温暖湿润气候，耐寒，幼苗在 -25℃ 低温下能安全越冬。幼苗期怕强光直射，开花结果期需要充足光照。本种怕涝，忌土壤干旱，喜微酸性或中性的腐殖质土，在碱性或重黏土中生长不良。

毛茛科 Ranunculaceae 升麻属 Cimicifuga

南川升麻
Cimicifuga nanchuanensis P. K. Hsiao

| 药 材 名 | 南川升麻（药用部位：根茎。别名：小升麻）。

| 形态特征 | 多年生草本。茎微具槽，无毛，光滑。下部和中部的茎生叶为二至三回三出复叶，有长柄；叶片三角形，宽达 40cm；顶生小叶具长柄，卵形，稍带革质，长 9 ~ 15cm，宽 5.5 ~ 14.5cm，先端渐尖或急尖，基部心形或近圆形，侧生小叶斜宽卵形，比顶生小叶片小，长 5 ~ 9.5cm，宽 4 ~ 8.5cm，两面均无毛；叶柄长达 22cm，近无毛。上部茎生叶一回三出。花序具分枝 4 ~ 8，分枝长 3 ~ 14.5cm；花序轴及花梗密被灰色短毛；花小，直径约 4mm；花梗长 3 ~ 4mm；苞片钻形，长约 1mm；萼片 4 ~ 5，宽椭圆形或倒卵状圆形，长 3 ~ 4mm，宽 2.5 ~ 3.2mm；退化雄蕊椭圆形，长约 3.8mm，宽约 2.2mm，先端 2 浅裂，白色的附属物 2；雄蕊长 4 ~ 7mm，花药

南川升麻

淡黄色，宽椭圆形，长约 0.6mm，花丝狭线形；心皮 3 ~ 5（~ 6），长约 1.5mm，在花期时具短柄，在花后期柄稍延长，光滑，无毛或近无毛。

| 生境分布 |

生于海拔 1000m 以上的林中。分布于重庆武隆、南川等地。

| 资源情况 |

野生资源稀少。药材主要来源于野生。

| 采收加工 |

秋季地上部分枯萎后采挖，除去泥土，晒至八成干时，用火燎去须根，再晒至全干，撞去表皮及残存须根。

| 药材性状 |

本品呈不规则长条块状，多分枝，呈结节状，长 6 ~ 13cm，直径 2 ~ 3.5cm。表面黑褐色，粗糙，上面有圆形穴洞状的茎基痕，直径 0.7 ~ 2cm，高 0.5 ~ 2cm，内壁黑色，平坦，洞深；下面有坚硬的残存须根。体实，质坚，不易折断，断面不平坦，粉性，具放射状纹理，木部黄绿色，鳞片状，具裂隙；髓部黑褐色。气微，味苦、稍涩。

| 功能主治 |

甘、苦，寒；有小毒。清热解毒，疏风透疹，升阳举陷。用于斑疹不透，咽喉肿痛，劳伤，中气下陷，泻痢下重，跌打损伤。

| 用法用量 |

内服煎汤，3 ~ 9g；或浸酒。

单穗升麻

毛茛科 Ranunculaceae 升麻属 Cimicifuga

单穗升麻
Cimicifuga simplex Wormsk.

| 药 材 名 |

野升麻（药用部位：根茎）。

| 形态特征 |

多年生草本。根茎粗壮，横走，外皮带黑色。茎单一，高 1 ~ 1.5m，直径 4 ~ 7mm，无毛。下部茎生叶有长柄，为二至三回三出近羽状复叶，叶片卵状三角形，宽达 30cm；顶生小叶有柄，宽披针形至菱形，长 4.5 ~ 8.5cm，宽 2 ~ 5.5cm，常 3 深裂或浅裂，边缘有锯齿，侧生小叶通常无柄，狭斜卵形，比顶生小叶小，表面无毛，背面沿脉疏生白色长柔毛，叶柄长达 26cm；茎上部叶较小，一至二回羽状三出。总状花序长达 35cm，不分枝或有时在基部有少数短分枝；苞片钻形，远较花梗为短；花梗长 5 ~ 8mm，花梗与花序轴均密被灰色腺毛及柔毛；萼片宽椭圆形，长约 4mm；退化雄蕊椭圆形至宽椭圆形，先端膜质，2 浅裂；花药黄白色，长约 1mm，花丝狭线形，长 5 ~ 8mm，中央有 1 脉；心皮 2 ~ 7，密被灰色短绒毛，具柄，柄在近果期时延长。蓇葖果长 7 ~ 9mm，宽 4 ~ 5mm，被贴伏的短柔毛，下面具长达 5mm 的柄；种子 4 ~ 8，椭圆形，长约 3.5mm，四周被膜质翼状鳞翅。花期 8 ~ 9 月，果期 9 ～ 10 月。

| **生境分布** | 生于海拔 300 ～ 2300m 的山地草坪、潮湿的灌丛、草丛或草甸的草墩中。分布于重庆城口、开州、巫溪、南川等地。

| **资源情况** | 野生资源稀少。药材主要来源于野生，亦有少量栽培。

| **采收加工** | 移栽 3 ～ 4 年后于 10 ～ 11 月收获，割去茎秆，将根茎挖起，抖去泥沙，晒干或烘干后，撞掉须根。

| **药材性状** | 本品呈不规则长条形，多分枝，呈结节状，长 4 ～ 8cm，直径 0.7 ～ 1.2cm。表面黑褐色，稍具纵向纹理，粗糙，上面具较多的圆洞状茎基，直径 0.5 ～ 1.5cm，下面有残存须根。体轻，质坚韧，不易折断，断面不平坦，纤维性，褐色，中空。气微，味微苦、涩。

| **功能主治** | 甘、辛、微苦，微寒。归肺、胃、大肠经。发表透疹，清热解毒，升举清阳。用于风热感冒，小儿麻疹，热毒斑疹，咽喉肿痛，痈肿疮疡，阳明头痛，久泻脱肛，女子崩漏、带下。

| **用法用量** | 内服煎汤，3 ～ 9g。

毛茛科 Ranunculaceae 铁线莲属 Clematis

粗齿铁线莲

Clematis argenfilucida (Lévl. et Vant.) W. T. Wang

| 药 材 名 | 粗齿川木通（药用部位：茎藤。别名：大木通、小木通、接骨丹）。

| 形态特征 | 落叶藤本。小枝密生白色短柔毛，老时外皮剥落。一回羽状复叶，有 5 小叶，有时茎端为三出叶；小叶片卵形或椭圆状卵形，长 5 ~ 10cm，宽 3.5 ~ 6.5cm，先端渐尖，基部圆形、宽楔形或微心形，常有不明显 3 裂，边缘有粗大锯齿状牙齿，上面疏生短柔毛，下面密生白色短柔毛至较疏，或近无毛。腋生聚伞花序常有 3 ~ 7 花，或呈顶生圆锥状聚伞花序，多花，花较叶短，花直径 2 ~ 3.5cm；萼片 4，开展，白色，近长圆形，长 1 ~ 1.8cm，宽约 5mm，先端钝，两面被短柔毛，内面较疏至近无毛；雄蕊无毛。瘦果扁卵圆形，长约 4mm，被柔毛，宿存花柱长达 3cm。花期 5 ~ 7 月，果期 7 ~ 10 月。

粗齿铁线莲

| **生境分布** | 生于海拔 600 ~ 2000m 的山坡或山沟灌丛中。分布于重庆忠县、彭水、丰都、城口、涪陵、酉阳、江津、开州、巫溪、奉节、云阳、武隆、南川等地。 |

| **资源情况** | 野生资源较丰富。药材主要来源于野生。 |

| **采收加工** | 全年均可采收，除去枝、叶及粗皮，切小段，晒干。 |

| **药材性状** | 本品呈圆柱形，略扭曲，长 50 ~ 100cm，直径一般为 1.2 ~ 4.5cm。表面黄棕色或黄褐色，有多数纵向凹沟及棱线，形成 6 个明显凸出的纵棱及棱槽；节处多膨大，有叶痕及侧枝痕；残存皮部易撕裂。质坚硬，不易折断，断面不整齐，残存皮部黄棕色，有 6 处内陷，木部黄白色，有放射状纹理及裂隙，其间布满导管，导管孔径较大，髓部较小，类白色或黄棕色，偶有空腔。断面常黏附灰黑色或灰黄色胶质物。气微，味微苦。 |

| **功能主治** | 苦、涩，寒。归心、肺、小肠、膀胱经。利水，解毒，祛风除湿。用于小便不利，淋病，乳汁不通，疮疖肿毒，风湿关节痛，肢体麻木。 |

| **用法用量** | 内服煎汤，6 ~ 12g。外用适量，捣敷；或煎汤洗。孕妇慎用。 |

| **附 注** | 在 FOC 中，本种的拉丁学名被修订为 *Clematis grandidentata* (Rehder et E. H. Wilson) W. T. Wang。 |

小木通 *Clematis armandii* Franch.

| 药 材 名 | 川木通（药用部位：藤茎。别名：淮木通、油木通、白木通）。

| 形态特征 | 木质藤本，高达6cm。茎圆柱形，有纵条纹，小枝有棱，被白色短柔毛，后脱落。三出复叶；小叶片革质，卵状披针形、长椭圆状卵形至卵形，长 4 ～ 12（～ 16）cm，宽 2 ～ 5（～ 8）cm，先端渐尖，基部圆形、心形或宽楔形，全缘，两面无毛。聚伞花序或圆锥聚伞花序，腋生或顶生，通常比叶长或近等长；腋生花序基部有多数宿存芽鳞，为三角状卵形、卵形至长圆形，长 0.8 ～ 3.5cm；花序下部苞片近长圆形，常3浅裂，上部苞片渐小，披针形至钻形；萼片 4（～ 5），开展，白色，偶带淡红色，长圆形或长椭圆形，大小变异极大，长 1 ～ 2.5（～ 4）cm，宽 0.3 ～ 1.2（～ 2）cm，外面边缘密生短绒毛至稀疏，雄蕊无毛。瘦果扁，卵形至椭圆形，长 4 ～ 7mm，疏生柔毛，宿存

小木通

花柱长达 5cm，被白色长柔毛。花期 3 ~ 4 月，果期 4 ~ 7 月。

| 生境分布 | 生于山坡、山谷、路边灌丛、林边或水沟旁。分布于重庆黔江、城口、酉阳、长寿、涪陵、奉节、彭水、永川、云阳、垫江、南川、忠县、武隆、开州、北碚、巫山、石柱、梁平、合川、巴南、巫溪、丰都、秀山、綦江、江津、璧山、铜梁、大足等地。

| 资源情况 | 野生资源丰富。药材主要来源于野生。

| 采收加工 | 春、秋季采收，除去粗皮，晒干；或趁鲜切薄片，晒干。

| 药材性状 | 本品呈长圆柱形，略扭曲，长 50 ~ 100cm，直径 2 ~ 3.5cm。表面黄棕色或黄褐色，有纵向凹沟及棱线；节处多膨大，有叶痕及侧枝痕；残存皮部易撕裂。质坚硬，不易折断。切片厚 2 ~ 4mm，边缘不整齐，残存皮部黄棕色，木部浅黄棕色或浅黄色，有黄白色放射状纹理及裂隙，其间布满导管孔，髓部较小，类白色或黄棕色，偶有空腔。气微，味淡。

| 功能主治 | 苦，寒。归心、小肠、膀胱经。利尿通淋，清心除烦，通经下乳。用于淋证，水肿，心烦尿赤，口舌生疮，经闭乳少，湿热痹痛。

| 用法用量 | 内服煎汤，3 ~ 6g。气弱津伤、滑精遗尿、小便过多者及孕妇禁服。

毛茛科 Ranunculaceae 铁线莲属 Clematis

威灵仙 *Clematis chinensis* Osbeck

威灵仙

药 材 名

威灵仙（药用部位：根、根茎。别名：灵仙、能消、铁脚威灵仙）、威灵仙叶（药用部位：叶）。

形态特征

木质藤本。干后变黑色。茎、小枝近无毛或疏生短柔毛。一回羽状复叶有 5 小叶，有时 3 或 7，偶尔基部 1 对以至第 2 对 2 ~ 3 裂至 2 ~ 3 小叶；小叶片纸质，卵形至卵状披针形，或为线状披针形、卵圆形，长 1.5 ~ 10cm，宽 1 ~ 7cm，先端锐尖至渐尖，偶有微凹，基部圆形、宽楔形至浅心形，全缘，两面近无毛，或疏生短柔毛。常为圆锥状聚伞花序，多花，腋生或顶生，花直径 1 ~ 2cm；萼片 4（~ 5），开展，白色，长圆形或长圆状倒卵形，长 0.5 ~ 1（~ 1.5）cm，先端常凸尖，外面边缘密生绒毛或中间被短柔毛，雄蕊无毛。瘦果扁，3 ~ 7 个，卵形至宽椭圆形，长 5 ~ 7mm，被柔毛，宿存花柱长 2 ~ 5cm。花期 6 ~ 9 月，果期 8 ~ 11 月。

生境分布

生于山坡、山谷灌丛或沟边、路旁草丛中。

分布于重庆南川、北碚、彭水、长寿等地。

| 资源情况 | 野生资源稀少。药材主要来源于野生，亦有少量栽培。

| 采收加工 | 威灵仙：秋季采挖，除去泥沙，晒干。

威灵仙叶：夏、秋季采收，鲜用或晒干。

| 药材性状 | 威灵仙：本品根茎呈柱状，长 1.5 ~ 10cm，直径 0.3 ~ 1.5cm；表面淡棕黄色，先端残留茎基；质较坚韧，断面纤维性；下侧着生多数细根。根呈细长圆柱形，稍弯曲，长 7 ~ 15cm，直径 0.1 ~ 0.3cm；表面黑褐色，有细纵纹，有的皮部脱落，露出黄白色木部；质硬脆，易折断，断面皮部较广，木部淡黄色，略呈方形，皮部与木部间常有裂隙。气微，味淡。

威灵仙叶：本品鲜时绿色，干后呈绿褐色，小叶多破碎，完整者呈狭卵形或三角状卵形，长 3 ~ 7cm，宽 1.5 ~ 3cm，先端尖，基部圆形或宽楔形，全缘，主脉 3。微呈革质。气微，味淡。

| 功能主治 | 威灵仙：辛、咸，温。归膀胱经。祛风湿，通经络。用于风湿痹痛，肢体麻木，筋脉拘挛，屈伸不利。

威灵仙叶：辛、苦，平。利咽，解毒，活血消肿。用于咽喉肿痛，喉痹，乳蛾，鹤膝风，睑腺炎，结膜炎等。

| 用法用量 | 威灵仙：内服煎汤，6 ~ 10g。

威灵仙叶：内服煎汤，15 ~ 30g；或浸酒。外用发泡，取鲜叶适量，捣烂敷贴一定穴位，经 30 分钟左右，当局部有轻度辣感时去掉药物，约 1 天后局部起小水泡。

山木通

毛茛科 Ranunculaceae 铁线莲属 Clematis

山木通
Clematis finetiana Lévl. et Vant.

药材名

威灵仙（药用部位：根茎、根。别名：山木通根）、山木通（药用部位：茎、叶。别名：搜山虎）。

形态特征

木质藤本，无毛。茎圆柱形，有纵条纹，小枝有棱。三出复叶，基部有时为单叶；小叶片薄革质或革质，卵状披针形、狭卵形至卵形，长 3 ~ 9（~ 13）cm，宽 1.5 ~ 3.5（~ 5.5）cm，先端锐尖至渐尖，基部圆形、浅心形或斜肾形，全缘，两面无毛。花常单生，或为聚伞花序、总状聚伞花序，腋生或顶生，有花 1 ~ 3（~ 7），少数 7 朵以上而成圆锥聚伞花序，通常比叶长或近等长；在叶腋分枝处常有多数长三角形至三角形宿存芽鳞，长 5 ~ 8mm；苞片小，钻形，有时下部苞片为宽线形至三角状披针形，先端 3 裂；萼片 4（~ 6），开展，白色，狭椭圆形或披针形，长 1 ~ 1.8（~ 2.5）cm，外面边缘密生短绒毛；雄蕊无毛，药隔明显。瘦果镰刀状狭卵，长约 5mm，被柔毛，宿存花柱长达 3cm，被黄褐色长柔毛。花期 4 ~ 6月，果期 7 ~ 11 月。

| **生境分布** | 生于山坡疏林、溪边、路旁灌丛或山谷石缝中。分布于重庆巫山、奉节、南川、万州等地。 |

| **资源情况** | 野生资源稀少。药材来源于野生。 |

| **采收加工** | 威灵仙：秋季采挖，除去泥沙，干燥。
山木通：全年均可采收，鲜用或晒干。 |

| **药材性状** | 威灵仙：本品根茎呈柱形，长 1 ~ 5cm，直径 0.2 ~ 2cm；表面黑褐色或棕黄色；质较坚韧，断面纤维性，下侧着生多数细根。根呈细长圆柱形，稍弯曲，长 10 ~ 30cm，直径 0.1 ~ 0.3cm；表面黑褐色或淡黄棕色，有细纵纹，有的皮部脱落，露出黄白色木部；质硬脆，易折断，断面富粉性。气微，味淡。
山木通：本品藤茎呈圆柱形，红褐色，有纵条纹，稀生短毛或无毛。叶对生；三出复叶，基部有时为单叶；叶柄旋卷；小叶片卵状披针形、狭卵形或卵形，长 3 ~ 9（~ 13）cm，宽 1.5 ~ 3.5（~ 5.5）cm，先端锐尖至渐尖，基部圆形、浅心形或斜肾形，全缘，无毛。稍革质，易碎。气微，味苦。 |

| **功能主治** | 威灵仙：辛、苦，温。归膀胱经。祛风除湿，通络止痛。用于风湿痹痛，肢体麻木，筋脉拘挛，屈伸不利，骨鲠。
山木通：辛、苦，温。归肝、膀胱经。祛风活血，利尿通淋。用于关节肿痛，跌打损伤，小便不利，乳汁不通。 |

| **用法用量** | 威灵仙：内服煎汤，6 ~ 9g。
山木通：内服煎汤，15 ~ 30g，鲜品可用至 60g。外用适量，鲜品捣敷发泡。 |

毛茛科 Ranunculaceae 铁线莲属 Clematis

扬子铁线莲 Clematis ganpiniana (Lévl. et Vant.) Tamura

扬子铁线莲

药材名

扬子铁线莲（药用部位：茎）。

形态特征

藤本。枝有棱，小枝近无毛或稍有短柔毛。一至二回羽状复叶，或二回三出复叶，有 5 ~ 21 小叶，基部 2 对常为 3 小叶或 2 ~ 3 裂，茎上部有时为三出叶；小叶片长卵形、卵形或宽卵形，有时为卵状披针形，长 1.5 ~ 10cm，宽 0.8 ~ 5cm，先端锐尖、短渐尖至长渐尖，基部圆形、心形或宽楔形，边缘有粗锯齿、牙齿或为全缘，两面近无毛或疏生短柔毛。圆锥聚伞花序或单聚伞花序，多花或少至 3 花，腋生或顶生，常比叶短；花梗长 1.5 ~ 6cm；花直径 2 ~ 2.5（~ 3.5）cm；萼片 4，开展，白色，干时变褐色至黑色，狭倒卵形或长椭圆形，长 0.5 ~ 1.5（~ 1.8）cm，外面边缘密生短绒毛，内面无毛；雄蕊无毛，花药长 1 ~ 2mm。瘦果常为扁卵圆形，长约 5mm，宽约 3mm，无毛，宿存花柱长达 3cm。花期 7 ~ 9 月，果期 9 ~ 10 月。

生境分布

生于海拔 400 ~ 2350m 的溪边或林缘。分布于重庆酉阳、丰都、涪陵、黔江、南川等地。

| **资源情况** | 野生资源稀少。药材主要来源于野生。

| **采收加工** | 全年均可采收，鲜用或晒干。

| **功能主治** | 祛风除湿。用于四肢麻木，风湿关节痛，小便淋痛。

| **用法用量** | 内服煎汤，适量。

| **附　　注** | 在 FOC 中，本种的拉丁学名被修订为 *Clematis puberula* var. *ganpiniana* (H. Léveillé et Vaniot) W. T. Wang。

毛茛科 Ranunculaceae 铁线莲属 Clematis

小蓑衣藤
Clematis gouriana Roxb. ex DC.

| 药 材 名 | 小蓑衣藤（药用部位：藤、叶、根）。

| 形态特征 | 藤本。一回羽状复叶，有5小叶，有时3或7，偶尔基部1对2~3小叶；小叶片纸质，卵形、长卵形至披针形，长（4~）7~11cm，宽（1.5~）3~5cm，先端渐尖或长渐尖，基部圆形或浅心形，常全缘，偶尔疏生锯齿状牙齿，两面无毛或近无毛，有时下面疏生短柔毛。圆锥状聚伞花序多花；花序梗、花梗密生短柔毛；萼片4，开展，白色，椭圆形或倒卵形，长5~9mm，先端钝，两面被短柔毛；雄蕊无毛；子房被柔毛。瘦果纺锤形或狭卵形，不扁，先端渐尖，被柔毛，长3~5mm，宿存花柱长达3cm。花期9~10月，果期11~12月。

| 生境分布 | 生于山坡、山谷灌丛或沟边、路旁。分布于重庆城口、巫溪、秀山、

小蓑衣藤

南川、北碚等地。

| **资源情况** | 野生资源较少。药材来源于野生。

| **功能主治** | 辛、苦，温。祛风湿，通经络，活血止痛，解毒。用于风湿性关节炎，跌打损伤，肝炎，扁桃体炎，咽喉炎，骨鲠，白内障，龟头炎，包皮水肿，牙痛，疔疮。

毛茛科 Ranunculaceae 铁线莲属 *Clematis*

金佛铁线莲 *Clematis gratopsis* W. T. Wang

| 药 材 名 | 金佛铁线莲（药用部位：根）。

| 形态特征 | 藤本。小枝、叶柄及花序梗、花梗均被伸展的短柔毛。一回羽状复叶，有 5 小叶，偶尔基部 1 对 3 全裂至 3 小叶；小叶片卵形至卵状披针形或宽卵形，长 2 ~ 6cm，宽 1.5 ~ 4cm，基部心形，常在中部以下 3 浅裂至深裂，中间裂片卵状椭圆形至卵状披针形，先端锐尖至渐尖，侧裂片先端圆或锐尖，边缘有少数锯齿状牙齿，两面密生贴伏短柔毛。聚伞花序常有 3 ~ 9 花，腋生或顶生，或呈顶生圆锥状聚伞花序；花梗上小苞片显著，卵形、椭圆形至披针形；花直径 1.5 ~ 2cm；萼片 4，开展，白色，倒卵状长圆形，先端钝，长 7 ~ 10mm，外面密生绢状短柔毛，内面无毛；雄蕊无毛，花丝比花药长 5 倍。瘦果卵形，密生柔毛。花期 8 ~ 10 月，果期 10 ~ 12 月。

金佛铁线莲

| 生境分布 |

生于海拔 200 ~ 1700m 的山坡路旁或林缘。分布于重庆城口、巫溪、奉节、南川等地。

| 资源情况 |

野生资源稀少。药材主要来源于野生。

| 采收加工 |

秋、冬季采挖，洗去泥土，晒干。

| 功能主治 |

行气活血，祛风湿，止痛。用于风湿性关节炎。

| 用法用量 |

内服煎汤，适量。

毛食科 Ranunculaceae 铁线莲属 *Clematis*

单叶铁线莲 *Clematis henryi Oliv.*

| 药 材 名 | 雪里开（药用部位：根、叶。别名：雪里花、地雷、拐子药）。

| 形态特征 | 木质藤本。主根下部膨大成瘤状或地瓜状，直径 1.5 ~ 2cm，表面淡褐色，内部白色。单叶，叶片卵状披针形，长 10 ~ 15cm，宽 3 ~ 7.5cm，先端渐尖，基部浅心形，边缘具刺头状的浅齿，两面无毛或背面仅叶脉上幼时被紧贴的绒毛；基出弧形中脉 3 ~ 5（~ 7），在表面平坦，在背面微隆起，侧脉网状，在两面均可见；叶柄长 2 ~ 6cm，幼时被毛，后脱落。聚伞花序腋生，常只有 1 花，稀有 2 ~ 5 花；花序梗细瘦，与叶柄近于等长，无毛，下部有 2 ~ 4 对线状苞片，交叉对生；花钟状，直径 2 ~ 2.5cm；萼片 4，较肥厚，白色或淡黄色，卵圆形或长方状卵圆形，长 1.5 ~ 2.2cm，宽 7 ~ 12mm，先端钝尖，外面疏生紧贴的绒毛，边缘被白色绒毛，内面无毛，但直的平行脉

单叶铁线莲

纹显著；雄蕊长 1 ~ 1.2cm，花药长椭圆形，花丝线形，具 1 脉，两边被长柔毛，长过花药；心皮被短柔毛，花柱被绢状毛。瘦果狭卵形，长 3mm，直径 1mm，被短柔毛，宿存花柱长达 4.5cm。花期 11 ~ 12 月，果期翌年 3 ~ 4 月。

| **生境分布** | 生于海拔 500 ~ 2250m 的溪边、山谷、阴湿坡地、林下或灌丛中，缠绕于树上。分布于重庆万州、城口、酉阳、綦江、巫山、奉节、南川等地。

| **资源情况** | 野生资源一般。药材主要来源于野生。

| **采收加工** | 秋、冬季采挖根，除去茎叶、须根及杂质，晒干或晾干。夏、秋季采收叶。

| **药材性状** | 本品块根呈纺锤形，长 6 ~ 12cm，直径 0.6 ~ 2cm，多弯曲不直；表面黄褐色，有纵皱纹；质硬，不易折断，断面白色，粉性，具稀疏的放射状纹理。气微，味微甘。

| **功能主治** | 辛、苦，凉。归心、肺、胃经。清热解毒，祛痰镇咳，行气活血，止痛。用于小儿高热惊风，咳嗽，咽喉肿痛，头痛，胃痛，腹痛，跌打损伤，腮腺炎，疖毒疔疮，蛇咬伤。

| **用法用量** | 内服煎汤，9 ~ 15g；研末，每次 1 ~ 3g。外用适量，磨汁涂；或鲜品捣敷。

| 毛茛科 | Ranunculaceae | 铁线莲属 | Clematis

毛蕊铁线莲
Clematis lasiandra Maxim.

| 药 材 名 | 小木通（药用部位：茎藤、根、根茎。别名：丝瓜花）。

| 形态特征 | 攀缘草质藤本。老枝近于无毛，当年生枝被开展的柔毛。三出复叶、羽状复叶或二回三出复叶，连叶柄长 9 ~ 15cm；小叶 3 ~ 9（ ~ 15），小叶片卵状披针形或窄卵形，长 3 ~ 6cm，宽 1.5 ~ 2.5cm，先端渐尖，基部阔楔形或圆形，常偏斜，边缘有整齐的锯齿，表面被稀疏紧贴的柔毛或两面无毛；叶脉在表面平坦，在背面隆起；小叶柄短或长达 8mm；叶柄长 3 ~ 6cm，无毛，基部膨大隆起。聚伞花序腋生，常 1 ~ 3 花；花序梗长 0.5 ~ 3cm，在花序的分枝处生 1 对叶状苞片；花梗长 1.5 ~ 2.5cm，幼时被柔毛，以后脱落；花钟状，先端反卷，直径 2cm；萼片 4，粉红色至紫红色，直立，卵圆形至长方状椭圆形，长 1 ~ 1.5cm，宽 5 ~ 8mm，两面无毛，边缘及反卷的先端被绒毛；

毛蕊铁线莲

雄蕊微短于萼片，花丝线形，外面及两侧被紧贴的柔毛，长超过花药，内面无毛，花药内向，长方状椭圆形，药隔的外面被毛；心皮在开花时短于雄蕊，被绢状毛。瘦果卵形或纺锤形，棕红色，长 3mm，被疏短柔毛，宿存花柱纤细，长 2 ～ 3.5cm，被绢状毛。花期 10 月，果期 11 月。

| 生境分布 | 生于沟边、山坡地或灌丛中。分布于重庆酉阳、城口、开州、巫山、奉节、万州、石柱、南川等地。

| 资源情况 | 野生资源稀少。药材主要来源于野生。

| 采收加工 | 秋季采收，切段，晒干或鲜用。

| 药材性状 | 本品茎藤细长缠绕，表面枯绿色或绿褐色，有细棱。叶对生，有长柄，长 3 ～ 6cm，基部膨大隆起；完整者为 1 ～ 2 回三出复叶，小叶片卵状披针形，长 3 ～ 6cm，先端渐尖，基部阔楔形而偏斜，边缘有锯齿；气微，味淡。根茎呈不规则圆柱形，表面灰棕色至棕褐色，有隆起的节，先端常残留木质茎，两侧及下方着生多数细长的根。根呈长圆柱形，长 5 ～ 20cm，直径 1 ～ 2mm；表面褐色或棕褐色，有细皱纹；质坚脆，易折断，皮部灰白色，木部类方形，淡黄色。气微，味微苦。

| 功能主治 | 甘、淡、辛，寒。归心、小肠经。舒筋活络，清热利尿。用于风湿关节痛，跌打损伤，水肿，热淋，小便不利，痈疡肿毒。

| 用法用量 | 内服煎汤，15 ～ 30g。外用适量，煎汤熏洗；或捣烂塞鼻。孕妇慎服。

锈毛铁线莲
Clematis leschenaultiana DC.

锈毛铁线莲

药材名

锈毛铁线莲（药用部位：全株或叶）。

形态特征

木质藤本。茎圆柱形，有纵沟纹，密被开展的金黄色长柔毛。三出复叶，小叶片纸质，卵圆形、卵状椭圆形至卵状披针形，长 7 ~ 11cm，宽 3.5 ~ 8cm，先端渐尖或有短尾，基部圆形或浅心形，常偏斜，上部边缘有钝锯齿，下部全缘，表面绿色，被稀疏紧贴的柔毛，背面淡绿色，被平伏的厚柔毛，尤以叶脉上为多；基出主脉 3 ~ 5，在表面平坦，在背面隆起；小叶柄长 1 ~ 2.5cm；叶柄长 5 ~ 11cm，圆柱形，均密被开展的黄色柔毛。聚伞花序腋生，密被黄色柔毛，常只有 3 花，稀多或少；花序梗长 1 ~ 2.5cm，花梗长 3 ~ 5cm，在花序的分枝处具 1 对披针形的苞片，苞片长 1.5 ~ 2cm；花萼直立成壶状，先端反卷，直径 2cm，萼片 4，黄色，卵圆形至卵状椭圆形，长 1.8 ~ 2.5cm，宽 9mm，外面密被金黄色柔毛，内面除先端被稀疏柔毛外其余无毛；雄蕊与萼片等长，花丝扁平，除基部无毛外，上部被稀疏开展的长柔毛，花药线形，长 3mm；心皮被绢状柔毛，子房卵形。瘦果狭卵形，长约 5mm，宽约 1mm，被棕黄色短柔毛，宿存花柱长 3 ～ 3.5cm，被黄色长柔毛。花期 1 ～ 2 月，果期 3 ～ 4 月。

| 生境分布 | 生于海拔 500 ～ 1200m 的山坡杂树丛中。分布于重庆南川、巴南、大足、合川等地。

| 资源情况 | 野生资源稀少。药材来源于野生。

| 采收加工 | 全年均可采收全株，鲜用或晒干。夏、秋季采收叶。

| 功能主治 | 全株，用于风湿骨痛，毒蛇咬伤，目赤肿痛，小便淋痛。叶，用于疮毒，角膜炎。

| 用法用量 | 内服煎汤，适量。外用适量。

| 毛茛科 | Ranunculaceae | 铁线莲属 | Clematis

绣球藤
Clematis montana Buch.-Ham. ex DC.

| **药 材 名** | 川木通（药用部位：藤茎。别名：油木通、白木通、淮木通）。

| **形态特征** | 木质藤本。茎圆柱形，有纵条纹；小枝被短柔毛，后变无毛；老时外皮剥落。三出复叶，数叶与花簇生，或对生；小叶片卵形、宽卵形至椭圆形，长 2 ~ 7cm，宽 1 ~ 5cm，边缘缺刻状锯齿由多而锐至粗而钝，先端 3 裂或不明显，两面疏生短柔毛，有时下面较密。花 1 ~ 6 与叶簇生，直径 3 ~ 5cm；萼片 4，开展，白色或外面带淡红色，长圆状倒卵形至倒卵形，长 1.5 ~ 2.5cm，宽 0.8 ~ 1.5cm，外面疏生短柔毛，内面无毛；雄蕊无毛。瘦果扁，卵形或卵圆形，长 4 ~ 5mm，宽 3 ~ 4mm，无毛。花期 4 ~ 6 月，果期 7 ~ 9 月。

| **生境分布** | 生于海拔 1000 ~ 2000m 的山坡、山谷灌木林、林边或沟旁。分布

绣球藤

于重庆城口、丰都、石柱、涪陵、南川、黔江、开州、巫山、巫溪、彭水、秀山等地。

| 资源情况 |

野生资源一般。药材来源于野生。

| 采收加工 |

参见"小木通"条。

| 药材性状 |

参见"小木通"条。

| 功能主治 |

参见"小木通"条。

| 用法用量 |

参见"小木通"条。

毛茛科 Ranunculaceae 铁线莲属 Clematis

钝萼铁线莲 *Clematis peterae* Hand.-Mazz.

钝萼铁线莲

药材名

风藤草（药用部位：藤茎、叶。别名：细木通、小木通、木通）、风藤草根（药用部位：根。别名：木通）。

形态特征

藤本。一回羽状复叶，有 5 小叶，偶尔基部 1 对为 3 小叶；小叶片卵形或长卵形，少数卵状披针形，长（2 ～）3 ～ 9cm，宽（1 ～）2 ～ 4.5cm，先端常锐尖或短渐尖，少数长渐尖，基部圆形或浅心形，边缘疏生 1 至数个以至多个锯齿状牙齿或全缘，两面疏生短柔毛至近无毛。圆锥状聚伞花序多花；花序梗、花梗密生短柔毛，花序梗基部常有 1 对叶状苞片；花直径 1.5 ～ 2cm，萼片 4，开展，白色，倒卵形至椭圆形，长 0.7 ～ 1.1cm，先端钝，两面被短柔毛，外面边缘密生短绒毛；雄蕊无毛；子房无毛。瘦果卵形，稍扁平，无毛或近花柱处稍被柔毛，长约 4mm，宿存花柱长达 3cm。花期 6 ～ 8 月，果期 9 ～ 12 月。

生境分布

生于海拔 1200 ～ 1500m 的山坡、沟边杂木林中。分布于重庆万州、涪陵、城口、奉节、石柱、合川、巫溪、丰都、武隆、黔江、酉阳、秀山、南川等地。

| 资源情况 | 野生资源较丰富。药材主要来源于野生。

| 采收加工 | 风藤草：秋季采收，洗净，鲜用或晒干。
风藤草根：秋季采挖，洗去泥土，晒干。

| 药材性状 | 风藤草：本品藤茎草黄色或褐色，有条纹，嫩枝有时被毛。羽状复叶对生；叶柄长达7cm，有条纹及淡褐色毛。小叶5～7，卵形，长2～9cm，宽1～4cm，全缘或具2～3阔齿，两面疏生短毛至近无毛。气微，味稍苦。

| 功能主治 | 风藤草：甘、苦，凉。祛风清热，和络止痛。用于风湿关节痛，风疹瘙痒，疮疥，肿毒，火眼疼痛，小便不利。
风藤草根：淡，平。祛风湿，利小便，活血止痛。用于风湿痹痛，小便不利，水肿，淋浊癃闭，闭经，跌打损伤。

| 用法用量 | 风藤草：内服煎汤，6～12g；或捣汁。外用适量，煎汤洗；或捣敷；或捣汁点目。
风藤草根：内服煎汤，9～12g。外用适量，捣敷。

▨▨ **毛茛科** ▨ Ranunculaceae ▨▨ **铁线莲属** ▨ Clematis

柱果铁线莲
Clematis uncinata Champ.

| **药 材 名** | 威灵仙（药用部位：根、根茎。别名：老虎师藤、铁脚威灵仙、黑木通）。

| **形态特征** | 藤本，干时常带黑色，除花柱有羽状毛及萼片外面边缘被短柔毛外，其余光滑。茎圆柱形，有纵条纹。一至二回羽状复叶，有 5 ~ 15 小叶，基部 2 对常为 2 ~ 3 小叶，茎基部为单叶或三出叶；小叶片纸质或薄革质，宽卵形、卵形、长圆状卵形至卵状披针形，长 3 ~ 13cm，宽 1.5 ~ 7cm，先端渐尖至锐尖，偶尔微凹，基部圆形或宽楔形，有时浅心形或截形，全缘，上面亮绿色，下面灰绿色，两面网脉凸出。圆锥聚伞花序腋生或顶生，多花；萼片 4，开展，白色，干时变褐色至黑色，线状披针形至倒披针形，长 1 ~ 1.5cm；雄蕊无毛。瘦果圆柱状钻形，干后变黑，长 5 ~ 8mm，宿存花柱长 1 ~ 2cm。花期 6 ~ 7 月，果期 7 ~ 9 月。

柱果铁线莲

| 生境分布 | 生于山野、田埂或路旁。分布于重庆城口、潼南、石柱、璧山、云阳、酉阳、南川、丰都、北碚、奉节、开州、合川、巫山、彭水、綦江等地。

| 资源情况 | 野生资源较丰富。药材主要来源于野生，亦有少量栽培。

| 采收加工 | 秋季采挖，除去茎叶，洗去泥土，晒干，或切段晒干。

| 药材性状 | 本品根表面淡棕色，纵皱纹明显；断面角质样。味淡。

| 功能主治 | 辛、咸、微苦，温；有小毒。祛风除湿，通络止痛。用于风湿痹痛，肢体麻木，筋脉拘挛，屈伸不利，脚气肿痛，疟疾，骨鲠，痰饮积聚。

| 用法用量 | 内服煎汤，6 ~ 9g，治骨鲠可用30g；或入丸、散；或浸酒。外用适量，捣敷；或煎汤熏洗；或作发泡剂。气血亏虚者及孕妇慎服。

毛茛科 Ranunculaceae 铁线莲属 Clematis

尾叶铁线莲 *Clematis urophylla* Franch.

| **药 材 名** | 尾叶铁线莲（药用部位：藤茎）。

| **形态特征** | 木质藤本，长 1 ~ 3m。茎微有 6 棱，淡灰色或灰棕色，被短柔毛。
三出复叶，小叶片狭卵形或卵状披针形，长 5 ~ 10cm，宽 2 ~ 4cm，
先端有尖尾，基部宽楔形、圆形或亚心形，边缘有整齐的锯齿，基
部全缘，两面无毛或微被稀疏紧贴的短柔毛；基出主脉 3 ~ 5，在
表面平坦，在背面显著隆起；侧生小叶柄短，长仅 6 ~ 7mm，顶生
小叶柄长 1 ~ 2cm；叶柄长 5 ~ 7cm，上面有浅沟。聚伞花序腋生，
常 1 ~ 3 花，在花序的分枝处生 1 对线状披针形的苞片；花序梗长
1 ~ 2cm，无毛；花梗长 1.5 ~ 4cm，密生紧贴的短柔毛；花钟状，
微开展，直径 2 ~ 3cm；萼片 4，白色，直立不反卷，卵状椭圆形
或长方状椭圆形，长 2 ~ 3.5cm，宽 6 ~ 10mm，外面及边缘被紧贴

尾叶铁线莲

的短柔毛，内面仅先端被绒毛，其余无毛；雄蕊长为萼片之半，花丝线形，外面及两侧被长柔毛，内面无毛，花药椭圆形，无毛；子房及花柱被绢状毛。瘦果纺锤形，长 3 ~ 4mm，宽 2mm，被短柔毛，宿存花柱长 4.5 ~ 5cm，被长柔毛。花期 11 ~ 12 月，果期翌年 3 ~ 4 月。

| 生境分布 | 生于海拔 1200 ~ 2000m 的河边或灌丛中。分布于重庆黔江、丰都、城口、南川等地。

| 资源情况 | 野生资源稀少。药材来源于野生。

| 采收加工 | 春、秋季采收，除去粗皮，晒干，或趁鲜切薄片，晒干。

| 功能主治 | 祛风利湿，活血解毒。

| 用法用量 | 内服煎汤，适量。

毛茛科 Ranunculaceae 飞燕草属 Consolida

飞燕草
Consolida ajacis (L.) Schur

| 药 材 名 | 飞燕草（药用部位：根、种子）。

| 形态特征 | 多年生草本。茎高约 60cm，与花序均被多少弯曲的短柔毛，中部以上分枝。茎下部叶有长柄，在开花时多枯萎，中部以上叶具短柄；叶片长达 3cm，掌状细裂，狭线形小裂片宽 0.4 ~ 1mm，被短柔毛。花序生于茎或分枝先端；下部苞片叶状，上部苞片小，不分裂，线形；花梗长 0.7 ~ 2.8cm；小苞片生于花梗中部附近，小，条形；萼片紫色、粉红色或白色，宽卵形，长约 1.2cm，外面中央疏被短柔毛，距钻形，长约 1.6cm；花瓣的瓣片 3 裂，中裂片长约 5mm，先端 2 浅裂，侧裂片与中裂片成直角展出，卵形；花药长约 1mm。蓇葖果长达 1.8cm，直，密被短柔毛，网脉稍隆起，不太明显；种子长约 2mm。

飞燕草

生境分布	栽培于庭院。分布于重庆南川等地。
资源情况	野生资源稀少。药材来源于栽培。
采收加工	夏、秋季采收，洗净，鲜用。
功能主治	辛、苦，温；有毒。种子，催吐，泻下；外用于疥疮，头虱。根，外用于跌打损伤。
用法用量	外用适量，捣敷；或煎汤洗。

毛茛科 Ranunculaceae 翠雀属 *Delphinium*

还亮草
Delphinium anthriscifolium Hance

| **药 材 名** | 还亮草（药用部位：全草。别名：还魂草、对叉草、蝴蝶菊）。

| **形态特征** | 多年生草本。茎高(12 ~)30 ~ 78cm，无毛或上部疏被反曲的短柔毛，等距地生叶，分枝。叶为 2 ~ 3 回近羽状复叶，间或为三出复叶，有较长柄或短柄，近基部叶在开花时常枯萎；叶片菱状卵形或三角状卵形，长 5 ~ 11cm，宽 4.5 ~ 8cm，羽片 2 ~ 4 对，对生，稀互生，下部羽片有细柄，狭卵形，长渐尖，通常分裂近中脉，末回裂片狭卵形或披针形，通常宽 2 ~ 4mm，表面疏被短柔毛，背面无毛或近无毛；叶柄长 2.5 ~ 6cm，无毛或近无毛。总状花序有（1 ~ ）2 ~ 15 花；花序轴和花梗被反曲的短柔毛；基部苞片叶状，其他苞片小，披针形至披针状钻形，长 2.5 ~ 4.5mm；花梗长 0.4 ~ 1.2cm；小苞片生于花梗中部，披针状线形，长 2.5 ~ 4mm；花长 1 ~ 1.8 (~

还亮草

2.5）cm；萼片堇色或紫色，椭圆形至长圆形，长 6 ~ 9（~ 11）mm，外面疏被短柔毛，距钻形或圆锥状钻形，长 5 ~ 9（~ 15）mm，稍向上弯曲或近直；花瓣紫色，无毛，上部变宽；退化雄蕊与萼片同色，无毛，瓣片斧形，2 深裂近基部；雄蕊无毛；心皮 3，子房疏被短柔毛或近无毛。蓇葖果长 1.1 ~ 1.6cm；种子扁球形，直径 2 ~ 2.5mm，上部有螺旋状生长的横膜翅，下部约有 5 同心的横膜翅。3 ~ 5 月开花。

| **生境分布** | 生于海拔 200 ~ 1200m 的丘陵、山坡草丛或溪边草地。分布于重庆城口、奉节、巫溪、酉阳、涪陵、长寿、云阳、武隆、开州、梁平、合川、秀山、南川等地。

| **资源情况** | 野生资源较丰富。药材主要来源于野生。

| **采收加工** | 夏、秋季采收，洗净，切段，鲜用或晒干。

| **药材性状** | 本品根呈长圆锥形，长 2 ~ 9cm，直径 1 ~ 7mm；表面棕黄色至黑褐色，具细密纵纹，支根较多；根头密集叶柄残基；断面黄色。茎断面中空，纤维性。叶灰绿色，展平后为二至三回羽状复叶；叶片菱状卵形或三角状卵形，长 2.3 ~ 9cm，宽 3.5 ~ 8cm，两面疏被短柔毛；叶柄长 2.5 ~ 6cm。总状花序；小苞片披针状线形，多碎落；萼片 5，紫色，被短柔毛；花瓣 2，3 不等裂，紫色；退化雄蕊 2，花瓣状，斧形，2 深裂。蓇葖果长 1.1 ~ 1.6cm。种子扁球形，有横膜翅。气微，味辛、苦。

| **功能主治** | 辛、苦，温；有毒。归心、肝、肾经。祛风除湿，通络止痛，化食，解毒。用于风湿痹痛，半身不遂，食积腹胀，荨麻疹，痈疮癣癞。

| **用法用量** | 内服煎汤，3 ~ 6g。外用适量，捣敷；或煎汤洗。

毛茛科 Ranunculaceae 翠雀属 Delphinium

大花还亮草

Delphinium anthriscifolium Hance var. *majus* Pamp.

大花还亮草

药 材 名

大花还亮草（药用部位：全草）。

形态特征

多年生草本。茎高（12～）30～78cm，无毛或上部疏被反曲的短柔毛，等距地生叶，分枝。叶为二至三回近羽状复叶，间或为三出复叶，有较长柄或短柄，近基部叶在开花时常枯萎；叶片菱状卵形或三角状卵形，长5～11cm，宽4.5～8cm，羽片2～4对，对生，稀互生，下部羽片有细柄，狭卵形，长渐尖，通常分裂近中脉，末回裂片狭卵形或披针形，通常宽2～4mm，表面疏被短柔毛，背面无毛或近无毛；叶柄长2.5～6cm，无毛或近无毛。总状花序有（1～）2～15花；花序轴和花梗被反曲的短柔毛；基部苞片叶状，其他苞片小，披针形至披针状钻形，长2.5～4.5mm；花梗长0.4～1.2cm；小苞片生于花梗中部，披针状线形，长2.5～4mm；花较大，长2.3～3.4cm；萼距长1.7～2.4cm，萼片堇色或紫色，椭圆形至长圆形，长6～9（～11）mm，外面疏被短柔毛，距钻形或圆锥状钻形，长5～9（～15）mm，稍向上弯曲或近直；花瓣紫色，无毛，上部变宽，瓣片卵形，2裂至本身长度的 1/4 ~ 1/3 处，偶尔达中部；雄蕊无毛；退化雄蕊与萼片同色，无毛；心皮 3，子房疏被短柔毛或近无毛。蓇葖果长 1.1 ~ 1.6cm；种子扁球形，直径 2 ~ 2.5mm，上部有螺旋状生长的横膜翅，下部约有 5 同心的横膜翅。花期 3 ~ 5 月。

| 生境分布 |

生于海拔 1300m 以下的山地草丛中或林下。分布于重庆酉阳、万州、北碚、秀山、城口、开州、巫山等地。

| 资源情况 |

野生资源一般。药材主要来源于野生。

| 采收加工 |

夏、秋季采收，洗净，切段，鲜用或晒干。

| 功能主治 |

清热解毒，祛痰止咳。用于咳嗽痰多。

| 用法用量 |

内服煎汤，适量。

毛茛科 Ranunculaceae 翠雀属 Delphinium

川黔翠雀花 *Delphinium bonvalotii* Franch.

| 药 材 名 | 峨山草乌（药用部位：根）。

| 形态特征 | 多年生草本。茎高 50 ~ 70cm，与叶柄、花序轴及花梗均无毛，等
距地生叶，上部分枝。茎下部及中部叶有长柄；叶片五角形，长
4.5 ~ 9cm，宽 7 ~ 12cm，基部心形，3 深裂至距基部 0.8 ~ 1.6cm 处，
中央深裂片菱形，渐尖，3 裂，2 回裂片有少数小裂片和牙齿，侧深
裂片斜扇形，不等 2 深裂，两面疏被短糙毛或背面近无毛；叶柄比
叶片稍长，无鞘。茎先端的花序长 6 ~ 14cm，伞房状或短总状，有
5 ~ 11 花，分枝先端的花序伞房状，有少数花；苞片线形；花梗长
2.2 ~ 4.5cm；小苞片生于花梗中部以上，狭线形，长 3.5 ~ 7mm，
宽 0.2 ~ 0.4mm，无毛或有短缘毛；萼片蓝紫色，椭圆状倒卵形，
长（1.4 ~）1.7 ~ 2cm，外面被黄色短腺毛和白色短伏毛，距钻形，

川黔翠雀花

长（1.9～）2.2～2.6cm，向下马蹄状或螺旋状弯曲，有时向下只稍弧状弯曲；花瓣无毛；退化雄蕊与萼片同色，瓣片2裂至中部，有长缘毛，腹面被黄色髯毛；雄蕊无毛；心皮3，子房被柔毛。蓇葖果长1～1.4cm；种子近椭圆状球形，长约1mm，密生鳞状横翅。花期6～8月。

| 生境分布 | 生于海拔1100～2600m的山地林边。分布于重庆丰都、城口、巫溪、武隆、巫山、南川、綦江、江津等地。

| 资源情况 | 野生资源一般。药材主要来源于野生。

| 采收加工 | 初春或秋季采挖，除去茎叶，洗净，撞去须根，用水浸泡10天以上，每日换水1～2次，至麻味甚小为止，取出拌以生姜、甘草，蒸2～3小时，晾干。

| 药材性状 | 本品主根呈不规则圆柱形，长2～10cm，直径3～15mm。表面棕褐色，有较多的支根痕及突起，具细密的网状纹理，有的表皮脱落可见棕黄色纤维；细根丛生或少见；根头残留叶柄残基及1至数个中空的茎基。质韧，不易折断，断面纤维性，黄色。气微，味辛、苦，嚼之麻舌。

| 功能主治 | 辛、苦，温；有毒。归肺经。祛风除湿，通络止痛，消肿解毒。用于风湿筋骨疼痛，胃痛，跌打损伤肿痛，痈疮，癣癞，痔疮。

| 用法用量 | 内服煎汤，2～6g，先煎0.5～1小时；或入散剂，1～3g。外用适量，捣敷；或磨汁涂。本品有毒，应炮制后使用。年老、体弱者及孕妇禁服。

| 附　注 | 在FOC中，本种被修订为螺距黑水翠雀花 *Delphinium potaninii* var. *bonvalotii* (Franchet) W. T. Wang。

毛茛科 Ranunculaceae 翠雀属 Delphinium

毛梗川黔翠雀花 Delphinium bonvalotii var. eriostylum (Lévl.) W. T. Wang

| 药 材 名 | 毛梗川黔翠雀花（药用部位：根）。

| 形态特征 | 茎高 50 ~ 70cm，与叶柄、花序轴及花梗均无毛，等距地生叶，上部分枝。茎下部及中部叶有长柄；叶片五角形，长 4.5 ~ 9cm，宽 7 ~ 12cm，基部心形，3 深裂至距基部 0.8 ~ 1.6cm 处，中央深裂片菱形，渐尖，3 裂，2 回裂片有少数小裂片和牙齿，侧深裂片斜扇形，不等 2 深裂，两面疏被短糙毛或背面近无毛；叶柄比叶片稍长，无鞘。茎先端的花序长 6 ~ 14cm，伞房状或短总状，有 5 ~ 11 花，分枝先端的花序伞房状，有少数花；苞片线形；花梗长 2.2 ~ 4.5cm；小苞片生于花梗中部以上，狭线形，长 3.5 ~ 7mm，宽 0.2 ~ 0.4mm，无毛或有短缘毛；萼片蓝紫色，椭圆状倒卵形，长（1.4 ~）1.7 ~ 2cm，外面被黄色短腺毛和白色短伏毛，萼距圆筒状钻形或圆锥状钻形，

毛梗川黔翠雀花

比萼片稍长或稍短，向下弧状弯曲；花瓣无毛，瓣片 2 裂至中部，有长缘毛，腹面被黄色髯毛；雄蕊无毛；退化雄蕊与萼片同色；心皮 3，子房被柔毛。蓇葖果长 1～1.4cm；种子近椭圆状球形，长约 1mm，密生鳞状横翅。花期 6～8 月。

| 生境分布 | 生于海拔 400～1200m 的溪边或草坡上。分布于重庆南川、奉节等地。

| 资源情况 | 野生资源稀少。药材来源于野生。

| 功能主治 | 消肿毒。用于无名肿毒。

| 附　　注 | 在 FOC 中，本种被修订为毛梗翠雀花 Delphinium eriostylum H. Léveillé。

毛茛科 Ranunculaceae 翠雀属 Delphinium

三小叶翠雀花 *Delphinium trifoliolatum* Finet et Gagnep.

三小叶翠雀花

| 药 材 名 |

三小叶翠雀花（药用部位：根）。

| 形态特征 |

多年生草本。茎直立，高 50 ～ 90（～ 120）cm，疏被反曲的短柔毛，下部变无毛，分枝。基生叶及下部叶在开花时枯萎，茎中部叶有长柄；叶片五角形，长 5.2 ～ 8.2cm，宽 7 ～ 12cm，3 全裂，全裂片有短柄，中央全裂片菱形，渐尖，中部 3 浅裂，边缘有少数牙齿，侧全裂片斜扇形，不等 2 深裂近基部，两面均疏被短伏毛；叶柄与叶片近等长。总状花序顶生，有 3 ～ 8 花；下部苞片叶状，其他的椭圆形或长圆形；花梗斜上展，长 0.9 ～ 2cm，与花序轴均密被反曲的短柔毛；小苞片生于花梗上部，与花接近或与花邻接，倒披针状条形或条形，长 3 ～ 7mm，宽 0.8 ～ 1.5mm；萼片紫色，椭圆形，长 1 ～ 1.2cm，外面被短柔毛，内面无毛，距钻形，长 2.2 ～ 2.5cm，直或稍向下弯；花瓣紫色，无毛，瓣片约与爪等长，卵形，2 裂稍超过中部，腹面疏被短柔毛，无黄色髯毛；雄蕊无毛；退化雄蕊紫色；心皮 3，无毛。蓇葖果长 7 ～ 9mm；种子倒卵球状，四面体形，长约 2mm，密生极狭的波状横翅。花期 7 ～ 8 月。

| 生境分布 |

生于海拔约 1600m 的山地林下或林边草地。分布于重庆南川等地。

| 资源情况 |

野生资源较少。药材来源于野生。

| 采收加工 |

初春或秋季采挖，除去茎叶，洗净，除去须根，用水浸泡 10 天以上，每日换水 1 ~ 2 次，至麻味甚小为止，取出拌以生姜、甘草，蒸 2 ~ 3 小时，晾干。

| 功能主治 |

祛风除湿，镇痛。用于风湿筋骨疼痛，跌打损伤肿痛。

| 用法用量 |

内服煎汤，适量。外用适量。年老、体弱者及孕妇均禁用。

毛茛科 Ranunculaceae 人字果属 Dichocarpum

耳状人字果

Dichocarpum auriculatum (Franch.) W. T. Wang et Hsiao

| 药 材 名 | 母猪草（药用部位：根。别名：山黄连）。

| 形态特征 | 草本，全体无毛。根茎横走，黑褐色，质坚硬，生许多细根。基生叶少数，在果期时常枯萎，为二回鸟趾状复叶；叶片草质，长3～9cm，宽3～7.5cm；中央一回指片菱形至等边菱形，长1.8～6cm，宽1.5～5cm，中部以上有浅牙齿，侧生指片有2小叶，小叶不等大，上面小叶斜卵形，长1.1～3.5cm，宽0.9～3cm，下面小叶斜卵圆形，长0.4～2cm，宽0.4～1.9cm；叶柄长5～11cm。茎生叶2（～4），通常不存在，似基生叶，叶柄长2～5cm。复单歧聚伞花序长7～19cm，有花（1～）3～7；下部苞片叶状，花序最上部的无柄，小，长约3mm，3全裂；花梗长2.5～3.5cm；花直径1～1.7cm；萼片白色，倒卵状椭圆形，长5～9mm，宽3～5.5mm，先端

耳状人字果

钝；花瓣金黄色，长约 4mm，瓣片宽倒卵圆形，长及宽均 1.5mm，先端微缺或全缘，下部有细长的爪；雄蕊约 20，长 5 ~ 6mm，花药宽椭圆形，长约 0.6mm。蓇葖果狭倒卵状披针形，长 11 ~ 15mm，先端急尖，具长约 2mm 的细喙；种子 8 ~ 9，近圆形，直径约 1mm，黄褐色，光滑。花期 4 ~ 5 月，果期 4 ~ 6 月。

| 生境分布 | 生于海拔 650 ~ 1600m 的山地阴处潮湿地、疏林下岩石旁。分布于重庆万州、南川、江津、石柱等地。

| 资源情况 | 野生资源稀少。药材主要来源于野生。

| 采收加工 | 夏、秋季采挖，洗净，晒干。

| 功能主治 | 苦，寒。清热除湿，解毒散结，止咳化痰。用于湿热黄疸，痈肿疮毒，瘰疬，痰热咳嗽，癫痫。

| 用法用量 | 内服煎汤，3 ~ 10g。外用适量，捣敷。

毛茛科 Ranunculaceae 人字果属 *Dichocarpum*

蕨叶人字果
Dichocarpum dalzielii (Drumm. et Hutch.) W. T. Wang et Hsiao

蕨叶人字果

药材名

岩节连（药用部位：根茎、根。别名：野黄连、龙节七）。

形态特征

草本，植株全体无毛。根茎较短，密生多数黄褐色的须根。叶 3 ~ 11，全部基生，为鸟趾状复叶；叶片草质，宽 3.5 ~ 10cm，中央指片菱形，长 2.5 ~ 6.5(~ 7.5)cm，宽 1.7 ~ 3 (~ 3.5)cm，中部以上具 3 ~ 4 对浅裂片，边缘有锯齿，侧生指片有 5 或 7 小叶，小叶不等大，斜菱形或斜卵形，最大的小叶比中央指片略小，最小的小叶长仅 8mm，宽仅 4mm；叶柄长 3.5 ~ 11.5cm。花葶 3 ~ 11，高 20 ~ 28cm；复单歧聚伞花序长 5 ~ 10cm，有 3 ~ 8 花；花梗长 2 ~ 3cm；苞片通常无柄，下部的长 1 ~ 2.1cm，最上部的长 2 ~ 3mm，3 全裂；花直径 1.4 ~ 1.8cm；萼片白色，倒卵状椭圆形，长 8 ~ 10mm，宽 3.8 ~ 4mm，先端钝尖；花瓣金黄色，长 2.8 ~ 4.5mm，瓣片近圆形，先端微凹或有时全缘，常在凹缺中央具 1 小短尖；雄蕊多数，长 3.5 ~ 4.5mm，花药宽椭圆形，长约 0.8mm；子房狭倒卵形，长 7 ~ 8mm，花柱长约 2mm。蓇葖果倒人字状叉开，狭倒卵状披针形，连同 2mm 长的细喙共长 11 ～ 12mm；种子约 8，近圆球形，直径约 1mm，褐色，光滑。花期 4 ～ 5 月，果期 5 ～ 6 月。

| 生境分布 |

生于海拔 750 ～ 1600m 的山地密林下、溪旁或沟边等阴湿处。分布于重庆南川、石柱、万州等地。

| 资源情况 |

野生资源稀少。药材主要来源于野生，亦有少量栽培。

| 采收加工 |

栽培 3 ～ 4 年后，于冬季将根挖出，除去地上部分，洗净，晒干或烘干。

| 功能主治 |

辛、微苦，寒。归肺经。清热解毒，消肿止痛。用于痈疮肿毒，外伤肿痛，跌打疼痛。

| 用法用量 |

外用适量，捣敷。

毛茛科 Ranunculaceae 人字果属 *Dichocarpum*

纵肋人字果

Dichocarpum fargesii (Franch.) W. T. Wang et Hsiao

| 药 材 名 | 野黄瓜（药用部位：全草）。

| 形态特征 | 草本，植物全体无毛。根茎粗而不明显，生多数须根。茎高14 ~ 35cm，中部以上分枝。叶基生及茎生，基生叶少数，具长柄，为一回三出复叶；叶片草质，卵圆形，宽1.8 ~ 3.5cm，中央指片肾形或扇形，长5 ~ 12mm，宽7 ~ 16mm，先端具5浅牙齿，牙齿先端微凹，叶脉明显，侧生指片斜卵形，具2不等大的小叶，上面小叶斜倒卵形，长6 ~ 14mm，宽4 ~ 10mm，下面小叶卵圆形，长及宽均5 ~ 9mm；叶柄长3 ~ 8cm，基部具鞘。茎生叶似基生叶，渐变小，对生，最下面1对叶柄长2cm。花小，直径6 ~ 7.5mm；苞片无柄，3全裂；花梗纤细，长1 ~ 3.5cm；萼片白色，倒卵状椭圆形，长4 ~ 5mm，先端钝；花瓣金黄色，长约为萼片之半，瓣片近圆形，

纵肋人字果

中部合生成漏斗状，先端近截形或近圆形，下面有细长的爪；雄蕊 10，花药宽椭圆形，黄白色，长约 0.3mm，花丝长 3 ~ 4mm，中部微变宽。蓇葖果线形，长 1.2 ~ 1.5cm，先端急尖，喙极短而不明显；种子约 9，椭圆球形，长 1.5 ~ 1.8mm，具纵肋。花期 5 ~ 6 月，果期 7 月。

| **生境分布** | 生于海拔 900 ~ 1600m 的山谷阴湿处。分布于重庆城口、巫溪、奉节、南川等地。

| **资源情况** | 野生资源稀少。药材主要来源于野生。

| **采收加工** | 夏、秋季采收，洗净，晒干。

| **功能主治** | 微甘、苦，凉。健脾化湿，清热明目。用于消化不良，风火赤眼，无名肿毒。

| **用法用量** | 内服煎汤，15 ~ 30g。外用适量，捣敷。

毛茛科 Ranunculaceae 人字果属 Dichocarpum

人字果
Dichocarpum sutchuenense (Franch.) W. T. Wang et Hsiao

人字果

| 药 材 名 |

人字果（药用部位：根茎）。

| 形 态 特 征 |

草本，全体无毛。根茎横走，较粗壮，直径达 6mm，暗褐色，密生多数细根。茎单一，高 7.5 ～ 30cm。基生叶少数，在花果期时常枯萎，为鸟趾状复叶；叶片草质，长1.5 ～ 4cm，宽 1.9 ～ 4.5cm，中央指片圆形或宽倒卵圆形，长 5 ～ 23mm，宽 6 ～ 25mm，基部宽楔形，中部以上 3 ～ 5 浅裂，浅裂片先端微凹，侧生指片有小叶 2、4 或 6，小叶不等大，斜卵圆形、菱状卵形或倒卵形，具短柄或近无柄；叶柄长 3 ～ 7.5cm。茎生叶通常 1，间或不存在，似基生叶，宽 3 ～ 6（～ 9）cm，具长达 5cm 的叶柄。复单歧聚伞花序长达 10cm，有花（1 ～）3 ～ 8；下部和中部的苞片似茎生叶，但较小，最上部的苞片 3 全裂，无柄；花梗长达 7cm；萼片白色，倒卵状椭圆形，长 6 ～ 11mm，宽3 ～ 6mm，先端钝；花瓣金黄色，长 3mm，瓣片近圆形，长约 0.7mm，先端通常微凹，有时全缘；雄蕊 20 ～ 45，长约 7mm，花药宽椭圆形，长约 0.8mm；心皮约与雄蕊等长，子房倒披针形，花柱长约 2mm。蓇葖果狭

倒卵状披针形，连同长 2mm 的细喙共长 1.2 ~ 1.5cm；种子 8 ~ 10，圆球形，黄褐色，直径约 1mm，光滑。花期 4 ~ 5 月，果期 5 ~ 6 月。

| **生境分布** | 生于海拔 1450 ~ 2150m 的山地林下湿润处或溪边的岩石旁。分布于重庆城口、巫溪、南川等地。

| **资源情况** | 野生资源稀少。药材主要来源于野生。

| **采收加工** | 夏、秋季采收，晒干。

| **功能主治** | 清热解毒，消肿。用于痈疮肿毒，外伤肿痛，跌打疼痛。

| **用法用量** | 外用适量，捣敷。

毛茛科 Ranunculaceae 毛茛属 Ranunculus

禺毛茛
Ranunculus cantoniensis DC.

| 药 材 名 | 自扣草（药用部位：全草。别名：小茴茴蒜、鹿蹄草、自蔻草）。

| 形态特征 | 多年生草本。须根伸长，簇生。茎直立，高25～80cm，上部有分枝，与叶柄均密生开展的黄白色糙毛。叶为三出复叶，基生叶和下部叶有长达15cm的叶柄；叶片宽卵形至肾圆形，长3～6cm，宽3～9cm；小叶卵形至宽卵形，宽2～4cm，2～3中裂，边缘密生锯齿或齿牙，先端稍尖，两面贴生糙毛；小叶柄长1～2cm，侧生小叶柄较短，被开展糙毛，基部有膜质耳状宽鞘。上部叶渐小，3全裂，有短柄至无柄。花序有较多花，疏生；花梗长2～5cm，花梗与萼片均被糙毛；花直径1～1.2cm，生于茎顶和分枝先端；萼片卵形，长3mm，开展；花瓣5，椭圆形，长5～6mm，长约为宽的2倍，基部狭窄成爪，蜜槽上有倒卵形小鳞片；花药长约1mm；花托长圆

禺毛茛

形，被白色短毛。聚合果近球形，直径约 1cm；瘦果扁平，长约 3mm，宽约 2mm，宽为厚的 5 倍以上，无毛，边缘有宽约 0.3mm 的棱翼，喙基部宽扁，先端弯钩状，长约 1mm。花果期 4 ～ 7 月。

| **生境分布** | 生于海拔 500 ～ 1000m 的平原或丘陵田边、沟旁水湿地。分布于重庆大足、奉节、涪陵、南川、忠县、江津、武隆、黔江、大足、璧山等地。

| **资源情况** | 野生资源较丰富。药材来源于野生。

| **采收加工** | 春末夏初采收，洗净，晒干或鲜用。

| **药材性状** | 本品长 25 ～ 60（～ 80）cm。须根簇生。茎和叶柄密被黄白色糙毛。叶为三出复叶，基生叶及下部叶叶柄长达 14cm；叶片宽卵形，黄绿色，长、宽均约 5cm，中央小叶椭圆形或菱形，3 裂，边缘具密锯齿，侧生小叶不等的 2 或 3 深裂。花序具疏花；萼片 5，船形，长约 3mm，有糙毛；花瓣 5，椭圆形，棕黄色。聚合果球形，直径约 1cm；瘦果扁，狭倒卵形，长约 3mm。气微，味微苦，有毒。

| **功能主治** | 微苦、辛，温；有毒。归肝经。清肝明目，除湿解毒，截疟。用于眼翳，目赤，黄疸，痈肿，风湿性关节炎，疟疾。

| **用法用量** | 外用适量，捣敷发泡；塞鼻；或捣汁涂。本品有刺激性，一般不内服。

毛茛科 Ranunculaceae 毛茛属 Ranunculus

茴茴蒜
Ranunculus chinensis Bunge

| 药 材 名 | 回回蒜（药用部位：全草。别名：辣辣草、山辣椒、水胡椒）、回回蒜果（药用部位：果实。别名：水杨梅果）。

| 形态特征 | 一年生草本。须根多数，簇生。茎直立，粗壮，高 20 ~ 70cm，直径在 5mm 以上，中空，有纵条纹，分枝多，与叶柄均密生开展的淡黄色糙毛。基生叶与下部叶有长达 12cm 的叶柄，为三出复叶，叶片宽卵形至三角形，长 3 ~ 8（~ 12）cm，小叶 2 ~ 3 深裂，裂片倒披针状楔形，宽 5 ~ 10mm，上部有不等的粗齿或缺刻或 2 ~ 3 裂，先端尖，两面伏生糙毛，小叶柄长 1 ~ 2cm 或侧生小叶柄较短，被开展的糙毛。上部叶较小，叶柄较短，叶片 3 全裂，裂片有粗齿牙或再分裂。花序有较多疏生的花，花梗贴生糙毛；花直径 6 ~ 12mm；萼片狭卵形，长 3 ~ 5mm，外面被柔毛；花瓣 5，宽卵圆形，与萼

茴茴蒜

片近等长或稍长，黄色或上面白色，基部有短爪，蜜槽有卵形小鳞片；花药长约 1mm；花托在果期显著伸长，圆柱形，长达 1cm，密生白短毛。聚合果长圆形，直径 6 ～ 10mm；瘦果扁平，长 3 ～ 3.5mm，宽约 2mm，宽为厚的 5 倍以上，无毛，边缘有宽约 0.2mm 的棱，喙极短，呈点状，长 0.1 ～ 0.2mm。花果期 5 ～ 9 月。

| 生境分布 | 生于平原、丘陵、溪边、田旁水湿草地。分布于重庆巫山、巫溪、南川、北碚等地。

| 资源情况 | 野生资源稀少。药材主要来源于野生。

| 采收加工 | 回回蒜：夏季采收，鲜用或晒干。
回回蒜果：夏季采摘，鲜用或晒干。

| 药材性状 | 回回蒜：本品长 15 ～ 50cm。茎及叶柄均有伸展的淡黄色糙毛。三出复叶，黄绿色，基生叶及下部叶具长柄；叶片宽卵形，长 3 ～ 8(～ 12) cm，小叶 2 ～ 3 深裂，上部具少数锯齿，两面被糙毛。花序花疏生，花梗贴生糙毛；萼片 5，狭卵形；花瓣 5，宽卵圆形。聚合果长圆形，直径 6 ～ 10mm；瘦果扁平，长 3 ～ 3.5mm，无毛。气微，味淡。

| 功能主治 | 回回蒜：辛、苦，温；有毒。解毒退黄，截疟，定喘，镇痛。用于肝炎，黄疸，肝硬化腹水，疮癞，牛皮癣，疟疾，哮喘，牙痛，胃痛，风湿痛。
回回蒜果：苦，微温。明目，截疟。用于夜盲，疟疾。

| 用法用量 | 回回蒜：内服煎汤，3 ～ 9g。外用适量，外敷患处或穴位，皮肤发赤起泡时除去；或将鲜草洗净，绞汁涂搽；或煎汤洗。本品有毒，一般供外用。外用对皮肤刺激性大，用时局部要隔凡士林或纱布。内服宜慎，并需久煎。
回回蒜果：内服煎汤，3 ～ 9g。外用适量，捣敷。

毛茛科 Ranunculaceae 毛茛属 Ranunculus

西南毛茛 *Ranunculus ficariifolius* Lévl. et Vant.

| **药 材 名** | 西南毛茛（药用部位：地上部分。别名：西南毛茛叶）。

| **形态特征** | 一年生草本。须根细长，簇生。茎倾斜上升，近直立，高 10 ~ 30cm，节多数，有时下部节上生根，贴生柔毛或无毛。基生叶与茎生叶相似，叶片不分裂，宽卵形或近菱形，长 0.5 ~ 2（~ 3）cm，宽 5 ~ 15（~ 25）mm，先端尖，基部楔形或截形，边缘有 3 ~ 9浅齿或近全缘，无毛或贴生柔毛，叶柄长 1 ~ 4cm，无毛或被柔毛，基部鞘状；茎生叶多数，最上部叶较小，披针形，叶柄短至无柄。花直径 8 ~ 10mm；花梗与叶对生，长 2 ~ 5cm，细而下弯，贴生柔毛；萼片卵圆形，长 2 ~ 3mm，常无毛，开展；花瓣 5，长圆形，长 4 ~ 5mm，长为宽的 2 倍，有 5 ~ 7 脉，先端圆或微凹，基部有长 0.5 ~ 0.8mm 的窄爪，蜜槽点状，位于爪上端；花药长约 0.6mm；

西南毛茛

花托被细柔毛。聚合果近球形，直径 3 ～ 4mm；瘦果卵球形，长约 1.5mm，宽 1.2mm，两面较扁，有疣状小突起，喙短直或弯，长约 0.5mm。花果期 4 ～ 7 月。

| 生境分布 | 生于海拔 1000 ～ 2200m 的林缘湿地或水沟旁。分布于重庆万州、奉节、丰都、石柱、南川等地。

| 资源情况 | 野生资源稀少。药材主要来源于野生。

| 采收加工 | 全年均可采收，多鲜用。

| 药材性状 | 本品长 10 ～ 30cm，有时下部节上生根。基生叶及茎生叶宽卵形或近菱形，长 0.5 ～ 2 （ ～ 3 ）cm，边缘具浅齿或近全缘，无毛或贴生柔毛，黄绿色；叶柄长 1 ～ 4cm，基部鞘状。花梗与叶对生；花直径 8 ～ 10mm，萼片卵圆形；花瓣 5，长圆形。聚合果近球形，直径 3 ～ 4mm；瘦果卵球形，长约 1.5mm，两面较扁，有疣状小突起。气微，味苦、辛。

| 功能主治 | 辛，温；有毒。利湿消肿，止痛杀虫，截疟。用于疟疾。

| 用法用量 | 外用适量，捣敷。

毛茛科 Ranunculaceae 毛茛属 Ranunculus

毛茛
Ranunculus japonicus Thunb.

药 材 名	毛茛(药用部位:全草。别名:水茛、毛建、老虎脚迹草)、毛茛实(药用部位:果实)。

形态特征 多年生草本。须根多数,簇生。茎直立,高 30 ~ 70cm,中空,有槽,具分枝,被开展或贴伏的柔毛。基生叶多数,叶片圆心形或五角形,长及宽均为 3 ~ 10cm,基部心形或截形,通常 3 深裂不达基部,中裂片倒卵状楔形或宽卵圆形或菱形,3 浅裂,边缘有粗齿或缺刻,侧裂片不等 2 裂,两面贴生柔毛,下面或幼时的毛较密,叶柄长达 15cm,被开展柔毛;下部叶与基生叶相似,渐向上叶柄变短,叶片较小,3 深裂,裂片披针形,有尖齿牙或再分裂;最上部叶线形,全缘,无柄。聚伞花序有多数花,疏散;花直径 1.5 ~ 2.2cm;花梗长达 8cm,贴生柔毛;萼片椭圆形,长 4 ~ 6mm,被白色柔毛;花瓣 5,

毛茛

倒卵状圆形，长 6 ~ 11mm，宽 4 ~ 8mm，基部有长约 0.5mm 的爪，蜜槽鳞片长 1 ~ 2mm；花药长约 1.5mm；花托短小，无毛。聚合果近球形，直径 6 ~ 8mm；瘦果扁平，长 2 ~ 2.5mm，上部最宽处与长近相等，最宽处约为厚的 5 倍以上，边缘有宽约 0.2mm 的棱，无毛，喙短直或外弯，长约 0.5mm。花果期 4 ~ 9 月。

| 生境分布 | 生于海拔 200 ~ 2000m 的田野、路边、水沟边、草丛中、山坡湿草地。重庆各地均有分布。

| 资源情况 | 野生资源丰富。药材主要来源于野生，亦有少量栽培。

| 采收加工 | 毛茛：夏、秋季采收，干燥或鲜用。
毛茛实：夏季采摘，鲜用或阴干。

| 药材性状 | 毛茛：本品鲜者全株被白色细长毛，须根多，肉质，细柱状；茎直立；基生叶具柄，叶片掌状或近五角形，常 3 深裂，裂片卵圆形至倒卵形，中央裂片又 3 裂，两侧裂片又作大小不等的 2 裂，先端齿裂，具尖头；茎生叶 3 深裂；花和叶相对侧生，单一或数朵生于茎顶，具长柄，花直径 2cm，萼片 5，淡黄色，花瓣 5，黄色；聚合瘦果近球形或卵圆形；味辛、微苦。干者根细柱状，茎表面具柔毛，中空；叶片多，两面具柔毛，皱缩破碎；花瓣黄色至黄棕色；聚合果近球形或卵圆形。

| 功能主治 | 毛茛：辛，温；有毒。利湿，消肿，止痛，截疟。用于疟疾，黄疸，偏头痛，胃痛，牙痛，风湿关节痛，痈肿。
毛茛实：辛，温；有毒。祛寒，止血，截疟。用于肚腹冷痛，外伤出血，疟疾。

| 用法用量 | 毛茛：外用适量，捣敷，待局部发赤起泡时取去；或煎汤洗。皮肤有破损及过敏者禁用，孕妇慎用。本品有毒，一般不内服。
毛茛实：内服煎汤，3 ~ 9g；或泡酒。外用适量，捣敷。

毛茛科 Ranunculaceae 毛茛属 Ranunculus

石龙芮 *Ranunculus sceleratus* L.

| **药 材 名** | 石龙芮（药用部位：全草。别名：野芹菜、水堇、姜苔）、石龙芮子（药用部位：果实。别名：鲁果能、地椹、天豆）。 |

| **形态特征** | 一年生草本。须根簇生。茎直立，高 10 ～ 50cm，直径 2 ～ 5mm，有时直径达 1cm，上部多分枝，具多数节，下部节上有时生根，无毛或疏生柔毛。基生叶多数，叶片肾状圆形，长 1 ～ 4cm，宽 1.5 ～ 5cm，基部心形，3 深裂不达基部，裂片倒卵状楔形，不等 2 ～ 3 裂，先端钝圆，有粗圆齿，无毛；叶柄长 3 ～ 15cm，近无毛。茎生叶多数，下部叶与基生叶相似；上部叶较小，3 全裂，裂片披针形至线形，全缘，无毛，先端钝圆，基部扩大成膜质宽鞘抱茎。聚伞花序有多数花；花小，直径 4 ～ 8mm；花梗长 1 ～ 2cm，无毛；萼片椭圆形，长 2 ～ 3.5mm，外面被短柔毛；花瓣 5，倒卵形，等长或稍长于花萼， |

石龙芮

基部有短爪，蜜槽呈棱状袋穴；雄蕊超过 10，花药卵形，长约 0.2mm；花托在果期伸长增大成圆柱形，长 3 ~ 10mm，直径 1 ~ 3mm，被短柔毛。聚合果长圆形，长 8 ~ 12mm，长为宽的 2 ~ 3 倍；瘦果极多数，近百枚，紧密排列，倒卵球形，稍扁，长 1 ~ 1.2mm，无毛，喙短至近无，长 0.1 ~ 0.2mm。花果期 5 ~ 8 月。

| 生境分布 | 生于平原湿地或河沟边。重庆各地均有分布。

| 资源情况 | 野生资源一般。药材主要来源于野生，亦有少量栽培。

| 采收加工 | 石龙芮：5 月开花末期采收，洗净，鲜用或阴干。
石龙芮子：夏季采收，除去杂质，晒干备用。

| 药材性状 | 石龙芮：本品长 10 ~ 45cm，疏生短柔毛或无毛。基生叶及下部叶具长柄；叶片肾状圆形，棕绿色，长 0.7 ~ 3cm，3 深裂，中央裂片 3 浅裂；茎上部叶变小。聚伞花序有多数小花，花托被毛；萼片 5，船形，外面被短柔毛；花瓣 5，狭倒卵形。聚合果矩圆形；瘦果小而极多，倒卵形，稍扁，长约 1.2mm。气微，味苦、辛。

| 功能主治 | 石龙芮：苦、辛，寒；有毒。归心、肺经。清热解毒，消肿散结，止痛，截疟。用于痈疔肿毒，毒蛇咬伤，痰核瘰疬，风湿关节肿痛，牙痛，疟疾。
石龙芮子：苦，平。和胃，益肾，明目，祛风湿。用于心腹烦满，肾虚遗精，阳痿阴冷，不育无子，风寒湿痹。

| 用法用量 | 石龙芮：内服煎汤，干品 3 ~ 9g；亦可炒，研为散服，每次 1 ~ 1.5g。外用适量，捣敷；或煎膏涂。本品有毒，内服宜慎。
石龙芮子：内服煎汤，3 ~ 9g。

毛茛科 Ranunculaceae 毛茛属 Ranunculus

扬子毛茛
Ranunculus sieboldii Miq.

| 药 材 名 | 鸭脚板草（药用部位：全草。别名：辣子草、地胡椒、野芹菜）。

| 形态特征 | 多年生草本。须根伸长，簇生。茎铺散，斜生，高 20 ~ 50cm，下部节偃地生根，多分枝，密生开展的白色或淡黄色柔毛。基生叶与茎生叶相似，为三出复叶；叶片圆肾形至宽卵形，长 2 ~ 5cm，宽 3 ~ 6cm，基部心形，中央小叶宽卵形或菱状卵形，3 浅裂至较深裂，边缘有锯齿，小叶柄长 1 ~ 5mm，被开展柔毛；侧生小叶不等 2 裂，背面或两面疏生柔毛；叶柄长 2 ~ 5cm，密生开展的柔毛，基部扩大成褐色膜质的宽鞘抱茎。上部叶较小，叶柄也较短。花与叶对生，直径 1.2 ~ 1.8cm；花梗长 3 ~ 8cm，密生柔毛；萼片狭卵形，长 4 ~ 6mm，长为宽的 2 倍，外面被柔毛，花期向下反折，迟落；花瓣 5，黄色或上面变白色，狭倒卵形至椭圆形，长 6 ~ 10mm，宽

扬子毛茛

3 ～ 5mm，有 5 ～ 9 或深色脉纹，下部渐窄成长爪，蜜槽小鳞片位于爪的基部；雄蕊超过 20，花药长约 2mm；花托粗短，密生白柔毛。聚合果圆球形，直径约 1cm；瘦果扁平，长 3 ～ 4（～ 5）mm，宽 3 ～ 3.5mm，宽为厚的 5 倍以上，无毛，边缘有宽约 0.4mm 的宽棱，喙长约 1mm，呈锥状外弯。花果期 5 ～ 10 月。

| **生境分布** | 生于海拔 300 ～ 2500m 的丘陵湿地或山林坡边。重庆各地均有分布。

| **资源情况** | 野生资源丰富。药材主要来源于野生。

| **采收加工** | 春、夏季采收，洗净，鲜用或晒干。

| **药材性状** | 本品茎下部节常生根；表面密生伸展的白色或淡黄色柔毛。叶片圆肾形至宽卵形，长 2 ～ 5cm，宽 3 ～ 6cm，下面密生柔毛；叶柄长 2 ～ 5cm。花对叶单生，具长梗；萼片 5，反曲；花瓣 5，近椭圆形，长达 7mm。气微，味辛、微苦。

| **功能主治** | 辛、苦，热；有毒。除痰截疟，解毒消肿。用于疟疾，瘰肿，毒疮，跌打损伤。

| **用法用量** | 外用适量，捣敷。内服煎汤，3 ～ 9g。多外用，内服宜慎。

毛茛科 Ranunculaceae 毛茛属 Ranunculus

棱喙毛茛

Ranunculus trigonus Hand.-Mazz.

棱喙毛茛

| 药 材 名 |

棱喙毛茛（药用部位：全草）。

| 形 态 特 征 |

多年生草本。须根簇生。茎膝曲上升，高
10～30cm，下部节上生根，有多数分枝，
密生开展的疣基柔毛，有时毛较少或带黄
色。基生叶和下部叶为三出复叶；叶片宽卵
形至圆肾形，长和宽均为1～4cm，小叶倒
卵状楔形，2～3深裂或中裂，末回裂片窄
长圆形，宽3～8mm，上部有少数齿，背
面和边缘有时表面均被硬柔毛，小叶柄长
0.5～3mm不等，有时无柄，叶柄与叶片
等长或较长，密生开展柔毛，基部有褐膜
质宽鞘抱茎；上部叶3全裂或3深裂，裂
片披针形或线形，无柄。花单生茎顶和分
枝先端，或与叶对生，直径约1cm；花梗
长1～4cm，果期伸长，被柔毛；萼片圆卵
形，长3～4mm，有少数脉，外面疏生黄
色长柔毛，边缘宽膜质，花期向下反折；花
瓣5，黄色或上面变白色，狭圆形，长4～5
（～6）mm，背面可见5～9脉，基部狭窄
成长约0.7mm的爪，蜜槽鳞片位于爪上端；
花药长约1mm，花丝等长或稍长于花药；花
托肥厚，果期增长达6～8mm，约为宽的2

倍，被短柔毛。聚合果近球形，直径约 8mm；瘦果扁平，长约 3mm，宽约 2mm，无毛，边缘有较宽的棱，喙短，三棱形，长约 0.3mm。花果期 5 ~ 8 月。

| **生境分布** | 生于海拔 1000 ~ 1600m 的沟边或田坎上。分布于重庆南川等地。

| **资源情况** | 野生资源稀少。药材主要来源于野生。

| **采收加工** | 夏、秋季采收，切段，鲜用或晒干用。

| **功能主治** | 消肿，拔毒，截疟。用于疟疾，瘰肿，毒疮，跌打损伤。

| **用法用量** | 内服煎汤，3 ~ 9g。外用适量，捣敷。多外用，内服宜慎。

毛茛科 Ranunculaceae 天葵属 Semiaquilegia

天葵

Semiaquilegia adoxoides (DC.) Makino

天葵

|药材名|

天葵子（药用部位：块根。别名：紫背天葵草根）、天葵草（药用部位：地上部分。别名：紫背天葵、雷丸草、夏无踪）、天葵种子（药用部位：种子）。

|形态特征|

多年生小草本。块根长 1 ~ 2cm，直径 3 ~ 6mm，外皮棕黑色。茎 1 ~ 5，高 10 ~ 32cm，直径 1 ~ 2mm，被稀疏的白色柔毛，分歧。基生叶多数，为掌状三出复叶；叶片卵圆形至肾形，长 1.2 ~ 3cm；小叶扇状菱形或倒卵状菱形，长 0.6 ~ 2.5cm，宽 1 ~ 2.8cm，3 深裂，深裂片又有 2 ~ 3 小裂片，两面均无毛；叶柄长 3 ~ 12cm，基部扩大成鞘状。茎生叶与基生叶相似，唯较小。花小，直径 4 ~ 6mm；苞片小，倒披针形至倒卵圆形，不裂或 3 深裂；花梗纤细，长 1 ~ 2.5cm，被伸展的白色短柔毛；萼片白色，常带淡紫色，狭椭圆形，长 4 ~ 6mm，宽 1.2 ~ 2.5mm，先端急尖；花瓣匙形，长 2.5 ~ 3.5mm，先端近截形，基部凸起成囊状；退化雄蕊约 2 枚，线状披针形，白膜质，与花丝近等长；心皮无毛。蓇葖果卵状长椭圆形，长 6 ~ 7mm，宽约 2mm，表面具凸起的横向脉纹；种子卵状椭圆形，褐色至黑褐色，长约 1mm，表面有许多小瘤状突起。花期 3 ~ 4 月，果期 4 ~ 5 月。

| 生境分布 | 生于海拔 100 ~ 1050m 的疏林下、草丛、沟边路旁石缝中或山谷地较阴处。分布于重庆万州、巫山、石柱、彭水、铜梁、酉阳、南川、长寿、开州、武隆、城口、垫江、巫溪、合川、梁平、九龙坡、沙坪坝、奉节、涪陵、黔江、秀山、江津、永川、荣昌等地。

| 资源情况 | 野生资源丰富。药材主要来源于野生，亦有少量栽培。

| 采收加工 | 天葵子：夏初采挖，洗净，干燥，除去须根。
天葵草：春季采收，晒干。
天葵种子：春末种子成熟时采收，晒干。

| 药材性状 | 天葵子：本品呈不规则短柱状、纺锤状或块状，略弯曲，长 1 ~ 2cm，直径 3 ~ 6mm。表面暗褐色至灰黑色，具不规则皱纹及须根或须根痕，先端常有茎叶残基，外被数层黄褐色鞘状鳞片。质较软，易折断，断面皮部类白色，木部黄白色或黄棕色，略呈放射状。气微，味甘、微苦、辛。
天葵草：本品茎纤细，长 10 ~ 30cm，直径 1 ~ 2mm，棕黄色，疏生短柔毛。叶多皱缩，棕黄色，茎生叶为掌状三出复叶，具长柄，小叶广楔形，3 深裂，裂片疏生粗齿；茎生叶与基生叶相似，但较小。花小或脱落，生于叶腋或茎先端，具 5 花瓣，展平后呈匙形，黄白色，基部呈囊状，部分花已结果。蓇葖果卵状椭圆形，长约 5mm，宽约 2mm，表面具凸起的横向脉纹，有的已开裂，仅为残存的果皮。种子褐色或黑褐色，长约 1mm，表面布满小瘤点状突起。气清香，味苦。
天葵种子：本品卵状椭圆形，长约 1mm，褐色至黑褐色，表面有许多小瘤状突起。气微，味微香。

| 功能主治 | 天葵子：甘、苦，寒。归肝、胃经。清热解毒，消肿散结。用于痈肿疔疮，乳痈，瘰疬，蛇虫咬伤。
天葵草：甘，寒。消肿，解毒，利水。用于瘰疬，疝气，小便不利。
天葵种子：甘，寒。归心、肝经。解毒，散结。用于乳痈肿痛，瘰疬，疮毒，妇人血崩，带下，小儿惊风。

| 用法用量 | 天葵子：内服煎汤，9 ~ 15g。
天葵草：内服煎汤，3 ~ 6g。
天葵种子：内服煎汤，9 ~ 15g。外用适量，捣敷。

尖叶唐松草 *Thalictrum acutifolium* (Hand.-Mazz.) Boivin

| 药 材 名 | 尖叶唐松草（药用部位：全草或根）。

| 形态特征 | 多年生草本。根肉质，胡萝卜形，长约 5cm，直径达 4mm。植株全部无毛或有时叶背面疏被短柔毛（四川东南和贵州的一些居群）。茎高 25 ~ 65cm，中部之上分枝。基生叶 2 ~ 3，有长柄，为二回三出复叶；叶片长 7 ~ 18cm，小叶草质，顶生小叶有较长柄，卵形，长 2.3 ~ 5cm，宽 1 ~ 3cm，先端急尖或钝，基部圆形、圆楔形或心形，不分裂或不明显 3 浅裂，边缘有疏牙齿，脉在背面稍隆起；叶柄长 10 ~ 20cm。茎生叶较小，有短柄。花序稀疏；花梗长 3 ~ 8mm；萼片 4，白色或带粉红色，早落，卵形，长约 2mm；雄蕊多数，长达 5mm，花药长圆形，长 0.8 ~ 1.3mm，花丝上部倒披针形，比花药宽约 3 倍，下部丝形；心皮 6 ~ 12，有细柄，花柱短，

尖叶唐松草

腹面生柱头组织。瘦果扁，狭长圆形，稍不对称，有时稍镰状弯曲，长 3 ~ 3.8（ ~ 4.5）mm，宽 0.6 ~ 0.8（ ~ 1.2）mm，有 8 细纵肋，心皮柄长 1 ~ 2.5mm。花期 4 ~ 7 月。

| **生境分布** | 生于山地、林缘湿润处或山谷地带。分布于重庆石柱、南川、酉阳、忠县、武隆、黔江、秀山等地。

| **资源情况** | 野生资源一般。药材主要来源于野生。

| **采收加工** | 秋、冬季采挖，除去茎叶及泥沙，晒至半干后搓去外皮，干燥。

| **功能主治** | 苦，寒。消肿解毒，明目，止泻，凉血。用于全身黄肿，眼睛发黄。

| **用法用量** | 内服煎汤，适量。

毛茛科 Ranunculaceae **唐松草属** *Thalictrum*

偏翅唐松草 *Thalictrum delavayi* Franch.

| **药 材 名** | 马尾连（药用部位：根、根茎。别名：南马尾连、马尾黄连、土黄连）。

| **形态特征** | 多年生草本。植株全部无毛。茎高 60 ～ 200cm，分枝。基生叶在开花时枯萎。茎下部和中部叶为三至四回羽状复叶；叶片长达 40cm；小叶草质，大小变异很大，顶生小叶圆卵形、倒卵形或椭圆形，长 0.5 ～ 3cm，宽 0.3 ～ 2（～ 2.5）cm，基部圆形或楔形，3 浅裂或不分裂，裂片全缘或有 1 ～ 3 齿；脉平或在背面稍隆起，网脉不明显；叶柄长 1.4 ～ 8cm，基部有鞘；托叶半圆形，边缘分裂或不裂。圆锥花序长 15 ～ 40cm；花梗细，长 0.8 ～ 2.5cm；萼片 4（～ 5），淡紫色，卵形或狭卵形，长 5.5 ～ 9（～ 12）mm，宽 2.2 ～ 4.5（～ 5）mm，先端急尖或微钝；雄蕊多数，长 5 ～ 7mm，花药长圆形，长约 1.5mm，先端短尖头长 0.1 ～ 0.2（～ 0.4）mm，花丝近丝形，

偏翅唐松草

上部稍宽；心皮 15 ~ 22，子房基部变狭成短柄，花柱短，柱头生于花柱腹面。瘦果扁，斜倒卵形，有时稍镰刀形弯曲，长 5 ~ 8mm，宽 2.5 ~ 3.2mm，约有 8 纵肋，沿腹棱和背棱有狭翅，柄长 1 ~ 3mm，宿存花柱长约 1mm。花期 6 ~ 9 月。

| **生境分布** | 生于海拔 1500 ~ 1900m 的山地林边、沟边、灌丛或疏林中。分布于重庆江津等地。

| **资源情况** | 野生资源较少。药材来源于野生。

| **采收加工** | 秋、冬季采挖，除去茎叶及泥沙，晒至半干后，搓去外皮，干燥。

| **药材性状** | 本品根茎短，直径约 1cm，褐色，周围包以棕色纤维状短鞘。须根丛生，细长，外表面棕色，断面木部浅黄色。味苦。

| **功能主治** | 苦，寒。归大肠、心、肝、胆经。清热，燥湿，解毒。用于痢疾，肠炎，急性结膜炎，急性咽喉炎，痈肿疮疖。

| **用法用量** | 内服煎汤，6 ~ 9g。外用适量，研末调敷。

毛茛科 Ranunculaceae 唐松草属 *Thalictrum*

西南唐松草
Thalictrum fargesii Franch. ex Finet et Gagnep.

| 药 材 名 | 西南唐松草（药用部位：全草）。

| 形态特征 | 多年生草本。植株通常全部无毛，偶尔在茎上被少数短毛（四川西部的一些居群）。茎高达 50cm，纤细，分枝。基生叶在开花时枯萎。茎中部叶有稍长柄，为三至四回三出复叶；叶片长 8 ~ 14cm；小叶草质或纸质，顶生小叶菱状倒卵形、宽倒卵形或近圆形，长 1 ~ 3cm，宽 1 ~ 2.5cm，先端钝，基部宽楔形、圆形，有时浅心形，在上部 3 浅裂，裂片全缘或有 1 ~ 3 圆齿；脉在背面隆起，网脉明显；小叶柄长 0.3 ~ 2cm；叶柄长 3.5 ~ 5cm；托叶小，膜质。简单的单歧聚伞花序生于分枝先端；花梗细，长 1 ~ 3.5cm；萼片 4，白色或带淡紫色，脱落，椭圆形，长 3 ~ 6mm；雄蕊多数，花药狭长圆形，长约 1mm，花丝上部倒披针形，比花药稍宽，下部丝形；心皮 2 ~ 5，

西南唐松草

花柱直，柱头狭椭圆形或近线形。瘦果纺锤形，长 4 ～ 5mm，基部有极短的心皮柄，宿存花柱长 0.8 ～ 2mm。花期 5 ～ 6 月。

| **生境分布** | 生于海拔 1300 ～ 2400m 的山地林中、草地、陡崖旁或沟边。分布于重庆城口、巫溪、长寿、开州、奉节、巫山等地。

| **资源情况** | 野生资源一般。药材主要来源于野生。

| **采收加工** | 春、秋季采挖根茎及根，除去地上茎叶，洗去泥土，晒干。

| **功能主治** | 苦，寒。清热解毒，泻火燥湿。用于牙痛，皮炎，湿疹。

| **用法用量** | 内服煎汤，适量。外用适量，研末调敷。

毛茛科 Ranunculaceae 唐松草属 Thalictrum

腺毛唐松草
Thalictrum foetidum L.

| **药 材 名** | 香唐松草（药用部位：根、根茎。别名：马尾连、马尾黄连、土黄连）。

| **形态特征** | 多年生草本。根茎短，须根密集。茎高 15 ～ 100cm，无毛或幼时被短柔毛，变无毛，上部分枝或不分枝。基生叶和茎下部叶在开花时枯萎或不发育。茎中部叶有短柄，为三回近羽状复叶；叶片长 5.5 ～ 12cm；小叶草质，顶生小叶菱状宽卵形或卵形，长 4 ～ 15mm，宽 3.5 ～ 15mm，先端急尖或钝，基部圆楔形或圆形，有时浅心形，3 浅裂，裂片全缘或有疏齿；表面脉稍凹陷，背面脉稍隆起，沿网脉被短柔毛和腺毛，偶尔无毛；叶柄短，有鞘；托叶膜质，褐色。圆锥花序有少数或多数花；花梗细，长 5 ～ 12mm，通常被白色短柔毛和极短的腺毛；萼片 5，淡黄绿色，卵形，长 2.5 ～ 4mm，宽约 1.5mm，外面常被疏柔毛；花药狭长圆形，长 2.5 ～ 3.5mm，先

腺毛唐松草

端有短尖，花丝上部狭线形，下部丝形；心皮 4 ~ 8，子房常被疏柔毛，无柄，柱头三角状箭头形。瘦果半倒卵形，扁平，长 3 ~ 5mm，被短柔毛，有 8 纵肋，宿存柱头长约 1mm。花期 5 ~ 7 月。

| **生境分布** | 生于山地草坡或高山多石砾处。分布于重庆石柱等地。

| **资源情况** | 野生资源较少。药材来源于野生。

| **采收加工** | 春、秋季采挖，洗净，晒干，用时切段。

| **药材性状** | 本品细根数十条丛生于较小的根茎下面，长 3 ~ 8cm，直径约 1.5mm。表面棕色。质脆，易折断，断面略呈纤维性。气微，味微苦。

| **功能主治** | 苦，寒。清热燥湿，解毒。用于湿热痢疾，黄疸，目赤肿痛，痈肿疮疖，风湿热痹。

| **用法用量** | 内服煎汤，3 ~ 10g。外用适量，研末调敷。脾胃虚寒者慎服。

毛茛科 Ranunculaceae 唐松草属 Thalictrum

盾叶唐松草

Thalictrum ichangense Lecoy. ex Oliv.

| **药 材 名** | 岩扫把（药用部位：根或全草。别名：水香草、连钱草、龙眼草）。

| **形态特征** | 多年生草本。植株全部无毛。根茎斜，密生须根；须根有纺锤形小块根。茎高 14 ～ 32cm，不分枝或上部分枝。基生叶长 8 ～ 25cm，有长柄，为一至三回三出复叶；叶片长 4 ～ 14cm；小叶草质，顶生小叶卵形、宽卵形、宽椭圆形或近圆形，长 2 ～ 4cm，宽 1.5 ～ 4cm，先端微钝至圆形，基部圆形或近截形，3 浅裂，边缘有疏齿；两面脉平；小叶柄盾状着生，长 1.5 ～ 2.5cm；叶柄长 5 ～ 12cm。茎生叶 1 ～ 3，渐变小。复单歧聚伞花序有稀疏分枝；花梗丝形，长 0.3 ～ 2cm；萼片白色，卵形，长约 3mm，早落；雄蕊长 4 ～ 6mm，花药椭圆形，长约 0.6mm，花丝上部倒披针形，比花药宽，下部丝形；心皮 5 ～ 12（～ 16），有细子房柄，柱头近球形，无柄。瘦果近镰刀形，长约

盾叶唐松草

4.5mm，有约 8 细纵肋，柄长约 1.5mm。

| **生境分布** | 生于海拔 1300 ～ 1900m 的山地。分布于重庆彭水、丰都、城口、奉节、巫溪、云阳、酉阳、南川等地。

| **资源情况** | 野生资源较丰富。药材主要来源于野生。

| **采收加工** | 秋季采收根和全草，分别晒干。

| **药材性状** | 本品须根细如发丝，长 5 ～ 10cm，直径 0.3 ～ 0.5mm；表面棕褐色；质脆，易折断；味微涩。茎紫褐色，有细皱纹。羽状复叶，多皱缩，展平后小叶片宽椭圆形至近圆形，盾状着生；叶面绿色，叶背暗红色或淡绿色。花序梗细长，无花瓣。气微，味微苦。

| **功能主治** | 苦，寒。归肝、胃、大肠经。清热解毒，燥湿。用于湿热黄疸，湿热痢疾，小儿惊风，目赤肿痛，游风丹毒，鹅口疮，跌打损伤。

| **用法用量** | 内服煎汤，10 ～ 15g；或研末，1.5 ～ 2g。外用适量，煎汤洗患处。虚寒证者慎服。

毛茛科 Ranunculaceae 唐松草属 Thalictrum

爪哇唐松草 *Thalictrum javanicum* Bl.

| 药 材 名 | 羊不食（药用部位：根、根茎。别名：马尾连、马尾黄连）。

| 形态特征 | 多年生草本。植株全部无毛。茎高（30 ~ ）50 ~ 100cm，中部以上分枝。基生叶在开花时枯萎。茎生叶 4 ~ 6，为三至四回三出复叶；叶片长 6 ~ 25cm，小叶纸质，顶生小叶倒卵形、椭圆形或近圆形，长 1.2 ~ 2.5cm，宽 1 ~ 1.8cm，基部宽楔形、圆形或浅心形，3 浅裂，有圆齿；背面脉隆起，网脉明显；小叶柄长 0.5 ~ 1.4cm；叶柄长达 5.5cm；托叶棕色，膜质，边缘流苏状分裂，宽 2 ~ 3mm。花序近二歧状分枝，伞房状或圆锥状，有少数或多数花；花梗长 3 ~ 7（~ 10）mm；萼片 4，长 2.5 ~ 3mm，早落；雄蕊多数，长 2 ~ 5mm，花药长 0.6 ~ 1mm，花丝上部倒披针形，比花药稍宽，下部丝形；心皮 8 ~ 15。瘦果狭椭圆形，长 2 ~ 3mm，有 6 ~ 8 纵肋，宿存花

爪哇唐松草

柱长 0.6 ～ 1mm，先端拳卷。花期 4 ～ 7 月。

| 生境分布 |

生于海拔 1000 ～ 2000m 的山地林下沟边或较阴湿处。分布于重庆黔江、石柱、万州、南川等地。

| 资源情况 |

野生资源稀少。药材主要来源于野生。

| 采收加工 |

春、秋季采挖，洗净，晒干。

| 功能主治 |

苦，寒。归肝、大肠经。清热解毒，燥湿。用于痢疾，关节炎，跌打损伤。

| 用法用量 |

内服煎汤，3 ～ 9g。

毛茛科 Ranunculaceae 唐松草属 Thalictrum

长喙唐松草

Thalictrum macrorhynchum Franch.

| **药 材 名** | 长喙唐松草（药用部位：带根全草）。

| **形态特征** | 多年生草本。植株全部无毛。根茎粗壮，下部密生粗须根。茎高45 ~ 65cm，分枝。基生叶和茎下部叶有较长柄，上部叶有短柄，为二至三回三出复叶；叶片长 9.5 ~ 13cm，宽达 15cm；小叶草质，顶生小叶圆菱形或宽倒卵形，偶尔椭圆形，长（1.4 ~ ）2 ~ 4cm，宽（1.2 ~ ）2.5 ~ 4cm，先端圆形，基部圆形或浅心形，3 浅裂，有圆牙齿；表面脉平，背面脉平或中脉稍隆起，网脉不明显；小叶柄细，长 0.9 ~ 1.6cm；叶柄长达 8cm，基部稍增宽成鞘，托叶薄膜质，全缘。圆锥状花序有稀疏分枝；花梗长 1.2 ~ 3.2cm；萼片白色，椭圆形，长约 3.5mm，早落；雄蕊长约 4mm，花药长椭圆形，长 0.8 ~ 1mm，花丝比花药稍宽或与花药等宽，上部狭倒披针形；心皮

长喙唐松草

10 ～ 20，有短柄，花柱与子房近等长，拳卷。瘦果狭卵球形，长 7 ～ 9mm，基部突变成短柄（长约 0.8mm），有 8 纵肋，宿存花柱长约 2.2mm，拳卷。花期 6 月。

| **生境分布** | 生于海拔 850 ～ 2750m 的山地林或山谷灌丛中。分布于重庆城口、巫山、巫溪、奉节等地。

| **资源情况** | 野生资源稀少。药材来源于野生。

| **采收加工** | 秋季采挖，洗净，晒干。

| **功能主治** | 解表。用于伤风感冒。

| **用法用量** | 内服煎汤，适量。

毛茛科 Ranunculaceae　唐松草属 Thalictrum

小果唐松草
Thalictrum microgynum Lecoy. ex Oliv.

小果唐松草

| 药 材 名 |

飞蛾七（药用部位：根。别名：岩风七、雨点草、石笋一枝花）。

| 形态特征 |

多年生草本。植株全部无毛。根茎短，须根有斜倒圆锥形的小块根。茎高 20 ~ 42cm，上部分枝。基生叶 1，为二至三回三出复叶，叶片长 10 ~ 15cm；小叶薄草质，顶生小叶有长柄，楔状倒卵形、菱形或卵形，长 2 ~ 6.4（~ 9.5）cm，宽 1.5 ~ 3.8（~ 4.8）cm，3浅裂，边缘有粗圆齿；两面脉平，不明显；叶柄长 8 ~ 15cm。茎生叶 1 ~ 2，似基生叶，但较小。花序似复伞形花序；苞片近匙形，长约 1.5mm；花梗丝形，长达 1.5cm；萼片白色，狭椭圆形，长约 1.5mm，早落；雄蕊长 3.5 ~ 6.5mm，花药长圆形，长约 1mm，先端有短尖，花丝上部倒披针形，比花药宽，下部丝形；心皮 6 ~ 15，有细子房柄，柱头小，无花柱。瘦果下垂，狭椭圆状球形，本身长约 1.8mm，有 6 细纵肋，心皮柄长约 1.2mm。花期 4 ~ 7 月。

| 生境分布 |

生于海拔 1000 ~ 2000m 的山地林下、草地或岩石边阴湿处。分布于重庆城口、开州、巫山、奉节、黔江、南川、丰都、云阳、酉阳等地。

| **资源情况** | 野生资源一般。药材主要来源于野生。

| **采收加工** | 夏、秋季采挖，洗净，晒干。

| **功能主治** | 苦，寒。归肝经。清热解毒，利湿。用于全身黄肿，眼睛发黄，跌打损伤。

| **用法用量** | 内服煎汤，3 ~ 9g。脾胃虚寒者慎服。

毛茛科 Ranunculaceae 唐松草属 Thalictrum

东亚唐松草

Thalictrum minus L. var. *hypoleucum* (Sieb. et Zucc.) Miq.

| 药 材 名 | 烟窝草(药用部位: 根、根茎。别名: 马尾黄连、金鸡脚下黄、马尾连)。

| 形态特征 | 多年生草本。植株全部无毛。茎下部叶有稍长柄或短柄, 茎中部叶有短柄或近无柄, 为四回三出羽状复叶; 叶片长达 20cm; 小叶纸质或薄革质, 小叶较大, 长和宽均为 1.5 ~ 4 (~ 5) cm, 背面有白粉, 粉绿色; 脉隆起, 网脉明显; 叶柄长达 4cm, 基部有狭鞘。圆锥花序长达 30cm; 花梗长 3 ~ 8mm; 萼片 4, 淡黄绿色, 脱落, 狭椭圆形, 长约 3.5mm; 雄蕊多数, 长约 6mm, 花药狭长圆形, 长约 2mm, 先端有短尖头, 花丝丝形; 心皮 3 ~ 5, 无柄, 柱头正三角状箭头形。瘦果狭椭圆状球形, 稍扁, 长约 3.5mm, 有 8 纵肋。花期 6 ~ 7 月。

| 生境分布 | 生于海拔 600 ~ 1800m 的丘陵、山地林边、山谷沟边。分布于重庆

东亚唐松草

黔江、酉阳、丰都、城口、忠县、云阳、涪陵、石柱、武隆、秀山、璧山等地。

| **资源情况** | 野生资源丰富。药材来源于野生，自产自销。

| **采收加工** | 夏、秋季采收，洗净，晒干。

| **药材性状** | 本品根茎由数个至十数个节结连生，常中空。细根数十至百余条密生于根茎下面，长 10 ~ 20（ ~ 30）cm，直径 1 ~ 1.5mm，软而扭曲，常缠绕成团；表面浅棕色，疏松，皮层常脱落，脱落处现棕黄色木心；断面纤维性。气微，味稍苦。

| **功能主治** | 苦，寒；有小毒。清热解毒，燥湿。用于百日咳，痈疮肿毒，牙痛，湿疹。

| **用法用量** | 内服煎汤，6 ~ 9g。外用适量，焙干研粉，撒敷患处；或煎汤洗；或捣敷。

毛茛科 Ranunculaceae 唐松草属 *Thalictrum*

峨眉唐松草
Thalictrum omeiense W. T. Wang et S. H. Wang

| 药 材 名 | 倒水莲（药用部位：全草。别名：金鸡尾）。

| 形态特征 | 多年生草本。植株全部无毛。根茎短，生出多数细长的须根。茎高 50 ~ 80cm，分枝。基生叶 1，和茎下部叶均具长柄，为三回三出 复叶，叶片长 16 ~ 25cm；小叶坚纸质，顶生小叶倒卵形、菱状倒 卵形或宽卵形，长 3 ~ 6.8cm，宽 2 ~ 5cm，先端圆形，基部宽楔 形，3 浅裂，有粗圆齿；表面脉平，背面脉隆起，脉网明显；叶柄 长 10 ~ 12cm，基部稍变宽成狭鞘；托叶约与鞘同长，宽 1 ~ 2.5mm。 茎上部叶变小，有短柄。花序圆锥状，两叉状分枝，有多少密集的 花；花梗长 4 ~ 5mm；萼片 4，白色，倒卵形或船形，长约 3mm， 宽约 2mm，早落；雄蕊多数，长 2 ~ 5mm，花药黄色，长椭圆形， 长 0.5 ~ 0.8mm，先端钝，花丝比花药窄或与花药近等宽，上部棒形，

峨眉唐松草

下部丝形；心皮 12 ~ 16，长约 1mm，花柱比子房稍短，直或上部稍弯，在腹面上部生柱头组织。瘦果狭卵球形，长 1.5 ~ 2.5mm，无柄，有 6 纵肋，宿存花柱拳卷。花期 7 月，果期 8 月。

| 生境分布 | 生于海拔 1200 ~ 2000m 的山地溪边、岩边潮湿处。分布于重庆垫江、丰都、南川、开州等地。

| 资源情况 | 野生资源稀少。药材主要来源于野生。

| 采收加工 | 秋季采收，洗净，晒干。

| 药材性状 | 本品细根多数，密生于根茎上，长 5 ~ 10cm，直径约 1mm；表面黄褐色；质坚硬，易折断。小叶片较大，卵状长圆形至近圆形，长 3 ~ 6.8cm，宽 2 ~ 5cm。气微，味苦。

| 功能主治 | 苦，寒。归肝、大肠经。清热解毒，燥湿，截疟。用于湿热黄疸，腹痛泻痢，目赤肿痛，疟疾寒热。

| 用法用量 | 内服煎汤，12 ~ 24g；或炖肉食。虚寒证者慎服。

毛茛科 Ranunculaceae 唐松草属 *Thalictrum*

粗壮唐松草 *Thalictrum robustum* Maxim.

| **药 材 名** | 粗壮唐松草（药用部位：根）。

| **形态特征** | 多年生草本。茎高（50～）80～150cm，被稀疏短柔毛或无毛，上部分枝。基生叶和茎下部叶在开花时枯萎。茎中部叶为二至三回三出复叶，叶片长达25cm；小叶纸质或草质，顶生小叶卵形，长（3～）6～8.5cm，宽（1.3～）3～5cm，先端短渐尖，或急尖，基部浅心形或圆形，3浅裂，边缘有不等的粗齿，背面稍密被短柔毛；脉在背面隆起，网脉明显，小叶柄长0.6～2cm；叶柄长3～7cm；托叶膜质，上部不规则分裂。花序圆锥状，有多数花；花梗长1.5～3mm，被短柔毛；萼片4，早落，椭圆形，长约3mm；雄蕊多数，花药狭长圆形，长约1mm，先端微钝，花丝比花药稍窄，线状倒披针形，下部丝形；心皮6～16，无毛或近无毛，花柱拳卷。瘦果无柄，

粗壮唐松草

长圆形，长 1.5 ~ 3mm，有 7 ~ 8 纵肋，宿存花柱长 0.6 ~ 0.8mm。花期 6 ~ 7 月。

| **生境分布** | 生于海拔 700 ~ 2000m 的山地林中、沟边或较阴湿的草丛中。分布于重庆开州、丰都、秀山、南川、城口、巫溪等地。

| **资源情况** | 野生资源较少。药材来源于野生，自采自用。

| **采收加工** | 全年均可采挖，洗净，晒干。

| **功能主治** | 止痢。用于痢疾，泄泻。

| **用法用量** | 内服煎汤，适量。

弯柱唐松草 *Thalictrum uncinulatum* Franch.

弯柱唐松草

| 药 材 名 |

弯柱唐松草（药用部位：全草）。

| 形态特征 |

多年生草本。茎高 60 ~ 120cm，疏被短柔毛，上部近二歧状分枝。基生叶在开花时枯萎。茎下部叶有稍长柄，为三回三出复叶；叶片长 10 ~ 21cm；小叶纸质，顶生小叶卵形，长 1.6 ~ 3cm，宽 1.3 ~ 2.9cm，先端微钝，有短尖，基部心形或圆形，3 浅裂，边缘有钝牙齿；表面脉平，近无毛，背面脉隆起，网脉明显，被短柔毛；叶柄长 2.5 ~ 7cm，疏被短柔毛，基部稍变宽，托叶不规则分裂或呈波状，被柔毛。花序圆锥状，有密集的花；花梗长 1.5 ~ 3.5mm，密被短柔毛；萼片白色，椭圆形，长约 2.5mm，外面被少数柔毛或近无毛，早落；雄蕊长约 5mm，花药长圆形，长约 1mm，花丝与花药等宽或比花药稍窄，上部倒披针状线形，下部丝形；心皮 6 ~ 8，花柱拳卷，上部腹面密生柱头组织。瘦果狭椭圆球形，长 2 ~ 2.2mm，具 6 条纵肋，基部有短心皮柄，宿存花柱长约 0.5mm，拳卷。花期 7 月，果期 8 月。

| **生境分布** | 生于海拔 1000 ～ 2000m 的山地草坡或林边。分布于重庆城口、巫溪、南川等地。

| **资源情况** | 野生资源稀少。药材主要来源于野生。

| **采收加工** | 夏季采收，洗净，晒干，扎把。

| **功能主治** | 透疹解表。用于麻疹初起。

| **用法用量** | 内服煎汤，适量。

毛茛科 Ranunculaceae 尾囊草属 Urophysa

尾囊草

Urophysa henryi (Oliv.) Ulbr.

| 药 材 名 | 岩萝卜（药用部位：根茎、叶。别名：岩蝴蝶）。

| 形态特征 | 多年生草本。根茎木质，粗壮。叶多数；叶片宽卵形，长 1.4 ~ 2.2cm，宽 3 ~ 4.5cm，基部心形，中全裂片无柄或有长达 4mm 的柄，扇状倒卵形或扇状菱形，宽 1.7 ~ 3cm，上部 3 裂，2 回裂片有少数钝齿，侧全裂片较大，斜扇形，不等 2 浅裂，两面疏被短柔毛；叶柄长 3.6 ~ 12cm，被开展的短柔毛。花葶与叶近等长；聚伞花序长约 5cm，通常有 3 花；苞片楔形、楔状倒卵形或匙形，长 1 ~ 2.2cm，不分裂或 3 浅裂；小苞片对生或近对生，线形，长 6 ~ 9mm，宽 1 ~ 2.5mm；花直径 2 ~ 2.5cm；萼片天蓝色或粉红白色，倒卵状椭圆形，长 10 ~ 14mm，宽 5 ~ 6.5mm，外面被疏柔毛，内面无毛；花瓣长约 5mm，宽 1.3mm，长椭圆状船形，爪长 1mm；雄蕊

尾囊草

长 3.5 ~ 5.5mm；退化雄蕊长椭圆形，长 2.5 ~ 3.5mm，渐尖；心皮 5（~ 8）。蓇葖果长 4 ~ 5mm，密生横脉，被短柔毛，宿存花柱长 2mm；种子狭肾形，长约 1.2mm，密生小疣状突起。花期 3 ~ 4 月。

| **生境分布** | 生于山地岩石旁或陡崖上。分布于重庆巫山、涪陵、南川等地。

| **资源情况** | 野生资源稀少。药材主要来源于野生。

| **采收加工** | 全年均可采挖根茎。春、夏季采叶，鲜用或阴干。

| **药材性状** | 本品根茎圆柱形，直径约 9mm；表面褐色，具大小不等的孔穴，环节密集，先端残留叶柄残基及中空的茎基；体轻，质脆，易折断，断面片状不整齐。气微，味辛、微苦。

| **功能主治** | 甘、微苦，平。活血散瘀，生肌止血。用于跌打瘀肿疼痛，创伤出血，冻疮。

| **用法用量** | 外用适量，研末调敷或鲜品捣敷。

毛茛科 Paeoniaceae 芍药属 Paeonia

芍药
Paeonia lactiflora Pall.

| **药材名** | 白芍（药用部位：除去外皮的根。别名：白芍药、金芍药）、赤芍（药用部位：根。别名：木芍药、赤芍药、红芍药）。 |

| **形态特征** | 多年生草本。根粗壮，分枝黑褐色。茎高 40 ～ 70cm，无毛。下部茎生叶为二回三出复叶，上部茎生叶为三出复叶；小叶狭卵形，椭圆形或披针形，先端渐尖，基部楔形或偏斜，边缘具白色骨质细齿，两面无毛，背面沿叶脉疏生短柔毛。花数朵，生于茎顶和叶腋，有时仅先端 1 朵开放，而近先端叶腋处有发育不好的花芽，直径 8 ～ 11.5cm；苞片 4 ～ 5，披针形，大小不等；萼片 4，宽卵形或近圆形，长 1 ～ 1.5cm，宽 1 ～ 1.7cm；花瓣 9 ～ 13，倒卵形，长 3.5 ～ 6cm，宽 1.5 ～ 4.5cm，白色，有时基部具深紫色斑块；花丝长 0.7 ～ 1.2cm，黄色；花盘浅杯状，包裹心皮基部，先端裂片钝圆； |

芍药

心皮（2 ~ ）4 ~ 5，无毛。菁葖果长 2.5 ~ 3cm，直径 1.2 ~ 1.5cm，先端具喙。花期 5 ~ 6 月，果期 8 月。

| **生境分布** | 生于海拔 1000 ~ 2300m 的山坡草地。分布于重庆巫山、丰都、万州、南川等地。

| **资源情况** | 野生资源稀少，栽培资源较丰富。药材主要来源于栽培。

| **采收加工** | 白芍：夏、秋季采挖，洗净，除去头尾和细根，置沸水中煮后除去外皮或去皮后再煮，晒干。

赤芍：春、秋季采挖，除去根茎、须根及泥沙，晒干。

| **药材性状** | 白芍：本品呈圆柱形，平直或稍弯曲，两端平截，长 5 ~ 18cm，直径 1 ~ 2.5cm。表面类白色或淡红棕色，光洁或有纵皱纹及细根痕，偶有残存的棕褐色外皮。质坚实，不易折断，断面较平坦，类白色微带棕红色，形成层环明显，射线放射状。气微，味微苦、酸。

赤芍：本品呈圆柱形，稍弯曲，长 5 ~ 40cm，直径 0.5 ~ 3cm。表面棕褐色，粗糙，有纵沟及皱纹，并有须根痕及横长皮孔样突起，有的外皮易脱落。质硬而脆，易折断，断面粉白色或粉红色，皮部窄，木部放射状纹理明显，有的有裂隙。气微香，味微苦、酸、涩。

| **功能主治** | 白芍：苦、酸，微寒。归肝、脾经。柔肝止痛，养血调经，敛阴止汗，平抑肝阳。用于血虚萎黄，月经不调，自汗，盗汗，头痛眩晕，胁痛，腹痛，四肢挛痛。

赤芍：苦，微寒。归肝经。清热凉血，散瘀止痛。用于热入营血，温毒发斑，吐血衄血，目赤肿痛，肝郁胁痛，经闭痛经，癥瘕腹痛，跌打损伤，痈肿疮疡。

| **用法用量** | 白芍：内服煎汤，6 ~ 15g。

赤芍：内服煎汤，6 ~ 12g。

| **附　注** | 本种喜温暖湿润气候，耐严寒、耐旱，怕涝，宜选阳光充足、土层深厚、排水良好、肥沃疏松、富含腐殖质的壤土或砂壤土栽培，不宜栽种于盐碱地和涝洼地。

毛茛科 Paeoniaceae 芍药属 Paeonia

草芍药
Paeonia obovata Maxim.

| **药 材 名** | 狗头赤芍（药用部位：根。别名：木芍药、赤芍药、红芍药）。 |

| **形态特征** | 多年生草本。根粗壮，长圆柱形。茎高 30 ~ 70cm，无毛，基部生数枚鞘状鳞片。茎下部叶为二回三出复叶；叶片长 14 ~ 28cm；顶生小叶倒卵形或宽椭圆形，长 9.5 ~ 14cm，宽 4 ~ 10cm，先端短尖，基部楔形，全缘，表面深绿色，背面淡绿色，无毛或沿叶脉疏生柔毛，小叶柄长 1 ~ 2cm；侧生小叶比顶生小叶小，同形，长 5 ~ 10cm，宽 4.5 ~ 7cm，具短柄或近无柄；茎上部叶为三出复叶或单叶，叶柄长 5 ~ 12cm。单花顶生，直径 7 ~ 10cm；萼片 3 ~ 5，宽卵形，长 1.2 ~ 1.5cm，淡绿色，花瓣 6，白色、红色、紫红色，倒卵形，长 3 ~ 5.5cm，宽 1.8 ~ 2.8cm；雄蕊长 1 ~ 1.2cm，花丝淡红色，花药长圆形；花盘浅杯状，包住心皮基部；心皮 2 ~ 3，无毛。蓇葖果 |

草芍药

卵圆形，长 2 ~ 3cm，成熟时果皮反卷呈红色。花期 5 月至 6 月中旬，果期 9 月。

| **生境分布** | 生于海拔 800 ~ 2600m 的山坡草地或林缘。分布于重庆城口、巫山、巫溪、涪陵、长寿、垫江、南川等地。

| **资源情况** | 野生资源稀少。药材主要来源于野生。

| **采收加工** | 春、秋季采挖，除去根茎、须根及杂质，干燥。

| **药材性状** | 本品类圆锥形，稍弯曲，长 5 ~ 25cm，直径 0.8 ~ 3cm。表面棕褐色，有纵沟及皱纹，并有须根痕及横向凸起的皮孔。质硬而脆，易折断，断面淡粉红色，皮部窄，类白色，木部放射状纹理明显，有的现裂隙。气微辛香，味微苦、涩。

| **功能主治** | 苦，凉。归肝、脾经。活血化瘀，凉血调经。用于瘀滞胸胁疼痛，腹痛，目赤，痛经，经闭，衄血，跌打损伤。

| **用法用量** | 内服煎汤，5 ~ 9g。不宜与藜芦同用。

小檗科 Berberidaceae 小檗属 Berberis

黄芦木

Berberis amurensis Rupr.

| 药 材 名 | 黄芦木（药用部位：根、茎、枝。别名：刀口药、黄连、狗奶子）。

| 形态特征 | 落叶灌木，高 2 ~ 3.5m。老枝淡黄色或灰色，稍具棱槽，无疣点；节间 2.5 ~ 7cm；茎刺三分叉，稀单一，长 1 ~ 2cm。叶纸质，倒卵状椭圆形、椭圆形或卵形，长 5 ~ 10cm，宽 2.5 ~ 5cm，先端急尖或圆形，基部楔形；上面暗绿色，中脉和侧脉凹陷，网脉不显，背面淡绿色，无光泽，中脉和侧脉微隆起，网脉微显；叶缘平展，每边具 40 ~ 60 细刺齿；叶柄长 5 ~ 15mm。总状花序具 10 ~ 25 花，长 4 ~ 10cm，无毛，总梗长 1 ~ 3cm；花梗长 5 ~ 10mm；花黄色；萼片 2 轮，外萼片倒卵形，长约 3mm，宽约 2mm，内萼片与外萼片同形，长 5.5 ~ 6mm，宽 3 ~ 3.4mm；花瓣椭圆形，长 4.5 ~ 5mm，宽 2.5 ~ 3mm，先端浅缺裂，基部稍成爪，具 2 分离腺体；雄蕊长

黄芦木

约 2.5mm，药隔先端不延伸，平截；胚珠 2。浆果长圆形，长约 10mm，直径约 6mm，红色，先端不具宿存花柱，不被白粉或仅基部微被霜粉。花期 4 ～ 5 月，果期 8 ～ 9 月。

| **生境分布** | 生于海拔 800 ～ 2500m 的山地灌丛、沟谷、林缘、疏林、溪旁或岩石旁。分布于重庆巫溪、开州、南川等地。

| **资源情况** | 野生资源稀少。药材主要来源于野生。

| **采收加工** | 春、秋季采收根及茎、枝，洗净，晒干。

| **功能主治** | 苦，寒。清热燥湿，解毒。用于肠炎，痢疾，慢性胆囊炎，急、慢性肝炎，无名肿痛，丹毒，湿疹，烫伤，目赤，口疮。

| **用法用量** | 内服煎汤，5 ～ 20g。外用适量，研粉撒敷或调敷；煎汤洗或点眼。

小檗科 Berberidaceae 小檗属 Berberis

直穗小檗 *Berberis dasystachya* Maxim.

| **药 材 名** | 黄刺皮（药用部位：根、枝内皮。别名：黄三刺、山黄檗、刺黄檗）。

| **形态特征** | 落叶灌木，高 2 ~ 3m。老枝圆柱形，黄褐色，具稀疏小疣点，幼枝紫红色；茎刺单一，长 5 ~ 15mm，有时缺如或偶有 3 分叉，长达 4cm。叶纸质，叶片长圆状椭圆形、宽椭圆形或近圆形，长 3 ~ 6cm，宽 2.5 ~ 4cm，先端钝圆，基部骤缩，稍下延，呈楔形、圆形或心形；上面暗黄绿色，中脉和侧脉微隆起，背面黄绿色，中脉明显隆起，不被白粉，两面网脉显著，无毛，叶缘平展，每边具 25 ~ 50 细小刺齿；叶柄长 1 ~ 4cm。总状花序直立，具 15 ~ 30 花，长 4 ~ 7cm，包括总梗长 1 ~ 2cm，无毛；花梗 4 ~ 7mm；花黄色；小苞片披针形，长约 2mm，宽约 0.5mm，萼片 2 轮，外萼片披针形，长约 3.5mm，宽约 2mm，内萼片倒卵形，长约 5mm，宽约 3mm，基部稍成爪；

直穗小檗

花瓣倒卵形，长约 4mm，宽约 2.5mm，先端全缘，基部缢缩成爪，具 2 分离长圆状椭圆形腺体；雄蕊长约 2.5mm，药隔先端不延伸，平截；胚珠 1 ～ 2。浆果椭圆形，长 6 ～ 7mm，直径 5 ～ 5.5mm，红色，先端无宿存花柱，不被白粉。花期 4 ～ 6 月，果期 6 ～ 9 月。

| **生境分布** | 生于海拔 1500 ～ 2700m 的向阳山地灌丛、山谷溪旁、林缘、林下、草丛中。分布于重庆城口、巫山、巫溪、开州、南川等地。

| **资源情况** | 野生资源稀少。药材来源于野生。

| **采收加工** | 秋季采挖根，除去须根及泥土，取皮，切片，晒干。4 ～ 5 月出芽时砍取较粗的茎，刮去粗皮，除去木心，取黄色皮层及韧皮层，晒干。

| **功能主治** | 苦，寒。清湿热，解热毒。用于湿热痢疾，黄疸，带下，热毒痈肿。

| **用法用量** | 内服煎汤，6 ～ 15g。外用适量，研末调敷；或煎汤洗；或含漱。

小檗科 Berberidaceae 小檗属 Berberis

南川小檗
Berberis fallaciosa Schneid.

南川小檗

| 药 材 名 |

南川小檗（药用部位：根、茎）。

| 形态特征 |

常绿灌木，高 1 ~ 3m。老枝圆柱形，暗灰色，光滑无毛，幼枝灰色，具棱槽和稀疏细小疣点；茎刺 3 分叉，淡黄色，长 1 ~ 4cm。叶革质，披针形，椭圆状披针形或倒卵状披针形，长 3 ~ 13cm，宽 1 ~ 2.2cm，先端近渐尖，基部渐狭；上面深绿色，中脉明显凹陷，侧脉微显，背面黄绿色，中脉明显隆起，侧脉微隆起，两面网脉不显，叶缘常向背面反卷，每边具 15 ~ 30 刺齿；叶柄长 2 ~ 6mm。花 2 ~ 5 簇生；花梗长 10 ~ 25mm，带红色；花黄色；小苞片阔卵形，先端钝；萼片 2 轮，外萼片倒卵形，长约 3.5mm，宽约 3mm，内萼片倒卵形，长约 5mm，宽约 4mm；花瓣长圆状倒卵形，长约 4mm，宽约 2.3mm，先端缺裂，基部略成爪，具 2 紧靠的腺体；雄蕊长约 3mm，药隔稍延伸，先端凸尖；胚珠 2，无柄。浆果倒卵形，长 6 ~ 9mm，直径 5 ~ 6mm，先端无宿存花柱，不被白粉。花期 4 ~ 5 月，果期 6 ~ 10 月。

| 生境分布 | 生于海拔 1000 ~ 2700m 的山坡灌丛、林下、路边、沟边或林缘。分布于重庆巫山、巫溪、南川、城口、万州等地。

| 资源情况 | 野生资源稀少。药材主要来源于野生。

| 功能主治 | 苦，寒。清热解毒，燥湿泻火，消炎杀菌。用于湿热痢，腹泻，黄疸，湿疹，疮疡，口疮，目赤，咽痛。

| 用法用量 | 内服煎汤，适量。

小檗科 Berberidaceae 小檗属 Berberis

湖北小檗

Berberis gagnepainii Schneid.

| 药 材 名 | 湖北小檗（药用部位：根、茎）。

| 形态特征 | 常绿灌木，高 1 ~ 2m。茎圆柱形，老枝暗灰色，幼枝禾秆黄色，具条棱和稀疏细小疣点；茎刺长 1 ~ 4cm，腹面下部扁平或具槽，与枝同色，老枝无刺。叶披针形，长 3.5 ~ 14cm，宽 0.4 ~ 2.5cm，先端渐尖，基部楔形；上面暗绿色，有时灰绿色，中脉微凹陷，侧脉和网脉显著，背面黄绿色，中脉明显隆起，侧脉微隆起，网脉不显，不被白粉，叶缘有时微波状，每边具 6 ~ 20 刺齿；近无柄。花 2 ~ 8 簇生，有时可达 15；花梗长（4 ~）10 ~ 20mm，棕褐色，无毛；花淡黄色；小苞片长圆状卵形，长约 3mm；萼片 3 轮，外萼片长圆状卵形，长约 4.5mm，宽约 4mm，先端急尖，中萼片椭圆形至卵形，长 6.5mm，宽 5.5mm，内萼片倒卵形，长 8mm，宽 7mm；花瓣倒卵形，

湖北小檗

长约 7mm，宽约 6mm，先端缺裂或微凹，裂片先端圆形，基部楔形，具 2 分离的腺体；胚珠 4 ～ 5。浆果红色，长圆状卵形，长 8 ～ 10mm，直径约 6mm，先端无明显宿存花柱，微被蓝粉。花期 5 ～ 6 月，果期 6 ～ 10 月。

| 生境分布 |

生于海拔 700 ～ 2600m 的山地灌丛中、石山岩旁、云杉林下或林缘。分布于重庆梁平、城口、巫山、南川等地。

| 资源情况 |

野生资源稀少。药材来源于野生。

| 采收加工 |

春、秋季采挖，洗净，晒干。

| 功能主治 |

清热解毒，消炎抗菌，泻火。用于急性肠炎，痢疾，黄疸，热痹，瘰疬，肺炎，结膜炎，痈肿疮疖，血崩。

| 用法用量 |

内服煎汤，3 ～ 9g; 或炖肉服。外用煎汤，滴眼；或研末撒；亦可煎汤热敷。

小檗科 Berberidaceae 小檗属 Berberis

豪猪刺 *Berberis julianae* Schneid.

| 药 材 名 | 三颗针（药用部位：根）。

| 形态特征 | 常绿灌木，高 1 ~ 3m。老枝黄褐色或灰褐色，幼枝淡黄色，具条棱和稀疏黑色疣点；茎刺粗壮，3 分叉，腹面具槽，与枝同色，长 1 ~ 4cm。叶革质，椭圆形、披针形或倒披针形，长 3 ~ 10cm，宽 1 ~ 3cm，先端渐尖，基部楔形；上面深绿色，中脉凹陷，侧脉微显，背面淡绿色，中脉隆起，侧脉微隆起或不显，两面网脉不显，不被白粉，叶缘平展，每边具 10 ~ 20 刺齿；叶柄长 1 ~ 4mm。花 10 ~ 25 簇生；花梗长 8 ~ 15mm；花黄色；小苞片卵形，长约 2.5mm，宽约 1.5mm，先端急尖；萼片 2 轮，外萼片卵形，长约 5mm，宽约 3mm，先端急尖，内萼片长圆状椭圆形，长约 7mm，宽约 4mm，先端圆钝；花瓣长圆状椭圆形，长约 6mm，宽约 3mm，先端缺裂，基部缢缩成爪，具 2

豪猪刺

长圆形腺体；胚珠单生。浆果长圆形，蓝黑色，长 7 ~ 8mm，直径 3.5 ~ 4mm，先端具明显宿存花柱，被白粉。花期 3 月，果期 5 ~ 11 月。

| 生境分布 | 生于海拔 1100 ~ 2100m 的山坡、沟边、林中、林缘、灌丛或竹林中。分布于重庆丰都、黔江、秀山、潼南、巫山、城口、江津、綦江、南川、奉节、武隆、巫溪等地。

| 资源情况 | 野生资源一般。药材主要来源于野生，亦有少量栽培。

| 采收加工 | 春、秋季采挖，除去泥沙及须根，洗净，晒干。

| 药材性状 | 本品呈类圆柱形，稍弯曲，有少数分枝，长 5 ~ 35cm，直径 0.3 ~ 3cm。表面灰棕色至棕褐色，有细纵皱纹，栓皮易脱落。质坚硬，不易折断，折断面显纤维性，鲜黄色，切断面圆形，放射状纹理不明显。气微，味苦。

| 功能主治 | 苦，寒。归胃、大肠、肝、胆经。清热燥湿，泻火解毒。用于痢疾，肠炎，肝炎，口腔炎，咽炎，结膜炎，急性中耳炎。

| 用法用量 | 内服煎汤，9 ~ 15g。外用适量，研末调敷。

小檗科 Berberidaceae 小檗属 Berberis

血红小檗
Berberis sanguinea Franch.

| **药材名** | 三颗针（药用部位：根）。

| **形态特征** | 常绿灌木，高达 3m。茎明显具槽，老枝暗灰色，幼枝浅黄色，具稀小黑疣点；茎刺3分叉，长 1 ~ 3mm，淡黄色。叶薄革质，线状披针形，长 1.5 ~ 6cm，宽 3 ~ 6mm，先端急尖或渐尖，具 1 刺尖头，基部楔形；上面暗绿色，中脉显著凹陷，背面亮淡黄绿色，中脉明显隆起，两面侧脉和网脉不显，不被白粉，叶缘有时略向背面反卷，每边具 7 ~ 14 刺齿；近无柄。花 2 ~ 7 簇生；花梗长 7 ~ 20mm，带红色；小苞片早落，红色；萼片 3 轮，外萼片卵形，长约 3mm，宽约 2mm，先端急尖，红色，中萼片和内萼片椭圆形，长约 5mm，宽约 4.5mm，黄色；花瓣倒卵形，长约 4mm，宽约 3mm，先端微凹，基部具 2 分离的披针形腺体；雄蕊长约 3mm，药隔不延伸，先端圆

血红小檗

钝或平截；胚珠 2 ~ 3。浆果椭圆形，长 7 ~ 12mm，直径 4 ~ 5mm，紫红色，先端无宿存花柱，不被白粉。花期 4 ~ 5 月，果期 7 ~ 10 月。

| **生境分布** | 生于海拔 1100 ~ 1700m 的路旁、山坡阳处、山沟林、河边、草坡、灌丛中。分布于重庆万州等地。

| **资源情况** | 野生资源稀少。药材来源于野生。

| **采收加工** | 春、秋季采挖，洗净，晒干。

| **功能主治** | 苦，寒。清热燥湿，泻火解毒。用于热泻，痢疾，口舌生疮，咽喉痛，目赤肿痛，痈肿疮疖。

| **用法用量** | 内服煎汤，3 ~ 9g。外用适量，煎汤滴眼或洗患处。

小檗科 Berberidaceae 小檗属 Berberis

刺黑珠
Berberis sargentiana Schneid.

| 药 材 名 | 三颗针（药用部位：根、茎、树皮。别名：铜针刺）。

| 形态特征 | 常绿灌木，高 1 ~ 3m。茎圆柱形，老枝灰棕色，幼枝带红色，通常无疣点，偶有稀疏黑色疣点，节间 3 ~ 6cm；茎刺 3 分叉，长 1 ~ 4cm，腹面具槽。叶厚革质，长圆状椭圆形，长 4 ~ 15cm，宽 1.5 ~ 6.5cm，先端急尖，基部楔形；上面亮深绿色，中脉凹陷，侧脉微隆起，网脉微显，背面黄绿色或淡绿色，中脉明显隆起，侧脉微隆起，网脉显著，叶缘平展，每边具 15 ~ 25 刺齿；近无柄。花 4 ~ 10 簇生；花梗长 1 ~ 2cm；花黄色；小苞片红色，长、宽约 2mm；萼片 3 轮，外萼片卵形，长 3.5mm，宽约 3mm，先端近急尖，自基部向先端有 1 红色带条，中萼片菱状椭圆形，长 5mm，宽 4.5mm，内萼片倒卵形，长 6.5mm，宽 5mm；花瓣倒卵形，长 6mm，宽 4.5mm，

刺黑珠

先端缺裂，裂片先端圆形，基部楔形，具 2 邻接的橙色腺体；雄蕊长约 4.5mm，药隔先端平截；子房具胚珠 1 ~ 2。浆果长圆形或长圆状椭圆形，黑色，长 6 ~ 8mm，直径 4 ~ 6mm，先端不具宿存花柱，不被白粉。

| 生境分布 | 生于海拔 700 ~ 2100m 的山坡灌丛、路边、岩缝、竹林中或山沟旁林下。分布于重庆石柱、城口、开州、巫山、黔江、南川等地。

| 资源情况 | 野生资源稀少。药材主要来源于野生，亦有少量栽培。

| 采收加工 | 春、秋季采收根，除去须根，洗净，切片，烤干或弱太阳下晒干，不宜暴晒。全年均可采收茎枝。

| 药材性状 | 本品根呈圆柱形，稍扭曲，有分枝，直径 0.3 ~ 0.7cm。表面灰棕色，有纵皱纹及支根痕，外皮剥落处露出灰黄色木部。质硬，折断面纤维性，横切面皮部薄，棕色，木部黄色。气无，味苦。

| 功能主治 | 苦，寒。归肝、胃、大肠经。清热，燥湿，泻火解毒。用于湿热痢疾，腹泻，黄疸，湿疹，疮疡，口疮，目赤，咽痛。

| 用法用量 | 内服煎汤，0.5 ~ 30g；或泡酒。外用适量，研末调敷。脾胃虚寒者慎用。

假豪猪刺

小檗科 Berberidaceae 小檗属 Berberis

假豪猪刺
Berberis soulieana Schneid.

药 材 名

三颗针（药用部位：根）。

形态特征

常绿灌木，高 1 ~ 2m，有时可达 3m。老枝圆柱形，有时具棱槽，暗灰色，具稀疏疣点，幼枝灰黄色，圆柱形；茎刺粗壮，3 分叉，腹面扁平，长 1 ~ 2.5cm。叶革质，坚硬，长圆形、长圆状椭圆形或长圆状倒卵形，长 3.5 ~ 10cm，宽 1 ~ 2.5cm，先端急尖，具 1 硬刺尖，基部楔形；上面暗绿色，中脉凹陷，背面黄绿色，中脉明显隆起，不被白粉，两面侧脉和网脉不显，叶缘平展，每边具 5 ~ 18 刺齿；叶柄长仅 1 ~ 2mm。花 7 ~ 20 簇生；花梗长 5 ~ 11mm；花黄色；小苞片 2，卵状三角形，长约 2.2mm，宽约 1.5mm，先端急尖，带红色；萼片 3 轮，外萼片卵形，长约 3mm，宽约 2.4mm，中萼片近圆形，长约 5mm，宽约 4mm，内萼片倒卵状长圆形，长约 7mm，宽约 5mm；花瓣倒卵形，长约 5mm，宽 3.8 ~ 4mm，先端缺裂，基部呈短爪，具 2 分离腺体；雄蕊长约 3mm，药隔略延伸，先端圆形；胚珠 2 ~ 3。浆果倒卵状长圆形，长 7 ~ 8mm，直径约 5mm，熟时红色，先端具明显宿存花柱，被白粉；种子 2 ~ 3。

花期 3 ~ 4 月，果期 6 ~ 9 月。

| **生境分布** | 生于海拔 600 ~ 2000m 的山沟河边、灌丛、山坡、林中或林缘。分布于重庆黔江、忠县、城口、潼南、南川、巫山、巫溪等地。

| **资源情况** | 野生资源一般。药材主要来源于野生，亦有少量栽培。

| **采收加工** | 春、秋季采挖，除去泥沙和须根，晒干或切片晒干。

| **药材性状** | 本品类圆柱形，稍扭曲，有少数分枝，长 10 ~ 15cm，直径 1 ~ 3cm。根头粗大，向下渐细。外皮灰棕色，有细皱纹，易剥落。质坚硬，不易折断，切面不平坦，鲜黄色，切片近圆形或长圆形，稍显放射状纹理，髓部棕黄色。气微，味苦。

| **功能主治** | 苦，寒；有毒。归肝、胃、大肠经。清热燥湿，泻火解毒。用于湿热泻痢，黄疸，湿疹，咽痛目赤，聤耳流脓，痈肿疮毒。

| **用法用量** | 内服煎汤，9 ~ 15g。

小檗科 Berberidaceae 小檗属 Berberis

芒齿小檗
Berberis triacanthophora Fedde

| 药 材 名 | 芒齿小檗（药用部位：根）。

| 形态特征 | 常绿灌木，高 1 ~ 2m。茎圆柱形，老枝暗灰色或棕褐色，幼枝带红色，具稀疏疣点；茎刺 3 分叉，长 1 ~ 2.5cm，与枝同色。叶革质，线状披针形、长圆状披针形或狭椭圆形，长 2 ~ 6cm，宽 2.5 ~ 8mm，先端渐尖或急尖，常有刺尖头，基部楔形；上面深绿色，有光泽，下面灰绿色，中脉隆起，两面侧脉和网脉不显，具乳头状突起，有时微被白粉；叶缘微向背面反卷，每边具 2 ~ 8 刺齿，偶有全缘；近无柄。花 2 ~ 4 簇生；花梗长 1.5 ~ 2.5cm，光滑无毛；花黄色；小苞片红色，卵形，长约 1mm；萼片 3 轮，外萼片卵状圆形，长 2mm，宽 1.8mm，中萼片卵形，长 3.5mm，宽 2.5mm，先端急尖，内萼片倒卵形，长约 5mm，宽约 4mm，先端钝；花瓣倒卵形，长

芒齿小檗

约 4mm，宽约 3mm，先端浅缺裂，基部楔形，具 2 分离长圆形腺体；雄蕊长约 2mm，药隔延伸，先端平截；胚珠 2 ~ 3。浆果椭圆形，长 6 ~ 8mm，直径 4 ~ 5mm，蓝黑色，微被白粉。花期 5 ~ 6 月，果期 6 ~ 10 月。

| 生境分布 | 生于海拔 1250 ~ 2000m 的山坡杂木林中。分布于重庆城口、巫山、巫溪、开州、石柱、云阳、南川等地。

| 资源情况 | 野生资源稀少。药材来源于野生，自采自用。

| 采收加工 | 春、秋季采挖，除去枝叶、须根及泥土，切片，晒干备用。

| 功能主治 | 清热燥湿，泻火解毒。用于眼结膜炎，细菌性痢疾，胃肠炎，黄疸，副伤寒，口腔炎，中耳炎，扁桃体炎，痈肿疮毒，伤口感染。

| 用法用量 | 内服煎汤，9 ~ 15g。外用适量，研粉调敷。

小檗科 Berberidaceae 小檗属 Berberis

巴东小檗 *Berberis veitchii* Schneid.

| 药 材 名 | 巴东小檗（药用部位：根。别名：蓝果小檗）。

| 形态特征 | 常绿灌木，高 1 ~ 1.5m。茎圆柱形，老枝淡灰黄色，不具疣点，枝带红色，无毛；茎刺 3 分叉，长 1.5 ~ 3cm，腹面具槽，淡黄色。叶薄革质，披针形，长 5 ~ 11cm，宽 1 ~ 2cm，先端渐尖，基部楔形；上面暗绿色，中脉凹陷，侧脉微显，网脉不显，背面淡黄色，有光泽，中脉隆起，侧脉微隆起，网脉不显，不被白粉；叶缘略呈波状，微向背面反卷，每边具 10 ~ 30 刺齿；近无柄。花 2 ~ 10 簇生，花梗长 1.5 ~ 3.5cm，光滑无毛；花粉红色或红棕色；小苞片卵形，长、宽约 2mm；萼片 3 轮，外萼片长圆状卵形，长 3.5mm，宽 3mm，微带红褐色，中萼片和内萼片倒卵形，常呈凹状，中萼片长 5mm，宽 4mm，内萼片长 7.5mm，宽 5.5mm；花瓣倒卵形，先端圆

巴东小檗

形，锐裂，基部缢缩成爪，具 2 紧靠的腺体；雄蕊长约 4mm，药隔略延伸，先端圆钝；胚珠 2 ～ 4。浆果卵形至椭圆形，长约 9mm，直径约 6mm，先端无宿存花柱被蓝粉。花期 5 ～ 6 月，果期 8 ～ 10 月。

| 生境分布 |

生于海拔 1700m 以上的林边或灌丛中。分布于重庆巫山、奉节、巫溪等地。

| 资源情况 |

野生资源稀少。药材主要来源于野生。

| 采收加工 |

春、秋季采挖，除去须根及泥土，晒干。

| 功能主治 |

清热解毒，燥湿，泻火，利尿。用于湿热泻痢，黄疸，肺热咳嗽，目赤肿痛，小儿口疮，热毒痈肿，小便不利。

| 用法用量 |

内服煎汤，9 ～ 15g。外用适量，研粉调敷。

小檗科 Berberidaceae 小檗属 Berberis

金花小檗 *Berberis wilsoniae* Hemsl.

| **药 材 名** | 小三颗针（药用部位：根。别名：土黄连、川西小檗、小黄连）。 |

| **形态特征** | 半常绿灌木，高约 1m。枝常弓弯，老枝棕灰色，幼枝暗红色，具棱，散生黑色疣点；茎刺细弱，3 分叉，长 1 ~ 2cm，淡黄色或淡紫红色，有时单一或缺失。叶革质，倒卵形、倒卵状匙形或倒披针形，长 6 ~ 25mm，宽 2 ~ 6mm，先端圆钝或近急尖，有时短尖，基部楔形；上面暗灰绿色，网脉明显，背面灰色，常微被白粉，网脉隆起，全缘或偶有 1 ~ 2 细刺齿；近无柄。花 4 ~ 7 簇生；花梗长 3 ~ 7mm，棕褐色；花金黄色；小苞片卵形；萼片 2 轮，外萼片卵形，长 3 ~ 4mm，宽 2 ~ 3mm，内轮萼片倒卵状圆形或倒卵形，长 5 ~ 5.5mm，宽 3.5 ~ 4mm；花瓣倒卵形，长约 4mm，宽约 2mm，先端缺裂，裂片近急尖；雄蕊长约 3mm，药隔先端钝尖；胚珠 3 ~ 5。浆果近球形， |

金花小檗

长 6 ~ 7mm，直径 4 ~ 5mm，粉红色，先端具明显宿存花柱，微被白粉。花期
6 ~ 9 月，果期翌年 1 ~ 2 月。

| **生境分布** | 生于海拔 2300m 以下的高山地带，常成片生长。分布于重庆城口、丰都、南川等地。

| **资源情况** | 野生资源稀少。药材主要来源于野生。

| **采收加工** | 全年均可采收，洗净，切片，晒干。

| **功能主治** | 苦，寒。归心、肺、大肠经。清热燥湿，泻火解毒。用于湿热泻痢，黄疸，肺热咳嗽，目赤肿痛，小儿口疮，热毒痈肿。

| **用法用量** | 内服煎汤，3 ~ 9g。外用适量，煎汤滴眼；或研末敷。

小檗科 Berberidaceae 小檗属 Berberis

鄂西小檗
Berberis zanlanscianensis Pamp.

| 药 材 名 | 鄂西小檗（药用部位：根、茎）。

| 形态特征 | 常绿灌木，高 1 ~ 2m。老枝具条棱，暗灰色，不具疣点，幼枝紫红色，光滑无毛；茎刺 3 分叉，淡黄色，长 1 ~ 2.5cm，有时缺失。叶厚革质，狭披针形，长 4 ~ 11cm，宽 9 ~ 19mm，先端渐尖，基部狭楔形；上面深绿色，中脉凹陷，侧脉微隆起，背面淡绿色或带红褐色，中脉和侧脉明显隆起，两面网脉隐约可见，不被白粉；叶缘干后稍向背面反卷，每边具 10 ~ 25 刺齿；叶柄长约 4mm。花 5 ~ 30 簇生；花梗长 10 ~ 20mm，带紫红色；花瓣较外萼片长；子房含胚珠 1 ~ 3。浆果黑色，倒卵形，长 7 ~ 9mm，直径 4 ~ 5mm，先端具极短宿存花柱，不被白粉，含种子 1 ~ 3。花期 3 ~ 5 月，果期 5 ~ 9 月。

鄂西小檗

| 生境分布 | 生于海拔 1400 ～ 1700m 的山坡路旁、林下或灌丛中。分布于重庆涪陵、丰都、武隆等地。

| 资源情况 | 野生资源稀少。药材主要来源于野生。

| 采收加工 | 全年均可采收，洗净，切片，晒干。

| 功能主治 | 清热燥湿，泻火解毒。用于湿热泻痢，黄疸，肺热咳嗽，目赤肿痛，小儿口疮，热毒痈肿。

| 用法用量 | 内服煎汤，9 ～ 15g。外用适量，研粉调敷。

小檗科 Berberidaceae 红毛七属 Caulophyllum

红毛七
Caulophyllum robustum Maxim.

红毛七

| 药 材 名 |

红毛七（药用部位：根茎或根。别名：红毛漆、搜山猫、红毛细辛）。

| 形态特征 |

多年生草本，植株高达 80cm。根茎粗短。茎生 2 叶，互生，二至三回三出复叶，下部叶具长柄；小叶卵形、长圆形或阔披针形，长 4 ～ 8cm，宽 1.5 ～ 5cm，先端渐尖，基部宽楔形，全缘，有时 2 ～ 3 裂，上面绿色，背面淡绿色或带灰白色，两面无毛；顶生小叶具柄，侧生小叶近无柄。圆锥花序顶生；花淡黄色，直径 7 ～ 8mm；苞片 3 ～ 6；萼片 6，倒卵形，花瓣状，长 5 ～ 6mm，宽 2.5 ～ 3mm，先端圆形；花瓣 6，远较萼片小，蜜腺状，扇形，基部缢缩成爪；雄蕊 6，长约 2mm，花丝稍长于花药；雌蕊单一，子房 1 室，具 2 基生胚珠，花后子房开裂，露出 2 球形种子。果实成熟时柄增粗，长 7 ～ 8mm；种子浆果状，直径 6 ～ 8mm，微被白粉，成熟后蓝黑色，外被肉质假种皮。花期 5 ～ 6 月，果期 7 ～ 9 月。

| 生境分布 |

生于海拔 950 ～ 2500m 的林下、山沟阴湿处或竹林下。分布于重庆石柱、城口、巫山、奉节、南川等地。

资源情况

野生资源一般。药材主要来源于野生，亦有少量栽培。

采收加工

夏、秋季采挖，除去茎叶、泥土，洗净，晒干。

药材性状

本品根茎呈圆柱形，多分枝，节明显，上端有圆形茎痕，下端及侧面着生多数须根，直径 1～2mm。根茎及根表面均呈紫棕色。质较软，断面红色。气微，味苦。

功能主治

辛、苦，温。归肝经。活血散瘀，祛风除湿，行气止痛。用于月经不调，痛经，产后血瘀腹痛，脘腹寒痛，跌打损伤，风湿痹痛。

用法用量

内服煎汤，3～15g；或浸酒；或研末。

小檗科 Berberidaceae 鬼臼属 Dysosma

贵州八角莲 *Dysosma majorensis* (Gagnep.) Ying

贵州八角莲

|药 材 名|

白八角莲（药用部位：根茎、根。别名：羞天花、血丝金盆、鬼臼）。

|形态特征|

多年生草本，植株高约 50cm。根茎粗壮，横生，结节状，棕褐色，多须根。茎直立，具纵条棱，被细柔毛。叶薄纸质，2 叶互生，盾状着生，叶片近扁圆形，长 10 ～ 20cm，宽约 20cm，4 ～ 6 掌状深裂，裂片顶部 3 小裂，上面暗绿色或有紫色云晕，背面带灰紫色，被细柔毛，边缘具极稀疏刺齿；叶柄长 4 ～ 20cm。花 2 ～ 5 排成伞状，着生于近叶基处；花梗长 1 ～ 3cm，被灰白色细柔毛；花紫色；萼片 6，不等大，椭圆形，长 7 ～ 15mm，淡绿色，无毛；花瓣 6，椭圆状披针形，长达 9cm，宽约 1.5cm；雄蕊 6，长约 1.8cm，花丝与花药近等长，有时花丝短于花药，药隔先端延伸，呈尖头状；子房长圆形，基部和顶部缢缩，柱头盾状，半球形，直径约 1.5mm。浆果长圆形，成熟时红色。

|生境分布|

生于海拔 1300 ～ 1800m 的密林、竹林下。分布于重庆黔江、南川等地。

| **资源情况** | 野生资源稀少。药材主要来源于野生，亦有少量栽培。

| **采收加工** | 秋、冬季采挖，洗净泥沙，晒干或鲜用。

| **药材性状** | 本品根茎呈不规则结节状，直径1.5～2cm；表面棕色或棕红色，上方有明显下凹的茎痕，环节不甚明显，有时可见残留鳞叶，有众多须根或点状凸出的须根痕。根长可达10cm，直径1～1.5mm；表面棕黄色，有细纵纹。质坚硬，折断面平坦，颗粒状；根茎皮部浅棕红色，维管束环列，髓部大，黄白色；须根皮部厚，黄白色，木部小，占直径的1/5，棕黄色。气微、特异，味苦。

| **功能主治** | 甘、苦，平。滋阴补肾，清肺润燥，解毒消肿。用于劳伤筋骨痛，阳痿，胃痛，无名肿毒，刀枪外伤。

| **用法用量** | 内服煎汤，3～9g。外用适量，捣敷。

小檗科 Berberidaceae 鬼臼属 Dysosma

六角莲
Dysosma pleiantha (Hance) Woodson

| **药 材 名** | 八角莲（药用部位：根、根茎。别名：八角盘、金星八角、独叶一枝花）。 |

| **形态特征** | 多年生草本，植株高 20 ~ 60cm，有时可达 80cm。根茎粗壮，横走，呈圆形结节，多须根。茎直立，单生，先端生 2 叶，无毛。叶近纸质，对生，盾状，近圆形，直径 16 ~ 33cm，5 ~ 9 浅裂，裂片宽三角状卵形，先端急尖，上面暗绿色，常有光泽，背面淡黄绿色，两面无毛，边缘具细刺齿；叶柄长 10 ~ 28cm，具纵条棱，无毛。花梗长 2 ~ 4cm，常下弯，无毛；花紫红色，下垂；萼片 6，椭圆状长圆形或卵状长圆形，长 1 ~ 2cm，宽约 8mm，早落；花瓣 6 ~ 9，紫红色，倒卵状长圆形，长 3 ~ 4cm，宽 1 ~ 1.3cm；雄蕊 6，长约 2.3cm，常镰状弯曲，花丝扁平，长 7 ~ 8mm，花药长约 15mm，药隔先端延伸；子房长圆形，长约 13mm，花柱长约 3mm，柱头头状，胚珠多数。浆果倒卵状长圆 |

六角莲

形或椭圆形，长约 3cm，直径约 2cm，成熟时紫黑色。花期 3 ~ 6 月，果期 7 ~ 9 月。

| **生境分布** | 生于海拔 400 ~ 1600m 的林下、山谷溪旁或阴湿溪谷草丛中。分布于重庆奉节、涪陵、北碚、巫溪、巫山等地。

| **资源情况** | 野生资源稀少。药材主要来源于野生，亦有少量栽培。

| **采收加工** | 全年均可采收，秋末为佳，全株挖起，除去茎叶，洗净泥沙，鲜用或晒干，或烘干，切忌受潮。

| **药材性状** | 本品根茎结节数较少，结节呈圆球形，直径 0.5 ~ 1cm；表面黄棕色，上方具凹陷茎痕或凸起芽痕，周围环节同心圆状排列，有时可见残留鳞叶、芽痕，下方有须根或须根痕。质硬，折断面纤维状，有裂隙，横切面皮部狭窄，黄白色，木部黄色，髓部大，约为直径的 1/2，黄白色。气微，味苦。

| **功能主治** | 苦、辛，凉；有毒。归肺、肝经。化痰散结，祛瘀止痛，清热解毒。用于咳嗽，咽喉肿痛，瘰疬，瘿瘤，痈肿，疔疮，毒蛇咬伤，跌打损伤，痹证。

| **用法用量** | 内服煎汤，3 ~ 12g；磨汁；或入丸、散。外用适量，磨汁或浸醋、酒涂搽；捣敷或研末调敷。

小檗科 Berberidaceae 鬼臼属 Dysosma

川八角莲

Dysosma veitchii (Hemsl. et Wils) Fu ex Ying

| 药 材 名 | 八角莲（药用部位：根茎、根。别名：八角盘、金星八角、独叶一枝花）。

| 形态特征 | 多年生草本，植株高 20 ~ 65cm。根茎短而横走，须根较粗壮。叶 2，对生，纸质，盾状，近圆形，直径达 22cm，4 ~ 5 深裂几达中部，裂片楔状矩圆形，先端 3 浅裂，小裂片三角形，先端渐尖，上面暗绿色，有时带暗紫色，无毛，背面淡黄绿色或暗紫红色，沿脉疏被柔毛，后脱落，叶缘具稀疏小腺齿；叶柄长 7 ~ 10cm，被白色柔毛。伞形花序具 2 ~ 6 花，着生于两叶柄交叉处，有时无花序梗，呈簇生状；花梗长 1.5 ~ 2.5cm，下弯，密被白色柔毛；花大型，暗紫红色；萼片 6，长圆状倒卵形，长约 2cm，外轮较窄，外面被柔毛，常早落；花瓣 6，紫红色，长圆形，先端圆钝，长 4 ~ 6cm；雄蕊长约 3cm，花丝扁平，远较花药短，药隔显著延伸，长达 9mm；雌蕊短，仅为

川八角莲

雄蕊长度的 1/2，子房椭圆形，花柱短而粗，柱头大而呈流苏状。浆果椭圆形，长 3～5cm，直径 3～3.5cm，成熟时鲜红色；种子多数，白色。花期 4～5 月，果期 6～9 月。

| **生境分布** | 生于海拔 1000～2200m 的山谷林下、沟边或阴湿处。分布于重庆酉阳、南川、江津、永川等地。

| **资源情况** | 野生资源稀少。药材主要来源于野生，亦有少量栽培。

| **采收加工** | 全年均可采挖，除去杂质，洗净，晒干或烘干。

| **药材性状** | 本品根茎呈不规则条状或块状，直径 1.2～2cm。表面紫红色或棕红色，上方有数个切向排列的圆形茎痕，维管束明显，下方及侧面环节处有时可见棕黄色鳞叶。质坚硬，难折断，折断面浅黄色，较平坦，颗粒状，角质样，横切面可见维管束小点环列。气微，味苦。

| **功能主治** | 苦、辛，凉；有毒。归肺、肝经。化痰散结，祛瘀止痛，清热解毒。用于咳嗽，咽喉肿痛，瘰疬，瘿瘤，痈肿，疔疮，毒蛇咬伤，跌打损伤，痹证。

| **用法用量** | 内服煎汤，3～12g。外用适量，磨汁或浸醋、酒涂搽；捣敷或研末调敷。

| **附　　注** | 在 FOC 中，本种的拉丁学名被修订为 *Dysosma delavayi* (Franch.) Hu。

小檗科 Berberidaceae 鬼臼属 Dysosma

八角莲
Dysosma versipellis (Hance) M. Cheng ex Ying

| **药 材 名** | 八角莲（药用部位：根茎。别名：八角盘、金星八角、独叶一枝花）。 |

| **形态特征** | 多年生草本，植株高 40 ～ 150cm。根茎粗壮，横生，多须根。茎直立，不分枝，无毛，淡绿色。茎生叶 2，薄纸质，互生，盾状，近圆形，直径达 30cm，4 ～ 9 掌状浅裂，裂片阔三角形、卵形或卵状长圆形，长 2.5 ～ 4cm，基部宽 5 ～ 7cm，先端锐尖，不分裂，上面无毛，背面被柔毛，叶脉明显隆起，边缘具细齿；下部叶柄长 12 ～ 25cm，上部叶柄长 1 ～ 3cm。花梗纤细，下弯，被柔毛；花深红色，5 ～ 8 簇生离叶基部不远处，下垂；萼片 6，长圆状椭圆形，长 0.6 ～ 1.8cm，宽 6 ～ 8mm，先端急尖，外面被短柔毛，内面无毛；花瓣 6，勺状倒卵形，长约 2.5cm，宽约 8mm，无毛；雄蕊 6，长约 1.8cm，花丝短于花药，药隔先端急尖，无毛；子房椭圆形，无毛，花柱短，柱 |

八角莲

头盾状。浆果椭圆形，长约4cm，直径约3.5cm；种子多数。花期3～6月，果期5～9月。

| **生境分布** | 生于海拔300～2400m的山坡林下、灌丛中、溪旁阴湿处、竹林下或石灰山常绿林下。分布于重庆黔江、大足、巫山、奉节、城口、江津、丰都、开州、铜梁、巫溪等地。

| **资源情况** | 野生资源稀少。药材主要来源于野生，亦有少量栽培。

| **采收加工** | 秋、冬季采挖，洗净，晒干。

| **药材性状** | 本品根茎呈横生的小结节状，长6～15cm，直径2～4mm；表面黄棕色至棕褐色，上面有凹陷的茎基痕，下面残留须根痕。质硬而脆，易从结节处折断，断面红棕色。气微，味苦。

| **功能主治** | 苦、辛，平；有小毒。清热解毒，化痰散结，祛瘀消肿。用于痈肿疔疮，瘰疬，咽喉肿痛，跌打损伤，毒蛇咬伤。

| **用法用量** | 内服煎汤，6～12g。外用适量，研末调敷或与酒研敷。

小檗科 Berberidaceae 淫羊藿属 Epimedium

粗毛淫羊藿 *Epimedium acuminatum* Franch.

| **药材名** | 粗毛淫羊藿（药用部位：根。别名：尖叶淫羊藿、渐尖淫羊藿、大叶淫羊藿）。

| **形态特征** | 多年生草本，植株高 30 ~ 50cm。根茎有时横走，直径 2 ~ 5mm，多须根。一回三出复叶基生或茎生，小叶 3，薄革质，狭卵形或披针形，长 3 ~ 18cm，宽 1.5 ~ 7cm，先端长渐尖，基部心形，顶生小叶基部裂片圆形，近相等，侧生小叶基部裂片极度偏斜，上面深绿色，无毛，背面灰绿色或灰白色，密被粗短伏毛，后变稀疏，基出脉 7，明显隆起，网脉显著，叶缘具细密刺齿；花茎具 2 对生叶，有时 3 枚轮生。圆锥花序长 12 ~ 25cm，具 10 ~ 50 花，无总梗，花序轴被腺毛；花梗长 1 ~ 4cm，密被腺毛；花色变异大，黄色、白色、紫红色或淡青色；萼片 2 轮，外萼片 4，外面 1 对卵状长圆形，长约 3mm，宽

粗毛淫羊藿

约 2mm，内面 1 对阔倒卵形，长约 4.5mm，宽约 4mm，内萼片 4，卵状椭圆形，先端急尖，长 8 ~ 12mm，宽 3 ~ 7mm；花瓣远较内轮萼片长，呈角状距，向外弯曲，基部无瓣片，长 1.5 ~ 2.5cm；雄蕊长 3 ~ 4mm，花药长 2.5mm，瓣裂，外卷；子房圆柱形，先端具长花柱。蓇葖果长约 2cm，宿存花柱长喙状；种子多数。花期 4 ~ 5 月，果期 5 ~ 7 月。

| 生境分布 |

生于海拔 270 ~ 2400m 的草丛、石灰山陡坡、林下、灌丛中或竹林下。分布于重庆南川、丰都、合川、江津、北碚、彭水、永川、万州、涪陵、巴南等地。

| 资源情况 |

野生资源较丰富。药材主要来源于野生。

| 采收加工 |

夏、秋季茎叶茂盛时采割，除去粗梗及杂质，晒干或阴干。

| 功能主治 |

清热，利湿，散瘀。用于阳痿，小便失禁，风湿痛，虚劳久咳等。

| 用法用量 |

内服煎汤，3 ~ 9g；浸酒、熬膏或入丸、散。外用适量，煎汤洗。

小檗科 Berberidaceae 淫羊藿属 Epimedium

黔北淫羊藿
Epimedium boreali-guizhouense S. Z. He et Y. K. Yang

| 药 材 名 | 黔北淫羊藿（药用部位：茎、叶）。

| 形态特征 | 多年生草本，植株高 40 ～ 60cm。根茎结节状，质坚硬，被褐色鳞片，多须根。一回三出复叶基生或茎生，具长柄，小叶 3，小叶厚革质，披针形至狭披针形，长 13 ～ 18cm，宽 2.5 ～ 4cm，先端渐尖或长渐尖，基部心形，顶生小叶基部裂片近相等，侧生小叶基部偏斜，内边裂片小，钝圆，外边裂片大，三角形，渐尖，上面光滑无毛，背面被绵毛，叶缘具刺齿；花茎具 2 对生叶，偶有 3 枚轮生。圆锥花序长 30 ～ 35cm，具花多达 150，光滑；花梗长 1 ～ 2cm，无毛；花直径约 6mm；萼片 2 轮，外萼片 4，椭圆形，长约 3.5mm，宽 1.5 ～ 3mm，早落，紫色，内萼片 4，卵形，长约 2.5mm，宽约 1mm，白色；花瓣 4，倒卵形，长约 2mm，先端稍内弯，无距，黄色；雄蕊 4，长

黔北淫羊藿

约 4mm，花丝长 1.5mm，花药长约 2.5mm；雌蕊长约 4mm，含胚珠 3 ～ 4。蒴果长约 1cm，宿存花柱长约 4mm。花期 3 ～ 4 月，果期 4 ～ 5 月。

| 生境分布 | 生于海拔 300 ～ 500m 的山谷溪边。分布于重庆合川等地。

| 资源情况 | 野生资源稀少。药材主要来源于野生。

| 采收加工 | 夏、秋季茎叶茂盛时采收，除去杂质，摘取叶片，喷淋清水，稍润，切丝，干燥。

| 药材性状 | 本品根茎呈不规则块状，弯曲，直径 0.5 ～ 1cm，长 1 ～ 5cm。表面棕褐色粗糙，上有多数须状细根。质坚硬，断面纤维状，黄白色。气微。

| 功能主治 | 补肾益精，祛风除湿。用于阳痿早泄，腰酸腿痛，目眩耳鸣等。

| 用法用量 | 内服煎汤，5 ～ 15g；浸酒；熬膏；或入丸、散。外用煎汤洗。

| 附　注 | 本种的外形与巫山淫羊藿极为相似，但本种为小花类群，而巫山淫羊藿为大花类群。同时，淫羊藿属在分类上是非常难处理的一个类群，该属植物的种类鉴定、系统关系比较混乱，不同种间的差异也较大，同一物种在不同地区的名称差异较大，一些地方的惯用名称也在一定程度上影响了淫羊藿在市场的流通及辨识。

腺毛淫羊藿
Epimedium glandulosopilosum H. R. Liang

腺毛淫羊藿

| 药 材 名 |

腺毛淫羊藿（药用部位：地上部分）。

| 形态特征 |

多年生草本，植株高 20 ～ 50cm。地下根茎短粗，呈不规则结节状或瘤状。茎被腺毛和长柔毛，节上尤密。单叶基生和茎生；基生叶阔卵形，长约 9cm，宽约 6.5cm，叶柄长 24cm；茎生叶 2，对生，叶片卵形至卵状椭圆形，长 5 ～ 8.5cm，宽 2.5 ～ 5.5cm，先端渐尖，基部心形，两侧近相等，边缘具刺齿，表面深绿色，光滑无毛，背面密被金黄色长柔毛，叶柄长 3 ～ 6.5cm，被腺毛和柔毛。总状花序具 8 ～ 24 花，长 6 ～ 23cm，宽 3 ～ 6cm；花序轴及花梗均被腺毛；花梗长 1 ～ 3cm；苞片卵形，长 1 ～ 2mm；花黄色；萼片 2 轮，外萼片 4，狭卵形，长 8 ～ 9mm，宽 4 ～ 5mm，内萼片形状和大小与外萼片相同；花瓣 4，呈角状距，长约 1.3cm，黄色；雄蕊 4，长约 4mm，花药瓣裂，外卷，药隔先端凸尖，花丝扁平，长约 1mm；子房圆柱形，花柱长约 2mm，柱头 4 裂或不明显。蒴果长 5 ～ 10mm，宿存花柱长 3 ～ 4mm。花期 4 ～ 5 月，果期 5 ～ 6 月。

| 生境分布 |

生于海拔 850m 的坡地、林间。分布于重庆巫山、奉节等地。

| 资源情况 |

野生资源较少。药材来源于野生。

| 采收加工 |

夏、秋季茎叶茂盛时采割，除去粗梗及杂质，晒干或阴干。

| 功能主治 |

辛、甘，温。补肾壮阳，祛风除湿。用于阳痿不育，小便淋沥，筋骨挛急，半身不遂，腰膝无力，风湿痹痛，四肢麻木，慢性支气管炎，高血压。

| 用法用量 |

内服煎汤，适量；或浸酒、熬膏；或入丸、散。

小檗科 Berberidaceae 淫羊藿属 *Epimedium*

黔岭淫羊藿 *Epimedium leptorrhizum* Stearn

| **药 材 名** | 黔岭淫羊藿（药用部位：根茎。别名：近裂淫羊藿、淫羊藿、紫花淫羊藿）。

| **形态特征** | 多年生草本，植株高 12 ~ 30cm。匍匐根茎伸长达 20cm，直径 1 ~ 2mm，具节。一回三出复叶基生或茎生，叶柄被棕色柔毛；小叶柄着生处被褐色柔毛；小叶 3，革质，狭卵形或卵形，长 3 ~ 10cm，宽 2 ~ 5cm，先端长渐尖，基部深心形；顶生小叶基部裂片近等大，相互近靠；侧生小叶基部裂片不等大，极偏斜，上面暗色，无毛，背面沿主脉被棕色柔毛，常被白粉，具乳突，边缘具刺齿。花茎具一回三出复叶 2。总状花序具 4 ~ 8 花，长 13 ~ 20cm，被腺毛；花梗长 1 ~ 2.5cm，被腺毛；花大，直径约 4cm，淡红色；萼片 2 轮，外萼片卵状长圆形，长 3 ~ 4mm，先端钝圆，内萼片狭椭圆形，长

黔岭淫羊藿

11 ~ 16mm，宽 4 ~ 7mm；花瓣较内萼片长，长达 2cm，呈角距状，基部无瓣片；雄蕊长约 4mm，花药长约 3mm，瓣裂，裂片外卷。蒴果长圆形，长约 15mm，宿存花柱喙状。花期 4 月，果期 4 ~ 6 月。

| **生境分布** | 生于海拔 600 ~ 1500m 的林下或灌丛中。分布于重庆石柱、巫溪、开州、酉阳、南川等地。

| **资源情况** | 野生资源一般。药材主要来源于野生。

| **采收加工** | 夏、秋季茎叶茂盛时采收，晒干或阴干。

| **功能主治** | 辛、甘，温。温中壮阳，祛风除湿，止咳。用于阳痿遗精，风湿痹痛，半身不遂，肾虚喘咳。

| **用法用量** | 内服煎汤，3 ~ 9g；或浸酒、熬膏；或入丸、散。外用煎汤洗。

小檗科 Berberidaceae 淫羊藿属 *Epimedium*

柔毛淫羊藿
Epimedium pubescens Maxim.

| 药 材 名 | 淫羊藿（药用部位：地上部分。别名：三枝九叶草、仙灵脾、牛角花）。

| 形态特征 | 多年生草本，高 30 ~ 50cm。根茎匍匐，呈结节状，质硬，有多数纤细须根。基生叶 1 ~ 3，三出复叶，有长柄；小叶片卵形、狭卵形至卵状披针形，长 4 ~ 9cm，宽 2.5 ~ 5cm，先端急尖或渐尖，边缘被细刺毛，基部深心形，侧生小叶基部显著不对称，外侧斜而较长，呈尖耳状，内侧较短、近圆形；叶片革质，上面灰绿色，无毛，下面色较浅，被紧贴的刺毛或细毛。茎生叶常 2，生于茎顶，形与基生叶相似。花多数，聚成总状花序或下部分枝组成圆锥花序，长约 7.5cm；花序轴和花梗无毛或被少数腺毛；花较小，直径 6 ~ 8mm；萼片 8，外轮 4，卵形，较小，外有紫色斑点，易脱落，内轮 4，较大，白色，花瓣状；花瓣 4，囊状，有短于内轮萼片的距，或近于无距。

柔毛淫羊藿

蒴果卵圆形，先端具宿存花柱，呈短嘴状；种子数粒，肾形，黑色，有脉纹。花期 2 ～ 3 月，果期 4 ～ 5 月。

| **生境分布** | 生于海拔 300 ～ 2000m 的林下、灌丛中、山坡地边或山沟阴湿处。分布于重庆黔江、垫江、忠县、綦江、南川、涪陵、巫溪、长寿、江津等地。

| **资源情况** | 野生资源一般。药材主要来源于野生。

| **采收加工** | 夏、秋季茎叶茂盛时采割，除去粗梗及杂质，晒干或阴干。

| **药材性状** | 本品茎呈细圆柱形，长约20cm；表面黄绿色或淡黄色，具光泽。茎生叶对生，二回三出复叶；小叶片卵圆形，长 3 ～ 8cm，宽 2 ～ 5cm；先端微尖，顶生小叶基部心形，两侧小叶较小，偏心形，外侧较大，呈耳状，边缘具黄色刺毛状细锯齿；上表面黄绿色，下表面灰绿色，叶下表面及叶柄密被绒毛状柔毛；主脉 7 ～ 9，细脉两面凸起，网脉明显；小叶柄长 1 ～ 5cm。叶片近革质。无臭，味微苦。

| **功能主治** | 辛、甘，温。归肝、肾经。补肾阳，强筋骨，祛风湿。用于阳痿遗精，筋骨痿软，风湿痹痛，麻木拘挛。

| **用法用量** | 内服煎汤，3 ～ 9g。

小檗科 Berberidaceae 十大功劳属 Mahonia

阔叶十大功劳 *Mahonia bealei* (Fort.) Carr.

| 药 材 名 | 功劳木（药用部位：茎。别名：土黄柏、土黄连、八角刺）、十大功劳根（药用部位：根。别名：土黄柏、刺黄柏、刺黄芩）、十大功劳叶（药用部位：叶）、功劳子（药用部位：果实）。

| 形态特征 | 灌木或小乔木，高 0.5 ～ 4 (～ 8) m。叶狭倒卵形至长圆形，长 27 ～ 51cm，宽 10 ～ 20cm，具 4 ～ 10 对小叶，最下 1 对小叶距叶柄基部 0.5 ～ 2.5cm，上面暗灰绿色，背面被白霜，有时淡黄绿色或苍白色，两面叶脉不显，叶轴直径 2 ～ 4mm，节间长 3 ～ 10cm；小叶厚革质，硬直，自叶下部往上小叶渐次变长而狭，最下 1 对小叶卵形，长 1.2 ～ 3.5cm，宽 1 ～ 2cm，具 1 ～ 2 粗锯齿，往上小叶近圆形至卵形或长圆形，长 2 ～ 10.5cm，宽 2 ～ 6cm，基部阔楔形或圆形，偏斜，有时心形，边缘每边具 2 ～ 6 粗锯齿，先端具硬尖，

阔叶十大功劳

顶生小叶较大，长 7 ~ 13cm，宽 3.5 ~ 10cm，具柄，长 1 ~ 6cm。总状花序直立，通常 3 ~ 9 簇生；芽鳞卵形至卵状披针形，长 1.5 ~ 4cm，宽 0.7 ~ 1.2cm；花梗长 4 ~ 6cm；苞片阔卵形或卵状披针形，先端钝，长 3 ~ 5mm，宽 2 ~ 3mm；花黄色；外萼片卵形，长 2.3 ~ 2.5mm，宽 1.5 ~ 2.5mm，中萼片椭圆形，长 5 ~ 6mm，宽 3.5 ~ 4mm，内萼片长圆状椭圆形，长 6.5 ~ 7mm，宽 4 ~ 4.5mm；花瓣倒卵状椭圆形，长 6 ~ 7mm，宽 3 ~ 4mm，基部腺体明显，先端微缺；雄蕊长 3.2 ~ 4.5mm，药隔不延伸，先端圆形至截形；子房长圆状卵形，长约3.2mm，花柱短，胚珠 3 ~ 4。浆果卵形，长约 1.5cm，直径 1 ~ 1.2cm，深蓝色，被白粉。花期 9 月至翌年 1 月，果期翌年 3 ~ 5 月。

| **生境分布** | 生于海拔 500 ~ 2000m 的阔叶林、竹林、杉木林或混交林下、林缘、草坡、溪边、路旁或灌丛中。分布于重庆黔江、彭水、石柱、酉阳、巫山、城口、璧山、云阳、南川、涪陵、秀山、武隆、丰都、忠县、北碚、垫江、铜梁、梁平、巴南、沙坪坝等地。

| **资源情况** | 野生资源一般。药材主要来源于野生。

| **采收加工** | 功劳木：全年均可采收，切块片，干燥。
十大功劳根：全年均可采挖，洗去泥土，除去须根，切段，晒干或鲜用。
十大功劳叶：全年均可采摘，晒干。

功劳子：6 月采摘果序，晒干，搓下果实，除去杂质，晒至足干。

| **药材性状** | 功劳木：本品为不规则块片，大小不等。外表面灰黄色至棕褐色，有明显的纵沟纹及横向细裂纹，有的外皮较光滑，有光泽，或有叶柄残基。切面皮部薄，棕褐色，木部黄色，可见数个同心性环纹及排列紧密的放射状纹理，髓部色较深，质硬。无臭，味苦。

十大功劳叶：本品呈阔卵形，长 4 ~ 12cm，宽 2.5 ~ 8cm，基部宽楔形或近圆形，不对称，先端渐尖，边缘略反卷，两侧各有 2 ~ 8 刺状锯齿。上表面绿色，具光泽，下表面色浅，黄绿色。厚革质。叶柄短或无。气弱，味苦。

功劳子：本品呈椭圆形，直径 5 ~ 8mm。表面暗蓝色，被蜡状白粉，皱缩，基部有圆形果柄痕。剥去果皮可见褐色种子 2。气无，味苦。

| **功能主治** | 功劳木：苦，寒。归肝、胃、大肠经。清热解毒，泻火凉血，除湿消肿。用于

湿热泻痢，黄疸性肝炎，痢疾，胃火牙痛，目赤肿痛，痈疽疔毒，衄血。

十大功劳根：苦，寒。归脾、肝、大肠经。清热，燥湿，消肿，解毒。用于湿热痢疾，腹泻，黄疸，肺痨咯血，咽喉痛，目赤肿痛，疮疡，湿疹。

十大功劳叶：苦，寒。归肝、胃、肺、大肠经。清热补虚，燥湿，解毒。用于肺痨咯血，骨蒸潮热，头晕耳鸣，腰酸腿软，湿热黄疸，带下，痢疾，风热感冒，目赤肿痛，痈肿疮疡。

功劳子：苦，凉。归脾、肾、膀胱经。清虚热，补肾，燥湿。用于骨蒸潮热，腰膝酸软，头晕耳鸣，湿热腹泻，带下，淋浊。

| 用法用量 | 功劳木：内服煎汤，9～15g。外用适量。

十大功劳根：内服煎汤，10～15g，鲜品30～60g。外用适量，捣烂或研末调敷。脾胃虚寒者慎用。

十大功劳叶：内服煎汤，6～9g。外用适量，研末调敷。脾胃虚寒者慎用。

功劳子：内服煎汤，6～9g；或泡茶。

| 附　　注 | 本种耐阴，也较耐寒，喜温暖湿润气候及肥沃湿润、排水良好的土壤，耐旱，对土壤要求不严，在酸性、中性土壤中均能生长。

小檗科 Berberidaceae 十大功劳属 *Mahonia*

小果十大功劳 *Mahonia bodinieri* Gagnep.

小果十大功劳

| 药 材 名 |

十大功劳木（药用部位：茎）、十大功劳叶（药用部位：叶）。

| 形态特征 |

灌木或小乔木，高 0.5 ～ 4m。叶倒卵状长圆形，长 20 ～ 50cm，宽 10 ～ 25cm，具小叶 8 ～ 13 对，最下 1 对小叶生于叶柄基部，上面深绿色，有光泽，背面黄绿色，网脉微隆起，叶轴粗壮，直径 2 ～ 4mm，节间长（2 ～）5 ～ 9cm；侧生小叶无叶柄，顶生小叶具柄，最下 1 对小叶近圆形，长 2.5 ～ 3cm，宽 1.5 ～ 2.5cm，以上小叶长圆形至阔披针形，长 5 ～ 17cm，宽 2.5 ～ 5.5cm，基部偏斜、平截至楔形，顶生小叶长 5 ～ 15cm，宽 1.5 ～ 5.5cm，具小叶柄，长 1 ～ 2cm，叶缘每边具 3 ～ 10 粗大刺锯齿，齿间距通常 1 ～ 2cm。花序为 5 ～ 11 总状花序簇生，长 10 ～ 20（～ 25）cm；芽鳞披针形，长 2 ～ 3cm，宽 0.5 ～ 0.7cm；花梗长 1.5 ～ 5mm；苞片狭卵形，长 1.5 ～ 4.5mm，宽 0.7 ～ 2.5mm；花黄色；外萼片卵形，长约 3mm，宽约 2mm，中萼片椭圆形，长 4.5 ～ 5mm，宽约 2.5mm，内萼片狭椭圆形，长约 5.5mm，宽约 3mm；花瓣长圆形，长 4.5 ～ 5mm，宽

2 ~ 2.4mm，基部腺体不明显，先端缺裂或微凹；雄蕊长 2.2 ~ 3mm，先端平截，偶具 3 细牙齿，药隔不延伸；子房长约 2mm，花柱不显，胚珠 2。浆果球形，有时梨形，直径 4 ~ 6mm，紫黑色，被白霜。花期 6 ~ 9 月，果期 8 ~ 12 月。

| 生境分布 | 生于海拔 100 ~ 1800m 的常绿阔叶林、常绿落叶阔叶混交林或针叶林下、灌丛中、林缘或溪旁。分布于重庆潼南、合川、石柱、璧山、秀山、南岸、梁平、巫山、垫江、涪陵、南川、永川、大足、铜梁、荣昌等地。

| 资源情况 | 野生资源一般。药材主要来源于野生。

| 采收加工 | 十大功劳木：全年均可采收，切块片，干燥。
十大功劳叶：秋季采收，除去杂质，干燥。

| 药材性状 | 十大功劳木：本品为长短、粗细不一的段条或块片。表面灰棕色至灰黄色，有纵沟纹及横裂纹；嫩枝较平滑，节明显，有叶柄残基。外皮易剥落，剥去外皮后内部鲜黄色。质坚硬，不易折断，折断面纤维性，皮部棕黄色，木部鲜黄色；横切面可见数个同心性环纹及排列紧密的放射状纹理，髓部黄色。气微，味苦。
十大功劳叶：本品小叶长圆形至阔披针形，长 5 ~ 17cm，宽 2.5 ~ 5.5cm；上面绿色，背面黄绿色；先端渐尖，基部偏斜或平截，边缘每边具 3 ~ 10 锯齿。

| 功能主治 | 十大功劳木：苦，寒。归肝、胃、大肠经。清热燥湿，泻火解毒。用于湿热泻痢，黄疸，黄疸性肝炎，目赤肿痛，胃火牙痛，疮疖。
十大功劳叶：苦，寒。归肺、肝、肾经。滋阴，清热，止咳化痰。用于肺痨咳嗽，骨蒸潮热。

| 用法用量 | 十大功劳木：内服煎汤，5 ~ 15g。外用适量。
十大功劳叶：内服煎汤，15 ~ 30g。

小檗科 Berberidaceae 十大功劳属 Mahonia

宽苞十大功劳

Mahonia eurybracteata Fedde

| 药 材 名 | 宽苞十大功劳（药用部位：根）。

| 形态特征 | 灌木，高 0.5 ~ 2（~ 4）m。叶长圆状倒披针形，长 25 ~ 45cm，宽 8 ~ 15cm，具 6 ~ 9 对斜生的小叶，最下 1 对小叶距叶柄基部约 5cm 或靠近基部，上面暗绿色，侧脉不显，背面淡黄绿色，叶脉开放，明显隆起，叶轴直径 2 ~ 3mm，节间长 3 ~ 6cm，往上渐短；小叶椭圆状披针形至狭卵形，最下 1 对小叶长 2.6cm，宽 0.8 ~ 1.2cm，往上小叶长 4 ~ 10cm，宽通常 2 ~ 4cm，基部楔形，边缘每边具 3 ~ 9 刺齿，先端渐尖，顶生小叶稍大，长 8 ~ 10cm，宽 1.2 ~ 4cm，近无柄或长达约 3cm。总状花序 4 ~ 10 簇生，长 5 ~ 10cm；芽鳞卵形，长 1 ~ 1.5cm，宽 0.6 ~ 1cm；花梗细弱，长 3 ~ 5mm；苞片卵形，长 2.5 ~ 3mm，宽 1.5 ~ 2mm；花黄色；外萼片卵形，长 2 ~ 3mm，

宽苞十大功劳

宽 1 ~ 2mm, 中萼片椭圆形, 长 3 ~ 4.5mm,
宽 1.6 ~ 2.8mm, 内萼片椭圆形, 长 3 ~ 5mm,
宽 1.8 ~ 3mm; 花瓣椭圆形, 长 3 ~ 4.3mm,
宽 1 ~ 2mm, 基部腺体明显, 但有时不明显,
先端微缺裂; 雄蕊长 2 ~ 2.6mm, 药隔不延
伸, 先端平截; 子房长约 2.5mm, 柱头显著,
长约 0.5mm, 胚珠 2。浆果倒卵形或长圆形,
长 4 ~ 5mm, 直径 2 ~ 4mm, 蓝色或淡红紫
色, 具宿存花柱, 被白粉。花期 8 ~ 11 月, 果
期 11 月至翌年 5 月。

| 生境分布 |

生于海拔 350 ~ 1950m 的常绿阔叶林、竹林、
灌丛、林缘、草坡或向阳岩坡。分布于重庆大足、
铜梁、南岸、城口、巫溪、酉阳、彭水、万州、
忠县、武隆、南川、江津、綦江、荣昌、北碚
等地。

| 资源情况 |

野生资源稀少。药材主要来源于野生。

| 采收加工 |

全年均可采收, 干燥。

| 功能主治 |

苦, 寒。归肝、胃、大肠经。清肺热, 泻火。
用于肺热咳嗽, 咽喉肿痛, 牙痛。

| 用法用量 |

内服煎汤, 适量。

小檗科 Berberidaceae 十大功劳属 Mahonia

阿里山十大功劳
Mahonia oiwakensis Hayata

阿里山十大功劳

药材名

阿里山十大功劳（药用部位：根、花）。

形态特征

常绿灌木，植株高 1 ~ 7m。叶长圆状椭圆形，长 15 ~ 42cm，宽 8 ~ 15cm，具 12 ~ 20 对无柄小叶，最下 1 对小叶距叶柄基部 0.5 ~ 1cm，上面暗绿色，背面淡黄绿色，叶脉微显或不显，叶轴直径 2 ~ 3mm，节间长 1.5 ~ 5cm，上部节间较短；最下部小叶卵形至近圆形，长 1.5 ~ 3cm，宽 1 ~ 1.5cm，其余小叶卵状披针形或披针形，长 2 ~ 10cm，宽 1 ~ 2.5cm，基部圆形，叶缘每边具 2 ~ 9 刺锯齿，先端骤尖至渐尖；顶生小叶长 4 ~ 6.5cm，宽 0.9 ~ 1.5cm，小叶柄长 0.5 ~ 1cm，有时无柄。总状花序有时分枝，7 ~ 18 簇生，长 9 ~ 25cm；芽鳞阔披针形至卵形，长 1.5 ~ 3cm，宽 0.6 ~ 1cm；花梗长（2 ~ ）5 ~ 6mm，苞片卵形，长 3 ~ 3.5mm，宽 1.5 ~ 1.8mm；花金黄色；外萼片卵形至近圆形，长 1.2 ~ 3mm，宽 1.1 ~ 2mm，中萼片椭圆形至卵形，长（3 ~ ）5 ~ 6mm，宽 2.5 ~ 3mm，内萼片椭圆形至长圆形，长 5 ~ 7mm，宽 2.6 ~ 3.5mm；花瓣长圆形，长 4.5 ~ 6.5mm，宽 2 ~ 2.7mm，基部具 2 腺体，先端急尖、狭锐裂；雄蕊长 3 ~ 4mm，药隔稍延伸，先端圆形或略凸尖；子房长 3.2 ~ 4mm，花柱长 0.5 ~ 1mm，胚珠 2 ~ 3。浆果卵形，长 6 ~ 8mm，直径 5 ~ 6mm，蓝色或蓝黑色，被白粉，宿存花柱长约 1mm。花期 8 ~ 11 月，果期 11 月至翌年 5 月。

| 生境分布 | 生于海拔 650 ~ 1800m 的阔叶林下、灌丛中、林缘或山坡。分布于重庆涪陵、丰都等地。

| 资源情况 | 野生资源稀少。药材主要来源于野生。

| 采收加工 | 全年均可采挖根，洗去泥土，除去须根，切段，晒干，或鲜用。秋季花期采收花，晒干。

| 功能主治 | 根，苦，寒。清热解毒。用于感冒，支气管炎，肺炎，肺结核，咽喉肿痛，牙痛，急性胃肠炎，痢疾，病毒性肝炎，风湿关节痛。外用于眼结膜炎，疮疖，湿疹，烫火伤。花，甘，凉。清热解毒，止咳化痰。用于感冒，支气管炎，肺炎，肺结核，咽喉肿痛，牙痛，急性胃肠炎，痢疾，病毒性肝炎，风湿关节痛。外用于眼结膜炎，疮疖，湿疹，烫火伤。

| 用法用量 | 内服煎汤，适量。

小檗科 Berberidaceae 十大功劳属 Mahonia

长阳十大功劳 *Mahonia sheridaniana* Schneid.

| **药 材 名** | 刺黄柏（药用部位：根、茎。别名：老鼠刺、木黄连、刺黄芩）。

| **形态特征** | 灌木，高 0.5 ~ 3m。叶椭圆形至长圆状披针形，长 17 ~ 36cm，宽 8 ~ 14cm，具 4 ~ 9 对小叶，最下 1 对小叶距叶柄基部 0.7 ~ 1cm，上面暗绿色，或稍有光泽，叶脉不显著，背面淡绿色，叶脉稍隆起，节间长 1.5 ~ 5cm；小叶厚革质，硬直，卵形至卵状披针形，最下 1 对小叶长 1.2 ~ 3cm，宽 0.8 ~ 1.05cm，往上小叶增大，长 3 ~ 9.5cm，宽 1.5 ~ 3.6cm，基部阔圆形至近楔形，或近心形，略偏斜，边缘每边具 2 ~ 5 牙齿，先端急尖；顶生小叶长 6.5 ~ 11cm，宽 2.5 ~ 4cm，小叶柄长 0.8 ~ 2.5cm。总状花序 4 ~ 10 簇生，长 5 ~ 18cm；芽鳞阔披针形至卵形、长 1 ~ 2cm，宽 0.5 ~ 1.2cm；花梗长 3 ~ 5mm；苞片卵形，长 2 ~ 3.5mm，宽 1 ~ 1.7mm；花黄色；外萼片狭卵形、

长阳十大功劳

卵形至卵状披针形，长 2.5 ~ 4.5mm，宽 1.5 ~ 1.6mm，中萼片卵形至卵状披针形，长 4.5 ~ 6mm，宽 2 ~ 3mm，内萼片椭圆形，长 5.5 ~ 8.2mm，宽 3 ~ 3.8mm；花瓣倒卵状椭圆形至长圆形，长 5 ~ 6.5mm，宽 2 ~ 2.8mm，基部腺体显著，先端微缺；雄蕊长 3 ~ 4mm，药隔不延伸，先端平截；子房长 2 ~ 3mm，花柱长约 0.3mm，胚珠 2 ~ 3。浆果卵形至椭圆形，长 8 ~ 10mm，直径 4 ~ 7mm，蓝黑色或暗紫色，被白霜，宿存花柱极短。花期 3 ~ 4 月，果期 4 ~ 6 月。

| **生境分布** | 生于海拔 1600m 左右的常绿阔叶林、竹林或灌丛中，以及路边或山坡。分布于重庆南川等地。

| **资源情况** | 野生资源稀少。药材主要来源于野生。

| **采收加工** | 夏、秋季采挖，洗净，晒干。

| **药材性状** | 本品根呈圆柱形，直径约 1.5cm。表面棕黄色，有纵纹。断面鲜黄色，木部黄白色。质坚硬。气微香，味苦。

| **功能主治** | 苦，寒。归脾、肝、大肠经。清热燥湿，泻火解毒。用于湿热痢疾，腹泻，黄疸，目赤肿痛，痈肿疮疡，风湿热痹，劳热骨蒸，咯血，头晕。

| **用法用量** | 内服煎汤，10 ~ 15g，鲜品 30 ~ 60g。外用适量，研末调敷。

小檗科 Berberidaceae 南天竹属 Nandina

南天竹
Nandina domestica Thunb.

南天竹

| 药 材 名 |

南天竹子（药用部位：果实。别名：南天竺、红杷子、天烛子）、南天竹根（药用部位：根。别名：土甘草、土黄连、钻石黄）、山南天竹梗（药用部位：茎枝）、南天竹叶（药用部位：叶。别名：南竹叶、天竹叶）。

| 形态特征 |

常绿小灌木。茎常丛生而少分枝，高 1 ～ 3m，光滑无毛，幼枝常为红色，老后呈灰色。叶互生，集生于茎的上部，三回羽状复叶，长 30 ～ 50cm；二至三回羽片对生；小叶薄革质，椭圆形或椭圆状披针形，长 2 ～ 10cm，宽 0.5 ～ 2cm，先端渐尖，基部楔形，全缘，上面深绿色，冬季变红色，背面叶脉隆起，两面无毛，近无柄。圆锥花序直立，长 20 ～ 35cm；花小，白色，具芳香，直径 6 ～ 7mm；萼片多轮，外轮萼片卵状三角形，长 1 ～ 2mm，向内各轮渐大，最内轮萼片卵状长圆形，长 2 ～ 4mm；花瓣长圆形，长约 4.2mm，宽约 2.5mm，先端圆钝；雄蕊 6，长约 3.5mm，花丝短，花药纵裂，药隔延伸；子房 1 室，具 1 ～ 3 胚珠。果柄长 4 ～ 8mm；浆果球形，直径 5 ～ 8mm，熟时鲜红色，稀橙红色；种子扁圆形。花期 3 ～ 6 月，果期 5 ～ 11 月。

| 生境分布 | 多栽培于庭园中，或野生于疏林、灌丛中。重庆各地均有分布。

| 资源情况 | 野生资源一般。药材主要来源于栽培。

| 采收加工 | 南天竹子：秋季采收，干燥。

南天竹根：9 ~ 10 月采收，除去杂质，晒干或鲜用。

山南天竹梗：全年均可采收，除去杂质及叶，洗净，切段，晒干。

南天竹叶：全年均可采收，洗净，除去枝梗杂质，晒干。

| 药材性状 | 南天竹子：本品呈球形，直径 5 ~ 8mm。表面黄红色、暗红色或红紫色，平滑，微具光泽，有的局部下陷，先端具凸起的宿存柱基，基部具果柄或果柄痕。果皮质松脆，易破碎。种子 2，略呈半球形，内面下凹，类白色至黄棕色。气微，味微涩。

南天竹叶：本品为二至三回羽状复叶，最末的小羽片有小叶 3 ~ 5；小叶椭圆状披针形，长 2 ~ 10cm，宽 0.5 ~ 2cm，先端渐尖，基部楔形，全缘。表面深绿色或红色。革质。气微，味苦。

| 功能主治 | 南天竹子：酸、甘，平。归肺经。敛肺止咳，平喘。用于久咳，气喘，百日咳。

南天竹根：苦，寒；有小毒。归肺、肝经。止咳，除湿，祛风化痰，清热，解毒。用于肺热咳嗽，湿热黄疸，腹泻，风湿痹痛，疮疡，瘰疬。

山南天竹梗：辛、苦，寒。归肺经。清湿热，降逆气。用于湿热黄疸，泻痢，热淋，目赤肿痛，咳嗽，膈食。

南天竹叶：苦，寒。归肺、膀胱经。清热利湿，泻火，解毒。用于肺热咳嗽，百日咳，热淋，尿血，目赤肿痛，疮痈，瘰疬。

| 用法用量 | 南天竹子：内服煎汤，6 ~ 15g；或研末服。

南天竹根：内服煎汤，9 ~ 15g，鲜品 30 ~ 60g；或浸酒。外用适量，煎汤洗或点眼。

山南天竹梗：内服煎汤，10 ~ 15g。

南天竹叶：内服煎汤，9 ~ 15g。外用适量，捣烂涂敷。

| 附 注 | 本种喜温暖湿润的环境，比较耐阴，也耐寒，容易养护；栽培宜选肥沃、排水良好的砂壤土；对水分要求不甚严格，既耐湿，也耐旱。

木通科 Lardizabalaceae 大血藤属 Sargentodoxa

大血藤
Sargentodoxa cuneata (Oliv.) Rehd. et Wils.

大血藤

| 药 材 名 |

大血藤（药用部位：藤茎。别名：血通、五花血藤、红血藤）。

| 形态特征 |

落叶木质藤本，长超过 10m。藤茎直径达 9cm，全株无毛；当年枝条暗红色，老树皮有时纵裂。三出复叶，或兼具单叶，稀全部为单叶；叶柄长 3 ~ 12cm；小叶革质，顶生小叶近棱状倒卵圆形，长 4 ~ 12.5cm，宽 3 ~ 9cm，先端急尖，基部渐狭成 6 ~ 15mm 的短柄，全缘；侧生小叶斜卵形，先端急尖，基部内面楔形，外面截形或圆形，上面绿色，下面淡绿色，干时常变为红褐色，比顶生小叶略大，无小叶柄。总状花序长 6 ~ 12cm，雄花与雌花同序或异序，同序时，雄花生于基部；花梗细，长 2 ~ 5cm；苞片 1，长卵形，膜质，长约 3mm，先端渐尖；萼片 6，花瓣状，长圆形，长 0.5 ~ 1cm，宽 0.2 ~ 0.4cm，先端钝；花瓣 6，小，圆形，长约 1mm，蜜腺性；雄蕊长 3 ~ 4mm，花丝长仅为花药的一半或更短，药隔先端略凸出；退化雄蕊长约 2mm，先端较凸出，不开裂；雌蕊多数，螺旋状生于卵状突起的花托上，子房瓶形，长约 2mm，花柱线形，柱头斜；退化雌蕊线形，长 1mm。浆果近球形，直径约 1cm，成熟时黑蓝色，小果柄长 0.6 ~ 1.2cm；种子卵球形，长约 5mm，基部截形，种皮黑色，光亮，平滑，种脐显著。花期 4 ~ 5 月，果期 6 ~ 9 月。

| **生境分布** | 生于海拔 500 ~ 2500m 的山坡灌丛、疏林或林缘等。分布于重庆北碚、黔江、大足、秀山、城口、奉节、彭水、丰都、万州、綦江、酉阳、忠县、石柱、云阳、垫江、南川、武隆、巫溪、巫山等地。

| **资源情况** | 野生资源丰富。药材主要来源于野生，亦有少量栽培。

| **采收加工** | 秋、冬季采收，除去侧枝，切段，晒干。

| **药材性状** | 本品呈圆柱形，略弯曲，长 30 ~ 60cm，直径 1 ~ 3cm。表面灰棕色，粗糙，外皮常成鳞片状剥落，剥落处显暗红棕色，有的可见膨大的节和略凹陷的枝痕或叶痕。质硬，断面皮部红棕色，有数处向内嵌入的木部，木部黄白色，有多数细孔状导管，射线呈放射状排列。气微，味微涩。

| **功能主治** | 苦，平。归大肠、肝经。清热解毒，活血，祛风止痛。用于肠痈腹痛，经闭，痛经，跌打肿痛，风湿痹痛。

| **用法用量** | 内服煎汤，9 ~ 15g。

| **附　注** | 宜选择土层深厚、利于排水保墒、背风潮湿的缓坡地作为本种的种植地。

木通科 Lardizabalaceae 木通属 Akebia

三叶木通
Akebia trifoliata (Thunb.) Koidz.

三叶木通

药材名

木通（药用部位：藤茎。别名：八月瓜藤、三叶拿藤、八月楂）、木通根（药用部位：根。别名：八月瓜根）、八月札（药用部位：果实。别名：畜菖子、拿子、桴棪子）、预知子（药用部位：近成熟果实。别名：盍合子、仙沼子、压惊子）。

形态特征

落叶木质藤本。茎皮灰褐色，有稀疏的皮孔及小疣点。掌状复叶互生或在短枝上簇生；叶柄直，长7～11cm；小叶3，纸质或薄革质，卵形至阔卵形，长4～7.5cm，宽2～6cm，先端通常钝或略凹入，具小凸尖，基部截平或圆形，边缘具波状齿或浅裂，上面深绿色，下面浅绿色；侧脉每边5～6，与网脉同在两面略凸起；中央小叶柄长2～4cm，侧生小叶柄长6～12mm。总状花序自短枝上簇生叶中抽出，下部有1～2雌花，以上有15～30雄花，长6～16cm；总花梗纤细，长约5cm。雄花花梗丝状，长2～5mm；萼片3，淡紫色，阔椭圆形或椭圆形，长2.5～3mm；雄蕊6，离生，排列为杯状，花丝极短，药室在开花时内弯；退化心皮3，长圆状锥形。雌花花梗较雄花的稍粗，长

1.5 ~ 3cm；萼片 3，紫褐色，近圆形，长 10 ~ 12mm，宽约 10mm，先端圆而略凹入，开花时广展反折；退化雄蕊 6 或更多，小，长圆形，无花丝；心皮 3 ~ 9，离生，圆柱形，直，长（3 ~）4 ~ 6mm，柱头头状，具乳突，橙黄色。果实长圆形，长 6 ~ 8cm，直径 2 ~ 4cm，直或稍弯，成熟时灰白略带淡紫色；种子极多数，扁卵形，长 5 ~ 7mm，宽 4 ~ 5mm，种皮红褐色或黑褐色，稍有光泽。花期 4 ~ 5 月，果期 7 ~ 8 月。

| 生境分布 | 生于海拔 400 ~ 2000m 的沟边、林边或山坡路旁。分布于重庆北碚、黔江、万州、大足、巫山、城口、彭水、潼南、秀山、奉节、长寿、酉阳、合川、丰都、垫江、石柱、南川、涪陵、璧山、武隆、巫溪、九龙坡、綦江、开州、铜梁、梁平、巴南、荣昌等地。

| 资源情况 | 野生资源丰富。药材主要来源于野生，亦有少量栽培。

| 采收加工 | 木通：秋季采收，截取茎部，除去细枝，阴干。
木通根：秋、冬季采挖，晒干或烘干。
八月札：8 ~ 9 月果实成熟而未开裂时采摘，用绳穿起晾干，切忌堆放，以免发热霉烂，或用沸水泡透后晒干。
预知子：夏、秋季果实绿黄色时采收，晒干；或置沸水中略烫后，晒干。

| 药材性状 | 木通：本品呈圆柱形，常稍扭曲，长 30 ~ 70cm，直径 0.5 ~ 2cm。表面灰棕色至灰褐色，外皮粗糙而有许多不规则的裂纹或纵沟纹，具凸起的皮孔。节部膨大或不明显，具侧枝断痕。体轻，质坚实，不易折断，断面不整齐，皮部较厚，黄棕色，可见淡黄色颗粒状小点，木部黄白色，射线成放射状排列，髓小或有时中空，黄白色或黄棕色。气微，味微苦而涩。
八月札：本品呈长椭圆形或略呈肾形，长 3 ~ 8cm，直径 2 ~ 3cm；表面浅灰棕色或黄棕色，有不规则纵向网状皱纹，未熟者皱纹细密，先端钝圆，有时可见圆形柱头残基，基部具圆形稍内凹的果柄痕；果皮革质，较厚。断面淡灰黄色，内有多数种子，包埋在灰白色果瓤内；果肉气微香，味微涩。种子扁长卵形或不规则三角形，略扁平，宽约 5mm，厚约 2mm；表面红棕色或深红棕色，有光泽，密布细网纹，先端稍尖，基部钝圆，种脐略偏向一边，其旁可见白色种阜；种皮薄，油质；胚细小，长约 1mm，位于靠近基部一端；气微，味苦，有油腻感。
预知子：本品呈肾形或长椭圆形，稍弯曲，长 3 ~ 8cm，直径 1.5 ~ 3.5cm。表面黄棕色或黑褐色，有不规则的深皱纹，先端钝圆，基部有果梗痕。质硬，破开后果瓤淡黄色或黄棕色。种子多数，扁长卵形，黄棕色或紫褐色，具光泽，有条状纹理。气微香，味苦。

| 功能主治 | 木通：苦，寒。归心、小肠、膀胱经。利尿通淋，清心除烦，通经下乳。用于淋证，水肿，心烦尿赤，口舌生疮，经闭乳少，湿热痹痛。

木通根：苦，平。归膀胱、肝经。祛风通络，利水消肿，行气，活血，补肝肾，强筋骨。用于风湿痹痛，跌打损伤，经闭，疝气，睾丸肿痛，脘腹胀闷，小便不利，带下，虫蛇咬伤。

八月札：苦，平。归肝、胃、膀胱经。疏肝和胃，活血止痛，软坚散结，利小便。用于肝胃气滞，脘腹、胁肋胀痛，饮食不消，泻痢，疝气疼痛，腰痛，经闭痛经，瘿瘤瘰疬，恶性肿瘤。

预知子：苦，寒。归肝、胆、胃、膀胱经。疏肝理气，活血止痛，散结，利尿。用于脘胁胀痛，经闭痛经，痰核痞块，小便不利。

| **用法用量** | 木通：内服煎汤，3～6g。

木通根：内服煎汤，9～15g；磨汁或浸酒。外用鲜品适量，捣敷。

八月札：内服煎汤，9～15g，大剂量可用 30～60g；或浸酒。

预知子：内服煎汤，3～9g。

白木通

Akebia trifoliata subsp. *australis* (Diels) T. Shimizu

| 药 材 名 | 木通（药用部位：藤茎。别名：通草、附支、丁翁）、木通根（药用部位：根。别名：八月瓜根）、八月札（药用部位：果实。别名：畜菖子、拿子、桴棪子）、预知子（药用部位：近成熟果实。别名：盍合子、仙沼子、压惊子）。

| 形态特征 | 落叶木质藤本。小叶革质，卵状长圆形或卵形，长 4 ~ 7cm，宽 1.5 ~ 3（~ 5）cm，先端狭圆，顶微凹入而具小凸尖，基部圆、阔楔形、截平或心形，通常全缘，有时略具少数不规则的浅缺刻。总状花序长 7 ~ 9cm，腋生或生于短枝上。雄花萼片长 2 ~ 3mm，紫色；雄蕊 6，离生，长约 2.5mm，红色或紫红色，干后褐色或淡褐色。雌花直径约 2cm；萼片长 9 ~ 12mm，宽 7 ~ 10mm，暗紫色；心皮 5 ~ 7，紫色。果实长圆形，长 6 ~ 8cm，直径 3 ~ 5cm，熟时黄褐色；

白木通

种子卵形，黑褐色。花期 4 ~ 5 月，果期 6 ~ 9 月。

| **生境分布** | 生于海拔 400 ~ 2500m 的山坡灌丛或沟谷疏林中。重庆各地均有分布。

| **资源情况** | 野生资源丰富。药材主要来源于野生。

| **采收加工** | 木通：秋季采收，截取茎部，除去细枝，阴干。

木通根：秋、冬季采挖，晒干或烘干。

八月札：8 ~ 9 月果实成熟而未开裂时采摘，用绳穿起晾干，切忌堆放，以免发热霉烂，或用沸水泡透后晒干。

预知子：夏、秋季果实绿黄色时采收，晒干；或置沸水中略烫后，晒干。

| 药材性状 | 木通：本品呈圆柱形，常稍扭曲，直径 5 ～ 8mm。表面黄棕色或暗棕色，有不规则纵沟纹及枝痕。质坚韧，难折断，断面木部淡黄色，导管细密，排列不规则，射线约 13，浅黄色，放射状，髓类圆形。气微，味微苦。
八月札：本品呈长椭圆形或略呈肾形，长 3 ～ 8cm，直径 2 ～ 3cm；表面浅灰棕色或黄棕色，有不规则纵向网状皱纹，未熟者皱纹细密，先端钝圆，有时可见圆形柱头残基，基部具圆形稍内凹的果柄痕；果皮革质，较厚。断面淡灰黄色，内有多数种子，包埋在灰白色果瓤内；果肉气微香，味微涩。种子扁长卵形或不规则三角形，略扁平，宽约 5mm，厚约 2mm；表面红棕色或深红棕色，有光泽，密布细网纹，先端稍尖，基部钝圆，种脐略偏向一边，其旁可见白色种阜；种皮薄，油质；胚细小，长约 1mm，位于靠近基部一端。气微，味苦，有油腻感。
预知子：本品呈肾形或长椭圆形，稍弯曲，长 3 ～ 8cm，直径 1.5 ～ 3.5cm。表面黄棕色或黑褐色，有不规则的深皱纹，先端钝圆，基部有果梗痕。质硬，破开后果瓤淡黄色或黄棕色。种子多数，扁长卵形，黄棕色或紫褐色，具光泽，有条状纹理。气微香，味苦。|

| 功能主治 | 木通：苦，寒。归心、小肠、膀胱经。利尿通淋，清心除烦，通经下乳。用于淋证，水肿，心烦尿赤，口舌生疮，经闭乳少，湿热痹痛。
木通根：苦，平。归膀胱、肝经。祛风通络，利水消肿，行气，活血，补肝肾，强筋骨。用于风湿痹痛，跌打损伤，经闭，疝气，睾丸肿痛，脘腹胀闷，小便不利，|

带下，虫蛇咬伤。

八月札：微苦，平。归肝、胃、膀胱经。疏肝和胃，活血止痛，软坚散结，利小便。用于肝胃气滞，脘腹、胁肋胀痛，饮食不消，泻痢，疝气疼痛，腰痛，经闭痛经，瘿瘤瘰疬，恶性肿瘤。

预知子：苦，寒。归肝、胆、胃、膀胱经。疏肝理气，活血止痛，散结，利尿。用于脘胁胀痛，经闭痛经，痰核痞块，小便不利。

| **用法用量** | 木通：内服煎汤，3 ~ 6g。
木通根：内服煎汤，9 ~ 15g；磨汁或浸酒。外用适量，鲜品捣敷。
八月札：内服煎汤，9 ~ 15g；大剂量可用 30 ~ 60g；或浸酒。
预知子：内服煎汤，3 ~ 9g。

| **附　注** | 本种喜凉爽湿润的环境，常生于半阴的林中。种植土壤以富含腐殖质或土层深厚的冲积土为好；可在林园栽培。

木通科 Lardizabalaceae 猫儿屎属 *Decaisnea*

猫儿屎
Decaisnea insignis (Griff.) Hook. f. et Thoms.

| 药 材 名 | 猫儿屎（药用部位：根、果实。别名：猫屎瓜、猫瓜、鸡肠子）。

| 形态特征 | 直立灌木，高 5m。茎有圆形或椭圆形的皮孔；枝粗而脆，易断，渐变黄色，有粗大的髓部。冬芽卵形，先端尖，鳞片外面密布小疣凸。羽状复叶长 50 ~ 80cm，有小叶 13 ~ 25；叶柄长 10 ~ 20cm；小叶膜质，卵形至卵状长圆形，长 6 ~ 14cm，宽 3 ~ 7cm，先端渐尖或尾状渐尖，基部圆或阔楔形，上面无毛，下面青白色，初时被粉末状短柔毛，渐变无毛。总状花序腋生，或数个再复合为疏松、下垂、顶生的圆锥花序，长 2.5 ~ 3（~ 4）cm；花梗长 1 ~ 2cm；小苞片狭线形，长约 6mm；萼片卵状披针形至狭披针形，先端长渐尖，具脉纹，中脉部分略被皱波状尘状毛或无毛。雄花外轮萼片长约 3cm，内轮的长约 2.5cm；雄蕊长 8 ~ 10mm，花丝合生成细长

猫儿屎

管状，长 3 ～ 4.5mm，花药离生，长约 3.5mm，药隔伸出于花药之上成阔而扁平、长 2 ～ 2.5mm 的角状附属体；退化心皮小，通常长约为花丝管的 1/2 或稍超过，极少与花丝管等长。雌花退化雄蕊花丝短，合生成盘状，长约 1.5mm，花药离生，药室长 1.8 ～ 2mm，顶具长 1 ～ 1.8mm 的角状附属体；心皮 3，圆锥形，长 5 ～ 7mm，柱头稍大，马蹄形，偏斜。果实下垂，圆柱形，蓝色，长 5 ～ 10cm，直径约 2cm，先端截平但腹缝先端延伸为圆锥形凸头，具小疣凸，果皮表面有环状缢纹或无；种子倒卵形，黑色，扁平，长约 1cm。花期 4 ～ 6 月，果期 7 ～ 8 月。

| 生境分布 |

生于海拔 1000 ～ 2700m 的山坡灌丛或沟谷杂木林下阴湿处。分布于重庆彭水、奉节、丰都、城口、石柱、云阳、开州、巫溪、巫山、酉阳、南川等地。

| 资源情况 |

野生资源较丰富。药材主要来源于野生。

| 采收加工 |

随时可采挖根，晒干。夏、秋季采收果实，晒干。

| 功能主治 |

甘、辛，平。归肺、肝经。清肺止咳，祛风除湿。用于肺结核咳嗽，风湿关节痛，阴痒，肛门周围糜烂。

| 用法用量 |

内服煎汤，15 ～ 30g；或泡酒服。外用适量，煎汤洗或取浓汁外搽患处。

木通科 Lardizabalaceae 八月瓜属 Holboellia

鹰爪枫
Holboellia coriacea Diels

鹰爪枫

药材名

鹰爪枫（药用部位：根。别名：三月藤、牵藤、破骨风）。

形态特征

常绿木质藤本。茎皮褐色。掌状复叶，有小叶3；叶柄长3.5～10cm；小叶厚革质，椭圆形或卵状椭圆形，较少为披针形或长圆形，顶生小叶有时倒卵形，长（2～）6～10（～15）cm，宽（1～）4～5（～8）cm，先端渐尖或微凹而有小尖头，基部圆或楔形，边缘略背卷，上面深绿色，有光泽，下面粉绿色；中脉在上面凹入，下面凸起，基部三出脉，侧脉每边4，与网脉在嫩叶时两面凸起，叶成长时脉在上面稍下陷或两面不明显；小叶柄长5～30mm。花雌雄同株，白绿色或紫色，组成短的伞房式总状花序；总花梗短或近于无梗，数至多个簇生叶腋。雄花花梗长约2cm；萼片长圆形，长约1cm，宽约4mm，先端钝，内轮的较狭；花瓣极小，近圆形，直径不及1mm；雄蕊长6～7.5mm，药隔凸出于药室之上成极短的凸头；退化心皮锥尖，长约1.5mm。雌花花梗稍粗，长3.5～5cm；萼片紫色，与雄花的近似但稍大，外轮的长约12mm，宽

7 ~ 8mm；退化雄蕊极小，无花丝；心皮卵状棒形，长约9mm。果实长圆状柱形，长5 ~ 6cm，直径约3cm，熟时紫色，干后黑色，外面密布小疣点；种子椭圆形，略扁平，长约8mm，宽5 ~ 6mm，种皮黑色，有光泽。花期4 ~ 5月，果期6 ~ 8月。

| 生境分布 | 生于海拔500 ~ 2000m的山地杂木林或路旁灌丛中。分布于重庆巫溪、奉节、武隆、南川、城口等地。

| 资源情况 | 野生资源一般。药材主要来源于野生。

| 采收加工 | 全年均可采挖，除去须根，洗去泥土，切段，晒干。

| 功能主治 | 微苦，寒。归肝经。祛风除湿，活血通络。用于风湿痹痛，跌打损伤。

| 用法用量 | 内服煎汤，15 ~ 30g；或浸酒；或研末。

木通科 Lardizabalaceae 八月瓜属 *Holboellia*

牛姆瓜
Holboellia grandiflora Reaub.

| 药 材 名 | 牛姆瓜（药用部位：藤。别名：大花牛姆瓜、八月楂）。

| 形态特征 | 常绿木质大藤本。枝圆柱形，具线纹和皮孔；茎皮褐色。掌状复叶
具长柄，有小叶 3 ~ 7；叶柄稍粗，长 7 ~ 20；叶革质或薄革质，
倒卵状长圆形或长圆形，有时椭圆形或披针形，长 6 ~ 14cm，宽
4 ~ 6cm，通常中部以上最阔，先端渐尖或急尖，基部通常长楔形，
边缘略背卷，上面深绿色，有光泽，干后暗淡，下面苍白色；中脉
于上面凹入，侧脉每边 7 ~ 9，与网脉均在上面不明显，在下面略
凸起；小叶柄长 2 ~ 5cm。花淡绿白色或淡紫色，雌雄同株，数朵
组成伞房式的总状花序；总花梗长 2.5 ~ 5cm，2 ~ 4 簇生于叶腋。
雄花外轮萼片长倒卵形，先端钝，基部圆或截平，长 20 ~ 22mm，
宽 8 ~ 10mm，内轮的线状长圆形，与外轮的近等长但较狭；花瓣

牛姆瓜

极小，卵形或近圆形，直径约 1mm；雄蕊直，长约 15mm，花丝圆柱形，长约 1cm，药隔伸出花药先端而成小凸头；退化心皮锥尖，长约 3mm。雌花外轮萼片阔卵形，厚，长 20～25mm，宽 12～16mm，先端急尖，基部圆，内轮萼片卵状披针形，远较狭；花瓣与雄花的相似；退化雄蕊小，近无柄，药室内弯；心皮披针状柱形，长约 12mm，柱头圆锥形，偏斜。果实长圆形，常孪生，长 6～9cm；种子多数，黑色。花期 4～5 月，果期 7～9 月。

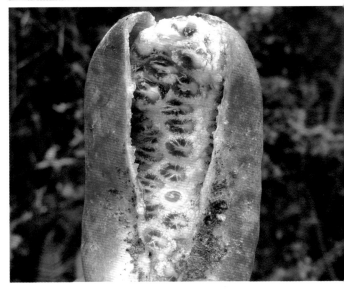

| 生境分布 |

生于海拔 600～2000m 的山地杂木林或沟边灌丛内。分布于重庆大足、酉阳、北碚、秀山、璧山、忠县、黔江、巫山、奉节、南川等地。

| 资源情况 |

野生资源一般。药材主要来源于野生。

| 采收加工 |

全年均可采割，洗净，切段，干燥。

| 功能主治 |

甘、苦、微酸，温。祛风除湿，活血止痛，宽胸行气。用于跌打损伤，风湿筋骨痛，痛经，食积气滞，胸腹胀满。

| 用法用量 |

内服煎汤，适量；或浸酒；或研末。孕妇慎服。

木通科 Lardizabalaceae 串果藤属 Sinofranchetia

串果藤

Sinofranchetia chinensis (Franch.) Hemsl.

| 药 材 名 | 串果藤（药用部位：藤茎）。

| 形态特征 | 落叶木质藤本，全株无毛。幼枝被白粉。冬芽大，有覆瓦状排列的鳞片数至多枚。叶具羽状3小叶，通常密集与花序同自芽鳞片中抽出；叶柄长10～20cm；托叶小，早落；小叶纸质，顶生小叶菱状倒卵形，长9～15cm，宽7～12cm，先端渐尖，基部楔形，侧生小叶较小，基部略偏斜，上面暗绿色，下面苍白灰绿色；侧脉每边6～7；小叶柄顶生的长1～3cm，侧生的极短。总状花序长而纤细，下垂，长15～30cm，基部为芽鳞片所包托；花稍密集着生于花序总轴上；花梗长2～3mm。雄花萼片6，绿白色，有紫色条纹，倒卵形，长约2mm；蜜腺状花瓣6，肉质，近倒心形，长不及1mm；雄蕊6，花丝肉质，离生，花药略短于花丝，药隔不突出；退化心皮小。雌

串果藤

花萼片与雄花的相似，长约 2.5mm；花瓣很小；退化雄蕊与雄蕊形状相似但较小；心皮 3，椭圆形或倒卵状长圆形，比花瓣长，长 1.5 ～ 2mm，无花柱，柱头不明显，胚珠多数，2 列。成熟心皮浆果状，椭圆形，淡紫蓝色，长约 2cm，直径 1.5cm；种子多数，卵圆形，压扁，长 4 ～ 6mm，种皮灰黑色。花期 5 ～ 6 月，果期 9 ～ 10 月。

| 生境分布 | 生于海拔 900 ～ 2450m 的山沟密林、林缘或灌丛中。分布于重庆城口、巫溪、巫山、南川等地。

| 资源情况 | 野生资源较少。药材来源于野生。

| 采收加工 | 全年均可采割，洗净，切段，干燥。

| 功能主治 | 辛，温。祛风除湿，通经活络。用于风湿骨痛，跌打损伤。

| 用法用量 | 内服煎汤，适量；或浸酒；或研末。孕妇慎服。

木通科 Lardizabalaceae 野木瓜属 Stauntonia

野木瓜 *Stauntonia chinensis* DC.

野木瓜

| 药 材 名 |

野木瓜（药用部位：带叶藤茎。别名：五爪金龙、假荔枝、绕绕藤）、野木瓜果（药用部位：果实）。

| 形态特征 |

木质藤本。茎绿色，具线纹，老茎皮厚，粗糙，浅灰褐色，纵裂。掌状复叶有小叶 5 ~ 7；叶柄长 5 ~ 10cm；小叶革质，长圆形、椭圆形或长圆状披针形，长 6 ~ 9（~ 11.5）cm，宽 2 ~ 4cm，先端渐尖，基部钝、圆或楔形，边缘略加厚，上面深绿色，有光泽，下面浅绿色，嫩时常密布更浅色的斑点；中脉在上面凹入，侧脉和网脉在两面均明显凸起；小叶柄长 6 ~ 25mm。花雌雄同株，通常 3 ~ 4 组成伞房花序式的总状花序；总花梗纤细，基部为大型的芽鳞片所包托；花梗长 2 ~ 3cm；苞片和小苞片线状披针形，长 15 ~ 18mm。雄花萼片外面淡黄色或乳白色，内面紫红色，外轮的披针形，长约 18mm，宽约 6mm，内轮的线状披针形，长约 16mm，宽约 3mm；蜜腺状花瓣 6，舌状，长约 1.5mm，先端稍呈紫红色；花丝合生为管状，长约 4mm，花药长约 3.5mm，药隔凸出所成之尖角状附属体与药室近等长；退化心皮小，锥尖。雌花萼片与雄花的相似但稍大，外轮的长可达 22～25mm；退化雄蕊长约 1mm；心皮卵状棒形，柱头为偏斜的头状；蜜腺状花瓣与雄花的相似。果实长圆形，长 7～10cm，直径 3～5cm；种子近三角形，长约 1cm，压扁，种皮深褐色至近黑色，有光泽。花期 3～4 月，果期 6～10 月。

| 生境分布 | 生于海拔 500～1300m 的山地密林、山腰灌丛或山谷溪边疏林中。分布于重庆涪陵等地。

| 资源情况 | 野生资源稀少。药材主要来源于野生。

| 采收加工 | 野木瓜：全年均可采割，洗净，切段，干燥。
野木瓜果：秋季果实较成熟时采摘，干燥；或置沸水中略烫后，干燥。

| 药材性状 | 野木瓜：本品茎呈圆柱形，长 3～15cm，直径 0.2～3cm。粗茎表面灰黄色或灰棕色，有粗纵纹，外皮常成块状脱落；细茎表面深棕色，具光泽，纵纹明显，可见小枝痕或叶痕。切面皮部狭窄，深棕色，木部宽广，浅棕黄色，有密集的放射状纹理和成行小孔，髓部明显。质硬或稍韧。掌状复叶互生，小叶片长椭圆形，革质，长 5～10cm，宽 2～4cm，先端尖，基部近圆形，全缘，上表面深棕绿色，有光泽，下表面浅棕绿色，网脉明显；小叶柄长约 1.5cm。气微，味微苦、涩。
野木瓜果：本品呈椭圆形或长椭圆形，微弯曲，长 6～10cm，直径 3～5cm。表面黄棕色或棕褐色，有不规则的皱纹，先端钝圆，花柱残基略凸出，基部多残留果柄或呈灰黄色圆形瘢痕。破开后内表面黄白色至棕黄色，显颗粒性。质坚硬，断面果肉灰黄色至棕褐色，果瓤类白色或黄白色。种子多数，略呈三角形，黑色，有光泽。气微，味甘，嚼之有砂粒感。

| 功能主治 | 野木瓜：微苦，平。归肝、胃经。祛风止痛，舒筋活络。用于风湿痹痛，腰腿疼痛，头痛，牙痛，痛经，跌仆伤痛。
野木瓜果：酸、甘，平。疏肝活血，理气止痛。用于肝胃气痛，消化不良，腰痛，疝气，痛经，子宫脱垂。

| 用法用量 | 野木瓜：内服煎汤，9～15g。
野木瓜果：内服煎汤，6～15g。

防己科 Menispermaceae 木防己属 Cocculus

木防己
Cocculus orbiculatus (L.) DC.

木防己

| 药 材 名 |

木防己（药用部位：根。别名：土木香、牛木香、金锁匙）。

| 形态特征 |

木质藤本。嫩枝密被柔毛，老枝近于无毛，表面具直线纹。单叶互生；叶柄长 1 ~ 3cm，被白色柔毛；叶片纸质至近革质，形状变异极大，线状披针形至阔卵状近圆形、狭椭圆形至近圆形、倒披针形至倒心形，有时卵状心形，长 3 ~ 8cm，少数超过 10cm，宽 1.5 ~ 5cm，先端渐尖、极尖或钝有小凸尖，有时微缺或 2 裂，基部楔形、圆或心形，全缘或 3 裂，有时掌状 5 裂。聚伞花序单生或作圆锥花序式排列，腋生或顶生，长达 10cm 或更长，被柔毛；花单性，雌雄异株。雄花淡黄色；萼片 6，无毛，外轮卵形或椭圆状卵形，内轮阔椭圆形；花瓣 6，倒披针状长圆形，先端 2 裂，基部两侧有耳，并内折；雄蕊 6。雌花萼片和花瓣与雄花相似；退化雄蕊 6，微小；心皮 6。核果近球形，成熟时紫红色或蓝黑色。花期 5 ~ 8 月，果期 8 ~ 10 月。

| **生境分布** | 生于灌丛、村边、林缘等处。分布于重庆大足、彭水、长寿、忠县、城口、巫山、綦江、黔江、云阳、酉阳、南川、涪陵、北碚、垫江、丰都等地。

| **资源情况** | 野生资源较丰富。药材主要来源于野生。

| **采收加工** | 全年均可采挖，除去泥沙和须根，晒干。

| **药材性状** | 本品呈圆柱形，不规则扁缩，略扭曲，直径 0.3 ~ 3cm，长短不等。表面灰褐色至黑褐色，稍粗糙，有扭曲的纵沟纹、横向皮孔和支根痕，弯曲处有细横裂纹。体坚实，质硬而脆，易折断，断面不平坦，片状交错；切面类白色至黄白色，木部具灰棕色放射状纹理。气微，味苦。

| **功能主治** | 苦，寒。归肺、肝、肾经。行水利湿，消肿止痛，清热解毒。用于水肿，风湿痹痛，跌打肿痛，痈疮肿毒，毒蛇咬伤，肾炎，关节炎，神经痛。

| **用法用量** | 内服煎汤，6 ~ 9g。外用适量。

| **附 注** | 本种喜温暖湿润气候，对土壤要求不严，以疏松、肥沃的砂壤土或黏壤土种植为好。

防己科 Menispermaceae 轮环藤属 Cyclea

轮环藤
Cyclea racemosa Oliv.

| 药 材 名 | 小青藤香（药用部位：根。别名：青藤、滚天龙、青藤细辛）。

| 形态特征 | 藤本。老茎木质化，枝稍纤细，有条纹，被柔毛或近无毛。叶盾状或近盾状，纸质，卵状三角形或三角状近圆形，长 4 ~ 9cm 或稍过之，宽 3.5 ~ 8cm，先端短尖至尾状渐尖，基部近截平至心形，全缘，多少被毛；掌状脉 9 ~ 11，向下的 4 ~ 5 很纤细，有时不明显，连同网状小脉均在下面凸起；叶柄较纤细，比叶片短或与之近等长，被柔毛。聚伞圆锥花序狭窄，总状花序状，密花，长 3 ~ 10cm 或稍过之，花序轴较纤细，密被柔毛，分枝长通常不超过 1cm，斜生；苞片卵状披针形，长约 2mm，先端尾状渐尖，背面被柔毛。雄花花萼钟形，4 深裂几达基部，萼片 2 阔卵形，长 2.5 ~ 4mm，宽 2 ~ 2.5mm，萼片 2 近长圆形，宽 1.8 ~ 2mm，均顶部反折；花冠碟状或浅杯状，

轮环藤

全缘或 2 ~ 6 深裂几达基部；聚药雄蕊长约 1.5mm，花药 4。雌花萼片 2 或 1（很可能是另 1 片脱落），基部囊状，中部缢缩，上部稍扩大而反折，长 1.8 ~ 2.2mm；花瓣 2 或 1，微小，常近圆形，直径约 0.6mm；子房密被刚毛，柱头 3 裂。核果扁球形，疏被刚毛，果核直径 3.5 ~ 4mm，背部中肋两侧各有 3 行圆锥状小凸体，胎座迹明显球形。花期 4 ~ 5 月，果期 8 月。

| 生境分布 | 生于林中或灌丛中。分布于重庆酉阳、巫溪、城口、云阳、武隆、垫江、石柱、北碚、巫山、黔江等地。

| 资源情况 | 野生资源较丰富。药材来源于野生。

| 采收加工 | 秋季采挖，除去须根，洗净，切段，鲜用或晒干。

| 药材性状 | 本品呈长条状，略弯曲，直径 0.5 ~ 3cm。表面淡棕色，有纵向沟纹及凸起的支根痕，弯曲处有横向裂纹。质坚，断面有放射状纹理。气微，味苦。

| 功能主治 | 辛、苦，微温；有小毒。理气止痛，除湿解毒。用于胸脘胀痛，腹痛吐泻，咽喉肿痛，毒蛇咬伤，狗咬伤，痈疽肿毒，外伤出血。

| 用法用量 | 内服煎汤，6 ~ 5g；或研末，1.5 ~ 3g。外用适量，研末调敷。

防己科 Menispermaceae 轮环藤属 *Cyclea*

四川轮环藤
Cyclea sutchuenensis Gagnep.

| **药 材 名** | 良藤（药用部位：根、茎藤。别名：金线风、隔山消）。

| **形态特征** | 草质或老茎稍木质的藤本，除苞片有时被毛外全株无毛。小枝纤细，有条纹。叶薄革质或纸质，披针形或卵形，长 5 ~ 15cm，宽 2 ~ 5.5cm，先端短尖或尾状渐尖，基部圆，全缘，干时常褐色；掌状脉 3 ~ 5，在下面凸起；网状脉稍明显；叶柄长 2 ~ 6cm，距叶片基部 1 ~ 5mm 处盾状着生。花序腋生，总状花序状或有时穗状花序状，长达 20cm，花序轴常曲折，干时黑色，总花梗短，雄花序较纤弱；苞片菱状卵形或菱状披针形，长 1 ~ 1.5mm 或稍过之，无毛或有时被须毛。雄花萼片 4，仅基部合生，质稍厚，椭圆形或卵状长圆形，长约 2.5mm，具钝头；花瓣 4，通常合生，较少分离，长 0.4 ~ 0.6mm；聚药雄蕊长约 1.5mm，有 4 花药。雌花萼片 2，1 片

四川轮环藤

近圆形，边缘内卷，直径约 1.8mm，另 1 片对折，长 2 ～ 2.1mm；花瓣 2，微小，长不及 1mm，贴生在萼片的基部；心皮无毛。核果红色，果核长约 7mm，背部两侧各有 3 行小瘤状突起。花期夏季，果期秋季。

| **生境分布** | 生于林中、林缘或灌丛中。分布于重庆城口、巫溪、巫山、奉节、石柱、丰都、涪陵、南川等地。

| **资源情况** | 野生资源较少。药材来源于野生。

| **采收加工** | 秋、冬季采挖，除去须根，洗净，切段，晒干或鲜用。

| **功能主治** | 苦、寒。清热解毒，祛风镇咳，利水通淋，散瘀止痛。用于风热感冒，小儿惊风，破伤风，咽喉炎，牙痛，胃痛，腹痛，胃肠炎，小便淋痛，痢疾，跌打损伤。

| **用法用量** | 内服煎汤，6 ～ 9g。

防己科 Menispermaceae 轮环藤属 Cyclea

西南轮环藤 *Cyclea wattii* Diels

| **药 材 名** | 西南轮环藤（药用部位：根）。

| **形态特征** | 藤本，长 2 ～ 6m。老茎木质，灰色，有不规则纵裂纹，小枝纤细，有条纹，无毛或被微柔毛。叶纸质，形状多变异，心形、阔卵形或披针形，长 6 ～ 10cm 或稍过之，宽 3 ～ 5.5cm，先端长渐尖至短尖，基部心形、圆、钝或近截平，全缘，上面无毛，光亮，下面稍粉白，被紧贴柔毛，在放大镜下可见许多小乳突；叶柄纤细，长 3 ～ 5cm 或稍过之，无毛，盾状或非盾状着生。花序腋生，总状花序状，由 1 ～ 3 花的小聚伞花序组成，总花梗纤细，长 2 ～ 10cm，无毛；苞片长 1 ～ 1.5（～ 2）mm，先端被疏毛。雄花萼片 5 ～ 6，披针形、长圆形或椭圆形，不等大，长 1 ～ 1.5mm，宽 0.3 ～ 0.7mm；花瓣 3 ～ 6，不等大，近圆形、阔卵形或舌形，长 0.3 ～ 0.6mm；聚药雄蕊长 0.5 ～

西南轮环藤

1mm，花药 4。雌花萼片 2，黑色，倒卵状长圆形或倒披针状长圆形，长 1.5 ~ 2mm；花瓣 2，卵形或阔卵形，长 0.5 ~ 0.7mm，稍肉质；子房近球形，柱头多裂。核果扁球状，无毛；果核长约 5.5mm，背部中肋两侧各有 2 列或 3 列微凸的小瘤体。花期夏季。

| 生境分布 |

生于海拔 1100 ~ 1800m 的林缘或灌丛中。分布于重庆南川等地。

| 资源情况 |

野生资源较少。药材来源于野生，自采自用。

| 采收加工 |

秋、冬季采挖，除去须根，洗净，切段，晒干，或用鲜品。

| 功能主治 |

清热解毒，散瘀止痛。用于咽喉炎，牙痛，胃痛，腹痛，跌打损伤。

| 用法用量 |

内服煎汤，6 ~ 9g。外用适量，捣敷。

防己科 Menispermaceae 秤钩风属 *Diploclisia*

秤钩风
Diploclisia affinis (Oliv.) Diels

| **药 材 名** | 秤钩风（药用部位：根、根茎、老茎。别名：追骨风、华防己、杜藤）。

| **形态特征** | 木质藤本，长可达 7 ~ 8m。当年生枝草黄色，有条纹，老枝红褐色或黑褐色，有许多纵裂的皮孔，均无毛；腋芽 2，叠生。叶革质，三角状扁圆形或菱状扁圆形，有时近菱形或阔卵形，长 3.5 ~ 9cm 或稍过之，宽度通常稍大于长度，先端短尖或钝而具小凸尖，基部近截平至浅心形，有时近圆形或骤短尖，边缘具明显或不明显的波状圆齿；掌状脉常 5，最外侧的 1 对几不分枝，连同网脉两面均凸起；叶柄与叶片近等长或较长，在叶片的基部或紧靠基部着生。聚伞花序腋生，有花 3 至多朵，总花梗直，长 2 ~ 4cm。雄花萼片椭圆形至阔卵圆形，长 2.5 ~ 3mm，外轮宽约 1.5mm，内轮宽 2 ~ 2.5mm；花瓣卵状菱形，长 1.5 ~ 2mm，基部两侧反折呈耳状，抱着花丝；

秤钩风

雄蕊长 2 ~ 2.5mm。雌花未见。核果红色，倒卵圆形，长 8 ~ 10mm，宽约
7mm。花期 4 ~ 5 月，果期 7 ~ 9 月。

| **生境分布** | 生于林缘或疏林中。分布于重庆城口、开州、奉节、万州、梁平、石柱、南川、
合川、大足、荣昌、北碚等地。

| **资源情况** | 野生资源较丰富。药材来源于野生，自产自销。

| **采收加工** | 秋季采挖，除去嫩茎及枝叶，砍成长段，干燥。

| **药材性状** | 本品根茎略呈不规则圆柱形或集结成疙瘩状；根呈扁圆柱形，略弯，直径 1 ~
5cm。表面暗红棕色或灰棕色，粗糙，有不规则沟纹、裂隙和疤痕。外皮脱落后
呈黄白色，具明显纵沟。体重，质坚硬，难折断，折断面皮部纤维性，木部裂片状。
切面上具 2 ~ 7 层偏心性同心环纹，导管孔明显。根茎及老茎断面有髓部。气微，
味微苦。

| **功能主治** | 苦，凉。归肝、膀胱经。祛风除湿，活血止痛，利尿解毒。用于风湿痹痛，跌打损伤，
小便淋涩，毒蛇咬伤。

| **用法用量** | 内服煎汤，9 ~ 15g。

| **附　　注** | 本种为民间常用中药。有研究表明，本种藤茎中含有多种化学成分，如三萜、
三萜皂苷、生物碱、蜕皮甾酮等。青藤碱是生物碱中的一种成分，具有显著的
镇静、镇痛、消炎、抑制免疫和降压等作用，是一种疗效好、不良反应小的非
甾体类消炎止痛药物，有望日后用于药物成瘾性疾病的治疗。

防己科 Menispermaceae 细圆藤属 Pericampylus

细圆藤

Pericampylus glaucus (Lam.) Merr.

| **药材名** | 黑风散（药用部位：藤茎、叶。别名：广藤、小广藤、土藤）、黑风散根（药用部位：根）。

| **形态特征** | 木质藤本，长达 10 余米或更长。小枝通常被灰黄色绒毛，有条纹，常长而下垂，老枝无毛。叶纸质至薄革质，三角状卵形至三角状近圆形，很少卵状椭圆形，长 3.5 ~ 8cm，很少超过 10cm，先端钝或圆，很少短尖，有小凸尖，基部近截平至心形，很少阔楔尖，边缘有圆齿或近全缘，两面被绒毛或上面被疏柔毛至近无毛，很少两面近无毛；掌状脉 5，很少 3，网状小脉稍明显；叶柄长 3 ~ 7cm，被绒毛，通常生于叶片基部，极少稍盾状着生。聚伞花序伞房状，长 2 ~ 10cm，被绒毛。雄花萼片背面多少被毛，最外轮的狭，长 0.5mm，中轮倒披针形，长 1 ~ 1.5mm，内轮稍阔；花瓣 6，楔形或有时匙形，

细圆藤

长 0.5 ~ 0.7mm，边缘内卷；雄蕊 6，花丝分离，聚合上升，或不同程度地黏合，长 0.75mm。雌花萼片和花瓣与雄花相似；退化雄蕊 6；子房长 0.5 ~ 0.7mm，柱头 2 裂。核果红色或紫色，果核直径 5 ~ 6mm。花期 4 ~ 6 月，果期 9 ~ 10 月。

| 生境分布 | 生于林中、林缘或灌丛中。分布于重庆大足、垫江、奉节、合川、城口、永川、丰都、铜梁、云阳、璧山、涪陵、南川、长寿、忠县、武隆、开州、石柱、南岸、巴南等地。

| 资源情况 | 野生资源较丰富。药材来源于野生。

| 采收加工 | 黑风散：全年均可采收，晒干。
黑风散根：夏、秋季采挖，除去须根、泥土，洗净，晒干。

| 药材性状 | 黑风散：本品茎、叶缠绕成束。茎细圆柱形，直径 2 ~ 4mm；表面黄棕色至灰棕色，具细纵棱，节部有分枝痕；幼茎被白色绒毛；质脆，断面不平，木部黄白色，髓部白色或中空，皮部往往撕裂相连。气微，味苦。叶多破碎或折叠，完整者三角状卵形至阔卵形，上面棕绿色，下面灰绿色，被白色绒毛，掌状脉多为 5，两面凸出，下面较明显；叶柄近盾状着生，被白色绒毛；纸质，易碎。气微，微苦。

| 功能主治 | 黑风散：苦、辛，凉。归肝、胃经。清热解毒，息风止痉，祛风除湿。用于疮疡肿毒，咽喉肿痛，惊风抽搐，风湿痹痛，跌打损伤，毒蛇咬伤。
黑风散根：辛，平。清热解毒，利咽，止咳。用于疮疖痈肿，咽喉肿痛，咳嗽，毒蛇咬伤。

| 用法用量 | 黑风散：内服煎汤，9 ~ 15g。外用适量，捣敷。
黑风散根：内服煎汤，9 ~ 15g。外用适量，鲜根皮捣敷。

防己科 Menispermaceae 风龙属 Sinomenium

风龙

Sinomenium acutum (Thunb.) Rehd. et Wils.

| **药 材 名** | 青风藤（药用部位：藤茎。别名：寻风藤、大青木香、岩见愁）。

| **形态特征** | 木质大藤本，长可达 20 余米。老茎灰色，树皮有不规则纵裂纹，枝圆柱状，有规则的条纹，被柔毛至近无毛。叶革质至纸质，心状圆形至阔卵形，长 6 ~ 15cm 或稍过之，先端渐尖或短尖，基部常心形，有时近截平或近圆，全缘、有角至 5 ~ 9 裂，裂片尖或钝圆，嫩叶被绒毛，老叶常两面无毛，或仅上面无毛，下面被柔毛；掌状脉 5，很少 7，连同网状小脉均在下面明显凸起；叶柄长 5 ~ 15cm，有条纹，无毛或被柔毛。圆锥花序长可达 30cm，通常不超过 20cm，花序轴和开展、有时平叉开的分枝均纤细，被柔毛或绒毛，苞片线状披针形。雄花小苞片 2，紧贴花萼；萼片背面被柔毛，外轮长圆形至狭长圆形，长 2 ~ 2.5mm，内轮近卵形，与外轮近等

风龙

长；花瓣稍肉质，长 0.7 ~ 1mm；雄蕊长 1.6 ~ 2mm。雌花退化雄蕊丝状；心皮无毛。核果红色至暗紫色，直径 5 ~ 6mm 或稍过之。花期夏季，果期秋末。

| 生境分布 | 生于海拔 600 ~ 2000m 的林中、沟边或灌丛中。分布于重庆城口、巫山、巫溪、开州、云阳、秀山、石柱、丰都、武隆、南川、彭水、合川、北碚等地。

| 资源情况 | 野生资源一般。药材主要来源于野生。

| 采收加工 | 秋末冬初采割，扎把或切长段，晒干。

| 药材性状 | 本品呈长圆柱形，常微弯曲，长 20 ~ 70cm 或更长，直径 0.5 ~ 2cm。表面绿褐色至棕褐色，有的灰褐色，有细纵纹及皮孔。节部稍膨大，有分枝。体轻，质硬而脆，易折断，断面不平坦，灰黄色或淡灰棕色，皮部窄，木部射线成放射状排列，髓部淡黄白色或黄棕色。气微，味苦。

| 功能主治 | 苦、辛，平。归肝、脾经。祛风湿，通经络，利小便。用于风湿痹痛，关节肿胀，麻痹瘙痒。

| 用法用量 | 内服煎汤，6 ~ 12g。

| 附　　注 | 本种为 2015 版《中国药典》中药材青风藤的基原之一，青风藤的另一个基原为变种毛青藤。

防己科 Menispermaceae 千金藤属 Stephania

金线吊乌龟 *Stephania cepharantha* Hayata

| 药 材 名 | 白药子（药用部位：块根。别名：白药、白药根、山乌龟）。

| 形态特征 | 草质、落叶、无毛藤本，高通常 1 ~ 2m 或过之。块根团块状或近圆锥状，有时不规则，褐色，生有许多凸起的皮孔；小枝紫红色，纤细。叶纸质，三角状扁圆形至近圆形，长通常 2 ~ 6cm，宽 2.5 ~ 6.5cm，先端具小凸尖，基部圆或近截平，全缘或边缘多少浅波状；掌状脉 7 ~ 9，向下的很纤细；叶柄长 1.5 ~ 7cm，纤细。雌雄花序同形，均为头状花序，具盘状花托；雄花序总梗丝状，常于腋生、具小型叶的小枝上呈总状花序式排列；雌花序总梗粗壮，单个腋生。雄花萼片 6，较少 8（或偶有 4），匙形或近楔形，长 1 ~ 1.5mm；花瓣 3 或 4（很少 6），近圆形或阔倒卵形，长约 0.5mm；聚药雄蕊很短。雌花萼片 1，偶有 2 ~ 3（~ 5），长约 0.8mm 或过

金线吊乌龟

之；花瓣 2（～ 4），肉质，比萼片小。核果阔倒卵圆形，长约 6.5mm，成熟时红色；果核背部两侧各有 10 ～ 12 小横肋状雕纹，胎座迹通常不穿孔。花期 4 ～ 5 月，果期 6 ～ 7 月。

| **生境分布** | 生于村边、旷野、林缘等处土层深厚肥沃的地方（块根常入土很深），又见于石灰岩地区的石缝或石砾中（块根浮露于地面）。分布于重庆彭水、秀山、巫山、南川、合川、江津、酉阳、石柱、南岸等地。

| **资源情况** | 野生资源较丰富。药材主要来源于野生，亦有栽培。

| **采收加工** | 秋、冬季采挖，除去须根，洗净，切片，干燥。

| **药材性状** | 本品为不规则片块，直径 2 ～ 7cm，厚 0.2 ～ 1.5cm。外皮暗褐色，有皱纹及须根痕，切面类白色或灰白色，可见筋脉纹（维管束），有的略成环状排列。质硬而脆，易折断，断面粉性。气微，味苦。

| **功能主治** | 苦，寒。散瘀消肿，止痛。用于痈疽肿毒，腮腺炎，毒蛇咬伤，跌打肿痛。

| **用法用量** | 内服煎汤，9 ～ 15g；或泡酒。外用适量，研末涂敷。

| **附　　注** | 本种喜半阴环境和温暖气候，适宜种植于肥沃、疏松土壤中。

防己科 Menispermaceae 千金藤属 Stephania

千金藤
Stephania japonica (Thunb.) Miers

千金藤

| 药 材 名 |

千金藤（药用部位：根、茎叶。别名：金盆
寒药、山乌龟、公老鼠藤）。

| 形态特征 |

稍木质藤本，全株无毛。根条状，褐黄色。
小枝纤细，有直线纹。叶纸质或坚纸质，
通常三角状近圆形或三角状阔卵形，长
6 ~ 15cm，通常不超过 10cm，长与宽近相
等或略小，先端有小凸尖，基部通常微圆，
下面粉白；掌状脉 10 ~ 11，下面凸起；叶
柄长 3 ~ 12cm，明显盾状着生。复伞形聚
伞花序腋生，通常有伞梗 4 ~ 8，小聚伞花
序近无柄，密集成头状；花近无梗。雄花萼
片 6 或 8，膜质，倒卵状椭圆形至匙形，长
1.2 ~ 1.5mm，无毛；花瓣 3 或 4，黄色，
稍肉质，阔倒卵形，长 0.8 ~ 1mm；聚药雄
蕊长 0.5 ~ 1mm，伸出或不伸出。雌花萼片
和花瓣各 3 ~ 4，形状和大小与雄花的近似
或较小；心皮卵状。果倒卵形至近圆形，长
约 8mm，成熟时红色；果核背部有 2 行小
横肋状雕纹，每行 8 ~ 10，小横肋常断裂，
胎座迹不穿孔或偶有 1 小孔。

| 生境分布 |

生于海拔 500 ~ 1800m 的疏林、灌丛或石山中。分布于重庆涪陵、巫山等地。

| 资源情况 |

野生资源较少。药材来源于野生。

| 采收加工 |

7 ~ 8 月采收茎叶，晒干。9 ~ 10 月采挖根，洗净，晾干。

| 功能主治 |

苦、辛，寒。清热解毒，祛风止痛，利水消肿。用于咽喉肿痛，痈肿疮疖，毒蛇咬伤，风湿痹痛，胃痛，脚气水肿。

| 用法用量 |

内服煎汤，9 ~ 15g；或研末，每次 1 ~ 1.5g，每日 2 ~ 3 次。外用适量，研末撒；或鲜品捣敷。

防己科 Menispermaceae 千金藤属 Stephania

汝兰
Stephania sinica Diels

汝兰

药材名

汝兰（药用部位：块根。别名：金不换、山乌龟、吊金龟）。

形态特征

稍肉质落叶藤本，全株无毛。枝肥壮，常中空，有稍粗的直纹。叶干时膜质或近纸质，三角形至三角状近圆形，长 10 ～ 15cm 或过之，宽常大于长，先端钝，有小凸尖，基部近截平至微圆，很少微凹，边缘浅波状至全缘；掌状脉向上的 5，向下的 4 ～ 5，稍阔而扁，在下面微凸，网脉在下面明显；叶柄长达30cm，先端常肥大，干时扭曲，明显盾状着生。复伞形聚伞花序腋生，总梗和伞梗均肉质，无苞片和小苞片。雄花萼片 6，稍肉质，干时透明，近倒卵状长圆形，长 1 ～ 1.3mm，内轮稍阔；花瓣 3，有时 4，短而阔的倒卵形，里面有大腺体 2，长约 0.8mm；聚药雄蕊长0.7 ～ 0.8mm。雌花序亦为复伞形聚伞花序，但伞梗较粗短；雌花萼片 1，花瓣 2，里面的腺体有时不很明显。果序梗长 5cm 或更长，伞梗长 1 ～ 1.5cm；果梗肉质，干时黑色。核果的果核长 6 ～ 7mm，背部两侧各有小横肋状雕纹 15 ～ 18，小横肋中段低凹至断裂，胎座迹不穿孔。花期 6 月，果期 8 ～ 9 月。

| **生境分布** | 生于林中沟谷边。分布于重庆城口、开州、巫山、巫溪、奉节、酉阳、忠县、石柱、丰都、南川等地。 |

| **资源情况** | 野生资源稀少。药材来源于野生。 |

| **采收加工** | 全年均可采收，切片，晒干。 |

| **药材性状** | 本品呈类球形或不规则块状，直径 10 ～ 40cm。表面褐色或黑褐色，有不规则龟裂纹，散生众多小凸点。商品多为横切片或纵切片，厚 0.5 ～ 1cm；新鲜切面淡黄色至黄色，或放置后色变深。断面常可见筋脉纹（散生维管束）环状排列成同心环状；干后略呈点状突起。气微，味苦。 |

| **功能主治** | 苦，寒。清热解毒，健胃，散瘀止痛。用于感冒，咽痛，腹泻，痢疾，胃痛，痈疽肿毒，头风，风湿痹痛，跌打损伤。 |

| **用法用量** | 内服煎汤，9 ～ 15g；或研末，每次 0.6 ～ 1g，每日 3 次。外用适量，鲜品捣敷。 |

防己科 Menispermaceae 千金藤属 Stephania

粉防己

Stephania tetrandra S. Moore

粉防己

| 药 材 名 |

防己（药用部位：根。别名：蟾蜍薯、吊葫芦、白木香）。

| 形态特征 |

草质藤本，高 1 ~ 3m。主根肉质，柱状。小枝有直线纹。叶纸质，阔三角形，有时三角状近圆形，长通常 4 ~ 7cm，宽 5 ~ 8.5cm 或过之，先端有凸尖，基部微凹或近截平，两面或仅下面被贴伏短柔毛；掌状脉 9 ~ 10，较纤细，网脉甚密，很明显；叶柄长 3 ~ 7cm。花序头状，于腋生、长而下垂的枝条上作总状式排列，苞片小或很小。雄花萼片 4 或有时 5，通常倒卵状椭圆形，连爪长约 0.8mm。有缘毛；花瓣 5，肉质，长 0.6mm，边缘内折；聚药雄蕊长约 0.8mm；雌花萼片和花瓣与雄花的相似。核果成熟时近球形，红色；果核直径约 5.5mm，背部鸡冠状隆起，两侧各有约 15 小横肋状雕纹。花期夏季，果期秋季。

| 生境分布 |

生于村边、旷野、路边等处的灌丛中。分布于重庆黔江、彭水、酉阳、秀山、丰都、巫山、南川等地。

| 资源情况 | 野生资源一般。药材主要来源于野生，亦有少量栽培。

| 采收加工 | 秋季采挖，洗净，除去粗皮，晒至半干，切段，个大者再纵切，干燥。

| 药材性状 | 本品呈不规则圆柱形、半圆柱形或块状，多弯曲，长 5 ~ 10cm，直径 1 ~ 5cm。表面淡灰黄色，在弯曲处常有深陷横沟而成结节状瘤块样。体重，质坚实，断面平坦，灰白色，富粉性，有排列较稀疏的放射状纹理。气微，味苦。

| 功能主治 | 苦、寒。归膀胱、肺经。利水消肿，祛风止痛。用于脚气水肿，小便不利，湿疹疮毒，风湿痹痛，高血压。

| 用法用量 | 内服煎汤，4.5 ~ 9g。

| 附　　注 | 本种喜温暖湿润气候，宜选择排灌方便、土壤疏松肥沃、土质微酸的山坡地或荒地种植。

防己科 Menispermaceae 青牛胆属 Tinospora

青牛胆
Tinospora sagittata (Oliv.) Gagnep.

青牛胆

药材名

金果榄（药用部位：块根。别名：金牛胆、地苦胆、金狮藤）。

形态特征

草质藤本。具连珠状块根，膨大部分常为不规则球形，黄色。枝纤细，有条纹，常被柔毛。叶纸质至薄革质，披针状箭形或有时披针状戟形，很少卵箭形或椭圆状箭形，长7～15cm，有时达20cm，宽2.4～5cm，先端渐尖，有时尾状，基部弯缺常很深，后裂片圆、钝或短尖，常向后伸，有时向内弯以至2裂片重叠，很少向外伸展，通常仅在脉上被短硬毛，有时上面或两面近无毛；掌状脉5，叶片下面可见明显网脉纹；叶柄长2.5～5cm或更长，有条纹，被柔毛或近无毛。花序腋生，常数个或多个簇生，聚伞花序或分枝成疏花的圆锥状花序，长2～10cm，有时可至15cm或更长，总梗、分枝和花梗均丝状；小苞片2，紧贴花萼。雄花萼片6，或有时较多，常大小不等，最外面的小，常卵形或披针形，长仅1～2mm，内萼片椭圆形、阔椭圆形或椭圆状倒卵形，长2～3mm；花瓣6，肉质，常有爪，瓣片近圆形或阔倒卵形，很少近菱形，基部边缘常反折，长 1.4 ～ 2mm；雄蕊 6，与花瓣近等长或稍长。雌花萼片与雄花相似；花瓣楔形，长 0.4mm 左右；退化雄蕊 6，常棒状或其中 3 稍阔而扁，长约 0.4mm；心皮 3，近无毛。核果红色，近球形；果核近半球形，宽 6 ～ 8mm。花期春季，果期秋季。

| **生境分布** | 生于海拔 450 ～ 1500m 的林下或阴湿山坡、路旁。分布于重庆黔江、巫山、忠县、合川、彭水、丰都、江津、綦江、城口、巫溪、酉阳、南川、云阳、铜梁、武隆、垫江、石柱等地。

| **资源情况** | 野生资源较丰富。药材来源于野生。

| **采收加工** | 秋、冬季采挖，除去须根，洗净，晒干。

| **药材性状** | 本品呈不规则圆块状，长 5 ～ 10cm，直径 3 ～ 6cm。表面棕黄色或淡褐色，粗糙不平，有深皱纹。质坚硬，不易击碎、破开，横断面淡黄白色，导管束略呈放射状排列，色较深。气微，味苦。

| **功能主治** | 苦，寒。归肺、大肠经。清热解毒，利咽，止痛。用于咽喉肿痛，痈疽疔毒，泄泻，痢疾，脘腹热痛。

| **用法用量** | 内服煎汤，3 ～ 9g。外用适量，研末吹喉；或醋磨涂敷。

睡莲科 Nymphaeaceae 莲属 Nelumbo

莲
Nelumbo nucifera Gaertn.

| 药 材 名 | 莲子（药用部位：种子。别名：莲米、莲肉、莲实）、莲子心（药用部位：种子中的幼叶及胚根。别名：莲心）、莲房（药用部位：花托。别名：莲蓬、莲蓬壳）、莲须（药用部位：雄蕊。别名：金樱草、莲花须、莲花蕊）、荷叶（药用部位：叶）、藕节（药用部位：根茎节部。别名：光藕节、藕节巴）、石莲子（药用部位：老熟果实。别名：甜石莲、莲实、壳莲子）。

| 形态特征 | 多年生水生草本。根茎横生，肥厚，节间膨大，内有多数纵行通气孔道，节部缢缩，上生黑色鳞叶，下生须状不定根。叶圆形，盾状，直径 25 ~ 90cm，全缘，稍呈波状，上面光滑，具白粉，下面叶脉从中央射出，有 1 ~ 2 次叉状分枝；叶柄粗壮，圆柱形，长 1 ~ 2m，中空，外面散生小刺。花梗和叶柄等长或稍长，也散生小刺；花直

莲

径 10 ～ 20cm，美丽，芳香；花瓣红色、粉红色或白色，矩圆状椭圆形至倒卵形，长 5 ～ 10cm，宽 3 ～ 5cm，由外向内渐小，有时变成雄蕊，先端圆钝或微尖；花药条形，花丝细长，着生于花托之下；花柱极短，柱头顶生；花托直径 5 ～ 10cm。坚果椭圆形或卵形，长 1.8 ～ 2.5cm，果皮革质，坚硬，熟时黑褐色；种子卵形或椭圆形，长 1.2 ～ 1.7cm，种皮红色或白色。花期 6 ～ 8 月，果期 8 ～ 10 月。

| **生境分布** | 栽培于水泽、池塘、湖沼或水田中。重庆各地均有分布。

| **资源情况** | 栽培资源丰富。药材来源于栽培。

| **采收加工** | 莲子：秋季果实成熟时采割莲房，取出果实，除去果皮，干燥。

莲子心：将莲子剥开，取出绿色胚，晒干。

莲房：秋季果实成熟时采收，除去果实，晒干。

莲须：夏季花开时选晴天采收，盖纸晒干或阴干。

荷叶：夏、秋季采收，晒至七八成干时除去叶柄，折成半圆形或折扇形，干燥。

藕节：秋、冬季采挖根茎（藕），切取节部，洗净，晒干，除去须根。

石莲子：秋、冬季果实成熟时采割莲房，取出果实，晒干；或收集坠入水中的果实，洗净，晒干。

| **药材性状** | 莲子：本品略呈椭圆形或类球形，长 1.2 ～ 1.7cm，直径 0.8 ～ 1.4cm。表面浅

黄棕色至红棕色，有细纵纹和较宽的脉纹。一端中心呈乳头状突起，深棕色，多有裂口，其周边略下陷。质硬。种皮薄，不易剥离；子叶 2，黄白色，肥厚，中有空隙，具绿色莲子心。气微，味甘、微涩。

莲子心：本品略呈细圆柱形，长 1 ~ 1.4cm，直径约 0.2cm。幼叶绿色，一长一短，卷成箭形，先端向下反折，两幼叶间可见细小胚芽。胚根圆柱形，长约 3mm，黄白色。质脆，易折断，断面有数个小孔。气微，味苦。

莲房：本品呈倒圆锥状或漏斗状，多撕裂，直径 5 ~ 8cm，高 4.5 ~ 6cm。表面灰棕色至紫棕色，具细纵纹及皱纹，顶面有多数圆形孔穴，基部有花梗残基。质疏松，破碎面海绵样，棕色。气微，味微涩。

莲须：本品呈线形。花药扭转，纵裂，长 1.2 ~ 1.5cm，直径约 0.1cm，淡黄色或棕黄色。花丝纤细，稍弯曲，长 1.5 ~ 1.8cm，淡紫色。气微香，味涩。

荷叶：本品呈半圆形或折扇形，展开后呈类圆形，全缘或稍呈波状，直径 20 ~ 50cm。上表面深绿色或黄绿色，较粗糙；下表面淡灰棕色，较光滑，有粗脉 21 ~ 22，自中心向四周射出；中心有凸起的叶柄残基。质脆，易破碎。稍有清香气，味微苦。

藕节：本品呈短圆柱形，中部稍膨大，长 2 ~ 4cm，直径约 2cm。表面灰黄色至灰棕色，有残存的须根及须根痕，偶见暗红棕色鳞叶残基。两端有残留的藕，表面皱缩有纵纹。质硬，断面有多数类圆形的孔。气微，味微甘、涩。

石莲子：本品呈卵圆形或椭圆形，长 1.5 ~ 2cm，直径 0.8 ~ 1.3cm。表面灰棕色或黑色，平滑，被白色粉霜。先端有圆孔状柱迹或残留柱基，基部有果柄痕。

质硬，不易破开，果皮厚约 1mm，内表面红棕色。内有种子 1，卵形；种皮黄棕色或红棕色，不易剥离；子叶 2，淡黄白色，显粉性；中心有 1 暗绿色胚芽。气微，子叶味微甘，胚芽味微苦，果皮味涩。

| 功能主治 |　莲子：甘、涩，平。归脾、肾、心经。补脾止泻，益肾涩精，养心安神。用于脾虚久泻，遗精带下，心悸失眠。

莲子心：苦，寒。归心、肾经。清心安神，交通心肾，涩精止血。用于热入心包，神昏谵语，心肾不交，失眠遗精，血热吐血。

莲房：苦、涩，温。归肝经。化瘀止血。用于崩漏，尿血，痔疮出血，产后瘀阻，恶露不尽。

莲须：甘、涩，平。归心、肾经。固肾涩精。用于遗精滑精，带下，尿频。

荷叶：苦，平。归肝、脾、胃经。清热解暑，升发清阳，凉血止血。用于暑热烦渴，暑湿泄泻，脾虚泄泻，血热吐衄，便血崩漏。

藕节：甘、涩，平。归肝、肺、胃经。止血，消瘀。用于吐血，咯血，尿血，崩漏。

石莲子：甘，平。归胃经。清心，开胃。用于噤口痢。

| 用法用量 |　莲子：内服煎汤，6 ～ 15g。

莲子心：内服煎汤，2 ～ 5g。

莲房：内服煎汤，4.5 ～ 9g。

莲须：内服煎汤，3 ～ 4.5g。

荷叶：内服煎汤，3 ～ 9g，鲜品 15 ～ 30g，荷叶炭 3 ～ 6g。

藕节：内服煎汤，9 ～ 15g。

石莲子：内服煎汤，6 ～ 15g。

睡莲科 Nymphaeaceae 睡莲属 Nymphaea

红睡莲
Nymphaea alba L. var. *rubra* Lonnr.

| **药 材 名** | 红睡莲（药用部位：花）。

| **形态特征** | 多年生水生草本。根茎匍匐。叶纸质，近圆形，直径 10 ～ 25cm，基部具深弯缺，裂片尖锐，近平行或开展，全缘或波状，两面无毛，有小点；叶柄长达 50cm。花直径 10 ～ 20cm，芳香；花梗和叶柄几等长；萼片披针形，长 3 ～ 5cm，脱落或花期后腐烂；花瓣 20 ～ 25，白色，卵状矩圆形，长 3 ～ 5.5cm，外轮比萼片稍长；花托圆柱形；花药先端不延长，花粉粒皱缩，具乳突；柱头具 14 ～ 20 辐射线，扁平。浆果扁平至半球形，长 2.5 ～ 3cm；种子椭圆形，长 2 ～ 3cm。花期 6 ～ 8 月，果期 8 ～ 10 月。

| **生境分布** | 生于池沼中。分布于重庆南岸、南川等地。

红睡莲

| **资源情况** | 栽培资源稀少。药材主要来源于栽培。

| **采收加工** | 夏季采收，洗净，去杂质，晒干。

| **功能主治** | 消暑，解酒。用于中暑，醉酒烦渴。

| **用法用量** | 内服煎汤，6 ~ 9g。

睡莲科 Nymphaeaceae 睡莲属 Nymphaea

睡莲 *Nymphaea tetragona* Georgi

| **药 材 名** | 睡莲（药用部位：花。别名：子午莲、瑞莲、茈碧花）。

| **形态特征** | 多年生水生草本。根茎短粗。叶纸质，心状卵形或卵状椭圆形，长 5 ~ 12cm，宽 3.5 ~ 9cm，基部具深弯缺，约占叶片全长的 1/3，裂片急尖，稍开展或几重合，全缘，上面光亮，下面带红色或紫色，两面皆无毛，具小点；叶柄长达 60cm。花直径 3 ~ 5cm；花梗细长；花萼基部四棱形，萼片革质，宽披针形或窄卵形，长 2 ~ 3.5cm，宿存；花瓣白色，宽披针形、长圆形或倒卵形，长 2 ~ 2.5cm，内轮不变成雄蕊；雄蕊比花瓣短，花药条形，长 3 ~ 5mm；柱头具 5 ~ 8 辐射线。浆果球形，直径 2 ~ 2.5cm，为宿存萼片包裹；种子椭圆形，长 2 ~ 3mm，黑色。花期 6 ~ 8 月，果期 8 ~ 10 月。

睡莲

| 生境分布 | 生于池沼中。重庆各地均有分布。

| 资源情况 | 栽培资源较丰富。药材来源于栽培。

| 采收加工 | 夏季采收，洗净，除去杂质，晒干。

| 药材性状 | 本品直径 3 ～ 5cm，白色。萼片 4，基部呈四方形；花瓣 8 ～ 17；雄蕊多数，花药黄色；花柱 4 ～ 8 裂，柱头广孵形，呈茶匙状，放射状排列。

| 功能主治 | 甘、苦，平。消暑，解酒，定惊。用于中暑，醉酒烦渴，小儿惊风。

| 用法用量 | 内服煎汤，6 ～ 9g。

金鱼藻 *Ceratophyllum demersum* L.

药 材 名	金鱼藻（药用部位：全草。别名：细草、软草、藻）。
形态特征	多年生沉水草本。茎长 40 ～ 150cm，平滑，具分枝。叶 4 ～ 12 轮生，1 ～ 2 回叉状分歧，裂片丝状，或丝状条形，长 1.5 ～ 2cm，宽 0.1 ～ 0.5mm，先端带白色软骨质，边缘仅一侧有数细齿。花直径约 2mm；苞片 9 ～ 12，条形，长 1.5 ～ 2mm，浅绿色，透明，先端有 3 齿，带紫色毛；雄蕊 10 ～ 16，微密集；子房卵形，花柱钻状。坚果宽椭圆形，长 4 ～ 5mm，宽约 2mm，黑色，平滑，边缘无翅，有 3 刺，顶生刺（宿存花柱）长 8 ～ 10mm，先端具钩，基部 2 刺向下斜伸，长 4 ～ 7mm，先端渐细成刺状。花期 6 ～ 7 月，果期 8 ～ 10 月。

金鱼藻

| 生境分布 | 生于池塘、河沟。重庆各地均有分布。

| 资源情况 | 野生资源稀少。药材来源于野生，亦有少量栽培。

| 采收加工 | 全年均可采收，洗净，晒干。

| 药材性状 | 本品呈不规则丝团状，绿褐色。茎细柔，长短不一，长达60cm，具分枝。叶轮生，每轮6～8，叶片常破碎，1～2回二歧分叉，裂片线条形，边缘仅一侧具刺状小齿。有时可见暗红色小花，腋生，总苞片钻状。小坚果宽椭圆形，平滑，边缘无翅，有3长刺。

| 功能主治 | 甘、淡，凉。凉血止血，清热利水。用于血热吐血，咯血，热淋涩痛。

| 用法用量 | 内服煎汤，3～6g；或入散剂。

| 附 注 | 本种为水生草本植物，生命力较强，适温性较广，在水温低至4℃时也能较好生长。

三白草科 Saururaceae 裸蒴属 Gymnotheca

裸蒴 *Gymnotheca chinensis* Decne.

| 药 材 名 | 百部还魂（药用部位：全草。别名：还魂草、狗笠耳、白折耳根）。

| 形态特征 | 无毛草本。茎纤细，匍匐，长通常 30 ~ 65cm，节上生根。叶纸质，无腺点，叶片肾状心形，长 3 ~ 6.5cm，宽 4 ~ 7.5cm，先端阔短尖或圆，基部具 2 耳，全缘或有不明显的细圆齿；叶脉 5 ~ 7，均自基部发出，有时最外 1 对纤细或不显著；叶柄与叶片近等长；托叶膜质，与叶柄边缘合生，长 1.5 ~ 2cm，基部扩大抱茎，叶鞘长为叶柄的 1/3。花序单生，长 3.5 ~ 6.5cm；总花梗与花序等长或略短；花序轴压扁，两侧具阔棱或几成翅状；苞片倒披针形，长约 3mm，有时最下的 1 片略大而近舌状；花药长圆形，纵裂，花丝与花药近等长或稍长，基部较宽；子房长倒卵形，花柱线形，外卷。果实未见。花期 4 ~ 11 月。

裸蒴

| **生境分布** | 生于海拔 600 ～ 1200m 的湿润草丛中或阴湿处。分布于重庆彭水、丰都、南川、涪陵、武隆等地。 |

| **资源情况** | 野生资源一般。药材来源于野生。 |

| **采收加工** | 夏、秋季采挖，洗净，鲜用或切段晒干。 |

| **功能主治** | 辛、温。归脾、肝经。消食，利水，活血，解毒。用于食积腹胀，痢疾，泄泻，水肿，小便不利，带下，跌打损伤，疮疡肿毒，蜈蚣咬伤。 |

| **用法用量** | 内服煎汤，6 ～ 30g；或代茶饮。外用适量，鲜品捣敷。 |

三白草科 Saururaceae 裸蒴属 Gymnotheca

白苞裸蒴 *Gymnotheca involucrata* Pei

| 药 材 名 | 白猪鼻孔（药用部位：全草。别名：白侧耳根、圆叶蕺菜）。

| 形态特征 | 无毛草本。茎多少匍匐，长通常 30 ~ 70cm。叶纸质，无腺点，心形或肾状心形，长 4 ~ 18cm，宽 6 ~ 10cm，先端阔短尖，基部具 2 深耳，全缘或有不明显的细圆齿；叶脉 5 ~ 7，全部基出，网状脉明显；叶柄与叶片近等长；托叶膜质，与叶柄边缘合生，长 1.5 ~ 2cm，基部扩大抱茎，叶鞘长为叶柄的 1/4 ~ 1/3。花序单生，通常在茎的中部与叶对生；总花梗长 4 ~ 7cm，比花序略长或与其近等长，花序轴扁压，两侧具棱或几成翅状；苞片倒卵状长圆形或倒披针形，长约 3mm，最下 3 ~ 4 特大，白色，叶状，长 12 ~ 18cm，宽 8 ~ 12mm；雄蕊短于花柱，花药长圆形，纵裂，花丝比花药略长；子房倒锥形，花柱线形，外弯而不卷。果实未见。花期 2 ~ 6 月。

白苞裸蒴

| **生境分布** | 生于海拔 600 ～ 1000m 的路旁或林中湿地。分布于重庆彭水、城口、万州、武隆、酉阳、南川、巴南等地。 |

| **资源情况** | 野生资源稀少。药材来源于野生。 |

| **采收加工** | 夏季采收，除去泥沙，鲜用或晒干。 |

| **功能主治** | 苦，微寒。清热解毒，利水。用于肺痈，湿热带下，白浊，小便不利，疮疖肿毒。 |

| **用法用量** | 内服煎汤，鲜品 15 ～ 30g，干品 9g；或炖肉。外用适量，捣敷。 |

| **附　　注** | 本种是裴鉴先生于 1934 年从四川南部采得的植物，因其花序下具"总苞状大的基部苞片"而与裸蒴不同，故将本种定为新种。三白草与蕺菜在外形及内部组织构造上均有明显区别。裸蒴、白苞裸蒴的外形与蕺菜很相似，但其显微特征不同。蕺菜叶脉上有非腺毛，根茎髓中有草酸钙簇晶，而前两种则无。裸蒴与白苞裸蒴的叶、根茎在外形和显微特征方面都很相似。 |

三白草科 Saururaceae 蕺菜属 Houttuynia

蕺菜
Houttuynia cordata Thunb.

| 药 材 名 | 鱼腥草（药用部位：新鲜全草或干燥地上部分。别名：侧耳根、猪鼻孔、臭草）。

| 形态特征 | 腥臭草本，高 30 ~ 60cm。茎下部伏地，节上轮生小根，上部直立，无毛或节上被毛，有时带紫红色。叶薄纸质，有腺点，背面尤甚，卵形或阔卵形，长 4 ~ 10cm，宽 2.5 ~ 6cm，先端短渐尖，基部心形，两面有时除叶脉被毛外余均无毛，背面常呈紫红色；叶脉 5 ~ 7，全部基出或最内 1 对离基约 5mm 从中脉发出，如为 7 脉时，则最外 1 对很纤细或不明显；叶柄长 1 ~ 3.5cm，无毛；托叶膜质，长 1 ~ 2.5cm，先端钝，下部与叶柄合生而成长 8 ~ 20mm 的鞘，且常有缘毛，基部扩大，略抱茎。花序长约 2cm，宽 5 ~ 6mm；总花梗长 1.5 ~ 3cm，无毛；总苞片长圆形或倒卵形，长 10 ~ 15mm，宽 5 ~ 7mm，先端

蕺菜

钝圆；雄蕊长于子房，花丝长为花药的3倍。蒴果长2～3mm，先端有宿存的花柱。花期4～7月。

| **生境分布** | 生于海拔100～2600m的田边、沟边、路旁、地边、土埂上或草丛阴湿处。重庆各地均有分布。

| **资源情况** | 野生资源丰富。药材主要来源于野生，亦有少量栽培。

| **采收加工** | 鲜品全年均可采割；干品夏季茎叶茂盛、花穗多时采割，除去杂质，晒干。

| **药材性状** | 本品鲜者茎呈圆柱形，长20～45cm，直径0.25～0.45cm；上部绿色或紫红色，下部白色，节明显，下部节上生有须根，无毛或被疏毛。叶互生，叶片心形，长3～10cm，宽2.5～6cm，先端渐尖，全缘，上表面绿色，密生腺点，下表面常紫红色；叶柄细长，基部与托叶合生成鞘状。穗状花序顶生。具鱼腥气，味涩。干者茎呈扁圆柱形，扭曲；表面黄棕色，具数条纵棱；质脆，易折断。叶片卷折皱缩，展平后呈心形，上表面暗黄绿色至暗棕色，下表面灰绿色或灰棕色。穗状花序黄棕色。

| **功能主治** | 辛，微寒。归肺经。清热解毒，消痈排脓，利尿通淋。用于肺痈吐脓，痰热喘咳，热痢，热淋，痈肿疮毒。

| **用法用量** | 内服煎汤，15～25g，不宜久煎；鲜品用量加倍，煎汤或捣汁服。外用适量，捣敷或煎汤熏洗患处。

| **附　　注** | 本种喜温暖潮湿环境，忌干旱，耐寒，怕强光，在-15℃的气温下可越冬。栽培土壤以肥沃的砂壤土及腐殖质壤土为最好，不宜于黏土或碱性土壤中栽培。

三白草科 Saururaceae 三白草属 Saururus

三白草
Saururus chinensis (Lour.) Baill.

| 药 材 名 | 三白草（药用部位：地上部分。别名：白节藕、一白二白、塘边藕）、三白草根（药用部位：根茎。别名：三白根、塘边藕、九节藕）。

| 形态特征 | 湿生草本，高约 1 米余。茎粗壮，有纵长粗棱和沟槽，下部伏地，常带白色，上部直立，绿色。叶纸质，密生腺点，阔卵形至卵状披针形，长 10 ~ 20cm，宽 5 ~ 10cm，先端短尖或渐尖，基部心形或斜心形，两面均无毛，上部的叶较小，茎先端的 2 ~ 3 片于花期常为白色，呈花瓣状；叶脉 5 ~ 7，均自基部发出，如为 7 脉时，则最外 1 对纤细，斜生 2 ~ 2.5cm 即弯拱网结，网状脉明显；叶柄长 1 ~ 3cm，无毛，基部与托叶合生成鞘状，略抱茎。花序白色，长 12 ~ 20cm；总花梗长 3 ~ 4.5cm，无毛，但花序轴密被短柔毛；苞片近匙形，上部圆，无毛或被疏缘毛，下部线形，被柔毛，且贴生于花梗上；雄蕊 6，花药长圆形，纵裂，花丝比花药略长。果实近球形，

三白草

直径约 3mm，表面多疣状突起。花期 4 ~ 6 月。

| 生境分布 | 生于海拔 300 ~ 1800m 的沟旁、沼泽等低湿处。分布于重庆黔江、大足、潼南、万州、合川、丰都、云阳、南川、忠县、开州、城口、巫溪、巫山、荣昌、奉节、南岸、长寿、北碚等地。

| 资源情况 | 野生资源较丰富。药材主要来源于野生，亦有栽培。

| 采收加工 | 三白草：全年均可采收，洗净，晒干。
三白草根：秋季采挖，除去残茎及须根，洗净，鲜用或晒干。

| 药材性状 | 三白草：本品茎呈圆柱形，有纵沟 4，1 条较宽广；断面黄棕色至棕褐色，纤维性，中空。单叶互生，叶片卵形或卵状披针形，长 4 ~ 15cm，宽 2 ~ 10cm，先端渐尖，基部心形，全缘，基出脉 5；叶柄较长，有纵皱纹。总状花序于枝顶与叶对生，花小，棕褐色。蒴果近球形。气微，味淡。
三白草根：本品呈圆柱形，稍弯曲，有分枝，长短不等。表面灰褐色，粗糙，有纵皱纹及环状节，节上有须根，节间长约 2cm。质硬而脆，易折断，断面类白色，粉性。气微，味淡。

| 功能主治 | 三白草：甘、辛，寒。归肺、膀胱经。利尿消肿，清热解毒。用于水肿，小便不利，淋沥涩痛，带下，疮疡肿毒，湿疹。
三白草根：甘、辛，寒。利水除湿，清热解毒。用于脚气，水肿，淋浊，带下，痈肿，丹毒，疔疮疥癣，风湿热痹。

| 用法用量 | 三白草：内服煎汤，15 ~ 30g，鲜品加倍。外用适量，鲜品捣敷；或捣汁涂。
三白草根：内服煎汤，9 ~ 15g，鲜品 30 ~ 90g；或捣汁。外用适量，煎汤洗；或研末调敷；或鲜品捣敷。

| 附　注 | 本种喜温暖湿润气候，耐阴，凡塘边、沟边、溪边等浅水处或低洼地均可栽培。本种在低温下易发芽，在 7.6 ~ 12.4℃、有光照的条件下，经过 34 天，发芽率约 72%。种子千粒重 0.75g。

胡椒科 Piperaceae 草胡椒属 Peperomia

豆瓣绿
Peperomia tetraphylla (Forst. f.) Hook. et Arn.

| 药 材 名 | 豆瓣绿（药用部位：全草。别名：石还魂、一柱香、岩豆瓣）。

| 形态特征 | 肉质、丛生草本。茎匍匐，多分枝，长 10 ~ 30cm，下部节上生根，节间有粗纵棱。叶密集，大小近相等，4 或 3 轮生，带肉质，有透明腺点，干时变淡黄色，常有皱纹，略背卷，阔椭圆形或近圆形，长 9 ~ 12mm，宽 5 ~ 9mm，两端钝或圆，无毛或稀被疏毛；叶脉 3，细弱，通常不明显；叶柄短，长 1 ~ 2mm，无毛或被短柔毛。穗状花序单生、顶生和腋生，长 2 ~ 4.5cm；总花梗被疏毛或近无毛，花序轴密被毛；苞片近圆形，有短柄，盾状；花药近椭圆形，花丝短；子房卵形，着生于花序轴的凹陷处，柱头顶生，近头状，被短柔毛。浆果近卵形，长近 1mm，先端尖。花期 2 ~ 4 月或 9 ~ 12 月。

豆瓣绿

| 生境分布 | 生于潮湿的石上或枯树上。分布于重庆南川等地。

| 资源情况 | 野生资源稀少。药材来源于野生。

| 采收加工 | 夏、秋季采收，洗净，鲜用或晒干。

| 药材性状 | 本品茎表面具粗纵棱，下部节上有不定根。叶肉质，干时皱缩，展平后呈阔椭圆形或近圆形，形似豆瓣，长 8 ~ 12mm，宽 4 ~ 8mm，表面淡黄色，有透明腺点，叶脉不甚明显；叶柄甚短。枝顶或叶腋常有穗状花序，花序轴密被绒毛。气微，味淡。

| 功能主治 | 辛、苦，微温。归肝、脾、肺经。舒筋活血，祛风除湿，化痰止咳。用于风湿筋骨痛，跌打损伤，疮疖肿毒，宿食不消，小儿疳积，劳伤咳嗽，哮喘，百日咳。

| 用法用量 | 内服煎汤，10 ~ 15g；浸酒或入丸、散。外用适量，鲜品捣敷或绞汁涂，亦可煎汤熏洗。

石南藤
Piper wallichii (Miq.) Hand.-Mazz.

药材名	石南藤（药用部位：全草。别名：南藤、爬岩香、瓦氏胡椒）。
形态特征	攀缘藤本。枝被疏毛或脱落变无毛,干时呈淡黄色,有纵棱。叶硬纸质,干时变淡黄色,无明显腺点,椭圆形,或向下渐次为狭卵形至卵形,长7～14cm,宽4～6.5cm,先端长渐尖,有小尖头,基部短狭或钝圆,两侧近相等,有时下部的叶呈微心形,如为微心形时,则其凹缺之宽度狭于叶柄之宽度,腹面无毛,背面被长短不一的疏粗毛;叶脉5～7,最上1对互生或近对生,离基1～2.5cm从中脉发出,弧形上升至叶片3/4处弯拱连接,余者均基出,如为7脉时,则最外1对细弱而短,网状脉明显;叶柄长1～2.5cm,无毛或被疏毛;叶鞘长8～10mm。花单性,雌雄异株,聚集成与叶对生的穗状花序。雄花序于花期几与叶片等长,稀有略长于叶片者;总花梗与叶柄近

石南藤

等长或略长，无毛或被疏毛；花序轴被毛；苞片圆形，稀倒卵状圆形，边缘不整齐，近无柄或具被毛的短柄，盾状，直径约 1mm；雄蕊 2，间有 3，花药肾形，2 裂，比花丝短。雌花序比叶片短；总花梗远长于叶柄，长 2 ～ 4cm；花序轴和苞片与雄花序的相同，但苞片柄于果期延长可 2mm，密被白色长毛；子房离生，柱头 3 ～ 4，稀有 5，披针形。浆果球形，直径 3 ～ 3.5mm，无毛，有疣状突起。花期 5 ～ 6 月。

| **生境分布** | 生于海拔 310 ～ 2600m 的山谷林中阴处或湿润处，常攀缘于树上或岩石上。分布于重庆长寿、丰都、城口、涪陵、武隆、开州、垫江、铜梁、巫山、巫溪、云阳、万州、酉阳、南川、江津等地。

| **资源情况** | 野生资源较丰富。药材主要来源于野生，亦有少量栽培。

| **采收加工** | 夏、秋季采收，除去泥沙，扎把，阴干。

| **药材性状** | 本品茎呈扁圆柱形至圆柱形，长 1 ～ 2m，直径 2 ～ 3mm；表面灰褐色，具纵棱，被短毛或无毛；节膨大，常有细根。叶片多皱缩，硬纸质或近革质，卵形、卵圆形至卵状椭圆形，先端渐尖，基部近圆形或浅心形，背面灰白色至灰褐色，被短毛，主脉 5 ～ 7；叶柄长短不等。质柔韧，不易折断。气微辛香，味苦、辛。

| **功能主治** | 辛，温。归肝、肺经。祛风湿，强腰膝，止痛，止咳。用于风湿痹痛，扭挫伤，腰膝无力，风寒感冒，咳嗽，气喘。

| **用法用量** | 内服煎汤，6 ～ 9g；或浸酒、酿酒；或煮汁，熬膏。外用适量，鲜品捣敷；或捣烂炒热敷；或浸酒外搽。

金粟兰科 Chloranthaceae 金粟兰属 Chloranthus

狭叶金粟兰 *Chloranthus angustifolius* Oliv.

| 药 材 名 | 狭叶金粟兰（药用部位：全草。别名：四叶细辛）。

| 形态特征 | 多年生草本，高 15 ～ 43cm。根茎深黄色，生多数黄色须根；茎直立，无毛，单生或数个丛生，下部节上对生 2 鳞状叶。叶对生，8 ～ 10，纸质，披针形至狭椭圆形，长 5 ～ 11cm，宽 1.5 ～ 3cm，先端渐尖，基部楔形，边缘有锐锯齿，齿尖有 1 腺体，近基部或 1/4 以下全缘，两面均无毛；侧脉 4 ～ 6 对；叶柄长 7 ～ 10mm；鳞状叶三角形，膜质；托叶条裂成钻形。穗状花序单一，顶生，连总花梗长 5 ～ 8cm，总花梗长约 1cm；苞片宽卵形或近半圆形，全缘，稀为 2 浅裂；花白色；雄蕊 3，药隔基部结合，着生于子房上部外侧；中央药隔具 1 个 2 室的花药；两侧药隔各具 1 个 1 室的花药，药隔延伸成线形，长 4 ～ 6mm，水平伸展或斜上，药室在药隔的基部；子房倒卵形，

狭叶金粟兰

绿色，无花柱。核果倒卵形或近球形，长约2.5mm，近无柄。花期 4 月，果期 5 月。

| 生境分布 |

生于海拔 650 ～ 1200m 的山坡林下或岩石下的阴湿地。分布于重庆巫溪、奉节等地。

| 资源情况 |

野生资源稀少。药材来源于野生。

| 采收加工 |

夏季采收，洗净，切片，晒干。

| 功能主治 |

祛风湿，通经。

| 用法用量 |

内服煎汤，适量。

金粟兰科 Chloranthaceae 金粟兰属 Chloranthus

宽叶金粟兰 *Chloranthus henryi* Hemsl.

宽叶金粟兰

| 药 材 名 |

四块瓦（药用部位：根茎、根。别名：四大天王、四叶对、四大金刚）。

| 形态特征 |

多年生草本，高 40 ~ 65cm。根茎粗壮，黑褐色，具多数细长的棕色须根。茎直立，单生或数个丛生，有 6 ~ 7 明显的节，节间长 0.5 ~ 3cm，下部节上生 1 对鳞状叶。叶对生，通常 4 片生于茎上部，纸质，宽椭圆形、卵状椭圆形或倒卵形，长 9 ~ 18cm，宽 5 ~ 9cm，先端渐尖，基部楔形至宽楔形，边缘具锯齿，齿端有 1 腺体，背面中脉、侧脉有鳞屑状毛；叶脉 6 ~ 8 对；叶柄长 0.5 ~ 1.2cm；鳞状叶卵状三角形，膜质；托叶小，钻形。穗状花序顶生，通常两歧或总状分枝，连总花梗长 10 ~ 16cm，总花梗长 5 ~ 8cm；苞片通常宽卵状三角形或近半圆形；花白色；雄蕊 3，基部几分离，仅内侧稍相连，中央药隔长 3mm，有 1 个 2 室的花药，两侧药隔稍短，各有 1 个 1 室的花药，药室在药隔的基部；子房卵形，无花柱，柱头近头状。核果球形，长约 3mm，具短柄。花期 4 ~ 6 月，果期 7 ~ 8 月。

| 生境分布 |

生于海拔 750 ~ 1900m 的山坡阔叶林下阴湿处或灌丛中。分布于重庆黔江、城口、彭水、秀山、石柱、丰都、奉节、万州、南川、涪陵、武隆、开州、巫溪、江津等地。

| 资源情况 |

野生资源较丰富。药材来源于野生。

| 采收加工 |

夏、秋季采挖，除去泥沙，晒干。

| 药材性状 |

本品根茎粗短，呈不规则短圆柱形，先端有多数圆形凹窝状茎痕或残留茎基；表面黑褐色，四周密生长而弯曲的细根。根直径约 0.1cm；表面灰褐色或灰黄色。质脆，易折断，断面可抽出黄白色木质心。气微，味微辛。

| 功能主治 |

辛、苦，温；有小毒。归肺、肝经。祛风除湿，活血散瘀。用于风寒咳嗽，风湿麻木、疼痛，月经不调，跌仆劳伤。

| 用法用量 |

内服煎汤，3 ~ 9g；或浸酒。外用适量，捣敷。

金粟兰科 Chloranthaceae 金粟兰属 Chloranthus

及己

Chloranthus serratus (Thunb.) Roem. et Schult.

| 药 材 名 | 及己（药用部位：根茎、根。别名：四叶细辛、四大金刚、牛细辛）、对叶四块瓦（药用部位：茎叶。别名：四块瓦、四叶对、四大天王）。

| 形态特征 | 多年生草本，高 15 ～ 50cm。根茎横生，粗短，直径约 3mm，生多数土黄色须根。茎直立，单生或数个丛生，具明显的节，无毛，下部节上对生 2 鳞状叶。叶对生，4 ～ 6 生于茎上部，纸质，椭圆形、倒卵形或卵状披针形，偶有卵状椭圆形或长圆形，长 7 ～ 15cm，宽 3 ～ 6cm，先端渐窄成长尖，基部楔形，边缘具锐而密的锯齿，齿尖有 1 腺体，两面无毛；侧脉 6 ～ 8 对；叶柄长 8 ～ 25mm；鳞状叶膜质，三角形；托叶小。穗状花序顶生，偶有腋生，单一或 2 ～ 3 分枝；总花梗长 1 ～ 3.5cm；苞片三角形或近半圆形，通常先端数齿裂；花白色；雄蕊 3，药隔下部合生，着生于子房上部外侧，中央

及己

药隔有 1 个 2 室的花药，两侧药隔各有 1 个 1 室的花药；药隔长圆形，3 药隔相抱，中央药隔向内弯，长 2 ~ 3mm，与侧药隔等长或略长，药室在药隔中部或中部以上；子房卵形，无花柱，柱头粗短。核果近球形或梨形，绿色。花期 4 ~ 5 月，果期 6 ~ 8 月。

| 生境分布 | 生于海拔 280 ~ 1800m 的山地林下阴湿处或山谷溪边草丛中。分布于重庆城口、巫溪、奉节、黔江、南川、酉阳等地。

| 资源情况 | 野生资源一般。药材来源于野生。

| 采收加工 | 及己：春季花开前采挖，除去茎苗、泥沙，阴干。

对叶四块瓦：春、夏、秋季采收，洗净，切碎，鲜用或晒干。

| 药材性状 | 及己：本品根茎较短，直径约 3mm；上端有残留茎基，下侧着生多数须根。根呈细长圆柱形，长约 10cm，直径 0.5 ~ 2mm；表面土灰色，有支根痕。质脆，断面较平整，皮部灰黄色，木部淡黄色。气微，味淡。

| 功能主治 | 及己：苦，平；有毒。归肝经。活血散瘀，祛风止痛，解毒杀虫。用于跌打损伤，骨折，闭经，风湿痹痛，疔疮疖肿，疥癣，皮肤瘙痒，毒蛇咬伤。

对叶四块瓦：辛，平；有毒。祛风活血，解毒止痒。用于感冒，咳喘，风湿疼痛，跌打损伤，痈疽疮疖，月经不调。

| 用法用量 | 及己：内服煎汤，1.5 ~ 3g；或泡酒；或入丸、散。外用适量，捣敷；或煎汤熏洗。

对叶四块瓦：内服煎汤，6 ~ 9g；或捣汁；或浸酒。外用适量，捣敷；或浸汁涂擦。

金粟兰科 Chloranthaceae 金粟兰属 Chloranthus

四川金粟兰
Chloranthus sessilifolius K. F. Wu

| 药 材 名 | 四川金粟兰（药用部位：根。别名：四块瓦、红毛七、四大天王）。

| 形态特征 | 多年生草本，高35～70cm。根茎粗壮，黄褐色，直径5～7mm，生多数稍粗的须根。茎直立，较粗壮，单生或数个丛生，有4～5明显的节，下部节上对生2鳞状叶。叶无柄，对生，4片生于茎顶，呈轮生状，纸质，倒卵形或菱形，长12～20cm，宽7～12cm，先端渐窄成长约2cm的尖头，基部楔形，边缘具圆齿或锯齿，齿端有1腺体，背面淡绿色，有时带红紫色或仅叶脉带微红色，中脉和侧脉密被皮屑状鳞毛，侧脉6～8对，网脉两面稍凸起，明显；鳞状叶三角形，膜质，长7～13mm。穗状花序自茎顶抽出，有2～4下垂的分枝，具长总花梗，长10～15cm；苞片三角形，长约1.5mm，边缘有不整齐的微齿；花白色；雄蕊3，基部分离或几分离，或稍

四川金粟兰

相互覆叠，着生于子房外侧上部，中央雄蕊具1个2室的花药，药室在药隔的基部，侧生雄蕊各具1个1室的花药，药室在药隔的基部外缘，药隔长圆形，长2～2.5mm，3药隔近等长；子房卵形，长约2mm，无花柱，柱头截平，边缘有齿突。核果近球形，褐色，长2.5mm，具长1.8mm的柄。花期3～4月，果期6～7月。

| 生境分布 |

生于海拔500～1200m的山坡林下阴湿处。分布于重庆奉节、南川、云阳、开州等地。

| 资源情况 |

野生资源稀少。药材来源于野生。

| 采收加工 |

夏季采收，洗净，切片，晒干。

| 功能主治 |

有毒。散寒止咳，活血止痛。

| 用法用量 |

内服煎汤，适量。外用适量，捣敷；或研末撒。

金粟兰科 Chloranthaceae 金粟兰属 Chloranthus

金粟兰

Chloranthus spicatus (Thunb.) Makino

| 药 材 名 | 珠兰（药用部位：全株或根、叶。别名：鱼子兰、真珠兰、珍珠兰）。

| 形态特征 | 半灌木，直立或稍平卧，高 30 ~ 60cm。茎圆柱形，无毛。叶对生，厚纸质，椭圆形或倒卵状椭圆形，长 5 ~ 11cm，宽 2.5 ~ 5.5cm，先端急尖或钝，基部楔形，边缘具圆齿状锯齿，齿端有 1 腺体，腹面深绿色，光亮，背面淡黄绿色，侧脉 6 ~ 8 对，两面稍凸起；叶柄长 8 ~ 18mm，基部多少合生；托叶微小。穗状花序排列成圆锥花序状，通常顶生，少有腋生；苞片三角形；花小，黄绿色，极芳香；雄蕊 3，药隔合生成 1 卵状体，上部不整齐 3 裂，中央裂片较大，有时末端又浅 3 裂，有 1 个 2 室的花药，两侧裂片较小，各有 1 个 1 室的花药；子房倒卵形。花期 4 ~ 7 月，果期 8 ~ 9 月。

金粟兰

| 生境分布 | 生于海拔 150 ~ 2000m 的山坡、沟谷密林下。分布于重庆秀山、永川、武隆、璧山、巫山、开州、北碚、渝中、南岸、南川、彭水等地。

| 资源情况 | 野生资源一般。药材主要来源于野生，亦有少量栽培。

| 采收加工 | 夏季采收，洗净，切片，晒干。

| 药材性状 | 本品全株长 30 ~ 60cm。茎呈圆柱形，表面棕褐色，质脆，易折断，断面淡棕色，纤维性。叶棕黄色，椭圆形或倒卵状椭圆形，长 4 ~ 10cm，宽 2 ~ 5cm，先端稍钝，边缘具圆锯齿，齿端有 1 腺体；叶柄长约 1cm。花穗芳香。气微，味微苦、涩。

| 功能主治 | 辛、甘，温。祛风湿，活血止痛，杀虫。用于风湿痹痛，跌打损伤，偏头痛，顽癣。

| 用法用量 | 内服煎汤，15 ~ 30g；或入丸、散。外用适量，捣敷；或研末撒于患处。

| 附　注 | 本种属阴性植物，喜温暖阴湿环境，忌烈日直晒，不耐寒，生长适温为 25 ~ 30℃，宜于富含腐殖质、排水良好的微酸性土壤中栽种。

金粟兰科 Chloranthaceae 草珊瑚属 Sarcandra

草珊瑚

Sarcandra glabra (Thunb.) Nakai

| **药 材 名** | 肿节风（药用部位：全草。别名：接骨金粟兰、九节茶、九节风）。 |

| **形态特征** | 常绿半灌木，高 50 ～ 120cm。茎与枝均有膨大的节。叶革质，椭圆形、卵形至卵状披针形，长 6 ～ 17cm，宽 2 ～ 6cm，先端渐尖，基部尖或楔形，边缘具粗锐锯齿，齿尖有 1 腺体，两面均无毛；叶柄长 0.5 ～ 1.5cm，基部合生成鞘状；托叶钻形。穗状花序顶生，通常分枝，多少成圆锥花序状，连总花梗长 1.5 ～ 4cm；苞片三角形；花黄绿色；雄蕊 1，肉质，棒状至圆柱状，花药 2 室，生于药隔上部之两侧，侧向或有时内向；子房球形或卵形，无花柱，柱头近头状。核果球形，直径 3 ～ 4mm，熟时亮红色。花期 6 月，果期 8 ～ 10 月。 |

草珊瑚

| **生境分布** | 生于海拔 250～1500m 的山坡、沟谷林下阴湿处。分布于重庆北碚、丰都、大足、涪陵、江津、彭水、长寿、璧山、铜梁、垫江、南川、忠县、武隆、石柱、永川、巴南、沙坪坝、九龙坡、荣昌、云阳、万州、城口等地。 |

| **资源情况** | 野生资源丰富。药材主要来源于野生，亦有少量栽培。 |

| **采收加工** | 夏、秋季采收，除去杂质，晒干。 |

| **药材性状** | 本品长 50～120cm。根茎较粗大，密生细根。茎圆柱形，多分枝，直径 0.3～1.3cm；表面暗绿色至暗褐色，有明显细纵纹，散有纵向皮孔，节膨大；质脆，易折断，断面有髓或中空。叶对生，叶片卵状披针形至卵状椭圆形，长 5～15cm，宽 3～6cm；表面绿色、绿褐色至棕褐色或棕红色，光滑，边缘有粗锯齿，齿尖腺体黑褐色；叶柄长约 1cm；近革质。穗状花序顶生，常分枝。气微香，味微辛。 |

| **功能主治** | 苦、辛，平。归心、肝经。清热凉血，活血消斑，祛风通络。用于血热紫斑、紫癜，风湿痹痛，跌打损伤。 |

| **用法用量** | 内服煎汤，9～15g，宜先煎或久煎；或浸酒。外用适量，捣敷；或研末调敷；或煎汤熏洗。 |

马兜铃
Aristolochia debilis Sieb. et Zucc.

药 材 名	马兜铃（药用部位：果实。别名：蛇参果、青藤香、兜铃）、青木香（药用部位：根。别名：马兜铃根、兜铃根、土青木香）。
形态特征	草质藤本。根圆柱形，直径 3 ~ 15mm，外皮黄褐色。茎柔弱，无毛，暗紫色或绿色，有腐肉味。叶纸质，卵状三角形、长圆状卵形或戟形，长 3 ~ 6cm，基部宽 1.5 ~ 3.5cm，上部宽 1.5 ~ 2.5cm，先端钝圆或短渐尖，基部心形，两侧裂片圆形，下垂或稍扩展，长 1 ~ 1.5cm，两面无毛；基出脉 5 ~ 7，邻近中脉的两侧脉平行向上，略开叉，其余向侧边延伸，各级叶脉在两面均明显；叶柄长 1 ~ 2cm，柔弱。花单生或 2 朵聚生于叶腋；花梗长 1 ~ 1.5cm，开花后期近先端常稍弯，基部具小苞片；小苞片三角形，长 2 ~ 3mm，易脱落；花被长 3 ~ 5.5cm，基部膨大呈球形，与子房连接处具关节，直径 3 ~ 6mm，

马兜铃

向上收狭成1长管，管长2～2.5cm，直径2～3mm，管口扩大成漏斗状，黄绿色，口部有紫斑，外面无毛，内面被腺体状毛；檐部一侧极短，另一侧渐延伸成舌片；舌片卵状披针形，向上渐狭，长2～3cm，先端钝；花药卵形，贴生于合蕊柱近基部，并单个与其裂片对生；子房圆柱形，长约10mm，6棱；合蕊柱先端6裂，稍具乳头状突起，裂片先端钝，向下延伸形成波状圆环。蒴果近球形，先端圆形而微凹，长约6cm，直径约4cm，具6棱，成熟时黄绿色，由基部向上沿室间6瓣开裂；果梗长2.5～5cm，常撕裂成6条；种子扁平，钝三角形，长、宽均约4mm，边缘具白色膜质宽翅。花期7～8月，果期9～10月。

| 生境分布 | 生于海拔200～1500m的山谷、沟边、路旁阴湿处或山坡灌丛中。分布于重庆酉阳、秀山、彭水、垫江、云阳、涪陵、南川、巴南、合川、北碚、璧山、巫山等地。

| 资源情况 | 野生资源稀少。药材主要来源于野生。

| 采收加工 | 马兜铃：9～10月果实由绿色变黄色时采收，晒干。
青木香：春、秋季采挖，除去须根及泥沙，晒干。

| 药材性状 | 马兜铃：本品呈卵圆形，长3～6cm，直径2～4cm。表面黄绿色、灰绿色或棕褐色，有纵棱线12，由棱线分出多数横向平行的细脉纹。先端平钝，基部有细长果梗。果皮轻而脆，易裂为6瓣，果梗也分裂为6条。果皮内表面平滑而带光泽，有较密的横向脉纹。果实分6室，每室种子多数，平叠整齐排列。种子扁平而薄，钝三角形或扇形，长6～10mm，宽8～12mm，边缘有翅，淡棕色。气特异，味微苦。
青木香：本品呈圆柱形或扁圆柱形，略弯曲，长3～15cm，直径0.5～1.5cm。表面黄褐色或灰棕色，粗糙不平，有纵皱纹及须根痕。质脆，易折断，断面不平坦，皮部淡黄色，木部宽广，射线类白色，放射状排列，形成层环明显，黄棕色。气香特异，味苦。

| 功能主治 | 马兜铃：苦，微寒。归肺、大肠经。清肺降气，止咳平喘，清肠消痔。用于肺热咳喘，痰中带血，肠热痔血，痔疮肿痛。
青木香：辛、苦，寒。归肺、胃经。平肝止痛，解毒消肿。用于眩晕头痛，胸腹胀痛，痈肿疔疮，蛇虫咬伤。

| 用法用量 | 马兜铃：内服煎汤，3～9g。
青木香：3～9g，研末敷患处。

马兜铃科 Aristolochiaceae | 马兜铃属 Aristolochia

异叶马兜铃

Aristolochia kaempferi Willd. f. *heterophylla* (Hemsl.) S. M. Hwang

异叶马兜铃

| 药 材 名 |

汉中防己（药用部位：根。别名：防己、解离、木防己）。

| 形态特征 |

草质藤本。根圆柱形，外皮黄褐色，揉之有芳香，味苦。嫩枝细长，密被倒生长柔毛，毛渐脱落，老枝无毛，明显具纵槽纹。叶纸质，叶形各式，卵形、卵状心形、卵状披针形或戟状耳形，长 5 ~ 18cm，下部宽 4 ~ 8cm，中部宽 2 ~ 5cm，先端短尖或渐尖，基部浅心形或耳形，全缘或因下部向外扩展而有 2 圆裂片，叶上面嫩时疏生白色短柔毛；侧脉每边 3 ~ 4；叶柄长 1.5 ~ 6cm，密被长柔毛。花单生，稀 2 朵聚生于叶腋；花梗长 2 ~ 7cm，常向下弯垂，近中部或近基部具小苞片；小苞片卵形或圆形，长、宽为 5 ~ 15mm，抱茎，质地常与叶相同，干后绿色或褐色，无毛，无柄或具短柄，有网脉，下面密被短柔毛；花被管中部急遽弯曲，下部长圆柱形，长 2 ~ 2.5cm，直径 3 ~ 8mm，弯曲处至檐部较下部狭而稍短，外面黄绿色，有纵脉 10，密被白色长柔毛，内面无毛；檐部盘状，近圆形，直径 2 ~ 3cm，边缘 3 浅裂，裂片平展，阔卵形，近等大或在下 1 片稍大，顶端短尖，黄绿色，基部具紫色短线条，具网脉，外面疏被短柔毛，内面仅近基部稍被毛，其余无毛，喉部黄色；花药长圆形，成对贴生于合蕊柱近基部，并与其裂片对生；子房圆柱形，长 6 ~ 12mm，6 棱，密被长绒毛；合蕊柱先端 3 裂，裂片先端圆形，有时再 2 裂，边缘向下延伸，有时稍翻卷，具疣状突起。蒴果长圆形或卵形，具 6 棱，长 3 ~ 7cm，近无毛，成熟时暗褐色；种子倒卵形，长 3 ~ 4mm，宽 2 ~ 3mm，背面平凸状，腹面凹入，中间具种脊。花期 4 ~ 6 月，果期 8 ~ 10 月。

| 生境分布 | 生于海拔 1000 ~ 1700m 的疏林或林缘山坡灌丛中。分布于重庆城口、巫山、巫溪、石柱、万州、云阳、南川等地。

| 资源情况 | 野生资源稀少。药材主要来源于野生。

| 采收加工 | 秋季采挖，洗净，切段，粗者纵切 2 瓣，晒干。

| 药材性状 | 本品呈圆柱形，略弯曲，长 4 ~ 15cm，直径 1.5 ~ 3cm，栓皮多已除去，显浅棕黄色，残存栓皮灰褐色。质坚硬，不易折断，断面黄白色，粉性，皮部较厚，木部可见放射状车辐纹，从中央向外作二歧或三歧分叉。气微弱，味苦、涩。

| 功能主治 | 苦、辛、寒。归膀胱、肾、脾经。祛风止痛，清热利水。用于风湿关节痛，湿热肢体疼痛，水肿，小便不利，脚气水肿。

| 用法用量 | 内服煎汤，5 ~ 10g。

| 附 注 | 在 FOC 中，本种的拉丁学名被修订为 *Aristolochia heterophylla* Hemsl.。

马兜铃科 Aristolochiaceae 马兜铃属 Aristolochia

宝兴马兜铃
Aristolochia moupinensis Franch.

药 材 名	淮通（药用部位：藤茎。别名：淮木通、淮通马兜铃、理防己）。
形态特征	木质藤本，长 3 ~ 4m 或更长。根长圆柱形，土黄色，有不规则纵裂纹。嫩枝和芽密被黄棕色或灰色长柔毛，老枝无毛；茎有纵棱，老茎基部有纵裂、增厚的木栓层。叶膜质或纸质，卵形或卵状心形，长 6 ~ 16cm，宽 5 ~ 12cm，先端短尖或短渐尖，基部深心形，两侧裂片下垂或稍内弯，弯缺深 1 ~ 2.5cm，全缘，上面疏生灰白色糙伏毛，后变无毛，下面密被黄棕色长柔毛；基出脉 5 ~ 7，侧脉每边 3 ~ 4，网脉两面均明显；叶柄长 3 ~ 8cm，柔弱，密被灰色或黄棕色长柔毛。花单生或 2 朵聚生于叶腋；花梗长 3 ~ 8cm，花后常伸长，近基部向下弯垂，密被长柔毛，中部以下具小苞片；小苞片卵形，长 1 ~ 1.5cm，无柄，下面密被长柔毛；花被管中部急

宝兴马兜铃

遽弯曲而略扁，下部长 2 ~ 3cm，直径 8 ~ 10mm，弯曲处至檐部与下部近等长而稍狭，外面疏被黄棕色长柔毛，内面仅近子房处被微柔毛，其余无毛，具纵脉纹；檐部盘状，近圆形，直径 3 ~ 3.5cm，内面黄色，有紫红色斑点，边缘绿色，具网状脉纹，边缘浅 3 裂；裂片常稍外翻，先端具凸尖；喉部圆形，稍具领状环，直径约 8mm；花药长圆形，成对贴生于合蕊柱近基部，并与其裂片对生；子房圆柱形，长约 8mm，具 6 棱，密被长柔毛；合蕊柱先端 3 裂；裂片先端有时 2 裂，常钝圆，边缘向下延伸呈皱波状。蒴果长圆形，长 6 ~ 8cm，直径 2 ~ 3.5cm，有 6 棱，棱通常波状弯曲，成熟时自先端向下 6 瓣开裂；种子长卵形，长 5 ~ 6mm，宽 3 ~ 4mm，背面平凸状，具皱纹及隆起的边缘，腹面凹入，中间具膜质种脊，灰褐色。花期 5 ~ 6 月，果期 8 ~ 10 月。

| 生境分布 | 生于海拔 700m 左右的林中、沟边、灌丛中。分布于重庆南川等地。

| 资源情况 | 野生资源稀少。药材来源于野生。

| 采收加工 | 春、秋季采割，除去细枝，不切或趁鲜切厚片，干燥。

| 药材性状 | 本品呈长圆柱形，稍扭曲，长 60 ~ 90cm，直径 1 ~ 4cm。表面灰黄色或棕褐色，具不规则细纵纹或浅沟，有的可见裂纹；节略膨大。体轻，质硬，不易折断。切片厚 3 ~ 6mm，边缘较整齐。皮部薄，黄棕色，木部宽广，浅灰黄色或浅黄色，具明显的放射状纹理，有时可见裂隙，导管整齐排成同心环状。气香，味微苦。

| 功能主治 | 苦，寒。除烦退热，行水下乳，排脓止痛。用于湿热壅滞身肿，五淋，小便不利，痈肿。

| 用法用量 | 内服煎汤，6 ~ 9g。

马兜铃科 Aristolochiaceae 马兜铃属 Aristolochia

管花马兜铃
Aristolochia tubiflora Dunn

| 药 材 名 | 鼻血雷（药用部位：全草或根。别名：南木香、避蛇参、白朱砂莲）。

| 形态特征 | 草质藤本。根圆柱形，细长，黄褐色，内面白色。茎无毛，干后有槽纹，嫩枝、叶柄折断后渗出微红色汁液。叶纸质或近膜质，卵状心形或卵状三角形，极少近肾形，长 3 ~ 15cm，宽 3 ~ 16cm，先端钝而具凸尖，基部浅心形至深心形，两侧裂片下垂，广展或内弯，弯缺通常深 2 ~ 4cm，全缘，上面深绿色，下面浅绿色或粉绿色，两面无毛或有时下面被短柔毛或粗糙，常密布小油点；基出脉 7，叶脉干后常呈红色；叶柄长 2 ~ 10cm，柔弱。花单生或 2 朵聚生于叶腋；花梗纤细，长 1 ~ 2cm，基部有小苞片；小苞片卵形，长 3 ~ 8mm，无柄；花被全长 3 ~ 4cm，基部膨大成球形，直径约 5mm，向上急遽收狭成 1 长管，宽 2 ~ 4mm，管口扩大呈漏斗状；

管花马兜铃

檐部一侧极短，另一侧渐延伸成舌片；舌片卵状狭长圆形，基部宽 5～8mm，先端钝，凹入或具短尖头，深紫色，具平行脉纹；花药卵形，贴生于合蕊柱近基部，并单个与其裂片对生；子房圆柱形，长约5mm，5～6棱；合蕊柱先端6裂，裂片先端骤狭，向下延伸成波状的圆环。蒴果长圆形，长约2.5cm，直径约1.5cm，6棱，成熟时黄褐色，由基部向上6瓣开裂，果梗常随果实开裂成6条；种子卵形或卵状三角形，长约4mm，宽约3.5mm，背面凸起，具疣状突起小点，腹面凹入，中间具种脊，褐色。花期4～8月，果期10～12月。

| **生境分布** | 生于海拔500～1500m的林下阴湿处。分布于重庆城口、巫溪、秀山、彭水、开州、梁平、云阳、南川、合川、武隆、巫山等地。

| **资源情况** | 野生资源一般。药材主要来源于野生。

| **采收加工** | 冬季采挖，洗净，切段，晒干或鲜用。

| **药材性状** | 本品根呈圆柱形，常弯曲，直径1～5mm，有须根。表面灰色或灰棕色，弯曲处皮部常半裂或环裂，裸露出木部。质硬脆，易折断，断面不整齐，横切面皮部灰白色，木部淡黄色。气香，味苦。

| **功能主治** | 苦、辛，寒。归肝经。清热解毒，行气止痛。用于胃痛腹痛，腹泻，痛经，跌打损伤，毒蛇咬伤。

| **用法用量** | 内服煎汤，3～6g；或研末，每次1.5～3g，每日2～3次。外用适量，鲜品捣敷。

马兜铃科 Aristolochiaceae 细辛属 Asarum

短尾细辛

Asarum caudigerellum C. Y. Cheng et C. S. Yang

| 药材名 | 接气草（药用部位：全草。别名：召叶细辛、马蹄香、毛乌金）。

| 形态特征 | 多年生草本植物，高 20 ~ 30cm。根茎横走，直径约 4mm，节间甚长；根多条，纤细。地上茎长 2 ~ 5cm，斜生。叶对生，叶片心形，长 3 ~ 7cm，宽 4 ~ 10cm，先端渐尖或长渐尖，基部心形，两侧裂片长 1 ~ 3cm，宽 2 ~ 4cm，叶面深绿色，散生柔毛，脉上较密，叶背仅脉上被毛，叶缘两侧在中部常向内弯；叶柄长 4 ~ 18cm；芽苞叶阔卵形，长约 2cm，宽 1 ~ 1.5cm。花被在子房以上合生成直径约 1cm 的短管，裂片三角状卵形，被长柔毛，长约 10mm，宽约 7mm，先端常具短尖尾，长 3 ~ 4mm，通常向内弯曲；雄蕊长于花柱，花丝比花药稍长，药隔伸出成尖舌状；子房下位，近球形，有 6 纵棱，被长柔毛，花柱合生，先端辐射状 6 裂。果实肉质，近球形，直径

短尾细辛

约 1.5cm。花期 4 ~ 5 月。

生境分布

生于海拔 1000 ~ 2100m 的林下阴湿处或水边岩石上。分布于重庆巫溪、酉阳、丰都、武隆、南川、石柱等地。

资源情况

野生资源稀少。药材主要来源于野生。

采收加工

全年均可采收，洗净，阴干。

药材性状

本品根茎较平直，长 4.5 ~ 7cm，直径约 4mm；表面棕黄色，节间甚长，皱纹细密；质脆，易折断，断面类三角形或半圆形，皮部棕褐色，木部浅棕色。根多而纤细。叶片心形，叶缘两侧在中部常向内弯，上面散生柔毛，下面脉上有毛。气芳香，味麻、辣，略有麻舌感。

功能主治

辛、苦，温。归肺、胃经。祛风散寒，温肺化痰，止痛。用于风寒头痛，痰饮咳喘，胃寒痛，腹痛，齿痛，风湿痹痛，跌打损伤。

用法用量

内服煎汤，1 ~ 3g。

尾花细辛

Asarum caudigerum Hance

| 药 材 名 | 尾花细辛（药用部位：全草。别名：白三百棒、白马蹄香、魂筒草）。

| 形态特征 | 多年生草本，全株被散生柔毛。根茎粗壮，节间短或较长；有多条纤维根。叶片阔卵形、三角状卵形或卵状心形，长 4 ~ 10cm，宽 3.5 ~ 10cm，先端急尖至长渐尖，基部耳状或心形，叶面深绿色，脉两旁偶有白色云斑，疏被长柔毛，叶背浅绿色，稀稍带红色，被较密的毛；叶柄长 5 ~ 20cm，被毛；芽苞叶卵形或卵状披针形，长 8 ~ 13cm，宽 4 ~ 6mm，背面和边缘密生柔毛。花被绿色，被紫红色圆点状短毛丛；花梗长 1 ~ 2cm，被柔毛；花被裂片直立，下部靠合如管，直径 8 ~ 10mm，喉部稍缢缩，内壁被柔毛和纵纹，花被裂片上部卵状长圆形，先端骤窄成细长尾尖，尾长可达 1.2cm，外面被柔毛；雄蕊比花柱长，花丝比花药长，药隔伸出，锥尖或舌状；

尾花细辛

子房下位，具6棱，花柱合生，先端6裂，柱头顶生。果实近球形，直径约1.8cm，具宿存花被。花期4～5月，云南、广西可晚至11月。

| 生境分布 | 生于海拔350～1660m的林下、溪边或路旁阴湿地。分布于重庆秀山、黔江、彭水、武隆、南川、北碚等地。

| 资源情况 | 野生资源稀少。药材主要来源于野生。

| 采收加工 | 全年均可采收，阴干。

| 药材性状 | 本品根茎呈不规则圆柱形，具短分枝，长3～12cm，直径2～6mm；表面灰棕色，粗糙，有环形的节，节间长0.3～1.2cm。根细长，密生节上，直径1mm；表面浅灰色，有纵皱纹；质脆，易折断，断面灰黄色。叶片阔卵形、三角状卵形、卵状心形，上面深绿色，疏生长柔毛，下面毛较密。气芳香，味麻、辣，略有麻舌感。

| 功能主治 | 辛、微苦，温；有小毒。归肺、肾经。温经散寒，化痰止咳，消肿止痛。用于风寒感冒，头痛，咳嗽哮喘，风湿痹痛，跌打损伤，口舌生疮，毒蛇咬伤，疮疡肿毒。

| 用法用量 | 内服煎汤，3～6g。外用适量，鲜品捣敷。

马兜铃科 Aristolochiaceae 细辛属 Asarum

花叶尾花细辛 *Asarum caudigerum* Hance var. *cardiophyllum* (Franch.) C. Y. Cheng et C. S. Yang

| **药 材 名** | 尾花细辛（药用部位：全草。别名：白三百棒、白马蹄香、魂筒草）。 |

| **形态特征** | 本种与原变种尾花细辛的区别在于叶面有白色点状花斑，花期较早，3 月开花。 |

| **生境分布** | 生于海拔 500 ～ 1200m 的林下阴湿地。分布于重庆石柱、武隆、黔江、彭水、酉阳、南川等地。 |

| **资源情况** | 野生资源稀少。药材主要来源于野生。 |

| **采收加工** | 全年均可采收，阴干。 |

| **药材性状** | 本品根茎呈不规则圆柱形，具短分枝，长 3 ～ 12cm，直径 2 ～ 6mm； |

花叶尾花细辛

表面灰棕色，粗糙，有环形的节，节间长 0.3～1.2cm。根细长，密生节上，直径 1mm；表面浅灰色，有纵皱纹；质脆，易折断，断面灰黄色。叶片阔卵形、三角状卵形、卵状心形，上面深绿色，有白色点状或块状花斑，疏生长柔毛，下面毛较密。气芳香，味麻、辣，略有麻舌感。

| 功能主治 | 辛、苦，温；有小毒。归肺、肾经。温经散寒，化痰止咳，消肿止痛。用于风寒感冒，头痛，咳嗽哮喘，风湿痹痛，跌打损伤，口舌生疮，毒蛇咬伤，疮疡肿毒等。

| 用法用量 | 内服煎汤，3～6g。外用适量，鲜品捣敷。

| 附　　注 | 在 FOC 中，本种的拉丁学名被修订为 *Asarum cardiophyllum* Franch.。

马兜铃科 Aristolochiaceae 细辛属 Asarum

双叶细辛 *Asarum caulescens* Maxim.

双叶细辛

| 药 材 名 |

土细辛（药用部位：全草。别名：杜细辛）。

| 形态特征 |

多年生草本。根茎横走，节间长 3 ~ 5cm；有多条须根。地上茎匍匐，有 1 ~ 2 对叶。叶片近心形，长 4 ~ 9cm，宽 5 ~ 10cm，先端常具长 1 ~ 2cm 的尖头，基部心形，两侧裂片长 1.5 ~ 2.5cm，宽 2.5 ~ 4cm，先端圆形，常向内弯接近叶柄，两面散生柔毛，叶背毛较密；叶柄长 6 ~ 12cm，无毛；芽苞叶近圆形，长、宽各约 13mm，边缘密生睫毛。花紫色，花梗长 1 ~ 2cm，被柔毛；花被裂片三角状卵形，长约 10mm，宽约 8mm，开花时上部向下反折；雄蕊和花柱上部常伸出花被之外，花丝比花药长约 2 倍，药隔锥尖；子房近下位，略呈球形，有 6 纵棱，花柱合生，先端 6 裂，裂片倒心形，柱头着生于裂缝外侧。果实近球形，直径约 1cm。花期 4 ~ 5 月。

| 生境分布 |

生于海拔 1200 ~ 1700m 的林下腐殖土中。分布于重庆城口、巫溪、巫山、彭水、万州、南川等地。

| 资源情况 |

野生资源稀少。药材主要来源于野生。

| 采收加工 |

夏、秋季挖取带根全草,除去泥土,摊放通风处,阴干。

| 药材性状 |

本品根茎呈细长圆柱形,长短不一,直径2 ～ 3mm,有分枝;表面灰棕褐色,节明显,节间长 3 ～ 5cm,节上有茎痕及多数细长弯曲的须根;质较脆,易折断,断面平坦,淡黄棕色。叶常 2,皱缩卷曲,易破碎,黄绿色,叶片展平后呈心形,先端长渐尖或渐尖,两面散生柔毛;叶柄细长,扭曲,有细纵纹。有时可见腋生紫棕色的花或果实。气微辛香,味微辛、辣而麻舌。

| 功能主治 |

散风寒,镇痛,止咳。用于风寒感冒,头痛咳嗽,劳伤身痛。

| 用法用量 |

内服煎汤,1 ～ 3g。外用适量,研末;或煎汤漱口。

马兜铃科 Aristolochiaceae 细辛属 Asarum

川北细辛 *Asarum chinense* Franch.

| 药 材 名 | 川北细辛（药用部位：全草。别名：中国细辛、金盆草、花叶细辛）。

| 形态特征 | 多年生草本。根茎细长横走，直径约 1mm，节间长约 2cm；根通常细长。叶片椭圆形或卵形，稀心形，长 3 ~ 7cm，宽 2.5 ~ 6cm，先端渐尖，基部耳状心形，两侧裂片长 1.5 ~ 2cm，宽 1.5 ~ 2.5cm，叶面绿色，或叶脉周围白色，形成白色网纹，稀中脉两旁有白色云斑，疏被短毛，叶背浅绿色或紫红色；叶柄长 5 ~ 15cm；芽苞叶卵形，长 10 ~ 15mm，宽约 8mm。花紫色或紫绿色；花梗长约 1.5cm；花被管球状或卵球状，长约 8mm，直径约 1cm，喉部缢缩并逐渐扩展成 1 短颈，膜环宽约 1mm，内壁有格状网眼，有时横向皱褶不明显，花被裂片宽卵形，长和宽均约 1cm，基部密生细乳突排列成半圆形；花丝极短，药隔不伸出或稍伸出；子房近上位或半下位，花柱离生，

川北细辛

柱头着生于花柱先端，稀先端浅内凹，柱头近侧生。花期 4 ～ 5 月。

| 生境分布 |

生于海拔 300 ～ 500m 的林下或山谷阴湿地。分布于重庆武隆等地。

| 资源情况 |

野生资源稀少。药材主要来源于野生。

| 采收加工 |

夏、秋季挖取带根全草，除去泥土，摊放通风处，阴干。

| 功能主治 |

祛风散寒，止痛，温肺化饮。用于风寒感冒，头痛，牙痛，风湿痹痛，痰饮喘咳。

| 用法用量 |

内服煎汤，1 ～ 3g。外用适量，研末；或煎汤漱口。

马兜铃科 Aristolochiaceae 细辛属 Asarum

皱花细辛

Asarum crispulatum C. Y. Cheng et C. S. Yang

| 药 材 名 | 皱花细辛（药用部位：全草。别名：盆花细辛）。

| 形态特征 | 多年生草本。根茎短；根丛生，稍肉质，直径约2mm。叶片三角状卵形或长卵形，长5～9cm，宽2.5～5cm，先端急尖或短渐尖，基部心形或耳状心形，两侧裂片长2～3.5cm，宽2～4.5cm，叶面深绿色，偶有白色云斑，散生短毛，或仅侧脉上及叶缘处被毛，叶背浅绿色，网脉不明显；叶柄长6～15cm，被短柔毛；芽苞叶卵形，长约2cm，宽1.3cm，两面无毛，边缘密被睫毛。花1至数朵，紫绿色，直径3～5cm；花梗长约1cm，无毛；花被管倒圆锥形，长约1.5cm，直径1.2～2cm，膜环宽约1.5mm，内壁有格状网眼，花被裂片卵形，长1.8～2.2cm，宽2～2.6cm，基部有乳突皱褶区，边缘常多少上下波状弯曲；花丝短，花药长方形，药隔伸出，锥尖或钝圆；子房

皱花细辛

半下位，花柱 6，先端 2 裂，柱头沿花柱裂槽下延，平展或钩状。花期 4 月。

| **生境分布** | 生于山坡路边林下阴湿地。分布于重庆南川、忠县等地。

| **资源情况** | 野生资源一般。药材主要来源于野生。

| **采收加工** | 夏、秋季挖取带根全草，除去泥土，摊放通风处，阴干。

| **功能主治** | 祛风散寒，止痛。用于风寒感冒，头痛。

| **用法用量** | 内服煎汤，适量。外用适量，捣敷。

| **附　　注** | 本种与大花细辛相似，但本种花 1～2，花被裂片上下波状起伏较微，无瓣状退化雄蕊，药隔伸出，锥尖或钝圆；叶背和叶柄绿色，无红色叶脉和斑纹。

马兜铃科 Aristolochiaceae 细辛属 Asarum

杜衡
Asarum forbesii Maxim.

| 药 材 名 | 杜衡（药用部位：全草。别名：杜细辛、泥里花、土杏）。

| 形态特征 | 多年生草本。根茎短；根丛生，稍肉质，直径 1 ~ 2mm。叶片阔心形至肾心形，长和宽各为 3 ~ 8cm，先端钝或圆，基部心形，两侧裂片长 1 ~ 3cm，宽 1.5 ~ 3.5cm，叶面深绿色，中脉两旁有白色云斑，脉上及其近边缘被短毛，叶背浅绿色；叶柄长 3 ~ 15cm；芽苞叶肾心形或倒卵形，长和宽均约 1cm，边缘有睫毛。花暗紫色，花梗长 1 ~ 2cm；花被管钟状或圆筒状，长 1 ~ 1.5cm，直径 8 ~ 10mm，喉部不缢缩，喉孔直径 4 ~ 6mm，膜环极窄，宽不足 1mm，内壁具明显格状网眼；花被裂片直立，卵形，长 5 ~ 7mm，宽和长近相等，平滑，无乳突皱褶；药隔稍伸出；子房半下位，花柱离生，先端 2 浅裂，柱头卵形，侧生。花期 4 ~ 5 月。

杜衡

| **生境分布** | 生于海拔 400 ~ 1200m 的林下沟边阴湿地。分布于重庆酉阳、巴南等地。

| **资源情况** | 野生资源一般。药材主要来源于野生，亦有少量栽培。

| **采收加工** | 4 ~ 6 月采挖，除去泥沙，阴干。

| **药材性状** | 本品常卷曲成团。根茎呈圆柱形，长 1 ~ 2cm，直径 0.2 ~ 0.3mm；表面浅棕色或灰黄色，粗糙，有环形的节，节间长 1 ~ 9mm。根呈细圆柱形，长 7cm，直径 1 ~ 2mm；表面灰白色或浅棕色；断面黄白色或类白色。叶片展平后呈宽心形或肾状心形，长、宽均为 3 ~ 8cm，先端钝或圆，上面主脉两侧可见云斑，脉上及近叶缘有短毛。偶见花，1 ~ 2 腋生，钟状，紫褐色。气芳香，有浓烈辛辣味和麻舌感。

| **功能主治** | 辛，温。归心、肺、肾经。祛风，散寒，止痛，止咳。用于风寒头痛，关节疼痛，痰饮咳喘，牙痛。

| **用法用量** | 内服煎汤，1.5 ~ 6g；或研末，0.6 ~ 3g；或浸酒。外用适量，研末吹鼻；或鲜品捣敷。

马兜铃科 Aristolochiaceae 细辛属 Asarum

单叶细辛
Asarum himalaicum Hook. f. et Thoms. ex Klotzsch.

| 药 材 名 | 土细辛（药用部位：全草。别名：杜细辛）、水细辛（药用部位：全草。别名：土癞蜘蛛香、毛细辛、石七细辛）。

| 形态特征 | 多年生草本。根茎细长，直径 1 ~ 2mm，节间长 2 ~ 3cm；有多条纤维根。叶互生，疏离，叶片心形或圆心形，长 4 ~ 8cm，宽 6.5 ~ 11cm，先端渐尖或短渐尖，基部心形，两侧裂片长 2 ~ 4cm，宽 2.5 ~ 5cm，先端圆形，两面散生柔毛，叶背和叶缘的毛较长；叶柄长 10 ~ 25cm，被毛；芽苞叶卵圆形，长 5 ~ 10mm，宽约 5mm。花深紫红色；花梗细长，长 3 ~ 7cm，被毛，毛渐脱落；花被在子房以上有短管，裂片长圆卵形，长和宽均约 7mm，上部外折，外折部分三角形，深紫色；雄蕊与花柱等长或稍长，花丝比花药长约 2 倍，药隔伸出，短锥形；子房半下位，具 6 棱，花柱合生，顶

单叶细辛

端辐射状 6 裂，柱头顶生。果实近球形，直径约 1.2cm。花期 4 ～ 6 月。

| 生境分布 |

生于海拔 1500 ～ 2500m 的溪边林下阴湿地。分布于重庆城口、酉阳、巫溪、武隆、南川、巫山等地。

| 资源情况 |

野生资源稀少。药材主要来源于野生。

| 采收加工 |

夏、秋季采挖，除去泥土，摊放通风处，阴干。

| 药材性状 |

本品根茎黄棕色，直径 1 ～ 2mm，节间长 2 ～ 3cm，节上有多数细长根。叶片呈心形或圆形，两面散生柔毛；叶柄长 10 ～ 25cm，被毛。气芳香，味辛、辣，略有麻舌感。

| 功能主治 |

辛，温。归肺、心、肝、小肠、肾经。祛风散寒，止痛，温肺化饮。用于风寒感冒，头痛，牙痛，风湿痹痛，痰饮喘咳。

| 用法用量 |

内服煎汤，1 ～ 3g。外用适量，研末；或煎汤漱口。

马兜铃科 Aristolochiaceae　细辛属 Asarum

大叶马蹄香 *Asarum maximum* Hemsl.

| **药 材 名** | 大细辛（药用部位：带根全草。别名：马蹄细辛、苕叶细辛）。

| **形态特征** | 多年生草本，植株粗壮。根茎匍匐，长可达7cm，直径2～3mm；根稍肉质，直径2～3mm。叶片长卵形、阔卵形或近戟形，长6～13cm，宽7～15cm，先端急尖，基部心形，两侧裂片长3～7cm，宽3.5～6cm，叶面深绿色，偶有白色云斑，脉上和近边缘被短毛，叶背浅绿色；叶柄长10～23cm；芽苞叶卵形，长约18mm，宽约7mm，边缘密生睫毛。花紫黑色，直径4～6cm；花梗长1～5cm；花被管钟状，长约2.5cm，直径1.5～2cm，在与花柱等高处向外膨胀形成1带状环突，喉部不缢缩或稍缢缩，喉孔直径约1cm，无膜环或仅有膜环状的横向间断的皱褶；内壁具纵行脊状皱褶，花被裂片宽卵形，长2～4cm，宽2～3cm，中部以下有半圆状污白色斑块，干后淡棕色，

大叶马蹄香

向下具有数行横列的乳突状皱褶；药隔伸出，钝尖；子房半下位，花柱 6，先端
2 裂，柱头侧生。花期 4 ～ 5 月。

| 生境分布 | 生于海拔 300 ～ 700m 的林下腐殖土中。分布于重庆城口、巫溪、巫山、奉节、
云阳、开州等地。

| 资源情况 | 野生资源稀少。药材主要来源于野生，亦有少量栽培。

| 采收加工 | 春、夏季采收，洗净，晒干。

| 药材性状 | 本品根茎长约 7cm，直径 2 ～ 3mm，其上有多个碗状叶柄痕。根粗壮，丛生，
直径 2 ～ 3mm。叶片展开呈长卵形、阔卵形或近戟形，长 6 ～ 13cm，宽 7 ～ 15cm，
先端急尖，基部心形，叶面偶有白色云斑，脉上和近边缘处有短毛。气芳香，味辛、
辣，略麻舌。

| 功能主治 | 辛，温。归肺、脾、肝经。祛风散寒，止咳祛痰，活血解毒，止痛。用于风寒感冒，
咳喘，牙痛，中暑腹痛，肠炎，痢疾，风湿关节疼痛，跌打损伤，痈疮肿毒，
蛇咬伤。

| 用法用量 | 内服煎汤，3 ～ 6g；或研末，每次 1g。

| 附　注 | 本种喜较阴湿的环境。栽培土壤以富含腐殖质而疏松、肥沃的夹砂土为好。

马兜铃科 Aristolochiaceae 细辛属 *Asarum*

南川细辛
Asarum nanchuanense C. S. Yang et J. L. Wu

| 药 材 名 | 南川细辛（药用部位：带根全草。别名：山花椒）。

| 形态特征 | 多年生草本。根茎短；根丛生，稍肉质，直径约 2mm。叶片心形或卵状心形，长 5 ~ 7.5cm，宽 6 ~ 8.5cm，先端急尖，基部心形，两侧裂片长 2 ~ 2.5cm，宽 3 ~ 3.5cm，叶面深绿色，中脉两旁有白色云斑，侧脉被短毛，叶背紫红色，有光泽；叶柄长 2.5 ~ 7.5cm；芽苞叶阔卵形，长 2cm，宽 1.8cm，边缘有睫毛。花紫色；花梗长 1.5cm；花被管钟状，长 2 ~ 2.5cm，直径约 2cm，喉部稍缢缩，膜环不甚明显，内壁有纵行脊皱；花被裂片宽卵形，长和宽均约 1.5cm，基部有直径仅约 2mm 的垫状斑块或稀疏乳突状皱褶；药隔伸出成短锥尖；子房半下位，花柱 6，先端微凹，柱头侧生。花期 5 月。

南川细辛

生境分布

生于海拔 750 ~ 1600m 的林下岩石缝中。分布于重庆石柱、武隆、彭水、南川等地。

资源情况

野生资源稀少。药材主要来源于野生，亦有少量栽培。

采收加工

夏、秋季挖取带根全草，除去泥土，摊放通风处，阴干。

功能主治

辛，温。祛风散寒，止痛，止咳，消炎。用于风寒感冒，牙痛，鼻窦炎。

用法用量

内服煎汤，适量。外用适量。

馬兜铃科 Aristolochiaceae 细辛属 Asarum

长毛细辛
Asarum pulchellum Hemsl.

长毛细辛

药材名

大乌金草（药用部位：全草或根、根茎。别名：细辛、乌金草）。

形态特征

多年生草本，全株密生白色长柔毛（干后变黑棕色）。根茎长可达 50cm，斜生或横走。地上茎长 3 ~ 7cm，多分枝。叶对生，1 ~ 2 对，叶片卵状心形或阔卵形，长 5 ~ 8cm，宽 5 ~ 9.5cm，先端急尖或渐尖，基部心形，两侧裂片长 1 ~ 2.5cm，宽 2 ~ 3cm，先端圆形，两面密生长柔毛；叶柄长 10 ~ 22cm，被长柔毛；芽苞叶卵形，长 1.5 ~ 2cm，宽约 1cm，叶背及边缘密生长柔毛。花紫绿色；花梗长 1 ~ 2.5cm，被毛；花被裂片卵形，长约 10mm，宽约 7mm，外面被柔毛，紫色，先端黄白色，上部反折；雄蕊与花柱近等长，花丝长于花药约 2 倍，药隔短舌状；子房半下位，具 6 棱，被柔毛；花柱合生，先端辐射 6 裂，柱头顶生。果实近球形，直径约 1.5cm。花期 4 ~ 5 月。

生境分布

生于海拔 700 ~ 1700m 的林下腐殖土中。分布于重庆奉节、石柱、酉阳、秀山、彭水、开州、涪陵、武隆、合川、南川等地。

资源情况

野生资源稀少。药材主要来源于野生。

采收加工

夏季采挖全草，除去泥土，置通风处阴干。

药材性状

本品根茎呈不规则圆柱状，长约50cm，直径约3mm，多分枝；灰棕色，有扭曲的细皱纹，节间长0.5～2cm，断面黄白色，有多条纤维根。叶片展开后呈卵状心形或圆卵形，长5～8cm，宽5～9.5cm，先端急尖或渐尖，基部心形，两面有密毛；叶柄长10～20cm，有毛。有的具花，紫褐色。

功能主治

辛，温。温肺祛痰，祛风除湿，理气止痛。用于风寒咳嗽，风湿关节痛，胃痛，腹痛，牙痛等。

用法用量

内服煎汤，1～5g。

▨▨马兜铃科▨ Aristolochiaceae ▨细辛属▨ *Asarum*

细辛
Asarum sieboldii Miq.

| **药 材 名** | 细辛（药用部位：全草。别名：大药、白细辛、马蹄香）。 |

| **形态特征** | 多年生草本。根茎直立或横走，直径2～3mm，节间长1～2cm；有多条须根。叶通常2，叶片心形或卵状心形，长4～11cm，宽4.5～13.5cm，先端渐尖或急尖，基部深心形，两侧裂片长1.5～4cm，宽2～5.5cm，先端圆形，叶面疏生短毛，脉上较密，叶背仅脉上被毛；叶柄长8～18cm，光滑无毛；芽苞叶肾圆形，长与宽均约13mm，边缘疏被柔毛。花紫黑色；花梗长2～4cm；花被管钟状，直径1～1.5cm，内壁有疏离纵行脊皱；花被裂片三角状卵形，长约7mm，宽约10mm，直立或近平展；雄蕊着生于子房中部，花丝与花药近等长或稍长，药隔凸出，短锥形；子房半下位或几近上位，球形，花柱6，较短，先端2裂，柱头侧生。果实近球形，直径约1.5cm， |

细辛

棕黄色。花期 4 ~ 5 月。

| **生境分布** | 生于海拔 1700 ~ 2300m 的林下阴湿腐殖土中。分布于重庆城口、巫溪、武隆、南川等地。

| **资源情况** | 野生资源稀少。药材主要来源于野生。

| **采收加工** | 夏季果熟期或初秋采挖，除去泥沙，阴干。

| **药材性状** | 本品常卷缩成团。根茎呈不规则圆柱形，具短分枝，长 5 ~ 20cm，直径 0.1 ~ 0.2cm；表面灰棕色，粗糙，有环形节，节间长 0.2 ~ 1cm。分枝先端有碗状茎痕。根细长，密生节上，长 10 ~ 20cm，直径 0.1cm；表面灰黄色，平滑或具纵皱纹，有须根及须根痕。基生叶 1 ~ 2，叶片较薄，心形，先端渐尖，基部深心形，长 4 ~ 10cm，宽 6 ~ 12cm。有的可见花，多皱缩，钟形，暗紫色，花被裂片开展。果实近球形。气微弱，味辛、辣，麻舌。

| **功能主治** | 辛，温。归心、肺、肾经。祛风散寒，通窍止痛，温肺化饮。用于风寒感冒，头痛，牙痛，鼻塞鼻渊，风湿痹痛，痰饮喘咳。

| **用法用量** | 内服煎汤，1 ~ 3g。外用适量。

马兜铃科 Aristolochiaceae 细辛属 Asarum

青城细辛
Asarum splendens (Maekawa) C. Y. Cheng et C. S. Yang

| **药 材 名** | 青城细辛（药用部位：带根全草。别名：花脸细辛、花脸王、翻天印）。

| **形态特征** | 多年生草本。根茎横走，直径 2 ~ 3mm，节间长约 1.5cm；根稍肉质，直径 2 ~ 3mm。叶片卵状心形、长卵形或近戟形，长 6 ~ 10cm，宽 5 ~ 9cm，先端急尖，基部耳状深裂或近心形，两侧裂片长 3 ~ 5cm，宽 2.5 ~ 5cm，叶面中脉两旁有白色云斑，脉上和近边缘被短毛，叶背绿色，无毛；叶柄长 6 ~ 18cm；芽苞叶长卵形，长约 2cm，宽约 1.5cm。花紫绿色，直径 5 ~ 6cm；花梗长约 1cm；花被管浅杯状或半球状，长约 1.4cm，直径约 2cm，喉部稍缢缩，有宽大喉孔，喉孔直径约 1.5cm，膜环不明显，内壁有格状网眼，花被裂片宽卵形，长约 2cm，宽约 2.5cm，基部有半圆形乳突皱褶区；雄蕊药隔伸出，

青城细辛

钝圆形；子房近上位，花柱先端 2 裂或稍下凹，柱头卵形，侧生。花期 4 ~ 5 月。

| 生境分布 |

生于海拔 450 ~ 1300m 的陡坡草丛或竹林下阴湿地。分布于重庆酉阳、潼南、长寿、涪陵、武隆、南川、江津、綦江、璧山、永川、大足、荣昌、合川、北碚等地。

| 资源情况 |

野生资源丰富。药材主要来源于野生，亦有少量栽培。

| 采收加工 |

夏、秋季挖取带根全草，除去泥土，摊放通风处，阴干。

| 功能主治 |

辛，温；有小毒。发表散寒，镇咳祛痰，止痛。用于劳伤。

| 用法用量 |

内服煎汤，适量。外用捣敷，适量。

| 附　注 |

本种与大屯细辛接近，但本种花被管浅杯状，喉孔极大，直径达 1.5cm；叶背、叶柄和花梗均无毛。

马兜铃科 Aristolochiaceae 马蹄香属 Saruma

马蹄香
Saruma henryi Oliv.

| 药 材 名 | 冷水丹（药用部位：全草。别名：高脚细辛、狗肉香）。

| 形态特征 | 多年生直立草本。根茎粗壮，直径约 5mm；有多数细长须根。茎高 50 ～ 100cm，被灰棕色短柔毛。叶心形，长 6 ～ 15cm，先端短渐尖，基部心形，两面和边缘均被柔毛；叶柄长 3 ～ 12cm，被毛。花单生，花梗长 2 ～ 5.5cm，被毛；萼片心形，长约 10mm，宽约 7mm；花瓣黄绿色，肾心形，长约 10mm，宽约 8mm，基部耳状心形，有爪；雄蕊与花柱近等高，花丝长约 2mm，花药长圆形，药隔不伸出；心皮大部离生，花柱不明显，柱头细小，胚珠多数，着生于心皮腹缝线上。蒴果蓇葖状，长约 9mm，成熟时沿腹缝线开裂；种子三角状倒锥形，长约 3mm，背面有细密横纹。花期 4 ～ 7 月。

马蹄香

| 生境分布 | 生于海拔 600 ～ 1600m 的山谷林下和沟边草丛中。分布于重庆城口、巫溪、云阳、南川、涪陵等地。

| 资源情况 | 野生资源稀少。药材主要来源于野生。

| 采收加工 | 夏、秋季采挖，除去泥土，摊通风处阴干。

| 药材性状 | 本品全草常捆成把。根茎粗短，直径约5mm，有短分枝或残留地上茎。根多数细长，直径约 1mm，灰棕色；质脆，易折断，断面黄白色。地上茎灰黄色，有纵棱；断面中空，近三角形。叶多皱缩，完整者水浸展平后呈心形，长 6 ～ 15cm，两面及边缘有柔毛。偶见已开裂的蓇葖果状蒴果。气香，味苦。

| 功能主治 | 辛、苦，温；有小毒。归肺、肾经。祛风散寒，理气止痛，消肿排脓。用于风寒感冒，咳嗽头痛，胃寒气滞脘胀疼痛，胸痹疼痛，关节痛，劳伤身痛，痈肿疮毒。

| 用法用量 | 内服煎汤，1.5 ～ 6g；或研末冲服，每次 1.5 ～ 3.0g。外用鲜叶适量，捣敷。

软枣猕猴桃

Actinidia arguta (Sieb. et Zucc.) Planch. ex Miq.

| 药 材 名 | 软枣子（药用部位：果实。别名：软枣、猿枣、圆枣）、猕猴梨根（药用部位：根。别名：藤梨根）、猕猴梨叶（药用部位：叶）。

| 形态特征 | 大型落叶藤本。小枝基本无毛或幼嫩时星散的薄被柔软绒毛或茸毛，长 7 ~ 15cm，隔年生枝灰褐色，直径 4mm 左右，洁净无毛或部分表皮呈污灰色皮屑状；皮孔长圆形至短条形，不显著至很不显著；髓白色至淡褐色，片层状。叶膜质或纸质，卵形、长圆形、阔卵形至近圆形，长 6 ~ 12cm，宽 5 ~ 10cm，先端急短尖，基部圆形至浅心形，等侧或稍不等侧，边缘具繁密的锐锯齿，腹面深绿色，无毛，背面绿色，侧脉腋上有髯毛或连中脉和侧脉下段的两侧沿生少量卷曲柔毛，个别较普遍地被卷曲柔毛，横脉和网状小脉细，不发达，可见或不可见，侧脉稀疏，6 ~ 7 对，分叉或不分叉；叶柄长 3 ~ 6（ ~ 10）cm，无毛或略被微弱的卷曲柔毛。花序腋生或腋外生，为

软枣猕猴桃

1 ~ 2 回分枝，1 ~ 7 花，或厚或薄的被淡褐色短绒毛；花序柄长 7 ~ 10mm，花柄 8 ~ 14mm；苞片线形，长 1 ~ 4mm；花绿白色或黄绿色，芳香，直径 1.2 ~ 2cm；萼片 4 ~ 6，卵圆形至长圆形，长 3.5 ~ 5mm，边缘较薄，有不甚显著的缘毛，两面薄被粉末状短茸毛，或外面毛较少或近无毛；花瓣 4 ~ 6，楔状倒卵形或瓢状倒阔卵形，长 7 ~ 9mm，1 花 4 瓣的其中有 1 片二裂至半；花丝丝状，长 1.5 ~ 3mm，花药黑色或暗紫色，长圆形箭头状，长 1.5 ~ 2mm；子房瓶状，长 6 ~ 7mm，洁净无毛，花柱长 3.5 ~ 4mm。果实圆球形至柱状长圆形，长 2 ~ 3cm，有喙或喙不显著，无毛，无斑点，不具宿存萼片，成熟时绿黄色或紫红色；种子纵径约 2.5mm。

| **生境分布** | 生于山坡杂木林中。分布于重庆南川、丰都等地。

| **资源情况** | 野生资源稀少。药材来源于野生。

| **采收加工** | 软枣子：秋季果实成熟时采摘，鲜用或晒干。
獼猴梨根：秋、冬季采挖，洗净，切片，晒干。
獼猴梨叶：夏、秋季采叶，晒干。

| **药材性状** | 软枣子：本品呈圆球形、椭圆形或柱状长圆形，长 2 ~ 3cm，直径 1.5 ~ 2.5cm。表面皱缩，暗褐色或紫红色，光滑或有浅棱，先端有喙，基部果柄长 1 ~ 1.5cm；果肉淡黄色。种子细小，椭圆形，长 2.5mm。气微，味酸、甘、微涩。

| **功能主治** | 软枣子：甘、微酸，微寒。滋阴清热，除烦止渴，通淋。用于热病津伤或阴血不足，烦渴引饮，砂淋，石淋，维生素 C 缺乏症，牙龈出血，肝炎。
獼猴梨根：淡、微涩，平。清热利湿，祛风除痹，解毒消肿，止血。用于黄疸，风湿痹痛，消化道恶性肿瘤，痛疡疮疖，跌打损伤，外伤出血。
獼猴梨叶：甘，平。止血。用于外伤出血。

| **用法用量** | 软枣子：内服煎汤，3 ~ 15g。
獼猴梨根：内服煎汤，15 ~ 60g；或捣汁饮。
獼猴梨叶：外用适量，焙干，研末撒。

京梨猕猴桃 *Actinidia callosa* Lindl. var. *henryi* Maxim.

| **药 材 名** | 水梨藤（药用部位：根皮）。

| **形态特征** | 大型落叶藤本。着花小枝长 5 ～ 15cm，一般 8 ～ 12cm，直径 2.5 ～ 3mm，较坚硬，干后土黄色，洁净无毛；皮孔相当显著，髓淡褐色，片层状或实心，芽体被锈色茸毛；隔年生枝灰褐色，直径 3 ～ 5mm，干时有皱纹状纵棱，皮孔开裂或不开裂，髓片层状。叶卵形或卵状椭圆形至倒卵形，长 8 ～ 10cm，宽 4 ～ 5.5cm，边缘锯齿细小，背面脉腋上被髯毛，叶脉比较发达，在上面下陷，在背面隆起呈圆线形，侧脉 6 ～ 8 对，横脉不甚显著，网状小脉不易见；叶柄水红色，长 2 ～ 8cm，洁净无毛，仅个别变种被少数硬毛。花序有花 1 ～ 3，通常 1 花单生；花序柄 7 ～ 15mm，花柄 11 ～ 17mm，均无毛或被毛；花白色，直径约 15mm；萼片 5，卵形，

京梨猕猴桃

长 4 ~ 5mm，无毛或被黄褐色短绒毛，或内面薄被短绒毛，外面洁净无毛；花瓣 5，倒卵形，长 8 ~ 10mm；花丝丝状，长 3 ~ 5mm，花药黄色，卵形箭头状，长 1.5 ~ 2mm；子房近球形，高约 3mm，被灰白色茸毛，花柱比子房稍长。果实墨绿色，乳头状至矩圆状圆柱形，长可达 5cm，有显著的淡褐色圆形斑点，具反折的宿存萼片；种子长 2 ~ 2.5mm。

| 生境分布 |

生于山谷溪涧边或其他湿润处。分布于重庆武隆、南川、秀山、长寿、涪陵、酉阳、江津、巫溪、梁平、万州等地。

| 资源情况 |

野生资源一般。药材来源于野生。

| 采收加工 |

全年均可采收根，剥取根皮，鲜用或晒干。

| 功能主治 |

涩，凉。清热，消肿，利湿，止痛。用于湿热水肿，肠痈，痈肿疮毒。

| 用法用量 |

内服煎汤，30 ~ 60g。外用适量，捣敷。

中华猕猴桃 *Actinidia chinensis* Planch.

中华猕猴桃

药材名

猕猴桃根（药用部位：根。别名：洋桃根）、猕猴桃（药用部位：果实。别名：藤梨、木子、猕猴梨）、猕猴桃藤（药用部位：藤、藤中的汁液）、猕猴桃枝叶（药用部位：枝叶）。

形态特征

大型落叶藤本。幼枝或厚或薄的被有灰白色绒毛、褐色长硬毛或铁锈色硬毛状刺毛，老时秃净或留有断损残毛；花枝一般长4~5cm，薄被灰白色绒毛，毛早落，容易秃净或较稠密地被粗糙绒毛；隔年生枝完全秃净无毛，直径5~8mm；皮孔长圆形，比较显著或不甚显著；髓白色至淡褐色，片层状。叶倒阔卵形，长6~8cm，宽7~8cm，先端大多截平形并中间凹入，基部钝圆形、截平形至浅心形，边缘具脉出的直伸的睫状小齿，腹面深绿色，无毛或中脉和侧脉上被少量软毛或散被短糙毛，背面苍绿色，密被灰白色或淡褐色星状绒毛，侧脉5~8对，常在中部以上分歧成叉状，横脉比较发达，易见，网状小脉不易见；叶柄长3~6（~10）cm，被灰白色茸毛。聚伞花序具1~3花，花序柄长7~15mm，花柄长9~15mm；苞片小，卵形或钻形，长约1mm，均被灰

白色丝状绒毛或黄褐色茸毛；花初放时白色，放后变淡黄色，有香气，直径 2.5cm；萼片 3 ~ 7，通常 5，阔卵形至卵状长圆形，长 6 ~ 10mm，两面密被压紧的黄褐色绒毛；花瓣 5，有时少至 3 ~ 4 或多至 6 ~ 7，阔倒卵形，有短距，长 10 ~ 20mm，宽 6 ~ 17mm；雄蕊极多，花丝狭条形，长 5 ~ 10mm，花药黄色，长圆形，长 1.5 ~ 2mm，基部叉开或不叉开；子房球形，直径约 5mm，被绒毛，花柱狭条形。果实黄褐色，近球形，长 4 ~ 4.5cm，被柔软的绒毛，成熟时秃净或不秃净，具小而多的淡褐色斑点，宿存萼片反折；种子纵径 2.5mm。花期 4 月中旬至 5 月中下旬。

| 生境分布 | 生于海拔 200 ~ 600m 的山林中，一般多生于高草灌丛、灌木林或次生疏林中。分布于重庆黔江、綦江、丰都、城口、巫山、石柱、彭水、秀山、酉阳、南川、武隆、开州、巫溪等地。

| 资源情况 | 野生资源丰富。药材主要来源于野生，亦有少量栽培。

| 采收加工 | 猕猴桃根：春、秋季采挖，洗净，切块或片，晒干。

猕猴桃：9月中下旬至10月上旬采摘成熟果实，鲜用或晒干。

猕猴桃藤：全年均可采收，洗净，鲜用或晒干；或鲜品捣汁。

猕猴桃枝叶：夏季采收，鲜用或晒干。

| 药材性状 | 猕猴桃根：本品呈圆柱形或块片状，略弯曲，长短不一，直径1.5～4cm。表面黄棕色或棕褐色，具纵沟和横裂纹，皮部常断裂而露出木部，粗糙，残留侧根较少。质硬，不易折断，断面不平坦，皮部棕褐色，木部黄棕色，具多数小孔。气微，味淡、微涩。

猕猴桃：本品近球形、圆柱形、倒卵形或椭圆形，长4～4.5cm。表面黄褐色或绿色，被绒毛、长硬毛或刺毛状长硬毛，有的秃净，具小而多的淡褐色斑点，先端喙不明显，微尖，基部果柄长1.2～4cm，宿存萼反折；果肉外部绿色，内部黄色。种子细小，长2.5mm。气微，味酸、甘、微涩。

猕猴桃枝叶：本品幼枝直径4～8mm，密被灰白色绒毛、褐色长硬毛或铁锈色刺毛，老枝秃净或有残留，皮孔长圆形，明显或不明显；质脆，易折断，髓部白色或淡褐色，片层状。完整叶阔卵形、近圆形或倒卵形，长6～8cm，宽7～8cm，先端平截、微凹或有突尖，基部钝圆形或浅心形，边缘具直伸睫状小齿，上面仅中脉及侧脉有少数软毛或散被短糙毛，下面密被灰白色或淡褐色星状绒毛，两面均枯绿色；侧脉 5 ~ 8 对，横脉较发达，易见；叶柄长 3 ~ 6（ ~ 10 ）cm，被灰白色绒毛、黄褐色长硬毛或铁锈色硬毛状刺毛。气微，味微苦、涩。

| **功能主治** | 猕猴桃根：苦、涩，凉。归胃、肾经。清热解毒，活血散结，祛风利湿。用于风湿性关节炎，淋巴结结核，跌打损伤，痈疖。

猕猴桃：酸、甘，寒。归胃、肝、肾经。解热，止渴，健胃，通淋。用于烦热，消渴，肺热干咳，消化不良，湿热黄疸，石淋，痔疮。

猕猴桃藤：甘，寒。和中开胃，清热利湿。用于消化不良，反胃呕吐，黄疸，石淋。

猕猴桃枝叶：微苦、涩，凉。清热解毒，散瘀，止血。用于痈肿疮疡，烫伤，风湿关节痛，外伤出血。

| **用法用量** | 猕猴桃根：内服煎汤，30 ~ 60g。

猕猴桃：内服煎汤，30 ~ 60g；或生食；或榨汁饮。

猕猴桃藤：内服煎汤，15 ~ 30g；或捣取汁饮。

猕猴桃枝叶：外用适量，捣烂或研末敷。

| **附　　注** | 本种喜温暖潮湿的环境，常生长在年平均气温 10℃以上、年平均相对湿度 70% ~ 80%、年平均降水量 1000mm 的阴湿、荫蔽的森林边缘荒坡、灌丛中。本种在 8℃以上气温下开始萌发，在低于 8℃的气温下则受冻害。本种对土壤要求不严，适宜在排水良好、腐殖质丰富的微酸性砂壤土中生长。

猕猴桃科 Actinidiaceae 猕猴桃属 Actinidia

硬毛猕猴桃

Actinidia chinensis Planch. var. *hispida* C. F. Liang

| 药 材 名 | 硬毛猕猴桃（药用部位：果实、根）。

| 形态特征 | 大型落叶藤本。花枝多数较长，15 ~ 20cm，被黄褐色长硬毛，毛落后仍可见到硬毛残迹。叶倒阔卵形至倒卵形，长 9 ~ 11cm，宽 8 ~ 10cm，先端常具凸尖，叶柄被黄褐色长硬毛。花较大，直径 3.5cm 左右；子房被刷毛状糙毛。果实近球形、圆柱形或倒卵形，长 5 ~ 6cm，被常分裂为 2 ~ 3 束状的刺毛状长硬毛。

| 生境分布 | 生于海拔 600 ~ 1900m 的山林地带。分布于重庆垫江、巫溪、云阳、南川、奉节等地。

| 资源情况 | 野生资源稀少。药材来源于野生。

硬毛猕猴桃

| **采收加工** | 秋季采摘果实、挖根，鲜用或晒干。

| **功能主治** | 果实，调中理气，生津除烦。用于烦热，消渴。根，散瘀止血。用于外伤出血。

| **用法用量** | 果实，内服煎汤，适量；鲜食或榨汁服。根，内服煎汤，适量。

| **附　　注** | 在 FOC 中，本种的拉丁学名被修订为 *Actinidia chinensis* var. *deliciosa* (A. Chevalier) A. Chevalier。

獴猴桃科 Actinidiaceae 獴猴桃属 Actinidia

狗枣獴猴桃 *Actinidia kolomikta* (Maxim. et Rupr.) Maxim.

| 药 材 名 | 狗枣獴猴桃（药用部位：果实。别名：狗枣子、猫人参）。

| 形态特征 | 大型落叶藤本。小枝紫褐色，直径约3mm；短花枝基本无毛，有较显著的带黄色的皮孔；长花枝幼嫩时顶部薄被短茸毛，有不甚显著的皮孔；隔年生枝褐色，直径约5mm，有光泽，皮孔相当显著，稍凸起；髓褐色，片层状。叶膜质或薄纸质，阔卵形、长方状卵形至长方状倒卵形，长6～15cm，宽5～10cm，先端急尖至短渐尖，基部心形，少数圆形至截形，两侧不对称，边缘有单锯齿或重锯齿，两面近同色，上部往往变为白色，后渐变为紫红色，两面近洁净或沿中脉及侧脉略被一些尘埃状柔毛，腹面散生软弱的小刺毛，背面侧脉腋上髯毛有或无，叶脉不发达，近扁平状，侧脉6～8对；叶柄长2.5～5cm，初时略被少量尘埃状柔毛，后秃净。聚伞花序，

狗枣獴猴桃

雄性的有花 3，雌性的通常 1 花单生；花序柄和花柄纤弱，或多或少的被黄褐色微绒毛，花序柄长 8 ~ 12mm，花柄长 4 ~ 8mm；苞片小，钻形，不及 1mm；花白色或粉红色，芳香，直径 15 ~ 20mm；萼片 5，长方状卵形，长 4 ~ 6mm，两面被有极微弱的短绒毛，边缘有睫状毛；花瓣 5，长方状倒卵形，长 6 ~ 10mm；花丝丝状，长 5 ~ 6mm，花药黄色，长方箭头状，长约 2mm；子房圆柱形，长约 3mm，无毛，花柱长 3 ~ 5mm。果实柱状长圆形、卵形或球形，有时为扁体长圆形，长达 2.5cm，果皮洁净无毛，无斑点，未熟时暗绿色，成熟时淡橘红色，并有深色的纵纹，果实成熟时花萼脱落；种子长约 2mm。

| **生境分布** | 生于海拔 800 ~ 2700m 的山地林或灌丛中。分布于重庆巫溪、奉节、南川、酉阳、忠县、城口、丰都等地。

| **资源情况** | 野生资源一般。药材主要来源于野生。

| **采收加工** | 秋季采收，晒干。

| **药材性状** | 本品呈柱状长圆形、卵形或球形，有的呈扁长圆形，长达 2.5cm。表面皱缩，洁净无毛，亦无斑点，暗绿色或淡橙红色，淡橙红色者有深色纵纹；花萼脱落或残存。种子细小，暗褐色，长约 2mm。气微，味酸、甘。

| **功能主治** | 酸、甘，平。滋养强体。用于维生素 C 缺乏症。

| **用法用量** | 内服煎汤，9 ~ 15g。

猕猴桃科 Actinidiaceae 猕猴桃属 Actinidia

黑蕊猕猴桃 *Actinidia melanandra* Franch.

| **药 材 名** | 黑蕊猕猴桃（药用部位：根）。

| **形态特征** | 中型落叶藤本。小枝洁净无毛，直径 2.5mm 左右，有皮孔，肉眼难见，髓褐色或淡褐色，片层状。叶纸质，椭圆形、长方椭圆形或狭椭圆形，长 5 ~ 11cm，宽 2.5 ~ 5cm，先端急尖至短渐尖，基部圆形或阔楔形，等侧或稍不等侧，锯齿显著至不显著，不内弯至内弯，腹面绿色，无毛，背面灰白色、粉绿色至苍绿色，侧脉腋上被髯毛或无，叶脉不显著，侧脉 6 ~ 7 对；叶柄无毛，长 1.5 ~ 5.5cm。聚伞花序不均的薄被小茸毛，1 ~ 2 回分枝，有花 1 ~ 7；花序柄长 10 ~ 12mm，花柄长 7 ~ 15mm；苞片小，钻形，长约 1mm；花绿白色，直径约 15mm；萼片 5，有时 4，卵形至长方状卵形，长 3 ~ 6mm，除边缘被流苏状缘毛外，他处均无毛；花瓣 5，有时 4 或 6，匙状

黑蕊猕猴桃

倒卵形，长 6 ~ 13mm；花药黑色，长方箭头状，长约 2mm，花丝丝状，长约 3mm；子房瓶状，洁净无毛，长约 7mm，花柱长 4 ~ 5mm。果实瓶状卵珠形，长约 3cm，无毛，无斑点，先端有喙，基部萼片早落；种子小，长约 2mm。花期 5 月至 6 月上旬。

| **生境分布** | 生于海拔 1000 ~ 1600m 的山地阔叶林中湿润处。分布于重庆城口、巫溪、巫山、奉节、石柱、南川、酉阳、秀山等地。

| **资源情况** | 野生资源一般。药材来源于野生。

| **采收加工** | 春、秋季采挖，洗净，或切成块片，晒干。

| **功能主治** | 清热利水，散瘀消肿。

| **用法用量** | 内服煎汤，适量。

猕猴桃科 Actinidiaceae 猕猴桃属 Actinidia

葛枣猕猴桃 _Actinidia polygama_ (Sieb. et Zucc.) Maxim.

| **药 材 名** | 木天蓼（药用部位：枝叶。别名：天蓼、藤天蓼、天蓼木）、木天蓼子（药用部位：带虫瘿的果实）、木天蓼根（药用部位：根）。

| **形态特征** | 大型落叶藤本。着花小枝细长，一般 20cm 以上，直径约 2.5mm，基本无毛，最多幼枝顶部略被微柔毛，皮孔不很显著；髓白色，实心。叶膜质(花期)至薄纸质，卵形或椭圆卵形，长 7 ~ 14cm，宽 4.5 ~ 8cm，先端急尖至渐尖，基部圆形或阔楔形，边缘有细锯齿，腹面绿色，散生少数小刺毛，有时前端部变为白色或淡黄色，背面浅绿色，沿中脉和侧脉多少被一些卷曲的微柔毛，有时中脉上着生少数小刺毛；叶脉比较发达，在背面呈圆线形，侧脉约 7 对，其上段常分叉，横脉颇显著，网状小脉不明显；叶柄近无毛，长 1.5 ~ 3.5cm。花序具 1 ~ 3 花，花序柄长 2 ~ 3mm，花柄长 6 ~ 8mm，均薄被微绒毛；

葛枣猕猴桃

苞片小，长约 1mm；花白色，芳香，直径 2 ~ 2.5cm；萼片 5，卵形至长方状卵形，长 5 ~ 7mm，两面薄被微茸毛或近无毛；花瓣 5，倒卵形至长方状倒卵形，长 8 ~ 13mm，最外 2 ~ 3 的背面有时略被微茸毛；花丝线形，长 5 ~ 6mm，花药黄色，卵形箭头状，长 1 ~ 1.5mm；子房瓶状，长 4 ~ 6mm，洁净无毛，花柱长 3 ~ 4mm。果实成熟时淡橘色，卵珠形或柱状卵珠形，长 2.5 ~ 3cm，无毛，无斑点，先端有喙，基部有宿存萼片；种子长 1.5 ~ 2mm。花期 6 月中旬至 7 月上旬，果熟期 9 ~ 10 月。

| **生境分布** | 生于海拔 1000 ~ 2700m 的林缘或山麓、河岸等处的灌丛。分布于重庆城口、丰都、酉阳、奉节、开州、石柱、南川、巫溪、巫山等地。

| **资源情况** | 野生资源一般。药材来源于野生。

| **采收加工** | 木天蓼：春、秋季采收，晒干或鲜用。
木天蓼子：秋季采收，晒干或鲜用。
木天蓼根：全年均可采挖，洗净，晒干或鲜用。

| **药材性状** | 木天蓼：本品小枝细长，直径 2.5mm；表面无毛，白色小皮孔不明显；断面髓大，白色，实心。叶薄纸质，完整者卵形或椭圆卵形，长 7 ~ 14cm，宽 4.5 ~ 8cm，先端急尖至渐尖，基部圆形或阔楔形，边缘有细锯齿，上面散生少数小刺毛，下面沿脉有卷曲的柔毛，有时中脉有少数小刺毛，两面均枯绿色；叶柄近无毛，长 1.5 ~ 3.5cm。气微，味淡、涩。
木天蓼子：本品呈卵圆形或长卵圆形，长 2.5 ~ 3cm。表面皱缩，黄白色或淡棕色，先端有喙，基部有宿存萼片。种子细小，多数，黑褐色，长 1.5 ~ 2mm。气微，味辛、涩。

| **功能主治** | 木天蓼：苦、辛，温；有小毒。祛风除湿，温经止痛。用于中风半身不遂，风寒湿痹，腰痛，疝痛，癥瘕积聚，气痢。
木天蓼子：苦、辛，温。祛风通络，活血行气，散寒止痛。用于中风口眼歪斜，疝癖腹痛，腰痛，疝气。
木天蓼根：辛，温。祛风散寒，杀虫止痛。用于寒痹腰痛，风虫牙痛。

| **用法用量** | 木天蓼：内服煎汤，3 ~ 10g。
木天蓼子：内服煎汤，6 ~ 10g。
木天蓼根：内服煎汤，12 ~ 30g。外用适量，为丸塞牙痛处。

革叶猕猴桃

Actinidia rubricaulis Dunn var. *coriacea* (Fin. et Gagn.) C. F. Liang

| **药 材 名** | 秤砣梨（药用部位：果实。别名：马奶）、秤砣梨根（药用部位：根）。 |

| **形态特征** | 较大的中型半常绿藤本，除子房外，全体洁净无毛。着花小枝较坚硬，红褐色，长 3 ~ 15cm，一般 10cm 左右，直径 2.5mm，皮孔较显著，髓污白色，实心；隔年生枝深褐色，直径 4 ~ 4.5mm，具纵行棱脊。叶革质，倒披针形，长 7 ~ 12cm，宽 3 ~ 4.5cm，先端急尖，上部有若干粗大锯齿，基部钝圆形至阔楔状钝圆形，边缘有较稀疏的硬尖头小齿，有时略成浅波状，具齿处凹陷，倒披针形叶的上方有若干粗大锯齿，腹面深绿色，背面淡绿色；叶脉不发达，在叶面稍下陷或与叶面平，在叶背凸出，基本呈圆线形，侧脉 8 ~ 10 对，弯拱形，横脉极不显著，网脉则较显著，可见；叶柄水红色，长 1 ~ 3cm。花序通常单花，绝少 2 ~ 3 花，花序柄长 2 ~ 10mm，花柄长 5 ~ |

革叶猕猴桃

12mm；花红色，直径约 1cm；萼片 4 ~ 5，卵圆形至矩卵形，长 4 ~ 5mm，基本洁净或内面和靠边部分被短茸毛；花瓣 5，瓢状倒卵形，长 5 ~ 6mm；花丝粗短，长 1 ~ 3mm，花药心状或略为矩圆状箭头形，长 1.5 ~ 2mm；子房柱球形，长约 2mm，被茶褐色短绒毛，花柱粗短，约与子房等长。果实暗绿色，卵圆形至柱状卵珠形，长 1 ~ 1.5cm，幼时被茶褐色绒毛，渐老渐秃净，有枯褐色斑点，晚期仍有反折的宿存萼片。花期 4 月中旬至 5 月下旬。

| **生境分布** | 生于海拔 400 ~ 1300m 的山谷、林中或沟边。分布于重庆黔江、綦江、垫江、大足、秀山、忠县、合川、奉节、石柱、丰都、永川、万州、酉阳、云阳、涪陵、璧山、南川、北碚、开州、梁平等地。

| **资源情况** | 野生资源丰富。药材主要来源于野生。

| **采收加工** | 秤砣梨：秋季采收，晒干。
秤砣梨根：秋季采挖，洗净，晒干。

| **药材性状** | 秤砣梨：本品呈长卵形或球形，长 1 ~ 1.5cm。表面有不规则皱纹，褐色，被茶褐色绒毛或秃净，有白色斑点，先端有残留花柱，基部具反折的宿存萼片。气微，味酸、涩。
秤砣梨根：本品呈条状，微弯曲，少分枝，直径 1 ~ 1.5cm。表面栓皮灰棕色，不甚平坦，可见不规则纵皱纹、少数细须根以及深达木心的环状裂纹。质坚硬，断面木心较大，淡黄棕色。气微，味苦、涩。

| **功能主治** | 秤砣梨：酸、涩，温。抗癌。用于肿瘤。
秤砣梨根：苦，温。活血止痛，止血。用于跌打损伤，腰痛，内伤吐血。

| **用法用量** | 秤砣梨：内服浸酒，30 ~ 60g；或捣汁饮。
秤砣梨根：内服煎汤，9 ~ 15g；或浸酒。

猕猴桃科 Actinidiaceae 猕猴桃属 Actinidia

四萼猕猴桃 *Actinidia tetramera* Maxim.

| **药材名** | 四萼猕猴桃（药用部位：根）。

| **形态特征** | 中型落叶藤本。着花小枝长 3 ~ 8cm，直径约 2.5mm，红褐色，无毛，皮孔显著，髓褐色，片层状；隔年生枝直径约 3mm。叶薄纸质，长方状卵形、长方状椭圆形或椭圆状披针形，长 4 ~ 8cm，宽 2 ~ 4cm，先端长渐尖，基部楔状狭圆形、圆形或截形，两侧不对称，边缘有细锯齿，两面近同色，有时上部变为白色，腹面完全无毛，背脉腋上被极显著的白色髯毛，叶面完全无毛，叶背仅在中脉下段或和叶柄上被少量小刺毛，横脉与网状小脉很不发达，几不可见；叶柄水红色，长 1.2 ~ 3.5cm。花白色，渲染淡红色，通常 1 花单生，极少为 2 ~ 3 成聚伞花序的，雌性花远比雄性花普遍常见；花柄丝状，无毛，长 1.5 ~ 2.2cm；苞片废退；萼片 4，少数 5，长方状卵形，长

四萼猕猴桃

4～5mm，两面洁净无毛，唯边缘被极细睫状毛；花瓣 4，少数 5，瓢状倒卵形，长 7～10mm；花丝丝状，长约 4mm，基部膨大如棒头，花药黄色，长圆形，长约 1.5mm，两端钝圆；子房榄球形，长约 3.5mm，洁净无毛，花柱细长，长约 4mm。果实成熟时橘黄色，卵珠形，长 1.5～2cm，无毛，无斑点，有反折的宿存萼片；种子长 2.5mm。花期 5 月中旬至 6 月中旬，果熟期 9 月中旬开始。

| 生境分布 |

生于海拔 1100～2700m 的山地丛林中近水处。分布于重庆城口、巫溪、开州、万州、南川等地。

| 资源情况 |

野生资源稀少。药材来源于野生。

| 采收加工 |

春、秋季采挖，洗净，或切成块片，晒干。

| 功能主治 |

甘、淡，平。清热利湿。用于慢性肝炎，痰疾，带下。

| 用法用量 |

内服煎汤，适量。

猕猴桃藤山柳 *Clematoclethra actinidioides* Maxim.

猕猴桃藤山柳

| 药 材 名 |

猕猴桃藤山柳（药用部位：根）。

| 形态特征 |

中型落叶藤本。老枝灰褐色或紫褐色，无毛；小枝褐色，无毛或被微柔毛。叶卵形或椭圆形，长 3.5 ～ 9cm，宽 1.5 ～ 7cm，先端渐尖，基部阔楔形、圆形或微心形，叶缘具纤毛状齿，很少全缘，腹面无毛，深绿色，背面粉绿色，无毛或仅在脉腋上被髯毛，叶干后腹面枯褐色；叶柄长 2 ～ 8cm，无毛或略被微柔毛。花序柄长 1 ～ 2cm，被微柔毛，具 1 ～ 3 花；小苞片披针形，长 3mm，或边缘被细纤毛；花白色；萼片倒卵形，长 3 ～ 4mm，宽 3mm，无毛或略被柔毛；花瓣长 6 ～ 8mm，宽 4mm。果实近球形，熟时紫红色或黑色，干后直径 5 ～ 7mm。

| 生境分布 |

生于海拔 1400 ～ 1800m 的山地沟谷林缘或灌丛中。分布于重庆城口、南川等地。

| 资源情况 |

野生资源稀少。药材主要来源于野生。

| 采收加工 | 春、秋季采挖，洗净，或切成块片，晒干。

| 功能主治 | 酸，凉。清热解毒，消肿止痛，活血化瘀。用于吐血，闭经，带下，慢性肝炎，风湿关节痛，疝气。

| 用法用量 | 内服煎汤，适量。外用捣敷，适量。

| 附　　注 | 在 FOC 中，本种的拉丁学名被修订为 *Clematoclethra scandens* subsp. *actinidioides* (Maxim.) Y. C. Tang et Q. Y. Xiang。

山茶科 Theaceae 杨桐属 Adinandra

川杨桐

Adinandra bockiana Pritzel ex Diels

| 药 材 名 | 四川红淡叶（药用部位：叶。别名：川黄瑞木）。

| 形态特征 | 灌木或小乔木，高 2 ~ 9m。树皮淡黑褐色。枝圆筒形，小枝深褐色或黑褐色，无毛或几无毛；一年生新枝褐色，连同顶芽密被黄褐色或锈褐色披散柔毛。叶互生，革质，长圆形至长圆状卵形，长 9 ~ 13cm，宽 3 ~ 4cm，先端渐尖或长渐尖，尖顶长 1 ~ 2cm，基部楔形，全缘，干后多少反卷，上面亮绿色，无毛，下面淡绿色，初时密被黄褐色或锈褐色柔毛，中脉和叶缘更密，老后脱落，疏被柔毛或几无毛；侧脉 11 ~ 12 对，两面均不明显，稀下面隐约可见；叶柄长 5 ~ 7mm，密被柔毛。花单朵腋生，花梗长 1 ~ 2cm，密被黄褐色柔毛；小苞片 2，早落，线状长圆形，长 3 ~ 4mm，宽约 1.5mm，密被柔毛；阔卵形或卵圆形，长 5 ~ 6mm，宽 3.5 ~ 4mm，先端钝或近圆形，有小尖

川杨桐

头，边缘有腺点和纤毛，外面密被黄褐色柔毛；花瓣 5，白色（未开），阔卵形，长 6 ～ 7mm，宽 4 ～ 5mm，先端圆，有小尖头，外面中间部分密被黄褐色绢毛；雄蕊 25 ～ 30，长约 5mm，花丝长 1.5 ～ 2.5mm，几分离，着生于花冠基部，无毛，花药线状披针形，长 1.5 ～ 2mm，被丝毛，先端有小尖头；子房圆球形，被绢毛，3 室，胚珠每室多数，花柱单一，长 5 ～ 6mm，无毛。果实圆球形，疏被绢毛，熟时紫黑色，直径约 1cm，宿存花柱长约 1cm，无毛；种子多数，淡红褐色，有光泽，表面具网纹。花期 6 ～ 7 月，果期 9 ～ 10 月。

| **生境分布** | 生于海拔 500 ～ 900m 的山坡路旁灌丛、山地疏林或密林中。分布于重庆綦江、江津、涪陵、南川、北碚、铜梁等地。

| **资源情况** | 野生资源一般。药材主要来源于野生。

| **采收加工** | 夏季采收嫩叶，鲜用或晒干。

| **药材性状** | 本品呈棕绿色或深绿色，展平后呈长圆形，长 7 ～ 10cm，宽 2 ～ 3cm，先端略尖，基部楔形，全缘，上面无毛，下面有褐色绒毛，叶脉两面隆起。叶厚，不易破碎。叶柄短，被锈色长绒毛。气微，味苦、涩。

| **功能主治** | 苦、涩，凉。凉血止血，解毒。用于各种外伤出血，烫火伤。

| **用法用量** | 外用适量，鲜品捣敷；或干品研末外搽。

山茶科 Theaceae 山茶属 Camellia

普洱茶
Camellia assamica (Mast.) Chang

| 药 材 名 | 普洱（药用部位：嫩叶。别名：普雨茶、普茶、大叶茶）、普洱茶膏（药材来源：嫩叶制成的膏）。

| 形态特征 | 大乔木，高达16m，胸径90cm。嫩枝被微毛，顶芽被白柔毛。叶薄革质，椭圆形，长8～14cm，宽3.5～7.5cm，先端锐尖，基部楔形，上面干后褐绿色，略有光泽，下面浅绿色，中肋上被柔毛，其余被短柔毛，老叶变秃；侧脉8～9对，在上面明显，在下面凸起，网脉在上下两面均可见，边缘有细锯齿；叶柄5～7mm，被柔毛。花腋生，直径2.5～3cm，花柄长6～8mm，被柔毛；苞片2，早落；萼片5，近圆形，长3～4mm，外面无毛；花瓣6～7，倒卵形，长1～1.8cm，无毛；雄蕊长8～10mm，离生，无毛；子房3室，被茸毛；花柱长8mm，先端3裂。蒴果扁三角状球形，直径约2cm，3片裂开，

普洱茶

果片厚 1 ~ 1.5mm；种子每室 1，近圆形，直径 1cm。

| **生境分布** | 多栽培于山坡。重庆各地均有分布。

| **资源情况** | 栽培资源稀少。药材来源于栽培。

| **采收加工** | 普洱：清明前后枝端初发嫩叶时采摘，干燥。

| **药材性状** | 普洱：本品呈条状，长 1.5 ~ 3.5cm。叶片展开后呈椭圆形、卵圆形或矩圆形，先端渐尖，基部楔形，边缘具锯齿，表面灰绿色或墨绿色，背面被灰白色短柔毛。气清香，味微苦、涩。

| **功能主治** | 普洱：苦、甘，寒。归胃、肝、大肠经。清热生津，辟秽解毒，消食解酒，醒神透疹。用于暑热口渴，头痛目昏，痧气腹痛，痢疾，肉食积滞，酒毒，神疲多眠，麻疹透发不畅。

普洱茶膏：苦、甘、涩，寒。归胃经。消食化痰，清胃生津，敛疮止痛，止血。用于肉食积滞，酒后口渴，口糜，咽痛，外伤出血。

| **用法用量** | 普洱：内服煎汤，3 ~ 10g。

普洱茶膏：内服开水烊化，1.5 ~ 3g。外用适量，噙咽或研敷。

| **附　注** | 在 FOC 中，本种的拉丁学名被修订为 *Camellia sinensis* var. *assamica* (Mast.) Kitamura。

山茶科 Theaceae 山茶属 *Camellia*

黄杨叶连蕊茶 *Camellia buxifolia* Chang

| **药 材 名** | 黄杨叶连蕊茶（药用部位：根皮）。

| **形态特征** | 灌木，高 1.5 ~ 3m。嫩枝被披散柔毛。叶革质，卵形或椭圆形，长
2 ~ 3cm，宽 1 ~ 1.6cm，先端尖而有钝的尖头，基部阔楔形，上面
深绿色，干后略有光泽，无毛，或中脉基部略被短毛，下面除中脉
基部被毛外，秃净；侧脉约 5 对，在上面陷下，在下面不明显，边
缘有疏锯齿，齿刻相隔 2 ~ 3mm；叶柄长 1 ~ 1.5mm，略被短毛。
花顶生及腋生，花柄长 2mm；苞片 4，卵形，长 1 ~ 1.5mm，有睫毛；
萼片 5，阔卵形，长 2mm，先端圆，有睫毛；花冠白色，长 1cm，无毛；
花瓣 5，最外 2 近圆形，长 7 ~ 8mm，基部略相连生，内侧 3 与雄
蕊相连生约 2mm，倒卵圆形，长 1cm；雄蕊长 8 ~ 9mm，除基部与
花瓣连生外，其余部分分离，无毛；子房无毛，花柱长 7 ~ 8mm，

黄杨叶连蕊茶

无毛，先端 3 浅裂。蒴果梨形，长 1cm，宽 7 ～ 8mm，2 ～ 3 室，种子 1，果片厚约 1mm，果柄增厚，长 5 ～ 6mm，有宿存苞片。

| 生境分布 |

生于海拔 500 ～ 700m 的灌木林边缘。分布于重庆南川、武隆、巴南、江津等地。

| 资源情况 |

野生资源稀少。药材来源于野生。

| 采收加工 |

全年均可采收，鲜用或晒干。

| 功能主治 |

收敛止血，散瘀消肿。

| 用法用量 |

外用适量，研末，加麻油调敷患处。

| 附　注 |

在 FOC 中，本种被修订为川鄂连蕊茶 *Camellia rosthorniana* Hand.-Mazz.。

山茶科 Theaceae 山茶属 Camellia

长尾毛蕊茶 *Camellia caudata* Wall.

长尾毛蕊茶

药 材 名

长尾毛蕊茶（药用部位：茎、叶、花）。

形态特征

灌木至小乔木，高达 7m。嫩枝纤细，密被灰色柔毛。叶革质或薄质，长圆形，披针形或椭圆形，长 5 ~ 9cm，有时长达 12cm，宽 1 ~ 2cm，有时狭于 1cm，或宽达 3.5cm，先端尾状渐尖，尾长 1 ~ 2cm，基部楔形，上面干后深绿色，略有光泽，或灰褐色而暗晦；中脉被短毛，下面多少被稀疏长丝毛，侧脉 6 ~ 9 对，在上下两面均可见，边缘有细锯齿；叶柄长 2 ~ 4mm，被柔毛或茸毛。花腋生及顶生，花柄长 3 ~ 4mm，被短柔毛；苞片 3 ~ 5，分散在花柄上，卵形，长 1 ~ 2mm，被毛，宿存；花萼杯状，萼片 5，近圆形，长 2 ~ 3mm，被毛，宿存；花瓣 5，长 10 ~ 14mm，外侧被灰色短柔毛，基部 2 ~ 3mm 彼此相联合且和雄蕊连生，最外 1 ~ 2 稍呈革质，内侧 3 ~ 4 倒卵形，先端圆，花瓣状；雄蕊长 10 ~ 13mm，花丝管长 6 ~ 8mm，分离花丝被灰色长茸毛，内轮离生雄蕊的花丝被毛；子房被绒毛，花柱长 8 ~ 13mm，被灰毛，先端 3 浅裂。蒴果圆球形，直径 1.2 ~ 1.5cm，果爿薄，被毛，有宿存苞片及萼片，1室，种子1。花期10月至翌年3月。

| **生境分布** | 生于海拔600～1500m的灌丛中。分布于重庆开州、武隆、南川、江津等地。

| **资源情况** | 野生资源稀少。药材来源于野生。

| **采收加工** | 全年均可采收茎、叶，鲜用，或采摘后洗净，晒干。花朵盛开期分批采收花，晒干或炕干。

| **功能主治** | 活血止血，祛腐生新。

| **用法用量** | 外用适量，研末，加麻油调敷患处。

山茶科 Theaceae　山茶属 Camellia

贵州连蕊茶 *Camellia costei* Lévl.

贵州连蕊茶

药材名

贵州连蕊茶（药用部位：全株。别名：阿根衣）。

形态特征

灌木或小乔木，高达 7m。嫩枝被短柔毛。叶革质，卵状长圆形，先端渐尖，或长尾状渐尖，基部阔楔形，长 4 ~ 7cm，宽 1.3 ~ 2.6cm，上面干后深绿色，发亮；中脉被残留短毛，下面浅绿色，初时被长毛，以后秃净，侧脉约 6 对，在上面隐约可见，在下面稍凸起，边缘有钝锯齿，齿刻相隔 1 ~ 3mm；叶柄长 2 ~ 4mm，被短柔毛。花顶生及腋生，花柄长 3 ~ 4mm，有苞片 4 ~ 5；苞片三角形，先端尖，最长 2mm，先端被毛；花萼杯状，长 3mm，萼片 5，卵形，长 1.5 ~ 2mm，先端被毛；花冠白色，长 1.3 ~ 2cm，花瓣 5，基部 3 ~ 5mm 与雄蕊连生，最外侧 1 ~ 2 倒卵形至圆形，长 1 ~ 1.4cm，有睫毛，内侧 3 ~ 4 倒卵形，先端圆或凹入，有睫毛；雄蕊长 10 ~ 15mm，无毛，花丝管长 7 ~ 9mm；子房无毛，花柱长 10 ~ 17mm，先端极短 3 裂。蒴果圆球形，直径 11 ~ 15mm，1 室，有种子 1，果皮薄，果柄长 3 ~ 5mm，宿存萼片最长 2mm。花期 1 ~ 2 月。

生境分布

生于海拔约 850m 的山谷溪边、路旁灌丛中。分布于重庆云阳、南川等地。

资源情况

野生资源稀少。药材来源于野生。

采收加工

全年均可采收，鲜用，或采摘后洗净，晒干。

功能主治

苦，温。健脾消食，滋补强壮。用于虚弱消瘦。

用法用量

内服煎汤，适量。

山茶科 Theaceae 山茶属 Camellia

尖连蕊茶 *Camellia cuspidata* (Kochs) Wright ex Gard.

| **药 材 名** | 尖连蕊茶根（药用部位：根。别名：尖叶山茶、阿连衣）。

| **形态特征** | 灌木，高达 3m。嫩枝无毛。叶革质，卵状披针形或椭圆形，先端渐尖至尾状渐尖，基部楔形或略圆，上面干后黄绿色，发亮，下面浅绿色，无毛；侧脉 6 ～ 7 对；边缘密具细锯齿，齿刻相隔 1 ～ 1.5mm，叶柄略被残留短毛。花单独顶生；苞片 3 ～ 4，卵形，无毛；花萼杯状，萼片 5，无毛，不等大，分离至基部，厚革质，阔卵形，先端略尖，薄膜质，花冠白色，无毛；花瓣 6 ～ 7，基部连生 2 ～ 3mm，并与雄蕊的花丝贴生，外侧 2 ～ 3 较小，革质，长 1.2 ～ 1.5cm，内侧 4 或 5 长达 2.4cm；雄蕊比花瓣短，无毛，外轮雄蕊只在基部和花瓣合生，其余部分离生，花药背部着生；子房无毛；花柱无毛，先端 3 浅裂，裂片长约 2mm。蒴果圆球形，有宿存苞片和萼片，果皮薄，1 室，

尖连蕊茶

种子 1，圆球形。花期 4 ～ 7 月。

| 生境分布 | 生于海拔 500 ～ 1500m 的山沟、林荫下。分布于重庆巫山、奉节、武隆、丰都、南川、云阳、涪陵等地。

| 资源情况 | 野生资源一般。药材主要来源于野生，亦有少量栽培。

| 采收加工 | 全年均可采挖，除去栓皮，洗净，切段，晒干。

| 功能主治 | 甘，温。归脾经。健脾消食，补虚。用于脾虚食少，病后体弱。

| 用法用量 | 内服煎汤，6 ～ 15g。

| 附　　注 | 本种喜温暖湿润的环境，忌烈日，喜半明的散射光照，亦耐阴。在 6 ～ 9 月进行扦插繁殖存活率高。扦插时将鲜枝条截 8 ～ 10cm 长，下切口切成马蹄形，上切口距腋芽 0.5cm 处平剪，每节保留 2 片 1/3 全叶。

山茶科 Theaceae 山茶属 Camellia

山茶 *Camellia japonica* L.

| **药 材 名** | 山茶花（药用部位：花。别名：红茶花、宝珠山茶、宝珠花）、山茶根（药用部位：根）、山茶叶（药用部位：叶）。 |

| **形态特征** | 灌木或小乔木。叶革质，椭圆形，先端略尖，基部阔楔形，上面深绿色，干后发亮，无毛，下面浅绿色，无毛，侧脉 7 ~ 8 对，在上下两面均可见，边缘有相隔 2 ~ 3.5cm 的细锯齿。花顶生，红色，无柄；苞片及萼片约 10，组成长 2.5 ~ 3cm 的杯状苞被，半圆形至圆形，长 4 ~ 20mm，外面有绢毛，脱落；花瓣 6 ~ 7，外侧 2 近圆形，几离生，长 2cm，外面被毛，内侧 5 基部连生约 8mm，倒卵圆形，无毛；雄蕊 3 轮，外轮花丝基部连生，花丝管长 1.5cm，无毛；内轮雄蕊离生，稍短，子房无毛，花柱长 2.5cm，先端 3 裂。蒴果圆球形，直径 2.5 ~ 3cm，2 ~ 3 室，每室有种子 1 ~ 2，3 爿裂开，果爿厚木质。花期 1 ~ 4 月。 |

山茶

| **生境分布** | 栽培于田埂、山坡，或逸为野生。分布于重庆北碚、黔江、万州、綦江、南岸、璧山、江津、秀山、奉节、巫山、酉阳、涪陵、石柱、梁平、永川、长寿、巫溪、忠县、丰都、武隆、开州、垫江、铜梁、巴南、九龙坡、沙坪坝等地。

| **资源情况** | 野生和栽培资源较丰富。药材来源于野生和栽培。

| **采收加工** | 山茶花：4～5月花盛开时分批采收，晒干或烘干。在干燥过程中应少翻动，避免花破碎或散瓣。
山茶根：全年均可采挖，洗净，晒干。
山茶叶：全年均可采收，鲜用；或洗净，晒干。

| **药材性状** | 山茶花：本品花蕾卵圆形，开放的花呈不规则扁盘状，盘径5～8cm；表面红色、黄棕色或棕褐色。萼片5，棕红色，革质，背面密布灰白色绢丝样细绒毛；花瓣5～7或更多，上部卵圆形，先端微凹，下部色较深，基部联合成一体，纸质；雄蕊多数，2轮，外轮花丝联合成一体。气微，味甘。以色红、未开放者为佳。
山茶叶：本品呈倒卵形或椭圆形，长5～10cm，宽2.5～6cm；先端渐尖而钝，基部楔形，边缘有细锯齿，黄绿色；表面略有光泽，无毛或背面及边缘略有毛；革质。叶柄圆柱形，长8～15mm。气微，味微苦、涩。

| **功能主治** | 山茶花：甘、苦、辛，凉。归肝、肺、大肠经。凉血止血，散瘀消肿。用于吐血，衄血，咯血，便血，痔血，赤白痢，血淋，血崩，带下，烫伤，跌打损伤。
山茶根：苦、辛，平。归胃、肝经。散瘀消肿，消食。用于跌打损伤，食积腹胀。
山茶叶：苦、涩，寒。归心经。清热解毒，止血。用于痈疽肿毒，烫火伤，出血性疾病。

| **用法用量** | 山茶花：内服煎汤，5～10g；或研末。外用适量，研末，麻油调涂。
山茶根：内服煎汤，15～30g。
山茶叶：内服煎汤，6～15g。外用适量，鲜品捣敷；或研末调涂。

山茶科 Theaceae 山茶属 Camellia

毛蕊红山茶 Camellia mairei (Lévl.) Melch.

| 药 材 名 | 毛蕊红山茶（药用部位：果实、根皮）。

| 形态特征 | 灌木至小乔木。嫩枝初时被白毛，不久变秃。叶薄革质，长圆形，长7~9.5cm，宽2~2.3cm，先端尾状渐尖，基部楔形或阔楔形，上面深绿色，有光泽，无毛，下面浅绿色，沿中脉被长丝毛；侧脉5~6对，在上面强烈下陷，边缘有细锯齿，齿刻相隔2~3mm；叶柄长4~5mm，纤细，被柔毛。花顶生，红色，无柄；苞片及萼片10，组成长约2cm的杯状苞被，半圆形至圆形，长3~17mm，外面被毛；花瓣长3~4cm，8，外侧3倒卵形或圆形，长约2cm，外侧有毛，内侧5倒卵形，先端2裂，长3.5~4cm，基部连生约1.5cm，外面无毛；雄蕊长2.5~3cm，外轮花丝联合成短管，游离花丝长约1.5cm，被柔毛，内轮花丝离生；子房被毛，花柱长2cm，先端3

毛蕊红山茶

浅裂。蒴果球形，直径 4cm，3 室，每室有种子 1，果爿厚 1.4cm。花期冬季至翌年春季。

| **生境分布** | 生于杂木林中。分布于重庆黔江、长寿、南川等地。

| **资源情况** | 野生资源稀少。药材来源于野生。

| **采收加工** | 秋季果实成熟时采收果实。全年均可采收根，鲜用或晒干。

| **功能主治** | 果实，润燥。用于肠燥便秘。根皮，散瘀消肿。用于跌打伤痛，烫火伤。

| **用法用量** | 果实，内服煎汤，适量。根皮，外用适量，研末或烧灰研末，调敷。

山茶科 Theaceae 山茶属 Camellia

油茶
Camellia oleifera Abel

油茶

药材名

油茶子（药用部位：种子。别名：茶子心、茶籽）、油茶根（药用部位：根、根皮）、油茶叶（药用部位：叶）、油茶花（药用部位：花。别名：茶子木花）、茶油（药材来源：种子的脂肪油。别名：楂油、茶子油）、茶油粑（药材来源：种子榨去脂肪油后的渣滓。别名：枯饼、茶枯、茶麸）。

形态特征

灌木或中乔木。嫩枝被粗毛。叶革质，上面深绿色，发亮，中脉被粗毛或柔毛，下面浅绿色，无毛或中脉被长毛，边缘有细锯齿，有时具钝齿，叶柄被粗毛。花顶生，近于无柄，苞片与萼片约10，由外向内逐渐增大，阔卵形，背面被贴紧柔毛或绢毛，花后脱落，花瓣白色，5～7，倒卵形，先端凹入或2裂，基部狭窄，近于离生，背面被丝毛；雄蕊长1～1.5cm，外侧雄蕊仅基部略连生，偶有花丝管长达7mm的，无毛，花药黄色，背部着生；子房被黄色长毛，3～5室，花柱长约1cm，无毛，先端不同程度3裂。蒴果球形或卵圆形，3室或1室，3片或2片裂开，每室有种子1或2，果片厚3～5mm，木质，中轴粗厚；苞片及萼片脱落后留下的果柄长

3 ～ 5mm，粗大，有环状短节。花期冬季至翌年春季。

| **生境分布** | 生于海拔 300 ～ 1300m 的向阳山坡。分布于重庆黔江、綦江、璧山、秀山、彭水、潼南、酉阳、石柱、丰都、城口、江津、垫江、永川、南川、忠县、武隆、奉节、合川、巴南、九龙坡等地。

| **资源情况** | 野生和栽培资源均丰富。药材主要来源于野生。

| **采收加工** | 油茶子：秋季果实成熟时采收。
油茶根：全年均可采收，鲜用或晒干。

油茶叶：全年均可采收，鲜用或晒干。

油茶花：苦，微寒。凉血止血。用于吐血，咯血，衄血，便血，子宫出血，烫火伤。

茶油：秋季果实成熟时采收种子，榨取油。

茶油粑：秋季果实成熟时采收种子，榨取油后取渣滓，晒干。

| **药材性状** | 油茶子：本品呈扁圆形，背面圆形隆起，腹面扁平，长 1 ～ 2.5cm，一端钝圆，另一端凹陷。表面淡棕色，富含油质。气香，味苦、涩。

油茶叶：本品呈椭圆形或卵状椭圆形，长 3 ～ 9cm，宽 1.5 ～ 4cm；先端渐尖或短尖，基部楔形，边缘有细锯齿；表面绿色，主脉明显，侧脉不明显。叶革质，稍厚。气清香，味微苦、涩。

油茶花：本品花蕾倒卵形，花朵不规则形。萼片5，类圆形，稍厚，外被灰白色绢毛；花瓣5 ～ 7，有时散落，淡黄色或黄棕色，倒卵形，先端凹入，外面被疏毛；雄蕊多数，排成2轮，花丝基部成束；雌蕊花柱分离。气微香，味微苦。

茶油：本品为淡黄色的澄清液体。在氯仿、乙醚、二硫化碳中易溶，在乙醇中微溶。25℃时相对密度为 0.909 ～ 0.915；折光率为 1.466 ～ 1.470。碘值为 80 ～ 88。皂化值为 185 ～ 193。酸值不大于 3。

| **功能主治** | 油茶子：苦、甘，平；有毒。归脾、胃、大肠经。行气，润肠，杀虫。用于气滞腹痛，肠燥便秘，蛔虫、钩虫病，疥癣瘙痒。

油茶根：苦，平；有小毒。清热解毒，理气止痛，活血消肿。用于咽喉肿痛，胃痛，

牙痛，跌打伤痛，烫火伤。

油茶叶：苦，平。收敛止血，解毒。用于鼻衄，皮肤溃烂瘙痒，疮疖。

油茶花：苦，微寒。凉血止血。用于吐血，咯血，衄血，便血，子宫出血，烫伤。

茶油：甘、苦，凉。归大肠、胃经。清热解毒，润肠，杀虫。用于痧气腹痛，便秘，蛔虫腹痛，蛔虫性肠梗阻，疥癣，烫火伤。

茶油粑：辛、苦、涩，平；有小毒。归脾、胃、大肠经。燥湿解毒，杀虫去积，消肿止痛。用于湿疹痛痒，虫积腹痛，跌打伤痛。

| 用法用量 | 油茶子：内服煎汤，6 ~ 10g；或入丸、散。外用适量，煎汤洗；或研末调涂。

油茶根：内服煎汤，15 ~ 30g。外用适量，研末或烧灰研末，调敷。

油茶叶：内服煎汤，15 ~ 30g。外用适量，煎汤洗；或鲜品捣敷。

油茶花：内服煎汤，3 ~ 10g。外用适量，研末，麻油调敷。

茶油：冷开水送服，30 ~ 60g。外用适量，涂敷。

茶油粑：外用适量，煎汤洗；或研末调涂。内服煅存性，研末，3 ~ 6g。

| 附　注 | 本种宜选择肥沃、排水良好、土质疏松的土壤种植。

山茶科 Theaceae 山茶属 Camellia

峨眉红山茶 *Camellia omeiensis* Chang

| **药 材 名** | 峨眉红山茶（药用部位：根）。

| **形态特征** | 灌木或小乔木，高 4m。嫩枝无毛，深褐色。叶革质，椭圆形，长
9 ~ 12cm，宽 4 ~ 4.5cm，先端急短尖，尖头略钝，基部圆或钝，
上面干后深绿色，略有光泽或稍暗晦，无毛，下面褐色，无毛；侧
脉 6 ~ 7 对，与网脉在上面略陷下，在下面凸起，叶缘具钝齿，齿
刻相隔 2 ~ 3mm；叶柄长 1 ~ 1.5cm，扁平，无毛。花顶生，红色，
长 5 ~ 6cm，直径 9cm，无柄；苞片及萼片 10，下部 3 ~ 4 半圆形，
长 3 ~ 6mm，背面被绢毛，其余各片近圆形，长 1.5 ~ 2cm，被绢毛，
花开放后脱落；花瓣 8 ~ 9，最外侧 2 ~ 3 近圆形，长 3 ~ 3.5cm，
背面被绢毛，其余 6 ~ 7 阔倒卵圆形，长 4 ~ 4.5cm，宽 3 ~ 4cm，
背面无毛，先端稍凹入或圆形，基部连生约 1.5cm；雄蕊长 3.5 ~ 4cm，

峨眉红山茶

外轮雄蕊的花丝下半部连生成短管，游离花丝长 1.5 ~ 2cm，被柔毛，花丝管亦略被毛；子房被褐色毛，花柱长 3 ~ 3.5cm，无毛，先端 1cm 处 3 裂。蒴果圆球形，未成熟，被褐毛，3 室，每室有种子 2，果皮厚，木质。花期 3 ~ 5 月。

| **生境分布** | 生于海拔 800 ~ 1650m 的丛林中。分布于重庆开州、石柱、武隆、南川等地。

| **采收加工** | 全年均可采收，鲜用或晒干。

| **功能主治** | 散瘀消肿。用于跌仆伤痛，烫火伤。

| **用法用量** | 外用适量，研末或烧灰研末，调敷。

| **附　注** | 在 FOC 中，本种被修订为毛蕊红山茶 *Camellia mairei* (Lévl.) Melch.。

山茶科 Theaceae 山茶属 Camellia

西南红山茶

Camellia pitardii Coh. St.

西南红山茶

| 药 材 名 |

野山茶（药用部位：花、叶、根。别名：山茶花、茶花、红山茶花）。

| 形态特征 |

灌木至小乔木，高达 7m。嫩枝无毛。叶革质，披针形或长圆形，长 8 ～ 12cm，宽 2.5 ～ 4cm，有时较长，先端渐尖或长尾状，基部楔形，上面干后亮绿色，下面黄绿色，无毛；侧脉 6 ～ 7 对，在上下两面均可见；边缘有尖锐粗锯齿，齿刻相隔 2 ～ 3.5mm，齿尖长 0.5 ～ 1.5mm；叶柄长 1 ～ 1.5cm，无毛。花顶生，红色，无柄；苞片及萼片 10，组成 2.5 ～ 3cm 的苞被，最下半 1 ～ 2 半月形，内侧的近圆形，长约 2cm，背面被毛，脱落；花瓣 5 ～ 6，花直径 5 ～ 8cm，基部与雄蕊合生约 1.3cm；雄蕊长 2 ～ 3cm，无毛，外轮花丝连生，花丝管长 1 ～ 1.5cm，基部与花瓣贴生，子房被长毛，花柱长 2.5cm，基部被毛，先端 3 浅裂。蒴果扁球形，高 3.5cm，宽 3.5 ～ 5.5cm，3 室，3 片裂开，果爿厚；种子半圆形，长 1.5 ～ 2cm，褐色。花期 2 ～ 5 月。

| 生境分布 |

生于海拔 600 ～ 1600m 的山沟、水旁或疏林中。分布于重庆綦江、黔江、长寿、酉阳、九龙坡、城口、北碚等地。

资源情况

野生资源较丰富。药材主要来源于野生，亦有少量栽培。

采收加工

冬季采收，晒干。

功能主治

微辛、苦、涩，平。归肝、脾经。活血止血，收敛止泻，解毒敛疮。用于月经不调，月经过多，肠风下血，鼻衄，吐血，急性胃肠炎，痢疾，脱肛，带下，遗精，风湿痹痛，烫火伤。

用法用量

内服煎汤，10 ~ 30g；或研末，3 ~ 6g。外用适量，研末调敷；或干搽。

附 注

（1）窄叶西南红山茶与本种极相似，主要区别为：窄叶西南红山茶幼枝和嫩叶通常被柔毛，叶先端渐尖，叶基部楔形，边缘细锯齿较密，花淡红色，苞片及萼片背部被褐色茸毛，应注意辨识。

（2）本种喜温暖气候，生长适温为 18 ~ 25℃，始花温度为 2℃；略耐寒，一般品种能耐 −10℃的低温，耐暑热，当超过 36℃时生长受抑制；喜空气湿度大，忌干燥，适宜在年降水量 1200mm 以上的地区生长；喜肥沃、疏松的微酸性土壤，pH 以 5.5 ~ 6.5 为佳。

山茶科 Theaceae 山茶属 Camellia

川鄂连蕊茶 *Camellia rosthorniana* Hand.-Mazz.

| **药 材 名** | 川鄂连蕊茶（药用部位：根皮）。

| **形态特征** | 灌木，高3m。嫩枝纤细，密生短柔毛。叶薄革质，椭圆形或卵状长圆形，长2.5～4.2cm，宽9～18mm，先端长渐尖，尖头略钝，基部楔形至阔楔形，上面干后暗绿色，无光泽；中脉有残留短毛，下面通常无毛，侧脉约6对，在上下两面隐约可见，边缘密生细小尖锯齿，齿刻相隔1～1.5mm；叶柄长2～3mm，被柔毛。花腋生及顶生，白色，花柄长3～4mm，有苞片3～4；苞片卵形或圆形，最长达2mm，无毛，先端有睫毛；花萼杯状，长3mm，萼片5，不等长，卵形至圆形，长1.5～3mm，背面无毛，边缘有睫毛；花冠白色，长11～14mm，花瓣5～7，基部2～3mm与雄蕊相结合，最外侧2～3倒卵形或圆形，有睫毛，内侧3～4片倒卵形，先端圆或凹入；

川鄂连蕊茶

雄蕊长 10mm，无毛，花丝管长 4mm；子房无毛，花柱长 9 ~ 13mm，先端极短 3 裂。果实有宿存苞片及萼片，果柄长 5mm；蒴果圆球形，直径 10 ~ 14mm，1 ~ 2 室，每室有种子 1 ~ 2，2 ~ 3 片裂开，果片薄。花期 4 月。

生境分布

生于海拔 420 ~ 1200m 的山谷灌丛中。分布于重庆忠县、合川、彭水、永川、云阳、铜梁等地。

资源情况

野生资源一般。药材主要来源于野生。

采收加工

全年均可采收，鲜用或晒干。

功能主治

止血收敛，散瘀消肿。用于跌仆伤痛，烫火伤。

用法用量

外用适量，研末或烧灰研末，调敷。

山茶科 Theaceae 山茶属 Camellia

茶

Camellia sinensis (L.) O. Ktze.

茶

药材名

茶叶（药用部位：嫩叶、嫩芽。别名：苦茶、茗、茶芽）、茶树根（药用部位：根）、茶膏（药材来源：嫩叶加工品）、茶花（药用部位：花）、茶子（药用部位：果实。别名：腊茶、茶芽、细茶）。

形态特征

灌木或小乔木。嫩枝无毛。叶革质，长圆形或椭圆形，长 4 ~ 12cm，宽 2 ~ 5cm，先端钝或尖锐，基部楔形，上面发亮，下面无毛或初时被柔毛；侧脉 5 ~ 7 对，边缘有锯齿；叶柄长 3 ~ 8mm，无毛。花 1 ~ 3 腋生，白色，花柄长 4 ~ 6mm，有时稍长；苞片早落；萼片 5，阔卵形至圆形，宿存；花瓣 5 ~ 6，基部略联合；雄蕊长 8 ~ 13mm，基部连生 1 ~ 2mm；子房密生白毛；花柱无毛，先端 3 裂。蒴果 3 球形或 1 ~ 2 球形，每球有种子 1 ~ 2。花期 10 月至翌年 2 月。

生境分布

栽培于海拔 200 ~ 1000m 的山坡。重庆各地均有分布。

| **资源情况** | 野生和栽培资源均较丰富。药材主要来源于野生。 |

| **采收加工** | 茶叶：春、夏、秋季分批采摘，摊晾三至五成干时，放热锅中揉搓至干燥，或取鲜叶烘干。
茶树根：全年均可采挖，鲜用或晒干。
茶膏：取嫩叶浸泡后，加甘草、贝母、橘皮、丁香、桂子等煎制。
茶花：夏、秋季花开时采摘，鲜用或晒干。
茶子：秋季果实成熟时采收。 |

| 药材性状 | 茶叶：本品呈卷曲状或细条状，有的呈破碎薄片状，完整者展平后呈披针形、长椭圆形或倒卵状椭圆形，长 2 ~ 6cm，宽 0.5 ~ 2.4cm，上表面深绿色，光滑，下表面淡绿色或淡黄绿色，具短柔毛，先端尖或钝尖，基部楔形，叶缘具钝锯齿，柄短。体轻，质脆。气清香，味微涩、苦。

茶花：本品花蕾类球形。萼片 5，黄绿色或深绿色；花瓣 5，类白色或淡黄白色，近圆形。气微香。

茶子：本品呈扁球形，具 3 钝棱，先端凹陷，直径 2 ~ 5mm。黑褐色，表面被灰棕色绒毛。果皮坚硬，不易压碎。萼片宿存，5，广卵形，长 2 ~ 5mm，上表面灰棕色，具绒毛，下表面棕褐色，质厚，木质化。果柄圆柱形，上端稍粗，微弯曲，其下方有 1 凸起的环节，棕褐色。气微，味淡。

| 功能主治 | 茶叶：苦、甘，微寒。归心、肺、胃经。清头目，除烦渴，消食化痰，利尿解毒。用于头痛目昏，精神疲倦，心烦口渴，食积，痰滞，痢疾，肠炎，小便不利，中暑，烫火伤，外伤出血。

茶树根：苦，凉。归心、肝、肺经。强心利尿，活血调经，清热解毒。用于心脏病，水肿，肝炎，痛经，疮疡肿毒，口疮，烫火伤，带状疱疹，牛皮癣。

茶膏：苦、甘，凉。清热生津，宽胸开胃，醒酒怡神。用于烦热口渴，舌糜，口臭，喉痹。

茶花：微苦，凉。归肺、肝经。清肺平肝。用于鼻疳，高血压。

茶子：苦，寒；有毒。归肺经。降火，消痰平喘。用于痰热喘咳，头脑鸣响。

| 用法用量 | 茶叶：内服 3 ~ 9g，泡服；或入丸、散。外用适量。

茶树根：内服煎汤，15 ~ 30g，大量可用至 60g。外用适量，煎汤熏洗；或磨醋涂。

茶膏：内服煎汤，3 ~ 10g；或沸水泡服。

茶花：内服煎汤，6 ~ 15g。

茶子：内服煎汤，0.5 ~ 1.5g；或入丸、散。外用适量，研末吹鼻。

| 附　　注 | 本种的繁殖一般有两种方式，即无性繁殖和有性繁殖。无性繁殖主要采用短穗扦插的方式，常规育苗一般需要 1 足龄以上，周期长，成本高。有性繁殖主要用于普通茶农营造大面积茶园。在营造茶园时，经整地后，直接将处理好的茶树种子大田播种。此方式虽简单易行，但出苗不齐，易缺苗断垄，耗种量大。本种宜选择坡度在 30° 以下的山地种植。平地茶园开垦只要进行初垦和复垦即可。初垦以夏季和冬季为佳，初垦深度要求 50cm 以上，耕后的土地不必打碎，将杂草埋入底部，以利土壤热化和增加肥力；应将坡度为 10° ~ 30° 的山坡地开垦成水平梯田，以利于蓄水，可减少冲刷，防止水土流失，并可增强地力。

山茶科 Theaceae 红淡比属 Cleyera

红淡比
Cleyera japonica Thunb.

| 药 材 名 | 红淡比（药用部位：花）。

| 形态特征 | 灌木或小乔木。树皮灰褐色或灰白色；顶芽大，长锥形，无毛。叶革质，长圆形或长圆状椭圆形至椭圆形，先端渐尖或短渐尖，稀可近于钝形，基部楔形或阔楔形，全缘，上面深绿色，有光泽，下面淡绿色；中脉在上面平贴或少有略下凹，下面隆起；侧脉 6 ~ 8 对，稀可达 10 对，两面稍明显。花常 2 ~ 4 腋生；苞片早落；萼片 5，先端圆，边缘被纤毛；花瓣 5，白色；雄蕊 25 ~ 30，花药被丝毛，花丝无毛，药隔先端有小尖头；子房圆球形，无毛，2 室，胚珠每室 10 多个，花柱长约 6mm，先端 2 浅裂。果实圆球形，成熟时紫黑色；种子每室数个至 10 多个，扁圆形，深褐色，有光泽，直径约 2mm。花期 5 ~ 6 月，果期 10 ~ 11 月。

红淡比

生境分布	生于海拔 500 ～ 1000m 的山谷、水边、林下。分布于重庆秀山、南川、合川、江津、酉阳、巴南等地。
资源情况	野生资源较少。药材主要来源于野生。
采收加工	夏、秋季开花时采摘，鲜用或晒干。
功能主治	凉血，止血，消肿。用于吐血，咯血，衄血，便血，烫火伤。
用法用量	内服煎汤，3 ～ 10g。外用适量，研末，麻油调敷。

山茶科 Theaceae 红淡比属 Cleyera

齿叶红淡比

Cleyera japonica Thunb. var. *lipingensis* (Hand.-Mazz.) Kobuski

| 药 材 名 | 齿叶红淡比（药用部位：叶）。

| 形态特征 | 本种与原变种红淡比的主要区别在于叶缘有明显的锯齿，顶芽、嫩枝、叶柄均疏生短柔毛，有时花梗也疏被短柔毛。

| 生境分布 | 生于海拔 850m 左右的灌丛或山地密林中。分布于重庆奉节、南川、彭水等地。

| 资源情况 | 野生资源稀少。药材来源于野生。

| 采收加工 | 全年均可采收，鲜用或晒干。

齿叶红淡比

| **功能主治** | 消肿止痛。

| **用法用量** | 外用适量，研末，麻油调敷。

山茶科 Theaceae 柃木属 Eurya

翅柃
Eurya alata Kobuski

| **药 材 名** | 翅柃（药用部位：叶、根皮。别名：柃木）。 |

| **形态特征** | 灌木，高 1 ~ 3m，全株均无毛。嫩枝具显著 4 棱，淡褐色，小枝灰褐色，常具明显 4 棱；顶芽披针形，无毛。叶革质，长圆形或椭圆形，先端窄缩成短尖，基部楔形，边缘密生细锯齿，上面深绿色，有光泽，下面黄绿色，中脉在上面凹下，下面凸起，侧脉 6 ~ 8 对，在上面不甚明显，在下面通常略隆起。花 1 ~ 3 簇生于叶腋，无毛。雄花小苞片 2，卵圆形；萼片 5，膜质或近膜质，卵圆形，长约 2mm，先端钝；花瓣 5，白色，倒卵状长圆形，基部合生；雄蕊约 15，花药不具分格，退化子房无毛。雌花的小苞片和萼片与雄花同；花瓣 5，长圆形；子房圆球形，3 室，无毛，花柱长约 1.5mm，先端 3 浅裂。果实圆球形，直径约 4mm，成熟时蓝黑色。花期 10 ~ 11 月，果期 |

翅柃

翌年 6 ~ 8 月。

| 生境分布 |

生于海拔 380 ~ 1500m 的山谷、沟边林下。分布于重庆城口、巫溪、巫山、奉节、秀山、忠县等地。

| 资源情况 |

野生资源稀少。药材主要来源于野生，亦有少量栽培。

| 采收加工 |

全年均可采收，除去泥土，鲜用或晒干。

| 功能主治 |

叶，消肿止痛，祛痰镇咳。根皮，理气活血，消瘀止痛。

| 用法用量 |

叶，内服煎汤，适量。根皮，外用适量，煎汤洗；或鲜品捣敷；或晒干，研末调敷。

山茶科 Theaceae 柃木属 Eurya

金叶柃
Eurya aurea (Lévl.) Hu et L. K. Ling

金叶柃

药材名

金叶柃（药用部位：根、叶）。

形态特征

灌木，有时为小乔木状，高 2 ~ 5m。嫩枝具 2 棱，密被微毛。叶革质，长 5 ~ 10cm，宽 2 ~ 3cm，先端渐尖或钝，尖头有微凹，基部楔形或钝形，边缘通常密生细钝齿，上面暗绿色，常具金黄色腺点，干后更显著，下面淡绿色，两面均无毛，中脉在上面凹下，在下面凸起，侧脉 9 ~ 11 对。花 1 ~ 3 腋生。雄花具小苞片 2，被微毛；萼片 5，近膜质，几圆形，长约 2.5mm，先端圆，有小凸尖或微凹，外面被微毛，边缘无纤毛；花瓣 5，白色，倒卵形，长 3 ~ 4mm；雄蕊 13 ~ 15，花药不具分格，退化子房无毛。雌花的小苞片和萼片与雄花同；花瓣 5；子房圆球形，3 室，无毛，花柱长约 1mm，先端 3 深裂。果实圆球形，直径 4 ~ 5mm，成熟时紫黑色。花期 11 月至翌年 2 月，果期翌年 7 ~ 9 月。

生境分布

生于海拔 500 ~ 1600m 的山地林间、山谷阴湿林缘、路旁灌丛中。分布于重庆城口、巫溪、奉节、彭水、武隆、丰都、南川、綦江、巴南、忠县等地。

资源情况

野生资源一般。药材主要来源于野生，亦有少量栽培。

采收加工

全年均可采收，除去泥土，鲜用或晒干。

功能主治

涩，平。清热解毒，消肿止痛。用于无名肿痛，脓疱疮。

用法用量

内服煎汤，15 ~ 30g。外用适量，煎汤洗；或鲜品捣敷；或晒干，研末调敷。

附 注

在 FOC 中，本种的拉丁学名被修订为 *Eurya obtusifolia* var. *aurea* (H. Lévl.) Ming。

山茶科 Theaceae 柃木属 Eurya

短柱柃

Eurya brevistyla Kobuski

| 药 材 名 | 短柱柃（药用部位：叶）。

| 形态特征 | 灌木或小乔木，高 2 ~ 8（~ 12）m，全株除萼片外均无毛。树皮黑褐色或灰褐色，平滑。嫩枝灰褐色或灰白色，粗壮，略具 2 棱，小枝灰褐色；顶芽披针形，无毛，或偶有在芽鳞边缘被纤毛。叶革质，倒卵形或椭圆形至长圆状椭圆形，长 5 ~ 9cm，宽 2 ~ 3.5cm，先端短渐尖至急尖，基部楔形或阔楔形，边缘有锯齿，上面深绿色，有光泽，下面淡黄绿色，两面无毛；中脉在上面凹下，在下面凸起，侧脉 9 ~ 11 对，稍纤细，两面均甚明显，偶有在两面均不明；叶柄长 3 ~ 6mm。花 1 ~ 3 腋生，花梗长约 1.5mm，无毛。雄花具小苞片 2，卵圆形；萼片 5，膜质，近圆形，长 1.5 ~ 2mm，先端有小凸尖或微凹，外面无毛，但边缘被纤毛；花瓣 5，白色，长圆形或卵形，

短柃柃

长约 4mm；雄蕊 13 ~ 15，花药不具分格，退化子房无毛。雌花的小苞片和萼片与雄花同；花瓣 5，卵形，长 2 ~ 2.5mm；子房圆球形，3 室，无毛，花柱极短，3，离生，长约 1mm。果实圆球形，直径 3 ~ 4mm，成熟时蓝黑色。花期 10 ~ 11 月，果期翌年 6 ~ 8 月。

生境分布

生于海拔 850 ~ 2600m 的山顶或山坡沟谷林中、林下或林缘路旁灌丛中。分布于重庆城口、巫溪、巫山、奉节、黔江、石柱、酉阳、彭水、武隆、南川、北碚、合川、铜梁等地。

资源情况

野生资源稀少。药材主要来源于野生。

采收加工

全年均可采收，鲜用或晒干。

功能主治

消肿止痛。用于烫火伤。

用法用量

外用适量，煎汤洗；或鲜品捣敷；或晒干，研末调敷。

山茶科 Theaceae 柃木属 Eurya

川柃
Eurya fangii Rehd.

川柃

| 药 材 名 |

川柃叶（药用部位：叶）、川柃根（药用部位：根）。

| 形态特征 |

灌木或小乔木，高 2 ~ 8m。树皮黑褐色，稍平滑。嫩枝圆柱形，密被黄褐色柔毛，小枝灰褐色，几无毛；顶芽披针形，渐尖，无毛。叶革质，椭圆形或长圆状椭圆形，长 3 ~ 5cm，宽 1 ~ 2cm，先端锐尖或渐尖，尖头钝，基部楔形或阔楔形，边缘有锯齿，齿尖弯曲向内，上面深绿色，有光泽，下面黄绿色，两面无毛；中脉在上面凹下，在下面凸起，侧脉 6 ~ 8 对，连同网脉在上面显著凹下，下面稍凸起或有时不甚明显；叶柄长 2 ~ 3mm，无毛。花 1 ~ 2 腋生，花梗长 2 ~ 2.5mm，无毛。雄花具小苞片 2，卵圆形，先端有小凸尖，无毛；萼片 5，卵圆形，长约 1.5mm，先端圆或钝，外面无毛，但边缘被纤毛；花瓣 5，白色，倒卵状长圆形，长约 4mm；雄蕊 8 ~ 10，花药不具分格，退化子房无毛。雌花的小苞片和萼片与雄花同，但略小；花瓣 5，卵形，长 2 ~ 2.5mm；子房圆球形，3 ~ 4 室，无毛，花柱极短，长仅约 0.5mm，3 ~ 4，离生或深裂几达基部。果实圆球形，直径约4mm，成熟时蓝黑色。花期11月至翌年3月，果期翌年7～9月。

| 生境分布 | 生于山地林间或林缘阴湿地。分布于重庆奉节、南川、綦江、长寿、铜梁等地。

| 资源情况 | 野生资源较少。药材来源于野生，自采自用。

| 采收加工 | 全年均可采收根、叶，除去泥土，鲜用或晒干。

| 功能主治 | 川桂叶：祛痰消肿。
　　　　　 川桂根：散瘀除湿。

| 用法用量 | 内服煎汤，适量。

山茶科 Theaceae 柃木属 Eurya

岗柃
Eurya groffii Merr.

| 药 材 名 | 岗柃（药用部位：叶）。

| 形态特征 | 灌木或小乔木，高 2 ~ 7m，有时可达 10m。树皮灰褐色或褐黑色，平滑。嫩枝圆柱形，密被黄褐色披散柔毛，小枝红褐色或灰褐色，被短柔毛或几无毛；顶芽披针形，密被黄褐色柔毛。叶革质或薄革质，披针形或披针状长圆形，长 4.5 ~ 10cm，宽 1.5 ~ 2.2cm，先端渐尖或长渐尖，基部钝或近楔形，边缘密生细锯齿，上面暗绿色，稍有光泽，无毛，下面黄绿色，密被贴伏短柔毛；中脉在上面凹下，在下面凸起，侧脉 10 ~ 14 对，在上面不明显，偶有稍凹下，在下面通常纤细而隆起；叶柄极短，长约 1mm，密被柔毛。花 1 ~ 9 簇生于叶腋，花梗长 1 ~ 1.5mm，密被短柔毛。雄花具小苞片 2，卵圆形；萼片 5，革质，干后褐色，卵形，长 1.5 ~ 2mm，先端钝，

岗柃

并有小凸尖，外面密被黄褐色短柔毛；花瓣 5，白色，长圆形或倒卵状长圆形，长约 3.5mm；雄蕊约 20，花药不具分格，退化子房无毛。雌花的小苞片和萼片与雄花同，但较小；花瓣 5，长圆状披针形，长约 2.5mm；子房卵圆形，3 室，无毛，花柱长 2 ~ 2.5mm，3 裂或 3 深裂几达基部。果实圆球形，直径约 4mm，成熟时黑色；种子稍扁，圆肾形，深褐色，有光泽，表面具密网纹。

| **生境分布** | 生于海拔 500 ~ 900m 的山坡路旁林中、林缘或山地灌丛中。分布于重庆丰都、南岸、涪陵、潼南、合川、綦江、永川、北碚、九龙坡、沙坪坝等地。

| **资源情况** | 野生资源丰富。药材来源于野生。

| **采收加工** | 全年均可采收，鲜用或晒干。

| **药材性状** | 本品呈披针形，长 4 ~ 10cm，宽 1 ~ 2cm；先端渐尖，基部楔形，边缘有细锯齿；表面灰绿色或绿褐色，下面可见绒毛。叶柄极短。薄革质而脆，易破碎。气微，味微苦、涩。

| **功能主治** | 微苦，平。归肺、肝经。祛痰止咳，解毒消肿。用于肺结核咳嗽，无名肿毒，脓疱疮，跌打损伤，骨折。

| **用法用量** | 内服煎汤，10 ~ 15g。外用适量，鲜品捣敷；或煎汤洗。

山茶科 Theaceae 柃木属 Eurya

微毛柃
Eurya hebeclados Ling

| 药 材 名 | 微毛柃（药用部位：全株）。

| 形态特征 | 灌木或小乔木，高 1.5 ~ 5m。树皮灰褐色，稍平滑。嫩枝圆柱形，黄绿色或淡褐色，密被灰色微毛，小枝灰褐色，无毛；顶芽卵状披针形，渐尖，密被微毛。叶革质，先端急窄缩成短尖，尖头钝，基部楔形，上面浓绿色，有光泽，下面黄绿色，两面均无毛；中脉在上面凹下，在下面凸起，侧脉 8 ~ 10 对，纤细，在离叶缘处弧曲且联结，在上面不明显，在下面略隆起；叶柄被微毛。花 4 ~ 7 簇生于叶腋，花梗长约 1mm，被微毛。雄花具小苞片 2；萼片 5；花瓣 5，基部稍合生；雄蕊约 15，花药不具分格，退化子房无毛。雌花的小苞片和萼片与雄花同；花瓣 5；子房卵圆形，3 室，无毛，花柱长约 1mm，先端 3 深裂。果实圆球形，成熟时蓝黑色；种子每室 10 ~ 12，肾形，

微毛柃

稍扁而有棱，种皮深褐色，表面具细蜂窝状网纹。花期 12 月至翌年 1 月，果期翌年 8 ～ 10 月。

| **生境分布** | 生于海拔 600 ～ 1700m 的山谷、溪边、灌丛中。分布于重庆铜梁、巫溪、城口、秀山、石柱、黔江、武隆、南川等地。

| **资源情况** | 野生资源丰富。药材主要来源于野生，亦有少量栽培。

| **采收加工** | 全年均可采收，鲜用；或洗净，切段，晒干。

| **功能主治** | 辛，平。祛风，消肿，止血，解毒。用于风湿性关节炎，肝炎，无名肿毒，烫伤，跌打损伤，外伤出血，蛇咬伤。

| **用法用量** | 内服煎汤，10 ～ 30g。外用适量，煎汤洗；或鲜品捣敷。

山茶科 Theaceae 柃木属 Eurya

贵州毛柃

Eurya kueichouensis Hu et L. K. Ling

| 药 材 名 | 贵州毛柃（药用部位：叶）。

| 形态特征 | 灌木或小乔木，高 2 ~ 6m。嫩枝圆柱形，密被黄褐色披散柔毛，小枝灰褐色或红褐色，几无毛或无毛；顶芽卵状披针形，密被黄褐色柔毛。叶革质或坚革质，长圆状披针形或长圆形，通常中部以上较宽，长 6.5 ~ 9cm，宽 1.5 ~ 2.5cm，先端渐尖至尾状渐尖，尾长 1 ~ 1.5cm，基部阔楔形或钝形，边缘除基部外，密生细锯齿，齿尖有黑色小尖头，干后上面绿色或黄绿色，无毛，下面淡黄绿色，疏被贴伏短柔毛，中脉上毛更密；中脉在上面凹下，在下面凸起，侧脉 10 ~ 13 对，在离叶缘处弧曲而连结，初时两面均稍明显，老后常不明显，但不凹下，网脉两面均不明；叶柄长 2 ~ 3mm，被短柔毛。花 1 ~ 3 腋生，花梗长 2 ~ 3mm，疏被短柔毛或几无毛；雄花具小苞片 2，

贵州毛柃

萼片状，但较小，卵圆形；萼片 5，膜质，近圆形或阔卵圆形，长约 2mm，先端圆，并有黑色小尖头，外面疏被短柔毛或几无毛；花瓣 5，白色，倒卵状长圆形，长 3.5 ～ 4mm，基部稍联合；雄蕊 15 ～ 18，花药具 4 ～ 6 分格，退化子房被柔毛。雌花的萼片、花瓣与雄花同，但较小；子房卵形，3 室，被柔毛，花柱长 3.5 ～ 4.5mm，先端 3 裂。果实卵状椭圆形，长约 5mm，直径约 4mm，疏被柔毛；种子每室 10 ～ 13，褐色，有光泽，并具细密网纹。花期 9 ～ 10 月，果期翌年 4 ～ 7 月。

| 生境分布 |

生于海拔 600 ～ 1800m 的林中阴湿地或山谷溪岸石边。分布于重庆武隆、江津、九龙坡、荣昌等地。

| 资源情况 |

野生资源稀少。药材来源于野生。

| 采收加工 |

全年均可采收，鲜用，或晒干。

| 功能主治 |

镇咳祛痰，消肿止痛。用于咳嗽，无名肿毒，脓疱疮，跌打损伤，骨折。

| 用法用量 |

内服煎汤，适量。外用适量，煎汤洗；或鲜品捣敷。

山茶科 Theaceae 柃木属 Eurya

细枝柃 *Eurya loquaiana* Dunn

细枝柃

药材名

细枝柃（药用部位：茎、叶）。

形态特征

灌木或小乔木，高 2 ~ 10m。树皮灰褐色或深褐色，平滑。枝纤细，嫩枝圆柱形，黄绿色或淡褐色，密被微毛，小枝褐色或灰褐色，无毛或几无毛；顶芽狭披针形，除密被微毛外，其基部和芽鳞背部的中脉上还被短柔毛。叶薄革质，窄椭圆形或长圆状窄椭圆形，有时为卵状披针形，长 4 ~ 9cm，宽 1.5 ~ 2.5cm，先端长渐尖，基部楔形，有时为阔楔形，上面暗绿色，有光泽，无毛，下面干后常变为红褐色，除沿中脉被微毛外，其余无毛；中脉在上面凹下，在下面凸起，侧脉约 10 对，纤细，两面均稍明显；叶柄长 3 ~ 4mm，被微毛。花 1 ~ 4 簇生于叶腋，花梗长 2 ~ 3mm，被微毛。雄花小苞片 2，极小，卵圆形，长约 1mm；萼片 5，卵形或卵圆形；长约 2mm，先端钝或近圆形，外面被微毛或偶有近无毛；花瓣 5，白色，倒卵形；雄蕊 10 ~ 15，花药不具分格，退化子房无毛。雌花的小苞片和萼片与雄花同；花瓣 5，白色，卵形，长约 3mm；子房卵圆形，无毛，3 室，花柱长 2 ~ 3mm，先端 3 裂。

果实圆球形，成熟时黑色，直径 3 ~ 4mm；种子肾形，稍扁，暗褐色，有光泽，表面具细蜂窝状网纹。

生境分布

生于海拔 400 ~ 2000m 的山坡沟谷、溪边林中或林缘，以及山坡路旁阴湿灌丛中。分布于重庆垫江、彭水、江津、忠县、长寿、合川、丰都、綦江、城口、南川、涪陵、九龙坡、北碚、沙坪坝等地。

资源情况

野生资源丰富。药材来源于野生。

采收加工

全年均可采收，鲜用或晒干。

功能主治

微辛、苦，平。祛风通络，活血止痛。用于风湿痹痛，跌打损伤。

用法用量

内服煎汤，6 ~ 15g。外用适量，鲜品捣敷。

附　注

从研究资料来看，柃木属被描述为雌雄异株植物。但一些报道表明，柃木属植物偶尔会出现性别变异现象。目前仅在柃木 *Eurya japonica* Thunb. 和钝叶柃 *Eurya obtusifolia* H. T. Chang 等少数种类中发现了两性花的存在。研究发现，本种存在性别变异现象。

山茶科 Theaceae 柃木属 Eurya

格药柃
Eurya muricata Dunn

格药柃

药材名

格药柃（药用部位：茎、叶、果实。别名：刺柃、硬壳紫）。

形态特征

灌木或小乔木，全株无毛。树皮平滑。嫩枝圆柱形，粗壮，连同顶芽均无毛；顶芽长锥形。叶革质，稍厚，长圆状椭圆形或椭圆形，先端渐尖，基部楔形，边缘有细钝锯齿，上面深绿色，有光泽，下面黄绿色或淡绿色，两面均无毛；中脉在上面凹下，在下面凸起，侧脉 9 ~ 11 对；叶柄长 4 ~ 5mm。花 1 ~ 5 簇生叶腋，花梗无毛。雄花具小苞片 2；萼片 5，革质，先端圆而有小尖头或微凹，边缘有时有纤毛；花瓣 5，白色；雄蕊 15 ~ 22，花药具多分格，退化子房无毛。雌花的小苞片和萼片与雄花同；花瓣 5，白色；子房圆球形，3 室，无毛，花柱长约 1.5mm，先端 3 裂。果实圆球形，成熟时紫黑色；种子肾圆形，稍扁，红褐色，有光泽，表面具密网纹。花期 9 ~ 11 月，果期翌年 6 ~ 8 月。

生境分布

生于海拔 350 ~ 1300m 的山坡林中或林缘灌丛中。分布于重庆城口、南川等地。

资源情况

野生资源稀少。药材主要来源于野生。

采收加工

全年均可采收茎、叶，8 月采收果实，鲜用或晒干。

功能主治

祛风除湿，消肿止血。用于风湿痹痛，泄泻，无名肿毒，疮疡溃烂，外伤出血。

用法用量

内服煎汤，10 ~ 30g。外用适量，鲜品捣敷；或煎汤熏洗。

附 注

本种在生产中进行扦插繁殖时，用 1000mg/L 的吲哚丁酸溶液速浸 5 分钟插穗，其生根率可达 76.67%。

山茶科 Theaceae 柃木属 Eurya

细齿叶柃

Eurya nitida Korthals

| 药 材 名 | 细齿叶柃（药用部位：全株）。

| 形态特征 | 灌木或小乔木，高 2 ~ 5m，全株无毛。树皮灰褐色或深褐色，平滑。嫩枝稍纤细，具 2 棱，黄绿色，小枝灰褐色或褐色，有时具 2 棱；顶芽线状披针形，长达 1cm，无毛。叶薄革质，椭圆形、长圆状椭圆形或倒卵状长圆形，长 4 ~ 6cm，宽 1.5 ~ 2.5cm，先端渐尖或短渐尖，尖头钝，基部楔形，有时近圆形，边缘密生锯齿或细钝齿，上面深绿色，有光泽，下面淡绿色，两面无毛；中脉在上面稍凹下，在下面凸起，侧脉 9 ~ 12 对，在上面不明显，在下面稍明显；叶柄长约 3mm。花 1 ~ 4 簇生于叶腋，花梗较纤细，长约 3mm。雄花具小苞片 2，萼片状，近圆形，长约 1mm，无毛；萼片 5，几膜质，近圆形，长 1.5 ~ 2mm，先端圆，无毛；花瓣 5，白色，倒卵形，长

细齿叶柃

3.5 ~ 4mm，基部稍合生；雄蕊 14 ~ 17，花药不具分格，退化子房无毛。雌花的小苞片和萼片与雄花同；花瓣 5，长圆形，长 2 ~ 2.5mm，基部稍合生；子房卵圆形，无毛，花柱细长，长约 3mm，先端 3 浅裂。果实圆球形，直径 3 ~ 4mm，成熟时蓝黑色；种子肾形或圆肾形，亮褐色，表面具细蜂窝状网纹。

| 生境分布 |

生于海拔 1300m 以下的山地林中、沟谷溪边林缘或山坡路旁灌丛中。分布于重庆垫江、忠县、彭水、酉阳、九龙坡、长寿、綦江、武隆、巴南等地。

| 资源情况 |

野生资源较丰富。药材来源于野生。

| 采收加工 |

全年均可采收，鲜用或晒干。

| 功能主治 |

苦、涩，平。祛风除湿，解毒敛疮，止血。用于风湿痹痛，泄泻，无名肿毒，疮疡溃烂，外伤出血。

| 用法用量 |

内服煎汤，6 ~ 15g。外用适量，煎汤熏洗；或研末调敷；或鲜品捣敷。

| 附　注 |

研究表明，本种在生产中若采用扦插繁殖方式，应选择在春季进行。

山茶科 Theaceae 柃木属 Eurya

钝叶柃

Eurya obtusifolia H. T. Chang

钝叶柃

药材名

野茶子（药用部位：果实）。

形态特征

灌木或小乔木状，高 1 ~ 3m。嫩枝圆柱形，淡褐色，被微毛；顶芽披针形，密被微毛和黄褐色短柔毛。叶革质，长圆形或长圆状椭圆形，先端钝或略圆，偶有渐尖者，基部楔形，边缘上半部有疏线钝齿，有时近全缘，上面暗绿色，下面黄绿色，两面均无毛，中脉在上面凹下，在下面凸起，侧脉 5 ~ 7 对；叶柄被微毛。花 1 ~ 4 腋生，花梗被微毛或疏生短柔毛。雄花具小苞片 2，近圆形，被微毛和短柔毛；萼片 5，近膜质，卵圆形，先端圆，有小凸尖，被微毛，边缘无纤毛，外层的 1 ~ 2；花瓣 5，白色，长圆形或椭圆形；雄蕊约 10，花药不具分格，退化子房无毛。雌花的小苞片和萼片与雄花同，但略小；花瓣 5，卵形或椭圆形；子房圆球形，3 室，无毛，花柱长约 1mm，先端 3 浅裂。果实圆球形，直径 3 ~ 4mm，成熟时蓝黑色。花期 2 ~ 3 月，果期 8 ~ 10 月。

生境分布

生于海拔 400 ~ 1450m 的林中、林缘路旁灌丛中。分布于重庆奉节、黔江、彭水、忠县、南川、铜梁、北碚、巴南、南岸等地。

资源情况

野生资源稀少。药材来源于野生。

采收加工

秋季采收，晒干。

药材性状

本品呈不规则球形，直径约 2mm。表面紫红色或暗红色，皱缩，先端有残存花柱，有的基部可见花萼和果柄。气香，味微苦。

功能主治

苦、涩，凉。清热止渴，利尿，提神。用于暑热烦渴，小便不利，泻痢，神疲眩晕。

用法用量

内服煎汤，10 ～ 15g。

山茶科 Theaceae 柃木属 Eurya

半齿柃

Eurya semiserrata H. T. Chang

半齿柃

| 药 材 名 |

半齿柃（药用部位：叶）。

| 形态特征 |

灌木或小乔木，高 2 ~ 10m。嫩枝圆柱形，黄褐色，被黄褐色短柔毛，小枝深褐色或灰褐色，无毛；顶芽披针形，长约 8mm，被黄褐色短柔毛。叶革质或薄革质，长圆形或倒披针状长圆形，长 4 ~ 7.5cm，宽 1.2 ~ 2.3cm，先端渐尖或呈尾状，尾长约 1cm，微弯曲，基部阔楔形或钝，两侧略不相等，边缘上半部有细锯齿，下半部全缘，上面深绿色，有光泽，无毛，下面黄绿色，沿中脉上有柔毛；中脉在上面凹下，在下面凸起，侧脉 6 ~ 8 对，连同网脉在上面凹下，在下面稍隆起；叶柄长 2 ~ 3mm。花 1 ~ 3 腋生，花梗长 1 ~ 1.5mm，无毛。雄花具小苞片 2，细小，卵圆形，长约 1mm；萼片 5，膜质，近圆形，长 1.5 ~ 2mm，先端圆，外面无毛，边缘被纤毛；花瓣 5，白色，长圆形或卵状长圆形，长约 3mm，基部合生；雄蕊 10 ~ 16，花药不具分格，退化子房无毛。雌花较小，小苞片和萼片与雄花同；萼片长仅 1 ~ 1.5mm；花瓣 5，卵形，长约 2.5mm；子房圆球形，无毛，花柱长约

0.5mm，先端 3 裂。果实圆球形，直径 3 ～ 4mm，成熟时蓝黑色，无毛，果梗纤细，长约 2mm。花期 10 ～ 11 月，果期翌年 6 ～ 7 月。

生境分布

生于海拔 1300 ～ 2200m 的山坡林中、林缘岩边灌丛中。分布于重庆綦江、忠县、黔江、江津、酉阳、长寿、城口、云阳、垫江、永川、合川、巴南、九龙坡、荣昌等地。

资源情况

野生资源稀少。药材来源于野生。

采收加工

全年均可采收，去净泥土，鲜用，或晒干。

功能主治

止咳提神。用于暑热烦渴，神疲眩晕。

用法用量

内服煎汤，适量。

山茶科 Theaceae 柃木属 Eurya

窄叶柃

Eurya stenophylla Merr.

| **药 材 名** | 窄叶柃（药用部位：根、枝、叶）。

| **形态特征** | 灌木，高 0.5 ~ 2m，全株无毛。嫩枝黄绿色，有 2 棱，小枝灰褐色；顶芽披针形。叶革质或薄革质，狭披针形，有时为狭倒披针形，长 3 ~ 6cm，宽 1 ~ 1.5cm，先端锐尖或短渐尖，基部楔形至阔楔形，边缘有钝锯齿，上面深绿色，有光泽，下面淡绿色，两面无毛；中脉在上面凹下，在下面凸起，侧脉 6 ~ 8 对，在上面不明显，有时稍凹下，在下面略明显且稍隆起；叶柄长约 1mm。花 1 ~ 3 簇生于叶腋，花梗长 3 ~ 4mm，无毛。雄花具小苞片 2，圆形，长约 0.5mm，先端圆，有小凸尖；萼片 5，近圆形，长约 3mm，先端圆，无毛；花瓣 5，倒卵形，长 5 ~ 6mm；雄蕊 14 ~ 16，花药不具分格，退化子房无毛。雌花的小苞片与雄花同；萼片 5，卵形，长约 1.5mm，

窄叶柃

无毛；花瓣 5，白色，卵形，长约 5mm；子房卵形，无毛，花柱长约 2.5mm，先端 3 裂。果实长卵形，长 5 ~ 6mm，直径 3 ~ 4mm。花期 10 ~ 12 月，果期翌年 7 ~ 8 月。

生境分布

生于海拔 250 ~ 1500m 的山坡、溪谷、路旁灌丛中。分布于重庆江津等地。

资源情况

野生资源稀少。药材主要来源于野生。

采收加工

全年均可采收，除去泥土，鲜用或晒干。

功能主治

清热，补虚。用于疮痈肿毒。

用法用量

内服煎汤，10 ~ 30g。外用适量，鲜品捣敷或煎汤熏洗。

山茶科 Theaceae 木荷属 Schima

银木荷
Schima argentea Pritz. ex Diels

| **药材名** | 银木荷皮（药用部位：茎皮、根皮）。

| **形态特征** | 乔木。嫩枝被柔毛，老枝有白色皮孔。叶厚革质，长圆形或长圆状披针形，长 8 ~ 12cm，宽 2 ~ 3.5cm，先端尖锐，基部阔楔形，上面发亮，下面有银白色蜡被，被柔毛或秃净；侧脉 7 ~ 9 对，在两面明显，全缘；叶柄长 1.5 ~ 2cm。花数朵生于枝顶，直径 3 ~ 4cm，花柄长 1.5 ~ 2.5cm，被毛；苞片 2，卵形，长 5 ~ 7mm，被毛；萼片圆形，长 2 ~ 3mm，外面被绢毛；花瓣长 1.5 ~ 2cm，最外 1 片较短，有绢毛；雄蕊长 1cm；子房被毛，花柱长 7mm。蒴果直径 1.2 ~ 1.5cm。花期 7 ~ 8 月。

银木荷

| 生境分布 |

生于海拔 800 ～ 1000m 的山坡、林地。分布于
重庆南川、北碚、忠县等地。

| 资源情况 |

野生资源一般。药材主要来源于野生。

| 采收加工 |

秋季采收，洗净，切段，晒干。

| 功能主治 |

苦，平；有毒。归大肠经。清热止痢，驱虫。
用于痢疾，蛔虫、绦虫病。

| 用法用量 |

内服煎汤，3 ～ 9g。

山茶科 Theaceae 木荷属 Schima

小花木荷
Schima parviflora Cheng et Chang ex Chang

小花木荷

| 药 材 名 |

小花木荷（药用部位：树皮）。

| 形态特征 |

乔木。嫩枝纤细，被柔毛。叶薄革质，或近膜质，长圆形或披针形，长 8 ~ 13cm，宽 2 ~ 3cm，先端渐尖，基部阔楔形，上面干后黄绿色，稍发亮，下面被短柔毛，侧脉 7 ~ 9 对，边缘有细钝齿，叶柄长 8 ~ 15mm，纤细，被柔毛。花小，直径 2cm，白色，4 ~ 8 生于枝顶，排成总状花序，花柄纤细，长 1 ~ 1.5cm，被柔毛；苞片 2，早落，长圆形，长 7 ~ 10mm；萼片阔卵形，长 2mm，先端圆，背面被毛；花瓣倒卵形，长 1 ~ 1.5cm，外面被毛；雄蕊长 5 ~ 7mm；子房被毛，花柱短。蒴果近球形，宽 1 ~ 1.2cm。花期 6 ~ 8 月。

| 生境分布 |

生于山地阔叶林中。分布于重庆城口、巫溪等地。

| 资源情况 |

野生资源稀少。药材来源于野生。

采收加工

全年均可采收，晒干。

功能主治

解毒，驱虫。用于疮毒，蛔虫、绦虫病。

用法用量

内服煎汤，3～9g。外用适量，鲜品捣敷；或研末调敷。本品有毒，内服需谨慎。

■■ 山茶科 ■■ Theaceae ■■ 木荷属 ■■ Schima

木荷

Schima superba Gardn. et Champ.

| **药 材 名** | 木荷（药用部位：根皮。别名：何树、柯树、木和）、木荷叶（药用部位：叶）。

| **形态特征** | 乔木，高25m。嫩枝通常无毛。叶革质或薄革质，椭圆形，长7～12cm，宽4～6.5cm，先端尖锐，有时略钝，基部楔形，上面干后发亮，下面无毛；侧脉7～9对，在两面明显，边缘有钝齿；叶柄长1～2cm。花生于枝顶叶腋，常多朵排成总状花序，直径3cm，白色，花柄长1～2.5cm，纤细，无毛；苞片2，贴近萼片，长4～6mm，早落；萼片半圆形，长2～3mm，外面无毛，内面被绢毛；花瓣长1～1.5cm，最外1片风帽状，边缘多少被毛；子房被毛。蒴果直径1.5～2cm。

木荷

| 生境分布 |

生于海拔 700 ~ 2000m 的山地林中。分布于重庆南岸、长寿、石柱、涪陵、九龙坡、永川、江津、璧山、大足、沙坪坝等地。

| 资源情况 |

栽培资源较丰富。药材来源于栽培。

| 采收加工 |

木荷：全年均可采收，晒干。

木荷叶：春、夏季采收，鲜用或晒干。

| 功能主治 |

木荷：辛，温；有毒。攻毒，消肿。用于疔疮，无名肿毒。

木荷叶：辛，温；有毒。解毒疗疮。用于臁疮，疮毒。

| 用法用量 |

木荷：外用捣敷。本品有大毒，不宜内服。

木荷叶：外用适量，鲜品捣敷或研末调敷。本品有毒，不宜内服。

山茶科 Theaceae 厚皮香属 Ternstroemia

厚皮香
Ternstroemia gymnanthera (Wight et Arn.) Beddome

| 药 材 名 | 厚皮香（药用部位：全株或叶。别名：大五味藤、百花果、秤杆红）、厚皮香花（药用部位：花）。

| 形态特征 | 灌木或小乔木，高 1.5 ～ 10m，胸径 30 ～ 40cm，全株无毛。树皮灰褐色，平滑。嫩枝浅红褐色或灰褐色，小枝灰褐色。叶革质或薄革质，通常聚生于枝端，呈假轮生状，先端短渐尖或急窄缩成短尖，尖头钝，基部楔形，全缘，稀有上半部疏生浅疏齿，齿尖具黑色小点，上面深绿色或绿色，有光泽，下面浅绿色，干后常呈淡红褐色；中脉在上面稍凹下，在下面凸起，侧脉 5 ～ 6 对。花两性或单性；两性花具小苞片 2，三角形或三角状卵形，先端尖，边缘具腺状齿突；萼片 5，卵圆形或长圆卵形，先端圆，边缘通常疏生线状齿突，无毛；花瓣 5，淡黄白色，倒卵形，先端圆，常有微凹；雄蕊约 50，长短不一，花

厚皮香

药长圆形，远较花丝为长，无毛；子房圆卵形，2室，胚珠每室2，花柱短，先端浅2裂。果实圆球形，小苞片和萼片均宿存，宿存花柱先端2浅裂；种子肾形，每室1，成熟时肉质假种皮红色。花期5～7月，果期8～10月。

| 生境分布 | 生于海拔700～2000m的山地林中、林缘路边或近山顶疏林中。分布于重庆涪陵、黔江、秀山、南川、石柱等地。

| 资源情况 | 野生资源稀少。药材主要来源于野生，亦有少量栽培。

| 采收加工 | 厚皮香：全年均可采收，切碎，晒干或鲜用。
厚皮香花：7～8月采收，鲜用或晒干。

| 药材性状 | 厚皮香：本品叶常破碎，完整者倒卵状长圆形，先端渐尖或短尖，基部楔形，全缘，表面绿色或棕绿色，光滑，革质。具短柄。气微，味苦、涩。

| 功能主治 | 厚皮香：苦，凉；有小毒。清热解毒，散瘀消肿。用于疮痈肿毒，乳痈。
厚皮香花：杀虫止痒。用于疥癣瘙痒。

| 用法用量 | 厚皮香：内服煎汤，6～10g。外用适量，鲜品捣敷或搽患处。
厚皮香花：外用适量，捣敷或搽患处。

| 附　注 | 本种喜酸性土，也能适应中性土和微碱性土。本种根系发达，抗风力、抗污染力强。

藤黄科 Guttiferae 金丝桃属 *Hypericum*

黄海棠
Hypericum ascyron L.

黄海棠

| 药 材 名 |

红旱莲（药用部位：全草。别名：对月草、禁宫花）。

| 形态特征 |

多年生草本。茎直立或在基部上升，单一或数茎丛生，具 4 纵线棱。叶无柄，叶片先端渐尖、锐尖或钝形，基部楔形或心形而抱茎，全缘，坚纸质，下面散布淡色腺点。花序具花 1 ～ 35，顶生，近伞房状至狭圆锥状，花平展或外反；花蕾卵珠形，先端圆形或钝形；萼片先端锐尖至钝形，全缘；花瓣金黄色，具腺斑或无腺斑；雄蕊极多数，5 束，每束有雄蕊约 30，花药金黄色，具松脂状腺点；子房 5 室，具中央空腔；花柱 5，长为子房的 1/2 至其 2 倍，自基部或至上部 4/5 处分离。蒴果为或宽或狭的卵珠形或卵珠状三角形，棕褐色，成熟后先端 5 裂，柱头常折落；种子棕色或黄褐色，圆柱形，有明显的龙骨状突起或狭翅和细的蜂窝纹。花期 7 ～ 8 月，果期 8 ～ 9 月。

| 生境分布 |

生于山坡林缘、草丛中或路旁向阳地。分布于重庆城口、巫山、巫溪、奉节、石柱、南川等地。

| **资源情况** | 野生资源稀少。药材主要来源于野生。

| **采收加工** | 7～8月果实成熟时采收，用热水浸泡，晒干。

| **药材性状** | 本品叶通常脱落。茎圆柱形，具4棱；表面红棕色，节处有叶痕，节间长约3.5cm；质硬，断面中空。蒴果圆锥形，3～5生于茎顶，长约1.5cm，直径约8mm；表面红棕色，先端5瓣裂，裂片先端细尖，内面灰白色；质坚硬，中轴处着生多数种子。种子细小，圆柱形；表面红棕色，有细密小点。气微香，味苦。以茎色红棕、果实内种子饱满者为佳。

| **功能主治** | 苦，寒。归肝、胃经。凉血止血，活血调经，清热解毒。用于血热所致的吐血，咯血，尿血，便血，崩漏，跌打损伤，外伤出血，月经不调，痛经，乳汁不下，风热感冒，疟疾，腹泻，毒蛇咬伤，烫伤，湿疹，黄水疮。

| **用法用量** | 内服煎汤，5～10g。外用适量，捣敷；或研末调涂。

藤黄科 Guttiferae 金丝桃属 Hypericum

小连翘
Hypericum erectum Thunb. ex Murray

| **药 材 名** | 小连翘（药用部位：全草。别名：小对月草、小对叶草、小元宝草）。 |

| **形态特征** | 多年生草本，高 0.3 ~ 0.7m。茎单一，直立或上升，通常不分枝，有时上部分枝，圆柱形，无毛，无腺点。叶无柄，叶片长椭圆形至长卵形，长 1.5 ~ 5cm，宽 0.8 ~ 1.3cm，先端钝，基部心形抱茎，全缘，内卷，坚纸质，上面绿色，下面淡绿色，近边缘密生腺点，全面有或多或少的小黑腺点；侧脉每边约 5，斜上升，与中脉在上面凹陷，下面凸起，脉网较密，下面多少明显。花序顶生，多花，伞房状聚伞花序，常具腋生花枝；苞片和小苞片与叶同形，长达 0.5cm；花直径 1.5cm，近平展；花梗长 1.5 ~ 3mm；萼片卵状披针形，长约 2.5mm，宽不及 1mm，先端锐尖，全缘，边缘及全面具黑腺点；花瓣黄色，倒卵状长圆形，长约 7mm，宽 2.5mm，上半部有 |

小连翘

黑色点线；雄蕊 3 束，宿存，每束有雄蕊 8 ~ 10，花药具黑色腺点；子房卵珠形，长约 3mm，宽 1mm；花柱 3，自基部离生，与子房等长。蒴果卵珠形，长约 10mm，宽 4mm，具纵向条纹；种子绿褐色，圆柱形，长约 0.7mm，两侧具龙骨状突起，无顶生附属物，表面有细蜂窝纹。花期 7 ~ 8 月，果期 8 ~ 9 月。

| **生境分布** | 生于山坡草丛中。分布于重庆巫山、丰都、南川、巴南、北碚、合川、铜梁、綦江、忠县、奉节、武隆等地。

| **资源情况** | 野生资源丰富。药材来源于野生。

| **采收加工** | 夏、秋季采收，晒干或鲜用。

| **功能主治** | 苦，平。归肝、胃经。止血，调经，散瘀止痛，解毒消肿。用于吐血，咯血，衄血，便血，崩漏，创伤出血，月经不调，乳汁不下，跌打损伤，风湿关节痛，疮疖肿毒，毒蛇咬伤。

| **用法用量** | 内服煎汤，10 ~ 30g。外用鲜品适量，捣敷或研末敷。

藤黄科 Guttiferae 金丝桃属 Hypericum

扬子小连翘 Hypericum faberi R. Keller

| 药 材 名 | 扬子小连翘（药用部位：全草。别名：西南遍地金）。

| 形态特征 | 多年生草本。茎曲膝状或匍匐状上升，圆柱形，多分枝。叶具柄，叶片全缘，扁平或略背卷，边缘生有黑腺点，全面散布淡色透明腺点，侧脉每边 2 ~ 3。花序于茎及分枝上顶生，5 ~ 7 花，蝎尾状二歧聚伞花序；苞片及小苞片边缘疏生黑腺点；花直径 5mm，近平展；萼片边缘常疏生黑色腺点，全面有淡色腺点或腺条；花瓣黄色，倒卵状长圆形，全面无黑腺点或仅在先端具少数黑腺点，宿存；雄蕊 3 束，每束有雄蕊 7 ~ 8，花丝与花瓣约等长，花药黄色，有黑色腺点；子房卵珠形，1 室；花柱 3，自基部分离，叉开。蒴果卵珠形，成熟时褐色，具纵腺条纹；种子黄褐色，圆柱形，两端锐尖，两侧无龙骨状突起，先端无附属物，表面有不明显的细蜂窝纹。花期 6 ~ 7

扬子小连翘

月，果期 8 ~ 9 月。

| **生境分布** | 生于海拔 800 ~ 2600m 的山坡草地、灌丛、路旁或田埂上。分布于重庆城口、巫山、巫溪、奉节、云阳、万州、石柱、南川、北碚、潼南等地。

| **资源情况** | 野生资源稀少。药材主要来源于野生。

| **采收加工** | 夏、秋季采收，晒干或鲜用。

| **功能主治** | 苦，凉。消肿止痛，凉血止血。用于风湿关节痛，跌打损伤，内出血。

| **用法用量** | 内服煎汤，10 ~ 30g。外用鲜品适量，捣敷或研末敷。

藤黄科 Guttiferae 金丝桃属 Hypericum

地耳草

Hypericum japonicum Thunb. ex Murray

| 药 材 名 | 田基黄（药用部位：全草。别名：小连翘、小付心草、小对叶草）。

| 形态特征 | 一年生或多年生草本。茎单一或多少簇生，具 4 纵线棱，散布淡色腺点。叶无柄，叶片先端近锐尖至圆形，基部心形抱茎至截形，全缘，坚纸质，具 1 基生主脉和 1 ~ 2 对侧脉，无边缘生的腺点，全面散布透明腺点。花序具 1 ~ 30 花，两歧状或多少呈单歧状；花平展；萼片先端锐尖至钝形，全缘，无边缘生的腺点，全面散生有透明腺点或腺条纹；花瓣白色、淡黄色至橙黄色，无腺点，宿存；雄蕊 5 ~ 30，不成束，宿存，花药黄色，具松脂状腺体；子房 1 室；花柱长 0.4 ~ 1mm，自基部离生，开展。蒴果短圆柱形至圆球形，无腺条纹；种子淡黄色，圆柱形，两端锐尖，无龙骨状突起和先端的附属物，全面有细蜂窝纹。花期 3 ~ 8 月，果期 6 ~ 10 月。

地耳草

| 生境分布 | 生于田野较潮湿处。重庆各地均有分布。

| 资源情况 | 野生资源丰富。药材主要来源于野生。

| 采收加工 | 春、夏季花开时采收，晒干或鲜用。

| 药材性状 | 本品长 10 ~ 40cm。根须状，黄褐色。茎单一或基部分枝，光滑，具 4 棱；表面黄绿色或黄棕色；质脆，易折断，断面中空。叶对生，无柄；完整叶片卵形或卵圆形，全缘，具细小透明腺点，基出脉 3 ~ 5。聚伞花序顶生，花小，橙黄色。气无，味微苦。以色黄绿、带花者为佳。

| 功能主治 | 甘、微苦，凉。归肝、胆、大肠经。清热利湿，解毒，散瘀消肿，止痛。用于湿热黄疸，泄泻，痢疾，肠痈，肺痈，痈疖肿毒，乳蛾，口疮，目赤肿痛，毒蛇咬伤，跌打损伤。

| 用法用量 | 内服煎汤，15 ~ 30g，鲜品 30g，大剂量可用 90 ~ 120g；或捣汁。外用适量，捣敷；或煎汤洗。

藤黄科 Guttiferae 金丝桃属 Hypericum

金丝桃

Hypericum monogynum L.

| **药 材 名** | 金丝桃（药用部位：全株。别名：土连翘、五心花、金丝海棠）、金丝桃果（药用部位：果实）。

| **形态特征** | 灌木，高 0.5 ~ 1.3m，丛状或通常有疏生的开张枝条。茎红色，皮层橙褐色。叶对生，叶片先端锐尖至圆形，通常具细小凸尖，基部楔形至圆形或上部者有时截形至心形，边缘平坦，坚纸质，主侧脉 4 ~ 6 对，分枝，腹腺体无，叶片腺体小而点状。花序具 1 ~ 30 花，自茎端第 1 节生出，疏松的近伞房状；苞片早落；花直径 3 ~ 6.5cm，星状；花蕾卵珠形，先端近锐尖至钝形；萼片有或多或少的腺体，在基部的线形至条纹状，向先端的点状；花瓣金黄色至柠檬黄色，无红晕，开张，三角状倒卵形，全缘，无腺体，有侧生的小凸尖，小凸尖先端锐尖至圆形或消失；雄蕊 5 束，每束有雄蕊 25 ~ 35，

金丝桃

花药黄至暗橙色；子房卵珠形或卵珠状圆锥形至近球形；花柱合生几达先端然后向外弯或极偶有合生至全长之半，柱头小。蒴果宽卵珠形或稀为卵珠状圆锥形至近球形；种子深红褐色，圆柱形，有狭的龙骨状突起，有浅的线状网纹至线状蜂窝纹。花期 5～8 月，果期 8～9 月。

| **生境分布** | 生于山麓、路边或沟旁，广泛栽培于庭园。分布于重庆綦江、秀山、巫山、奉节、石柱、巫溪、云阳、酉阳、永川、城口、忠县、南川、黔江、开州、武隆、彭水、江津、潼南等地。

| **资源情况** | 野生资源丰富。药材主要来源于野生。

| **采收加工** | 金丝桃：全年均可采收，洗净，晒干。
金丝桃果：秋季果实成熟时采摘，鲜用或晒干。

| **药材性状** | 金丝桃：本品长约 80cm，光滑无毛。根呈圆柱形；表面棕褐色，栓皮易成片状剥落；断面不整齐，中心可见极小的空洞。老茎较粗，圆柱形，直径 4～6mm；表面浅棕褐色，可见对生叶痕，栓皮易成片状脱落；质脆，易折断，断面不整齐，中空明显。幼茎较细，直径 1.5～3mm；表面较光滑，节间呈浅棕色，节部呈深棕绿色，断面中空。叶对生，略皱缩，易破碎；完整者展开呈长椭圆形，全缘，上面绿色，下面灰绿色，中脉明显凸起，可见透明腺点。气微香，味微苦。

| **功能主治** | 金丝桃：苦，凉。清热解毒，散瘀止痛，祛风湿。用于肝炎，肝脾肿大，急性咽喉炎，结膜炎，疮疖肿毒，蛇咬及蜂蜇伤，跌打损伤，风湿腰痛。
金丝桃果：甘，凉。润肺止咳。用于虚热咳嗽，百日咳。

| **用法用量** | 金丝桃：内服煎汤，15～60g。外用鲜根或鲜叶适量，捣敷。
金丝桃果：内服煎汤，6～10g。

| **附　　注** | 本种栽培管理简单，适应性强，生命力旺盛，适合在黄沙中种植。

藤黄科 Guttiferae 金丝桃属 Hypericum

金丝梅
Hypericum patulum Thunb. ex Murray

| 药 材 名 | 金丝梅（药用部位：全株。别名：金丝桃、土连翘、山栀子）。

| 形态特征 | 灌木，丛状，具开张的枝条。茎淡红至橙色，皮层灰褐色。叶具柄，叶柄长 0.5 ~ 2mm；叶片披针形或长圆状披针形至卵形或长圆状卵形，先端钝形至圆形，常具小凸尖，基部狭或宽楔形至短渐狭，边缘平坦，不增厚，坚纸质，主侧脉 3 对，腹腺体多少密集，叶片腺体短线形和点状。花序具 1 ~ 15 花，自茎先端第 1 ~ 2 节生出，伞房状；苞片凋落；花呈杯状；花蕾宽卵珠形，先端钝形；萼片离生，边缘有细的啮蚀状小齿至具小缘毛，膜质，常带淡红色，有多数腺条纹；花瓣金黄色，全缘或略为啮蚀状小齿，有 1 行近边缘生的腺点，有侧生的小凸尖；雄蕊 5 束，每束有雄蕊 50 ~ 70，花药亮黄色。蒴果宽卵珠形；种子深褐色，有浅的线状蜂窝纹。花期 6 ~ 7 月，

金丝梅

果期 8 ~ 10 月。

| **生境分布** | 生于海拔 300 ~ 2400m 的山谷、山坡林下或灌丛中。分布于重庆城口、巫溪、綦江、丰都、垫江、奉节、涪陵、彭水、云阳、秀山、南川、忠县、江津、黔江、开州、石柱等地。

| **资源情况** | 野生资源丰富。药材主要来源于野生。

| **采收加工** | 夏季采收，洗净，切碎，晒干。

| **功能主治** | 苦，寒。归肝、肾、膀胱经。清热利湿，解毒，疏肝通络，祛瘀止痛。用于湿热淋病，肝炎，感冒，扁桃体炎，疝气偏坠，筋骨疼痛，跌打损伤。

| **用法用量** | 内服煎汤，6 ~ 15g。外用适量，捣敷；或炒后研末撒。

| **附　　注** | 本种适应性强，中等喜光，有一定耐寒能力，喜湿润土壤，忌积水，在轻土壤中生长良好。本种在繁殖时以河沙或珍珠岩为扦插基质，以新梢中上部作为插条，并经吲哚丁酸处理，可获得较高的成活率及较高质量的扦插苗。

藤黄科 Guttiferae 金丝桃属 Hypericum

贯叶连翘

Hypericum perforatum L.

贯叶连翘

药材名

贯叶连翘（药用部位：全草。别名：赶山鞭、千层楼、上天梯）。

形态特征

多年生草本，全体无毛。茎直立，多分枝，茎及分枝两侧各有 1 纵线棱。叶无柄，彼此靠近密集，椭圆形至线形，先端钝形，基部近心形而抱茎，全缘，背卷，坚纸质，全面散布淡色但有时黑色腺点。花序为两歧状的聚伞花序，具 5 ~ 7 花，生于茎及分枝先端，多个再组成顶生圆锥花序；苞片及小苞片线形，长达 4mm；萼片长圆形或披针形，先端渐尖至锐尖，边缘有黑色腺点，全面有 2 行腺条和腺斑；花瓣黄色，长圆形或长圆状椭圆形，两侧不相等，边缘及上部常有黑色腺点；雄蕊多数，3 束，每束有雄蕊约 15，花丝长短不一，长达 8mm，花药黄色，具黑腺点；子房卵珠形，花柱 3。蒴果长圆状卵珠形，具背生腺条及侧生黄褐色囊状腺体；种子黑褐色，圆柱形，具纵向条棱，两侧无龙骨状突起，表面有细蜂窝纹。花期 7 ~ 8 月，果期 9 ~ 10 月。

| 生境分布 | 生于山坡路旁或杂草丛中。分布于重庆丰都、南岸、垫江、巫山、石柱、彭水、万州、城口、奉节、云阳、綦江、九龙坡、巫溪、忠县、黔江、酉阳、南川、涪陵、长寿、武隆、开州、江津、北碚、梁平、合川、沙坪坝、璧山、大足、永川等地。 |

| 资源情况 | 野生资源丰富。药材主要来源于野生，亦有少量栽培。 |

| 采收加工 | 7~10月采收，洗净，晒干。 |

| 功能主治 | 苦、涩，平。收敛止血，调经通乳，清热解毒，利湿。用于咯血，吐血，肠风下血，崩漏，外伤出血，月经不调，乳汁不下，黄疸，咽喉疼痛，目赤肿痛，尿路感染，口鼻生疮，痈疖肿毒，烫火伤。 |

| 用法用量 | 内服煎汤，9~15g。外用适量，鲜品捣敷；或揉绒塞鼻；或研末敷。 |

| 附　　注 | 本种喜阳光充足、湿润的环境，对土壤要求不严，在路旁、房前屋后均可种植。生产中采用种子繁殖和分株繁殖方式。 |

藤黄科 Guttiferae 金丝桃属 Hypericum

短柄小连翘
Hypericum petiolulatum Hook. f. et Thoms. ex Dyer

| 药 材 名 | 短柄小连翘（药用部位：果实。别名：有柄小连翘、短柄遍地金）。

| 形态特征 | 多年生草本，高 25 ～ 30cm，全体无毛。茎多少铺散，柔弱，圆柱形，常多分枝，分枝细弱，能育。叶对生，远离，具柄，叶柄长约 1mm，叶片卵圆形至倒卵圆形，长 0.6 ～ 1.4cm，宽 0.4 ～ 0.8cm，先端钝，基部宽楔形或渐狭，全缘，波状，上面绿色，下面淡绿色，有边缘生的黑腺点及全面散生的透明腺点，侧脉 2，均自叶下部 1/3 处斜上升，与中脉在上面凹陷，下面凸起。花序顶生，聚伞状，除顶生单花外通常一回而歧状；苞片和小苞片叶状，变小；萼片线性，不等大，长 2.5 ～ 3mm，宽 0.5 ～ 0.7mm，先端锐尖，无腺点或上部偶有少数不成行列的黑色腺点；花瓣黄色，长圆形，长约 5mm，宽 1mm，先端锐尖；雄蕊 3 束，每束约 7，花丝长约 4mm，花药黄色，

短柄小连翘

有黑色腺点；子房卵球形，长约 2mm，3 室，花柱 3，长约 0.5mm，自基部分离。蒴果宽卵球形或近球形，长约 4mm，宽 3.5mm，成熟时紫红色，外具多数腺条；种子圆柱形，长约 0.5mm，淡黄褐色，两侧无棱状突起，表面无细蜂窝纹。花期 7 ~ 8 月，果期 9 ~ 10 月。

| **生境分布** | 生于山坡灌丛或草地上。分布于重庆黔江、南川等地。

| **资源情况** | 野生资源稀少。药材主要来源于野生。

| **采收加工** | 夏、秋季采收，晒干或鲜用。

| **功能主治** | 苦，寒。清热解毒，祛风除湿。

| **用法用量** | 内服煎汤，适量。外用鲜品适量，捣敷或研末敷。

藤黄科 Guttiferae 金丝桃属 Hypericum

突脉金丝桃 *Hypericum przewalskii* Maxim.

| 药 材 名 | 大对经草（药用部位：全草。别名：大花金丝桃、大叶刘寄奴、老君茶）。

| 形态特征 | 多年生草本，全体无毛。茎多数，圆柱形。叶无柄，叶片向茎基部者渐变小而靠近，茎最下部者为倒卵形，向茎上部者为卵形或卵状椭圆形，先端钝形且常微缺，基部心形而抱茎，全缘，坚纸质，散布淡色腺点，侧脉约4对。花序顶生，聚伞花序；花直径约2cm，开展；花蕾长卵珠形，先端锐尖；花梗伸长，长达3（~4）cm；萼片直伸，全缘但常呈波状，无腺点；花瓣5，长圆形，稍弯曲；雄蕊5束，每束有雄蕊约15，与花瓣等长或略超出花瓣，花药近球形，无腺点；子房卵珠形，5室，光滑；花柱5，自中部以上分离。蒴果卵珠形，散布有纵线纹，成熟后先端5裂；种子淡褐色，圆柱形，两端锐尖，

突脉金丝桃

一侧有龙骨状突起，表面有细蜂窝纹。花期 6 ~ 7 月，果期 8 ~ 9 月。

| **生境分布** | 生于山坡或林边草丛中。分布于重庆南川、云阳等地。

| **资源情况** | 野生资源稀少。药材主要来源于野生。

| **采收加工** | 夏季采收，洗净，切碎，晒干。

| **功能主治** | 苦、微辛，平。活血调经，止血止痛，祛风湿，利小便，消暑，解渴。用于月经不调，跌打损伤，骨折，外伤出血，风湿疼痛，水肿，小便不利，夏令伤暑。

| **用法用量** | 内服煎汤，9 ~ 15g。外用适量，研末撒。

藤黄科 Guttiferae 金丝桃属 Hypericum

元宝草

Hypericum sampsonii Hance

| **药 材 名** | 元宝草（药用部位：全草。别名：对叶草、对对草、对月草）。

| **形态特征** | 多年生草本，全体无毛。茎单一或少数，圆柱形，无腺点，上部分枝。叶对生，无柄，其基部完全合生为一体而茎贯穿其中心，先端钝形或圆形，基部较宽，全缘，坚纸质，边缘密生有黑色腺点，全面散生透明或间有黑色腺点，中脉直贯叶端，侧脉每边约 4，斜上升，近边缘弧状连结。花序顶生，多花，伞房状，连同其下方常多达 6 腋生花枝整体形成 1 庞大的疏松伞房状至圆柱状圆锥花序；萼片边缘疏生黑腺点，全面散布淡色稀为黑色腺点及腺斑；花瓣淡黄色，边缘有无柄或近无柄的黑腺体，全面散布淡色或稀为黑色腺点和腺条纹；雄蕊 3 束，每束具雄蕊 10 ~ 14，花药淡黄色，具黑腺点。蒴果散布卵珠状黄褐色囊状腺体；种子黄褐色，两侧无龙骨状突起，

元宝草

先端无附属物，表面有明显的细蜂窝纹。花期 5 ～ 6 月，果期 7 ～ 8 月。

| 生境分布 | 生于海拔2700m以下的山坡林下、山谷草地。分布于重庆丰都、武隆、酉阳、南川、璧山、潼南、铜梁、大足、合川、江津、荣昌、长寿、黔江、垫江、南岸、涪陵、城口、彭水、秀山、万州、巫山、石柱、云阳、忠县、奉节、北碚、开州、九龙坡、巫溪、永川、梁平、沙坪坝等地。

| 资源情况 | 野生资源丰富。药材主要来源于野生。

| 采收加工 | 夏、秋季采收，洗净，晒干或鲜用。

| 药材性状 | 本品根呈细圆柱形，稍弯曲，长 3 ～ 7cm，支根细小；表面淡棕色。茎呈圆柱形，直径 2 ～ 5mm，长 30 ～ 80cm；表面光滑，棕红色或黄棕色；质坚硬，断面中空。叶对生，2 叶基部合生为一体，茎贯穿于中间；叶多皱缩，展平后呈长椭圆形，上表面灰绿色或灰棕色，下表面灰白色，有众多黑色腺点。聚伞花序顶生，花小，黄色。蒴果呈卵圆形，红棕色。种子细小，多数。气微，味淡。以叶多、带花及果者为佳。

| 功能主治 | 苦、辛，寒。归肝、脾经。凉血止血，清热解毒，活血调经，祛风通络。用于吐血，咯血，衄血，血淋，创伤出血，肠炎，痢疾，乳痈，痈肿疔毒，烫伤，蛇咬伤，月经不调，痛经，带下，跌打损伤，风湿痹痛，腰腿痛，头癣，口疮，目翳。

| 用法用量 | 内服煎汤，9 ～ 15g，鲜品 30 ～ 60g。外用适量，鲜品捣敷；或研末外敷。

藤黄科 Guttiferae 金丝桃属 Hypericum

密腺小连翘

Hypericum seniavinii Maxim.

| 药 材 名 | 密腺小连翘（药用部位：全草。别名：孙氏小连翘、小叶连翘、元宝草）。

| 形态特征 | 多年生草本。茎直立，帚状多分枝。叶近无柄；叶片长圆状披针形至长圆形，先端钝形，基部浅心形且略抱茎，全缘，坚纸质，边缘有时疏生黑腺点，全面散布多数透明腺点，侧脉每边约3，脉网稀疏。花序为多花三歧状聚伞花序，于茎及枝上顶生；苞片及小苞片卵状至线状披针形，边缘具黑色腺点；花直径约9mm，平展；萼片长圆状披针形，先端锐尖，边缘有成行列的黑色腺点，具透明腺条；花瓣狭长圆形，上部及边缘疏布黑腺点；雄蕊3束，每束有雄蕊8～10，花药有黑色腺点；子房狭卵珠形；花柱3，长约2.5mm，分离，自基部叉开。蒴果卵珠形，成熟时褐色，外密布腺条纹；种子圆柱形，

密腺小连翘

两侧有不明显的龙骨状突起，先端无附属物，表面有细蜂窝纹。花期 7 ~ 8 月，果期 9 月。

| **生境分布** | 生于海拔 500 ~ 1750m 的山坡草丛中。分布于重庆南川、忠县等地。

| **资源情况** | 野生资源较少。药材主要来源于野生。

| **采收加工** | 夏、秋季采收，晒干或鲜用。

| **功能主治** | 微苦，平。收敛止血，镇痛。用于吐血，咯血，衄血，创伤出血，跌打损伤。

| **用法用量** | 内服煎汤，适量。外用鲜品适量，捣敷或研末敷。

罂粟科 Papaveraceae 白屈菜属 Chelidonium

白屈菜 *Chelidonium majus* L.

| 药 材 名 | 白屈菜（药用部位：全草。别名：地黄连、牛金花、土黄连）、白屈菜根（药用部位：根。别名：小人血七）。

| 形态特征 | 多年生草本。主根粗壮，圆锥形；侧根多，暗褐色。茎聚伞状多分枝，分枝常被短柔毛。基生叶具不规则的深裂或浅裂，裂片边缘圆齿状，表面绿色，无毛，背面具白粉，疏被短柔毛；叶柄长 2 ~ 5cm，被柔毛或无毛，基部扩大成鞘，茎生叶叶柄长 0.5 ~ 1.5cm。伞形花序多花；苞片小，卵形；花芽卵圆形，直径 5 ~ 8mm；萼片早落；花瓣倒卵形，长约 1cm，全缘，黄色；雄蕊长约 8mm，花丝丝状，黄色，花药长圆形，长约 1mm；子房线形，花柱长约 1mm，柱头 2 裂。蒴果狭圆柱形，通常具比果实短的柄；种子卵形，暗褐色，具光泽及蜂窝状小格。花果期 4 ~ 9 月。

白屈菜

| **生境分布** | 生于海拔 150 ～ 1300m 的山谷湿地、林缘或路旁草丛中。分布于重庆南川、城口等地。

| **资源情况** | 野生资源稀少。药材主要来源于野生，亦有少量栽培。

| **采收加工** | 白屈菜：夏、秋季采挖，除去泥沙，阴干或晒干。
白屈菜根：夏季采挖，洗净泥沙，阴干。

| **药材性状** | 白屈菜：本品根呈圆锥状，多有分枝，密生须根。茎干瘪中空，表面黄绿色或绿褐色，有的可见白粉。叶互生，多皱缩破碎，完整者 1 ～ 2 回羽状分裂，裂片近对生，先端钝，边缘具不整齐的缺刻；上表面黄绿色，下表面灰绿色，具白色柔毛，脉上尤多。花瓣 4，卵圆形，黄色；雄蕊多数；雌蕊 1。蒴果细圆柱形；种子多数，卵形，细小，黑色。气微，味微苦。

| **功能主治** | 白屈菜：苦，凉；有毒。归肺、胃经。解痉止痛，止咳平喘。用于胃脘挛痛，咳嗽气喘，百日咳。
白屈菜根：苦、涩，温。散瘀，止血，止痛，解蛇毒。用于劳伤血瘀，脘痛，月经不调，痛经，蛇咬伤。

| **用法用量** | 白屈菜：内服煎汤，9 ～ 18g。
白屈菜根：内服煎汤，3 ～ 6g。

| **附　注** | 本种喜温暖湿润气候，耐寒，宜生长在疏松肥沃、排水良好的砂壤土或壤土中，可选择沟塘、河流两岸、林下种植。

罂粟科 Papaveraceae 紫堇属 *Corydalis*

川东紫堇 *Corydalis acuminata* Franch.

| **药 材 名** | 川东紫堇（药用部位：全草。别名：地丁、苦地丁）。

| **形态特征** | 多年生草本，高20～50cm。须根多数，粗线形，具少数纤维状细根；根茎短，盖以残枯的叶柄基。茎直立。基生叶数枚，叶柄基部扩大成鞘，鞘长卵形，中部厚，边缘宽膜质，叶片宽卵形，3回羽状分裂，表面绿色，背面具白粉；茎生叶2～3，疏离，互生。总状花序顶生和侧生，有花8～12；花瓣紫色，下花瓣上部舟状卵形，先端极尖，有时渐尖，具尖头，背部鸡冠状突起极矮，中部缢缩，下部呈囊状，内花瓣提琴形，长0.7～0.9cm，花瓣片倒卵状长圆形，具1侧生囊，基部耳垂，爪狭楔形，略长于花瓣片；蜜腺体贯穿距的1/3～2/5；柱头双卵形，具8个乳突。蒴果狭椭圆形，成熟时自果梗先端反折，具多数种子；种子近圆形，黑色，具光泽。花果期4～8月。

川东紫堇

| 生境分布 | 生于海拔 1600 ～ 2100m 的山坡草地或林缘。分布于重庆城口、巫山、奉节、丰都、石柱、酉阳、南川等地。 |

| 资源情况 | 野生资源稀少。药材主要来源于野生。 |

| 采收加工 | 夏、秋季采挖，除去泥沙，阴干或晒干。 |

| 功能主治 | 清热解毒，活血消肿。用于咯血，骨折，跌打损伤，疮疔肿痛。 |

| 用法用量 | 内服煎汤，适量。外用捣敷或研末调敷；或煎汤洗。 |

罂粟科 Papaveraceae 紫堇属 Corydalis

南黄堇
Corydalis davidii Franch.

南黄堇

药材名

南黄堇（药用部位：根茎。别名：牛角花、百脉根、黄断肠草）。

形态特征

多年生草本，高 20 ~ 60（~ 100）cm。须根数条，粗线形，长 8 ~ 10cm，直径 1 ~ 1.5mm，黄色，干时茶褐色；根茎短，被残枯的基生叶鞘。茎 1 ~ 4，直立，脆嫩，易折断，具翅状的棱，常带紫色，不分枝或具分枝。基生叶少数，叶柄长 9 ~ 22cm，微红色，叶片宽三角形，3 回三出全裂，第 1 回全裂片具长柄，第 2 回全裂片具短柄，小裂片倒卵形、卵形、近圆形或宽椭圆形，长 1 ~ 2cm，宽 0.7 ~ 1.2cm，先端圆或钝，具短尖，全缘，背面具白粉，均有小叶柄，稀无柄；茎生叶数枚，下部叶具长柄，上部叶具短柄，叶柄基部扩大成狭鞘，其他同基生叶。总状花序顶生，长 3 ~ 12cm，有 8 ~ 20 花，排列稀疏；苞片长圆形、狭卵形至披针形，长 2 ~ 5mm，全缘；花梗纤细，稍长于苞片；萼片鳞片状，近半圆形，边缘具缺刻状齿；花瓣黄色，上花瓣长 1.8 ~ 2.5cm，平伸，花瓣片舟状卵形，先端具短尖，背部鸡冠状突起极矮或无，距圆筒形，纤细，占上花瓣长的2/3,下花瓣舟状长圆形,长0.8~1cm,鸡冠极矮或无,基部有时具小浅囊,内花瓣提琴形,长0.7~0.9cm,花瓣片倒卵状长圆形,具1侧生囊,基部有钩状耳,爪狭楔形,略长于花瓣片;雄蕊束长0.6~0.8cm,花药黄色,花丝下部披针形,上部1/3线形,白色,蜜腺体贯穿距的3/4~4/5;子房狭圆柱形,淡绿色,长0.4~0.5cm,具1列胚珠,花柱线形,先端弯曲,短于子房,柱头近扁长方形,具8乳突。蒴果圆柱形,长0.8~1.5cm,直径约2mm,有种子6~11;种子近肾形,长约1.5mm,黑色,具光泽。花果期4~10月。

| 生境分布 | 生于海拔1280~1700m的林下、林缘、灌丛下、草坡或路边。分布于重庆南川、武隆等地。

| 资源情况 | 野生资源稀少。药材主要来源于野生。

| 采收加工 | 秋季采收,晒干。

| 功能主治 | 苦,凉;有毒。清热解毒,镇痛,止血。用于温病,胃痛,咯血,骨折,跌打损伤,疮疖肿痛,牛皮癣,毒蛇咬伤。

| 用法用量 | 内服煎汤,3g。

紫堇
Corydalis edulis Maxim.

| 药 材 名 | 紫堇（药用部位：全草或根。别名：羊不吃、闷头花、蝎子花）。

| 形态特征 | 一年生灰绿色草本，具主根。茎分枝，具叶。花枝花葶状，常与叶对生。基生叶具长柄，叶片近三角形，上面绿色，下面苍白色，1～2回羽状全裂，1回羽片2～3对，具短柄，2回羽片近无柄，倒卵圆形，羽状分裂，裂片狭卵圆形，先端钝，近具短尖；茎生叶与基生叶同形。总状花序疏具花3～10；苞片狭卵圆形至披针形，渐尖，全缘，有时下部的疏具齿；花粉红色至紫红色，平展；外花瓣较宽展，先端微凹，无鸡冠状突起；距圆筒形，基部稍下弯，约占花瓣全长的1/3，蜜腺体长，近伸达距末端，大部分与距贴生，末端不变狭；柱头横向纺锤形，两端各具1乳突，上面具沟槽，槽内具极细小的乳突。蒴果线形，下垂，具1列种子；种子密生环状小凹点，种阜小，

紫堇

紧贴种子。

| **生境分布** | 生于丘陵林缘、宅基旁。分布于重庆潼南、长寿、巫山、铜梁、丰都、南岸、合川、梁平、九龙坡、荣昌、城口、奉节、南川、渝北、北碚等地。

| **资源情况** | 野生资源丰富。药材主要来源于野生。

| **采收加工** | 春、夏季采挖，除去杂质，洗净，阴干或鲜用。

| **功能主治** | 苦、涩，凉；有毒。清热解毒，杀虫止痒。用于疮疡肿毒，聤耳流脓，咽喉疼痛，顽癣，秃疮，毒蛇咬伤。

| **用法用量** | 内服煎汤，4 ~ 10g。外用适量，捣敷或研末调敷；或煎汤外洗。

罂粟科 Papaveraceae 紫堇属 Corydalis

蛇果黄堇
Corydalis ophiocarpa Hook. f. et Thoms.

| 药 材 名 | 蛇果黄堇（药用部位：全草。别名：断肠草、妞果黄堇、小前胡）。 |

| 形态特征 | 丛生灰绿色草本。具主根。茎常多条，具叶，分枝，枝条花葶状，叶对生。基生叶多数，叶柄约与叶片等长，边缘具膜质翅，延伸叶片基部；叶片长圆形，1～2回羽状全裂，1回羽片4～5对，具短柄，2回羽片2～3对，无柄，倒卵圆形至长圆形，3～5裂，具短尖；茎生叶与基生叶同形，下部的具长柄，上部的具短柄，近1回羽状全裂，叶柄边缘延伸至叶片基部的翅较基生叶更明显。总状花序长10～30cm，多花，具短花序轴。花淡黄色至苍白色，平展；距短囊状，占花瓣全长的1/4～1/3，多少上升；柱头宽浅，具4乳突，顶生2呈广角状叉分，侧生2呈两臂状伸出，先下弯再弧形上伸。蒴果线形，蛇形弯曲，具1列种子；种子小，黑亮，具伸展狭直的种阜。 |

蛇果黄堇

| 生境分布 |

生于海拔 200～2500m 的沟边草地、林中、灌丛。分布于重庆城口、南川等地。

| 资源情况 |

野生资源稀少。药材主要来源于野生。

| 采收加工 |

春、夏季采收，洗净，晒干或鲜用。

| 功能主治 |

苦、辛，温；有毒。活血止痛，祛风止痒。用于跌打损伤，皮肤瘙痒。

| 用法用量 |

内服煎汤，6～10g。外用适量，捣敷。

罂粟科 Papaveraceae 紫堇属 Corydalis

黄堇

Corydalis pallida (Thunb.) Pers.

黄堇

| 药 材 名 |

黄堇（药用部位：全草。别名：断肠草、小花黄堇、黄花鱼灯草）。

| 形态特征 |

灰绿色丛生草本。具主根，少数侧根发达，呈须根状。茎1至多条，发自基生叶腋，具棱，常上部分枝。基生叶多数，莲座状；茎生叶稍密集，下部的具柄，上部的近无柄，下面苍白色，2回羽状全裂，1回羽片4~6对，具短柄至无柄，2回羽片无柄，卵圆形至长圆形，顶生的较大，3深裂，裂片边缘具圆齿状裂片，裂片先端圆钝，近具短尖，侧生的较小，常具4~5圆齿。总状花顶生和腋生，有时对叶生；花黄色至淡黄色，平展；外花瓣先端勺状，无鸡冠状突起，上花瓣距约占花瓣全长的1/3，蜜腺体约占距长的2/3，末端钩状弯曲，内花瓣具鸡冠状突起，爪约与瓣片等长；雄蕊束披针形。蒴果线形，念珠状，具1列种子；种子黑亮，表面密具圆锥状突起，种阜帽状，约包裹种子的1/2。

| 生境分布 |

生于丘陵地区的阴湿林下或潮湿处。分布于

重庆武隆、彭水、酉阳、南川、大足、秀山、云阳、黔江、铜梁等地。

| 资源情况 |

野生资源丰富。药材主要来源于野生，亦有少量栽培。

| 采收加工 |

夏季采收，洗净，晒干。

| 药材性状 |

本品茎光滑无毛。叶 2 回羽状全裂，末回裂片近卵形，浅裂至深裂。总状花序；花黄棕色，上花瓣延伸成距，末端圆形。蒴果条形。种子黑色，扁球形。味苦。

| 功能主治 |

苦、涩，寒；有毒。清热利湿，解毒杀虫。用于湿热泄泻，痢疾，黄疸，目赤肿痛，聤耳流脓，疮毒，疥癣，毒蛇咬伤。

| 用法用量 |

内服煎汤，3 ~ 6g，鲜品 15 ~ 30g；或捣汁。外用适量，捣敷；或用根以酒、醋磨汁搽。

| 附　　注 |

本种耐阴，不耐高温，种植宜选排灌、管理方便，或易于改良、土壤肥力较高，或易于增肥、土层较为深厚、蓄水性较好的山坡谷地、林缘地、疏林地、冬季落叶林果园、边角地、果园坎壁、房前屋后空旷地。生产中主要采用种子播种育苗移栽、种子直播、留桩再生的方式进行繁殖。

罂粟科 Papaveraceae 紫堇属 Corydalis

小花黄堇
Corydalis racemosa (Thunb.) Pers.

| 药 材 名 | 黄堇（药用部位：全草或根。别名：断肠草、黄花与灯草、粪桶草）。

| 形态特征 | 灰绿色丛生草本，具主根。茎具棱，分枝，具叶，枝条花葶状，对叶生。基生叶具长柄，常早枯萎；茎生叶具短柄，叶片三角形，上面绿色，下面灰白色，2回羽状全裂。总状花序长 3 ~ 10cm，密具多花；苞片披针形至钻形，渐尖至具短尖；花黄色至淡黄色，外花瓣不宽展，无鸡冠状突起，先端通常近圆，具宽短尖，有时近下凹，有时具较长的短尖，上花瓣长 6 ~ 7mm；距短囊状，约占花瓣全长的 1/6 ~ 1/5；柱头宽浅，具 4 乳突，顶生 2 呈广角状叉分，侧生的先下弯再弧形上升。蒴果线形，具 1 列种子；种子黑亮，近肾形，具短刺状突起，种阜三角形。

小花黄堇

| 生境分布 |

生于海拔 400～600m 的旷野山坡、墙根、沟畔。
分布于重庆奉节、南川、巴南、永川、北碚、丰都、
璧山、长寿、九龙坡等地。

| 资源情况 |

野生资源丰富。药材主要来源于野生。

| 采收加工 |

参见"黄堇"条。

| 药材性状 |

参见"黄堇"条。

| 功能主治 |

参见"黄堇"条。

| 用法用量 |

参见"黄堇"条。

罂粟科 Papaveraceae 紫堇属 Corydalis

地锦苗
Corydalis sheareri S. Moore

| **药 材 名** | 护心胆（药用部位：全草或块茎。别名：尖距紫堇、鹿耳草、大羊不吃）。

| **形态特征** | 多年生草本。主根明显，具多数纤维根，棕褐色；根茎粗壮，干时黑褐色，被以残枯的叶柄基。茎多汁液，上部具分枝，下部裸露。基生叶数枚，具带紫色的长柄，叶片三角形或卵状三角形，2回羽状全裂，第1回全裂片具柄，第2回无柄，卵形，中部以上具圆齿状深齿，下部宽楔形，表面绿色，背面灰绿色；茎生叶数枚，互生于茎上部，与基生叶同形，但较小和具较短柄。总状花序生于茎及分枝先端；花瓣紫红色，平伸，距圆锥形，末端极尖，长为花瓣片的一倍半，柱头双卵形，绿色，具 8 ~ 10 乳突。蒴果狭圆柱形；种子近圆形，黑色，具光泽，表面具多数乳突。花果期 3 ~ 6 月。

地锦苗

生境分布

生于海拔 400 ~ 1600m 的山地林下、沟边阴处。分布于重庆城口、巫山、巫溪、武隆、南川、綦江、江津、巴南、北碚、铜梁、开州、垫江、九龙坡等地。

资源情况

野生资源丰富。药材主要来源于野生。

采收加工

春、夏季采收全草，冬、春季采挖块茎，洗净，鲜用或晒干。

药材性状

本品块茎呈倒卵圆形至长椭圆形，基部狭小而渐尖，长 1 ~ 3cm，直径 0.5 ~ 1.5cm。表面黄棕色或灰褐色，具多数类三角状突起的侧芽，有须根及须根痕。质坚脆，受潮后稍变软，断面深黄色至暗绿色。略具焦糖气，味极苦。

功能主治

苦、辛，寒；有小毒。活血止痛，清热解毒。用于胃痛，腹痛泄泻，跌打损伤，痈疮肿毒，目赤肿痛。

用法用量

内服煎汤，3 ~ 6g；或研末，1.5 ~ 3g。外用适量，捣敷。

罂粟科 Papaveraceae 紫堇属 Corydalis

大叶紫堇
Corydalis temulifolia Franch.

| 药 材 名 | 山臭草（药用部位：全草或根。别名：鸡血七、断肠草、闷头花）。

| 形态特征 | 多年生草本，高（20 ~ ）30 ~ 60（ ~ 90）cm。根纤细，具多数纤维状细根；根茎粗壮，密盖以残枯的叶柄基。茎 2 ~ 3，淡红绿色，5 棱，不分枝或分枝，具叶，有时被微柔毛。基生叶数枚，叶柄长 6 ~ 14（ ~ 37）cm，通常粗壮，基部膨大，叶片三角形，长 4 ~ 10（ ~ 18）cm，2 回三出羽状全裂，第 1 回全裂片具长柄，宽卵形至三角形，第 2 回全裂片具短柄或近无柄，卵形或宽卵形，先端急尖，基部顶生者楔形，个别植株中部分叶片顶裂片多少深齿状或再分裂成狭矩圆形锐尖的更小裂片，侧生者通常两侧不对称，边缘上半部为圆齿状锯齿，齿端具小尖头，下半部全缘；茎生叶 2 ~ 4，与基生叶同形，但叶片较小并具较短的叶柄。总状花序生于茎及分枝先端，

大叶紫堇

长 3 ～ 7（～ 12）cm，多花，排列稀疏；苞片卵形或倒卵形，上半部具圆齿状锯齿，下半部全缘；花梗粗壮、劲直，长于或等长于苞片；萼片鳞片状，撕裂状分裂，早落；花瓣紫蓝色，平伸，上花瓣长 2.5 ～ 3cm，花瓣片舟状菱形，先端具小尖头，边缘开展，背部鸡冠状突起矮且短或无，有时则高且宽，变异较大，距劲直，圆锥形，略短于花瓣片或与之等长，下花瓣匙形，长 1.5 ～ 1.8cm，花瓣片小，先端具小尖头，边缘开展，背部具鸡冠状突起，爪狭楔形，长为花瓣片的 3 ～ 4 倍，内花瓣提琴形，长 1.3 ～ 1.6cm，花瓣片倒卵状长圆形，先端圆或微凹，具短尖，基部平截，具一侧生囊，背部具鸡冠状突起，爪线形，上端弯曲，长为花瓣片的 2 倍；雄蕊束长 1.2 ～ 1.5cm，花药小，花丝披针形，蜜腺体贯穿距的 1/3 ～ 1/4，先端棒状；子房线形，长 1 ～ 1.2cm，胚珠约 20，花柱短，长约为子房的 1/4，柱头双卵形，具 10 乳突。蒴果线状圆柱形，长 4 ～ 5cm，直径 1.5 ～ 2mm，劲直，近念珠状；种子近圆形，直径 1 ～ 1.5mm，黑色，具光泽。花果期 3 ～ 6 月。

| **生境分布** | 生于海拔 1200 ～ 2300m 的常绿阔叶林或混交林下、灌丛中或溪边。分布于重庆城口、巫溪、巫山、奉节、南川等地。

| **资源情况** | 野生资源稀少。药材主要来源于野生。

| **采收加工** | 春、夏季采收全草，秋季挖根，洗净，晒干或鲜用。

| **功能主治** | 苦、辛，微寒。活血止痛，清热解毒。用于劳伤，胸脘刺痛，坐板疮。

| **用法用量** | 内服煎汤，5 ～ 10g；或用根泡酒服。外用适量，捣汁涂。

毛黄堇
Corydalis tomentella Franch.

| 药 材 名 | 干岩矸（药用部位：全草。别名：岩黄连、干岩千、毛紫堇）。

| 形态特征 | 丛生草本，被白色而卷曲的短绒毛。茎花葶状。基生叶具长柄，基部具鞘，叶片披针形，2回羽状全裂；1回羽片5～6对，疏离，具短柄；2回羽片近无柄，卵圆形至近圆形，顶生的较大，长约1cm，宽1.2cm，3深裂，侧生的长5～6mm，宽5mm，全缘至2～3裂。总状花序约具10花，先密集，后疏离；花黄色，近平展；外花瓣先端多少微凹，无或具浅鸡冠状突起，上花瓣长1.5～1.7cm，下花瓣长约1.2cm，内花瓣长约1cm；子房线形，具细长的花柱，柱头2叉状分裂，各枝先端具2～3并生乳突。蒴果线形，长3～4cm，被毛；种子黑亮，平滑。

毛黄堇

| 生境分布 |

生于海拔 700 ～ 950m 的悬崖陡壁少见雨水处。分布于重庆城口、巫溪、巫山、奉节、涪陵、南川等地。

| 资源情况 |

野生资源稀少。药材主要来源于野生。

| 采收加工 |

夏季采收，洗净，晒干。

| 药材性状 |

本品常皱缩成团，被毛。主根圆锥形，直径 5 ～ 10mm；表面棕黄色，有明显的皱纹及须根痕；质硬而脆，断面黄绿色。茎多成束卷曲，灰绿色。叶多已破碎脱落。有的可见黄色小花。气微，味苦。

| 功能主治 |

苦，凉。清热解毒，凉血散瘀。用于流行性感冒，咽喉肿痛，目赤疼痛，咯血，吐血，胃热脘痛，肝郁胁痛，湿热泻痢，痈肿疮毒，跌打肿痛。

| 用法用量 |

内服煎汤，3 ～ 9g；或泡茶饮；或研末服，每次 1.5g，每日 3 次。

罂粟科 Papaveraceae 紫堇属 Corydalis

延胡索
Corydalis yanhusuo W. T. Wang ex Z. Y. Su et C. Y. Wu

| 药 材 名 | 延胡索（药用部位：块茎。别名：元胡、玄胡索）。

| 形态特征 | 多年生草本，高 10 ~ 30cm。块茎圆球形，直径（0.5 ~）1 ~ 2.5cm，质黄。茎直立，常分枝，基部以上具 1 鳞片，有时具 2 鳞片，通常具 3 ~ 4 茎生叶，鳞片和下部茎生叶常具腋生块茎。叶二回三出或近三回三出，小叶 3 裂或 3 深裂，具全缘的披针形裂片，裂片长 2 ~ 2.5cm，宽 5 ~ 8mm；下部茎生叶常具长柄；叶柄基部具鞘。总状花序疏生 5 ~ 15 花；苞片披针形或狭卵圆形，全缘，有时下部的稍分裂，长约 8mm；花梗花期长约 1cm，果期长约 2cm；花紫红色；萼片小，早落；外花瓣宽展，具齿，先端微凹，具短尖；上花瓣长（1.5 ~）2 ~ 2.2cm，瓣片与距常上弯；距圆筒形，长 1.1 ~ 1.3cm；蜜腺体约贯穿距长的 1/2，末端钝；下花瓣具短爪，向前渐增大成宽展的瓣片；内花瓣长 8 ~ 9mm，爪长于瓣片；柱头近圆形，具较长的 8 乳突。

延胡索

蒴果线形，长 2 ～ 2.8cm，具 1 列种子。

| 生境分布 | 生于低海拔的旷野草地、丘陵林缘。分布于重庆南川、涪陵、长寿、北碚等地。

| 资源情况 | 栽培资源较少。药材主要来源于栽培，自产自销。

| 采收加工 | 夏初茎叶枯萎时采挖，除去须根，洗净，置沸水中煮至无白心，取出，晒干。

| 药材性状 | 本品呈不规则扁球形，直径 0.5 ～ 1.5cm。表面黄色或黄褐色，有不规则网状皱纹。先端有略凹陷的茎痕，底部常有疙瘩状突起。质硬而脆，断面黄色，角质样，有蜡样光泽。气微，味苦。

| 功能主治 | 辛、苦，温。归肝、脾经。活血，行气，止痛。用于胸胁、脘腹疼痛，胸痹心痛，经闭痛经，产后瘀阻，跌打肿痛。

| 用法用量 | 内服煎汤，3 ～ 10g；或研末吞服，1.5 ～ 3g。

| 附　　注 | 本种药材的伪品主要有薯蓣科植物薯蓣、黄独等的珠芽，罂粟科紫堇属其他植物如夏天无、齿瓣延胡索、全缘叶延胡索和东北延胡索等的块茎，在临床应用中要注意区分。

血水草
Eomecon chionantha Hance

| 药材名 | 血水草（药用部位：全草。别名：广扁线、捆仙绳、金腰带）、血水草根（药用部位：根、根茎。别名：广扁线、捆仙绳）。

| 形态特征 | 多年生无毛草本，具红黄色液汁。根橙黄色；根茎匍匐。叶全部基生，叶片心形或心状肾形，稀心状箭形，掌状脉5～7；叶柄条形或狭条形，长10～30cm，带蓝灰色，基部略扩大成狭鞘。花葶灰绿色略带紫红色，有3～5花，排列成聚伞状伞房花序；苞片和小苞片边缘薄膜质；花芽卵珠形，长约1cm，先端渐尖；萼片长0.5～1cm，无毛；花瓣倒卵形，白色；花柱长3～5mm，柱头2裂，下延于花柱上。蒴果狭椭圆形。花期3～6月，果期6～10月。

| 生境分布 | 生于海拔1400～1800m的林下、灌丛下或溪边、路旁。分布于重

血水草

庆黔江、忠县、彭水、石柱、秀山、丰都、綦江、云阳、酉阳、城口、巫山、巫溪、奉节、南川等地。

| **资源情况** | 野生资源丰富。药材主要来源于野生，亦有少量栽培。

| **采收加工** | 血水草：秋季采收，晒干或鲜用。
血水草根：9～10月采收，晒干或鲜用。

| **药材性状** | 血水草根：本品根茎呈细圆柱形，弯曲或扭曲，长可至50cm，直径1.5～5mm。表面红棕色或灰棕色，平滑，有细纵纹，节间长2～5cm，节上着生纤细的须根。质脆，易折断，折断面不平坦，皮部红棕色，中柱淡棕色，有棕色小点（维管束）。气微，味微苦。

| **功能主治** | 血水草：苦，寒；有小毒。归肝、肾经。清热解毒，活血止痛，止血。用于目赤肿痛，咽喉疼痛，口腔溃疡，疔疮肿毒，毒蛇咬伤，癣疮，湿疹，跌打损伤，腰痛，咯血。

血水草根：苦、辛，凉；有小毒。清热解毒，散瘀止痛。用于风热目赤肿痛，咽喉疼痛，尿路感染，疮疡疖肿，毒蛇咬伤，产后小腹瘀痛，跌打损伤，湿疹，疥癣等。

| **用法用量** | 血水草：内服煎汤，6～30g；或浸酒。外用适量，鲜草捣敷；或晒干，研末调敷；或煎汤洗。
血水草根：内服煎汤，5～15g；或浸酒。外用适量，捣敷或研末调敷。

| **附　注** | 本种喜阴凉潮湿环境。

罂粟科 Papaveraceae 荷青花属 Hylomecon

荷青花
Hylomecon japonica (Thunb.) Prantl et Kundig

| 药 材 名 | 拐枣七（药用部位：根、根茎。别名：荷青花根、刀豆三七、大叶老鼠七）。

| 形态特征 | 多年生草本，具黄色液汁，疏生柔毛。根茎斜生，白色，结果时橙黄色，肉质，盖以褐色、膜质的鳞片，鳞片圆形。茎直立，不分枝，具条纹，无毛，草质，绿色转红色至紫色。基生叶少数，羽状全裂，裂片 2 ~ 3 对，宽披针状菱形、倒卵状菱形或近椭圆形，先端渐尖，基部楔形，边缘具不规则的圆齿状锯齿或重锯齿，表面深绿色，背面淡绿色，两面无毛，具长柄；茎生叶通常 2，稀 3，叶片同基生叶，具短柄。花 1 ~ 3 排列成伞房状，顶生，有时也腋生；花瓣倒卵圆形或近圆形，芽时覆瓦状排列，花期突然增大，基部具短爪；雄蕊黄色，长约 6mm，花丝丝状，花药圆形或长圆形；子房长约 7mm，花柱极短，

荷青花

柱头2裂。蒴果无毛，2瓣裂，具长达1cm的宿存花柱；种子卵形。花期4～7月，果期5～8月。

| **生境分布** | 生于海拔800～2000m的高山下阴湿处、林边或沟边。分布于重庆城口、巫山、巫溪、开州、云阳、南川等地。

| **资源情况** | 野生资源一般，亦有少量栽培。药材主要来源于野生。

| **采收加工** | 秋季采收，除去须根，洗净，晒干。

| **功能主治** | 苦，平。祛风通络，散瘀消肿。用于风湿痹痛，跌打损伤。

| **用法用量** | 内服煎汤，3～10g；或泡酒。

罂粟科 Papaveraceae 博落回属 Macleaya

博落回

Macleaya cordata (Willd.) R. Br.

博落回

药材名

博落回（药用部位：全草或根。别名：勃逻回、勃勒回、落回）。

形态特征

直立草本，基部木质化，具乳黄色浆汁。茎光滑，多白粉，中空。叶片宽卵形或近圆形，先端急尖、渐尖、钝或圆形，通常 7 或 9 深裂或浅裂，边缘波状、缺刻状，具粗齿或多细齿，表面绿色，无毛，背面多白粉，被易脱落的细绒毛；基出脉通常 5，侧脉 2 对，稀 3 对，细脉网状，常呈淡红色；叶柄上面具浅沟槽。大型圆锥花序多花，顶生和腋生；花芽棒状，近白色；萼片倒卵状长圆形，舟状，黄白色；花瓣无；雄蕊 24 ～ 30，花丝丝状，花药条形，与花丝等长；花柱长约 1mm，柱头 2 裂。蒴果狭倒卵形或倒披针形，先端圆或钝，基部渐狭，无毛；种子 4 ～ 6，卵珠形，生于缝线两侧，无柄，种皮具排成行的整齐的蜂窝状孔穴，有狭的种阜。花果期 6 ～ 11 月。

生境分布

生于海拔 150 ～ 800m 的丘陵或低山林中、灌丛中或草丛间。分布于重庆巫山、秀山、北碚、巫溪等地。

| **资源情况** | 野生和栽培资源均稀少。药材主要来源于栽培。

| **采收加工** | 夏、秋季采收，除去杂质，干燥。

| **药材性状** | 本品根粗壮，棕褐色，有纵沟纹。茎圆柱形，直径 2 ~ 4cm，中空，浅绿色，被白色粉霜，上部有分枝。单叶互生，具长柄；叶片皱缩，完整者展平后呈宽卵形或近圆形，5 ~ 9 浅裂，裂片边缘具不规则波状齿，上表面浅绿色或灰绿色，下表面被白霜及细密绒毛。圆锥花序多顶生，残存小花白色或淡红色，易脱落。气微，味苦。

| **功能主治** | 苦，寒；有大毒。归肝、大肠经。清热解毒，活血散瘀，杀虫止痒。用于痈肿疮毒，下肢溃疡，烫火伤，湿疹，顽癣，跌打损伤，风湿痹痛，阴痒。

| **用法用量** | 外用捣敷；或煎汤熏洗；或乙醇浸渍液涂搽。本品有毒，不能内服。

| **附　　注** | 本种喜温暖湿润的环境，耐寒，耐旱，不择土壤，以排水良好、富含有机质的腐殖土及砂壤土种植为最佳。

小果博落回

罂粟科 Papaveraceae 博落回属 Macleaya

小果博落回

Macleaya microcarpa (Maxim.) Fedde

药 材 名

博落回（药用部位：全草或根。别名：泡桐杆、黄婆娘、野麻子）。

形态特征

直立草本，基部木质化，具乳黄色浆汁。茎高 0.8 ~ 1m，通常淡黄绿色，光滑，多白粉，中空，上部多分枝。叶片宽卵形或近圆形，先端急尖、钝或圆形，基部心形，通常 7 或 9 深裂或浅裂，裂片半圆形、扇形或其他，边缘波状、缺刻状，具粗齿或多细齿，表面绿色，无毛，背面多白粉，被绒毛；基出脉通常 5，侧脉 1 对，稀 2 对，细脉网状；叶柄上面平坦，通常不具沟槽。大型圆锥花序多花，长 15 ~ 30cm，生于茎和分枝先端；花梗长 2 ~ 10mm；花芽圆柱形；萼片狭长圆形舟状；花瓣无；雄蕊 8 ~ 12，花丝丝状，极短，花药条形；子房倒卵形，花柱极短，柱头 2 裂。蒴果近圆形；种子 1，卵珠形，基着，直立，种皮具孔状雕纹，无种阜。花果期 6 ~ 10 月。

生境分布

生于海拔 450 ~ 1600m 的山坡路边、草地或灌丛中。分布于重庆城口、巫溪、巫山、奉节、云阳等地。

| 资源情况 | 野生和栽培资源均稀少。药材主要来源于栽培。

| 采收加工 | 秋、冬季采收，根与茎叶分开晒干。鲜品随时可采。

| 药材性状 | 本品根及根茎肥壮。茎圆柱形，中空；表面有白粉；易折断，新鲜时断面有黄色乳汁流出。单叶互生，有柄，柄基部略抱茎；叶片广卵形或近圆形，长13～30cm，宽12～25cm，7～9掌状浅裂，裂片边缘波状或具波状牙齿。花序圆锥状。蒴果近圆形。种子1。

| 功能主治 | 苦、辛，寒；有大毒。散瘀，祛风，解毒，止痛，杀虫。用于痈疮疔肿，臁疮，痔疮，湿疹，蛇虫咬伤，跌打肿痛，风湿关节痛，龋齿痛，顽癣，滴虫性阴道炎，酒渣鼻。

| 用法用量 | 外用适量，捣敷；或煎汤熏洗；或研末调敷。本品有毒，禁内服。

| 附　　注 | 本种喜温暖湿润的环境，耐寒，耐旱，喜阳光，对土壤要求不严，以肥沃砂壤土和黏壤土栽培为宜。生产中常采用种子和分根两种繁殖方式。

罂粟科 Papaveraceae 罂粟属 Papaver

虞美人 *Papaver rhoeas* L.

| 药 材 名 | 丽春花（药用部位：全草或花、果实。别名：赛牡丹、锦被花、百般娇）。

| 形态特征 | 一年生草本，全体被伸展的刚毛，稀无毛。茎直立，高25～90cm，具分枝，被淡黄色刚毛。叶互生，叶片披针形或狭卵形，长3～15cm，宽1～6cm，羽状分裂，下部全裂，全裂片披针形，2回羽状浅裂，上部深裂或浅裂，裂片披针形，最上部粗齿状羽状浅裂，顶生裂片通常较大，小裂片先端均渐尖，两面被淡黄色刚毛；叶脉在背面凸起，在表面略凹；下部叶具柄，上部叶无柄。花单生于茎和分枝先端；花梗长10～15cm，被淡黄色平展的刚毛；花蕾长圆状倒卵形，下垂；萼片2，宽椭圆形，长1～1.8cm，绿色，外面被刚毛；花瓣4，圆形、横向宽椭圆形或宽倒卵形，长2.5～4.5cm，全缘，稀圆齿状或先端缺刻状，紫红色，基部通常具深紫色斑点；

虞美人

雄蕊多数，花丝丝状，长约 8mm，深紫红色，花药长圆形，长约 1mm，黄色；子房倒卵形，长 7 ~ 10mm，无毛，柱头 5 ~ 18，辐射状，联合成扁平、边缘圆齿状的盘状体。蒴果宽倒卵形，长 1 ~ 2.2cm，无毛，具不明显的肋；种子多数，肾状长圆形，长约 1mm。花果期 3 ~ 8 月。

| 生境分布 |

栽培于庭院、公园。重庆各地均有分布。

| 资源情况 |

野生资源稀少，栽培资源较丰富。药材主要来源于栽培。

| 采收加工 |

夏、秋季采收全草，晒干。4 ~ 6 月花开时采收花，晒干。待蒴果干枯、种子呈褐色时采摘果实，撕开果皮，将种子轻轻抖入容器内，放于干燥、阴凉处保存。因果实成熟期不一致，可分批采收。

| 功能主治 |

苦、涩，微寒；有毒。归肺、大肠经。镇咳，镇痛，止泻。用于咳嗽，偏头痛，腹痛，痢疾。

| 用法用量 |

内服煎汤，花 1.5 ~ 3g，全草 3 ~ 6g。

| 附　注 |

本种喜温暖湿润、阳光充足的环境，耐寒，怕暑热，适宜在排水良好、疏松、肥沃的砂壤土种植。忌连作。本种属深根系植物，不耐移栽，能自播繁衍。

| 山柑科 | Capparaceae | 白花菜属 | Cleome |

白花菜
Cleome gynandra L.

| **药 材 名** | 白花菜（药用部位：全草。别名：羊角菜、屡析草、臭花菜）、白花菜子（药用部位：种子）、白花菜根（药用部位：根）。

| **形态特征** | 一年生直立分枝草本，高 1m 左右，常被腺毛，有时茎上变无毛，无刺。叶为具 3 ~ 7 小叶的掌状复叶，小叶倒卵状椭圆形、倒披针形或菱形，先端渐尖、急尖、钝形或圆形，基部楔形至渐狭延成小叶柄，两面近无毛，边缘有细锯齿或被腺纤毛；叶柄长 2 ~ 7cm，小叶柄长 2 ~ 4mm，在汇合处彼此连生成蹼状；无托叶。总状花序具花少数至多数；苞片由 3 小叶组成；萼片分离，被腺毛；花瓣白色，少有淡黄色或淡紫色，在花蕾时期不覆盖着雄蕊和雌蕊，有爪；花盘稍肉质，微扩展，圆锥状；雄蕊 6，伸出花冠外；雌蕊柄在两性花中长 4 ~ 10mm，在雄花中长 1 ~ 2mm 或无柄；花柱很短或无花柱，

白花菜

柱头头状。果实圆柱形，斜举，雌雄蕊柄与雌蕊柄果时长度近相等；种子近扁球形，黑褐色，表面有横向皱纹或更常为具疣状小突起，爪开张，但常近似彼此连生，不具假种皮。花果期 7 ~ 10 月。

| **生境分布** | 生于低海拔地区的田野、荒地。分布于重庆巫山、奉节、云阳、涪陵、秀山等地。

| **资源情况** | 野生资源稀少。药材主要来源于野生，亦有零星栽培。

| **采收加工** | 白花菜：夏季采收全草，鲜用或晒干。

白花菜子：夏、秋季果实成熟时割取地上部分，或分期采摘成熟果实，晒干，打下种子，除去杂质。

白花菜根：夏、秋季采挖，晒干。

| **药材性状** | 白花菜：本品茎多分枝，密被黏性腺毛。掌状复叶互生，小叶 5，倒卵形或菱状倒卵形，全缘或有细齿；具长叶柄。总状花序顶生；萼片 4，花瓣 4，倒卵形，有长爪；雄蕊 6，雌蕊子房有长柄。蒴果长角状。有恶臭气。

白花菜子：本品呈扁圆形，直径 1 ~ 1.5mm，厚约 1mm。表面棕褐色，粗糙不平，有凸起的同心环状网纹。纵切面可见"U"字形弯曲的胚，胚根深棕色，子叶与胚根等长，淡棕色，胚乳包于胚外。气微，味苦。以粒饱满、色黑绿者为佳。

| **功能主治** | 白花菜：辛、甘，平。祛风除湿，清热解毒。用于风湿痹痛，跌打损伤，淋浊，带下，疟疾，痢疾，痔疮，蛇虫咬伤。

白花菜子：苦、辛，温；有小毒。散寒，消肿，止痛。用于肢体、关节冷痛。

白花菜根：苦、辛，平。祛风止痛，利湿通淋。用于跌打骨折，小便淋痛。

| **用法用量** | 白花菜：内服煎汤，9 ~ 15g。外用适量，煎汤洗；或捣敷。内服不宜过量；皮肤破溃者不可外用。

白花菜子：外用适量，研末敷；或供配制成药用。

白花菜根：内服煎汤，9 ~ 15g。

| **附　注** | 本种喜温暖气候，较耐旱。种植宜选择疏松、肥沃、排水良好的土壤。

白花菜科 Capparaceae 白花菜属 Cleome

醉蝶花
Cleome spinosa Jacq.

| **药 材 名** | 醉蝶花（药用部位：全草或种子。别名：西洋白花菜）。

| **形态特征** | 一年生强壮草本，高 1 ~ 1.5m，全株被黏质腺毛，有特殊臭味，有托叶刺，刺长达 4mm，尖利，外弯。叶为具 5 ~ 7 小叶的掌状复叶，小叶草质，椭圆状披针形或倒披针形，中央小叶盛大，长 6 ~ 8cm，宽 1.5 ~ 2.5cm，最外侧的最小，长约 2cm，宽约 5mm，基部楔形，狭延成小叶柄，与叶柄相连接处稍呈蹼状，先端渐狭或急尖，有短尖头，两面被毛，背面中脉有时也在侧脉上常有刺，侧脉 10 ~ 15 对；叶柄长 2 ~ 8cm，常有淡黄色皮刺。总状花序长达 40cm，密被黏质腺毛；苞片单生，叶状，卵状长圆形，长 5 ~ 20mm，无柄或近无柄，基部多少心形；花蕾圆筒形，长约 2.5cm，直径 4mm，无毛；花梗长 2 ~ 3cm，被短腺毛，单生苞片腋内；萼片 4，长 6mm，长圆状

醉蝶花

椭圆形，先端渐尖，外被腺毛；花瓣粉红色，少见白色，在芽中时覆瓦状排列，无毛，爪长 5 ~ 12mm，瓣片倒卵状匙形，长 10 ~ 15mm，宽 4 ~ 6mm，先端圆形，基部渐狭；雄蕊 6，花丝长 3.5 ~ 4cm，花药线形，长 7 ~ 8mm；雌雄蕊柄长 1 ~ 3mm；雌蕊柄长 4cm，果时略有增长；子房线柱形，长 3 ~ 4mm，无毛；几无花柱，柱头头状。果实圆柱形，长 5.5 ~ 6.5cm，中部直径约 4mm，两端稍钝，表面近平坦或微呈念珠状，有细而密且不甚清晰的脉纹；种子直径约 2mm，表面近平滑或有小疣状突起，不具假种皮。花期初夏，果期夏末秋初。

| 生境分布 | 多栽培于庭院。重庆各地均有分布。

| 资源情况 | 栽培资源稀少，无野生资源。药材主要来源于栽培。

| 采收加工 | 秋季果实成熟时割取全草，晒干后打下种子，除去杂质。

| 功能主治 | 散寒止痛，消肿。用于肢体、关节冷痛。

| 用法用量 | 内服煎汤，9 ~ 15g。外用适量，煎汤熏洗。

| 附　　注 | 在 FOC 中，本种的拉丁学名被修订为 *Tarenaya hassleriana* (Chodat) Iltis，属名被修订为醉蝶花属 *Tarenaya*。

十字花科 Cruciferae 山萮菜属 Eutrema

山萮菜 *Eutrema yunnanense* Franch.

| 药 材 名 | 山萮菜（药用部位：全草）。

| 形态特征 | 多年生草本，高 30 ~ 80cm。根茎横卧，直径约 1cm，具多数须根。近地面处生数茎，直立或斜上升，表面有纵沟，下部无毛，上部被单毛。基生叶具柄，长 25 ~ 35cm；叶片近圆形，长 7 ~ 16cm，宽 7 ~ 10cm，基部深心形，边缘具波状齿或牙齿；茎生叶具柄，叶柄长 5 ~ 30mm，向上渐短，叶片向上渐小，长卵形或卵状三角形，先端渐尖，基部浅心形，边缘有波状齿或锯齿。花序密集呈伞房状，果期伸长；花梗长 5 ~ 10mm；萼片卵形，长约 1.5mm；花瓣白色，长圆形，长 3.5 ~ 6mm，先端钝圆，有短爪。角果长圆筒状，长 7 ~ 15mm，宽 1 ~ 2mm，两端渐窄，果瓣中脉明显，果梗纤细，长 8 ~ 16mm，向下反折，角果常翘起；种子长圆形，长 2.2 ~ 2.5mm，褐色。花期 3 ~ 4 月。

山萮菜

| 生境分布 | 生于海拔 1500 ～ 2500m 的林下或山坡草丛、沟边、水中。分布于重庆巫溪、南川等地。

| 资源情况 | 野生资源稀少。药材主要来源于野生。

| 采收加工 | 3 ～ 4 月花盛期割取全草，晒干。

| 功能主治 | 清热祛痰，凉血止血。用于疔疮肿毒，跌打损伤，咯血。

| 用法用量 | 内服煎汤，适量。

十字花科 Cruciferae 南芥属 Arabis

垂果南芥
Arabis pendula L.

| 药 材 名 | 扁担蒿（药用部位：果实。别名：唐芥、垂果南芥菜）。

| 形态特征 | 二年生草本，高 30 ~ 150cm，全株被硬单毛，杂有 2 ~ 3 叉毛。主根圆锥形，黄白色。茎直立，上部有分枝。茎下部的叶长椭圆形至倒卵形，长 3 ~ 10cm，宽 1.5 ~ 3cm，先端渐尖，边缘有浅锯齿，基部渐狭而成叶柄，长达 1cm；茎上部的叶狭长椭圆形至披针形，较下部的叶略小，基部呈心形或箭形，抱茎，上面黄绿色至绿色。总状花序顶生或腋生，有花十几朵；萼片椭圆形，长 2 ~ 3mm，背面被有单毛、2 ~ 3 叉毛及星状毛，花蕾期更密；花瓣白色，匙形，长 3.5 ~ 4.5mm，宽约 3mm。长角果线形，长 4 ~ 10cm，宽 1 ~ 2mm，弧曲，下垂；种子每室 1 行，种子椭圆形，褐色，长 1.5 ~ 2mm，边缘有环状的翅。花期 6 ~ 9 月，果期 7 ~ 10 月。

垂果南芥

| **生境分布** | 栽培于庭院。分布于重庆南川等地。

| **资源情况** | 栽培资源稀少,无野生资源。药材主要来源于栽培。

| **采收加工** | 秋季采收,晒干。

| **药材性状** | 本品呈长柱形,略扁平,长 6 ~ 10cm,宽 1 ~ 2mm,稍弯曲。表面绿褐色,光滑无毛,先端可见宿存的短柱基,成熟果实易沿两侧腹缝线开裂,或 2 片果爿脱落,仅留假隔膜,每室种子 1 ~ 2 行,或脱落。种子椭圆形而扁,直径 1.5 ~ 2mm,边缘具环状翅。气微,味辛。

| **功能主治** | 辛,平。清热解毒,消肿。用于疮疡肿毒,阴道炎。

| **用法用量** | 内服煎汤,3 ~ 10g。外用适量,煎汤熏洗。

十字花科 Cruciferae 芸薹属 Brassica

芸苔
Brassica campestris L.

芸苔

药材名

芸苔（药用部位：根、茎、叶。别名：红油菜、胡菜、寒菜）、芸苔子（药用部位：种子。别名：油茶籽）、芸苔子油（药材来源：种子榨取的油。别名：菜子油）。

形态特征

二年生草本，高 30～90cm。茎粗壮，直立，分枝或不分枝，稍带粉霜。基生叶大头羽裂，顶裂片圆形或卵形，边缘有不整齐弯缺牙齿，侧裂片 1 至数对，卵形，叶柄宽，长 2～6cm，基部抱茎；下部茎生叶羽状半裂，基部扩展且抱茎，两面被硬毛及缘毛；上部茎生叶长圆状倒卵形、长圆形或长圆状披针形，基部心形，抱茎，两侧有垂耳，全缘或有波状细齿。总状花序在花期呈伞房状，以后伸长；花鲜黄色；花萼直立开展，先端圆形，边缘透明，稍被毛；花瓣倒卵形，先端近微缺，基部有爪。长角果线形，果瓣有中脉及网纹，萼直立，果梗长 5～15mm；种子球形，直径约 1.5mm，紫褐色。花期 3～4 月，果期 5 月。

生境分布

栽培于肥沃湿润的土地。重庆各地均有分布。

| **资源情况** | 野生资源一般，栽培资源丰富。药材主要来源于栽培。

| **采收加工** | 芸苔：2～3月采收，多鲜用。

芸苔子：夏季果实成熟、果皮尚未开裂时采割植株，晒干，打下种子，除去杂质，晒干。

芸苔子油：取芸苔子榨取油即得。

| **药材性状** | 芸苔子：本品近球形，直径约1.5mm。表面红褐色或黑褐色，放大镜下观察可见微细网状纹理。一端具点状种脐，色较深；一侧有1条微凹陷的浅沟，沟中央有1条凸起的棱线。除去种皮可见子叶2，淡黄色，沿中脉相对折，胚根位于2对折的子叶之间。气微，味淡，有油腻感。

| **功能主治** | 芸苔：辛、甘，平。凉血散血，解毒消肿。用于血痢，丹毒，热毒疮肿，乳痈，风疹，吐血。

芸苔子：辛，温。行血破气，消肿散结。用于产后血滞腹痛，血痢，痈肿，痔漏。

芸苔子油：辛、甘，平。解毒消肿，润肠。用于风疹，痈肿，烫火伤，便秘。

| **用法用量** | 芸苔：内服煮食，30～300g；捣汁服，20～100ml。外用适量，煎汤洗；或捣敷。

芸苔子：内服煎汤，5～10g。外用适量，研末或榨油涂。

芸苔子油：内服，10～15ml。外用适量，涂搽。

| **附　注** | （1）在FOC中，本种的拉丁学名被修订为 *Brassica rapa* var. *oleifera* DC.。

（2）种植宜选择疏松、肥沃、排水良好的土壤。

十字花科 Cruciferae 芸薹属 Brassica

紫菜苔

Brassica campestris L. var. *purpuraria* L. H. Bailey

紫菜苔

| **药 材 名** |

紫菜苔（药用部位：种子）。

| **形态特征** |

本种与原变种芸苔的区别在于茎、叶片、叶柄、花序轴及果瓣均带紫色，基生叶大头羽状分裂，下部茎生叶三角状卵形或披针状长圆形，上部叶略抱茎。

| **生境分布** |

栽培于田园。重庆各地均有分布。

| **资源情况** |

野生资源稀少，栽培资源丰富。药材主要来源于栽培。

| **采收加工** |

夏季果实成熟、果皮尚未开裂时采割植株，晒干，打下种子，除去杂质，再晒干。

| **功能主治** |

行气散结，消肿止痛。用于产后血滞腹痛，血痢，肿毒，痔漏。

| **用法用量** | 内服煎汤，5 ~ 10g。外用适量，研末或榨油涂。

十字花科 Cruciferae 芸薹属 Brassica

青菜 *Brassica chinensis* L.

| 药 材 名 | 菘菜（药用部位：叶。别名：白菜、夏菘、青菜）、菘菜子（药用部位：种子。别名：青菜子）。

| 形态特征 | 一年生或二年生草本，高 25 ~ 70cm，无毛，带粉霜。根粗，坚硬，常成纺锤形块根，先端常有短根颈。茎直立，有分枝。基生叶倒卵形或宽倒卵形，长 20 ~ 30cm，坚实，深绿色，有光泽，基部渐狭成宽柄，全缘或有不显明圆齿或波状齿，中脉白色，宽达 1.5cm，有多条纵脉，叶柄长 3 ~ 5cm，有或无窄边；下部茎生叶和基生叶相似，基部渐狭成叶柄；上部茎生叶倒卵形或椭圆形，长 3 ~ 7cm，宽 1 ~ 3.5cm，基部抱茎，宽展，两侧有垂耳，全缘，微带粉霜。总状花序顶生，呈圆锥形；花浅黄色，长约 1cm，授粉后长达 1.5cm；花梗细，和花等长或较短；萼片长圆形，长 3 ~ 4mm，直立开展，

青菜

白色或黄色；花瓣长圆形，长约5mm，先端圆钝，有脉纹，具宽爪。长角果线形，长2～6cm，宽3～4mm，坚硬，无毛，果瓣有明显中脉及网结侧脉，喙先端细，基部宽，长8～12mm，果梗长8～30mm；种子球形，直径1～1.5mm，紫褐色，有蜂窝纹。花期4月，果期5月。

| 生境分布 | 栽培于土壤肥沃疏松、排水良好的向阳地。重庆各地均有分布。

| 资源情况 | 野生资源稀少，栽培资源丰富。药材主要来源于栽培。

| 采收加工 | 菘菜子：6～7月种子六七成熟时，于晴天早晨割取，割取后置席上干燥2天，充分干燥后打下种子，清理，再干燥1～2天，贮存备用。

| 功能主治 | 菘菜：甘，凉。归肺、胃、大肠经。解热除烦，生津止渴，清肺消痰，通利肠胃。用于肺热咳嗽，消渴，便秘，食积，丹毒，漆疮。

菘菜子：甘，平。归肺、胃经。清肺化痰，消食醒酒。用于痰热咳嗽，食积，醉酒。

| 用法用量 | 菘菜：内服适量，煮食；或捣汁饮。外用适量，捣敷。

菘菜子：内服煎汤，5～10g；或入丸、散。

| 附　注 | 在 FOC 中，本种的拉丁学名被修订为 *Brassica rapa* var. *chinensis* (Linnaeus) Kitamura。

十字花科 Cruciferae 芸薹属 Brassica

芥菜
Brassica juncea (L.) Czern. et Coss.

| **药 材 名** | 芥菜（药用部位：嫩茎、叶。别名：皱叶芥、黄芥、霜不老）、芥子（药用部位：种子。别名：白芥子、黄芥子、芥菜子）。 |

| **形态特征** | 一年生草本，高 30 ～ 150cm，常无毛，有时幼茎及叶具刺毛，带粉霜，有辣味。茎直立，有分枝。基生叶宽卵形至倒卵形，长 15 ～ 35cm，先端圆钝，基部楔形，大头羽裂，具 2 ～ 3 对裂片，或不裂，边缘均有缺刻或牙齿，叶柄长 3 ～ 9cm，具小裂片；茎下部叶较小，边缘有缺刻或牙齿，有时具圆钝锯齿，不抱茎；茎上部叶窄披针形，长 2.5 ～ 5cm，宽 4 ～ 9mm，边缘具不明显疏齿或全缘。总状花序顶生，花后延长；花黄色，直径 7 ～ 10mm；花梗长 4 ～ 9mm；萼片淡黄色，长圆状椭圆形，长 4 ～ 5mm，直立开展；花瓣倒卵形，长 8 ～ 10mm，爪长 4 ～ 5mm。长角果线形，长 3 ～ 5.5cm， |

芥菜

宽 2 ~ 3.5mm，果瓣具 1 凸出中脉，喙长 6 ~ 12mm，果梗长 5 ~ 15mm；种子球形，直径约 1mm，紫褐色。花期 3 ~ 5 月，果期 5 ~ 6 月。

| **生境分布** | 栽培于大田。重庆各地均有分布。

| **资源情况** | 野生和栽培资源均一般。药材主要来源于栽培。

| **采收加工** | 芥菜：秋季采收，鲜用或晒干。
芥子：夏末秋初果实成熟时采割植株，晒干，打下种子，除去杂质。

| **药材性状** | 芥菜：本品嫩茎圆柱形，黄绿色，有分枝；折断面髓部占大部分，类白色，海绵状。叶片常破碎，完整者宽披针形，长 3 ~ 6cm，宽 1 ~ 2cm，深绿色、黄绿色或枯黄色，全缘或具粗锯齿，基部下延成狭翅状；叶柄短，不抱茎。气微，搓之有辛辣气味。
芥子：本品呈球形，直径约 1mm。表面黄色至棕黄色，少数呈暗红棕色。研碎后加水浸湿，产生辛烈的特异臭气。

| **功能主治** | 芥菜：辛，温。归肺、胃、肾经。利肺豁痰，消肿散结。用于寒饮咳嗽，痰滞气逆，胸膈满闷，石淋，牙龈肿烂，乳痈，痔肿，冻疮，漆疮。
芥子：辛，温。归肺经。温肺豁痰利气，散结通络止痛。用于寒痰喘咳，胸胁胀痛，痰滞经络，关节麻木、疼痛，痰湿流注，阴疽肿毒。

| **用法用量** | 芥菜：内服煎汤，12 ~ 15g；或鲜品捣汁。外用适量，煎汤熏洗；或烧存性，研末撒。
芥子：内服煎汤，3 ~ 9g。外用适量。

十字花科 Cruciferae 芸薹属 Brassica

大头菜

Brassica juncea (L.) Czern. et Coss. var. *megarrhiza* Tsen et Lee

大头菜

| 药 材 名 |

大头菜子（药用部位：种子）。

| 形态特征 |

本种与原变种芥菜的区别在于块根肉质、粗大、坚实、长圆球形、顶部不缩小，外皮及根肉均为黄棕色，下面生多数须根；基生叶及下部茎生叶长圆状卵形，长 20～30cm，有粗齿，稍具粉霜。

| 生境分布 |

栽培于大田。重庆各地均有分布。

| 资源情况 |

野生资源稀少，栽培资源丰富。药材主要来源于栽培。

| 采收加工 |

秋季采收，鲜用或晒干。

| 功能主治 |

甘，凉。泻湿热，散热毒。用于热毒肿痛，目疾，乳痈，便秘，黄疸。

| 用法用量 | 内服煎汤，6 ～ 9g；研末吞服；或炼蜜为丸。

| 附　　注 | （1）在 FOC 中，本种被修订为芥菜疙瘩 *Brassica juncea* var. *napiformis* Pailleux et Bois。

（2）种植宜选择疏松、肥沃、排水良好的土壤。

十字花科 Cruciferae 芸薹属 Brassica

榨菜
Brassica juncea (L.) Czern. et Coss. var. *tumida* Tsen et Lee

榨菜

| 药 材 名 |

榨菜（药用部位：幼株）。

| 形态特征 |

本种与原变种芥菜的区别在于下部叶的叶柄基部肉质，膨大，形成高低不平的拳状，基生叶倒卵形或长圆形，长 40 ～ 80cm，平坦或皱缩，基部大头羽状深裂，成为具沟的粗叶柄。

| 生境分布 |

栽培于菜地。重庆各地均有分布。

| 资源情况 |

野生资源稀少，栽培资源丰富。药材来源于栽培。

| 采收加工 |

一般在 4 月上中旬采收，过早采收则产量低，过迟采收易空心，故在生产中应注意及时采收。

| 功能主治 |

除热解闷，利肠。用于胸膈满闷。

|**用法用量**| 内服煎汤，适量。

十字花科 Cruciferae 芸薹属 Brassica

欧洲油菜 *Brassica napus* L.

欧洲油菜

| 药 材 名 |

芸苔子（药用部位：种子）、芸苔子油（药材来源：种子榨取的油。别名：菜子油）。

| 形态特征 |

一年生或二年生草本，高 30 ~ 50cm，具粉霜。茎直立，有分枝，仅幼叶被少数散生刚毛。下部叶大头羽裂，顶裂片卵形，先端圆形，基部近截平，边缘具钝齿，侧裂片约 2 对，卵形，叶柄长 2.5 ~ 6cm，基部有裂片；中部及上部茎生叶由长圆状椭圆形渐变成披针形，基部心形，抱茎。总状花序伞房状，花直径 10 ~ 15mm；花梗长 6 ~ 12mm；萼片卵形，长 5 ~ 8mm；花瓣浅黄色，倒卵形，长 10 ~ 15mm，爪长 4 ~ 6mm。长角果线形，果瓣具 1 中脉，喙细，长 1 ~ 2cm，果梗长约 2cm；种子球形，黄棕色，近种脐处常带黑色，有网状窠穴。花期 3 ~ 4 月，果期 4 ~ 5 月。

| 生境分布 |

栽培于菜园。重庆各地均有分布。

| 资源情况 |

野生资源稀少，栽培资源丰富。药材来源于

栽培。

| **采收加工** | 芸苔子：夏季果实成熟、果皮尚未开裂时采割植株，晒干，打下种子，除去杂质，晒干。

芸苔子油：种子榨油即得。

| **药材性状** | 芸苔子：本品近球形，直径 1.5 ~ 2mm。表面红褐色或黑褐色，放大镜下可见微细网纹。一端具点状种脐，色较深；一侧有 1 条微凹陷的浅沟，沟中央有 1 凸起的棱线。除去种皮可见子叶 2，淡黄色。气微，味淡，有油腻感。

| **功能主治** | 芸苔子：辛，温。行血破气，消肿散结。用于产后血滞腹痛，血痢，痈肿，痔漏。

芸苔子油：辛、甘，平。归肺、胃经。解毒消肿，润肠。用于风疮，痈肿，烫火伤，便秘。

| **用法用量** | 芸苔子：内服煎汤，5 ~ 10g。外用适量，研末或榨油涂。

芸苔子油：内服煎汤，10 ~ 15ml。外用适量，涂搽。

| **附　　注** | 栽培宜选择疏松、肥沃、排水良好的土壤。

十字花科 Cruciferae 芸薹属 Brassica

塌棵菜

Brassica narinosa L. H. Bailey

塌棵菜

| 药 材 名 |

塌菜（药用部位：茎、叶）。

| 形态特征 |

二年生或栽培成一年生草本，高 30 ～ 40cm，全株无毛，或基生叶下面偶被极疏生刺毛。根粗大，先端有短根颈。茎丛生，上部有分枝。基生叶莲座状，圆卵形或倒卵形，长 10 ～ 20cm，墨绿色，有光泽，不裂或基部有 1 ～ 2 对不显著裂片，显著皱缩，全缘或有疏生圆齿，中脉宽，有纵条纹，侧脉扇形，叶柄白色，宽 8 ～ 20mm，稍有边缘，有时具小裂片；上部叶近圆形或长圆状卵形，长 4 ～ 10cm，全缘，抱茎。总状花序顶生；花淡黄色，直径 6 ～ 8mm；花梗长 1 ～ 1.5cm；萼片长圆形，长 3 ～ 4mm，先端圆钝；花瓣倒卵形或近圆形，长 5 ～ 7mm，多脉纹，有短爪。长角果长圆形，长 2 ～ 4cm，宽 4 ～ 5mm，扁平，果瓣具显明中脉及网状侧脉，喙宽且粗，长 4 ～ 8mm，果梗粗壮，长 1 ～ 1.5cm，伸展或上部弯曲；种子球形，直径约 1mm，深棕色，有细网状窠穴，种脐显著。花期 3 ～ 4 月，果期 5 月。

| **生境分布** | 栽培于菜地。重庆各地均有分布。

| **资源情况** | 野生资源稀少，栽培资源丰富。药材来源于栽培。

| **采收加工** | 12 月至翌年 3 月上旬抽薹前可渐次采收。

| **功能主治** | 甘，平。归肝、脾、大肠经。疏肝健脾，滑肠通便。用于肝脾不和，饮食积滞，脘腹痞胀，纳呆，便秘。

| **用法用量** | 内服适量，炒、煮食。

| **附　　注** | 在 FOC 中，本种被修订为青菜 *Brassica rapa* var. *chinensis* (Linnaeus) Kitamura。

十字花科 Cruciferae 芸薹属 Brassica

花椰菜
Brassica oleracea L. var. *botrytis* L.

| 药 材 名 | 花椰菜（药用部位：花）。

| 形态特征 | 二年生草本，高 60 ~ 90cm，被粉霜。茎直立，粗壮，有分枝。基生叶及下部叶长圆形至椭圆形，长 2 ~ 3.5cm，灰绿色，先端圆形，开展，不卷心，全缘或具细牙齿，有时叶片下延，具数个小裂片，并成翅状，叶柄长 2 ~ 3cm；茎中、上部叶较小且无柄，长圆形至披针形，抱茎。茎先端有 1 由总花梗、花梗和未发育的花芽密集成的乳白色肉质头状体；总状花序顶生及腋生；花淡黄色，后变成白色。长角果圆柱形，长 3 ~ 4cm，有 1 中脉，喙下部粗上部细，长 10 ~ 12mm；种子宽椭圆形，长近 2mm，棕色。花期 4 月，果期 5 月。

| 生境分布 | 栽培于菜地。重庆各地均有分布。

花椰菜

| **资源情况** | 野生资源稀少，栽培资源较丰富。药材来源于栽培。 |

| **采收加工** | 春季采摘先端花球，鲜用。 |

| **功能主治** | 凉，甘。清热润肺，生津止渴，助消化，增食欲。用于肝脾不和，饮食积滞。 |

| **用法用量** | 内服煎汤，适量。 |

| **附　　注** | 本种种植宜选择排水良好、深厚、疏松、富含有机质的土壤。 |

十字花科 Cruciferae 芸薹属 Brassica

甘蓝

Brassica oleracea L. var. *capitata* L.

甘蓝

药材名

甘蓝（药用部位：叶。别名：莲花白、蓝菜、西土蓝）。

形态特征

二年生草本，被粉霜，矮且粗壮。一年生茎肉质，不分枝，绿色或灰绿色；二年生茎有分枝，具茎生叶。基生叶多数，质厚，层层包裹成球状体，扁球形，直径 10 ~ 30cm 或更大，乳白色或淡绿色；基生叶及下部茎生叶长圆状倒卵形至圆形，长和宽达 30cm，先端圆形，基部骤窄成极短有宽翅的叶柄，边缘有波状不显明锯齿；上部茎生叶卵形或长圆状卵形，基部抱茎；最上部叶长圆形，抱茎。总状花序顶生及腋生；花淡黄色，直径 2 ~ 2.5cm；花瓣基部骤变窄成爪，爪长 5 ~ 7mm。长角果圆柱形，两侧稍压扁，中脉凸出，喙圆锥形，长 6 ~ 10mm，果梗粗；种子球形，棕色。花期 4 月，果期 5 月。

生境分布

栽培于菜地。重庆各地均有分布。

| **资源情况** | 野生资源稀少，栽培资源丰富。药材来源于栽培。

| **采收加工** | 夏、秋季采收，鲜用。

| **药材性状** | 本品鲜者圆形、倒卵形或阔肾形，主脉较宽；外层绿色或蓝绿色，内层乳白色，全缘或边缘具浅钝齿，质厚。干者淡黄棕色，质薄。气微，味淡。

| **功能主治** | 甘，平。归肝、胃经。清利湿热，散结止痛，益肾补虚。用于湿热黄疸，消化道溃疡疼痛，关节不利，虚损。

| **用法用量** | 内服绞汁饮，200 ~ 300ml；或适量拌食、煮食。

| **附　　注** | 本种种植宜选择富含有机质，保水性、排水性、通透性好的土壤。

十字花科 Cruciferae 芸薹属 Brassica

白菜
Brassica pekinensis (Lour.) Rupr.

| 药材名 | 黄芽白菜（药用部位：鲜叶、根。别名：黄芽白、黄芽菜、黄矮菜）。 |

| 形态特征 | 二年生草本，高 40 ~ 60cm，常全株无毛。基生叶多数，倒卵状长圆形至宽倒卵形，宽不及长的 1/2，先端圆钝，边缘皱缩，波状，有时具不显明牙齿，中脉白色，叶柄白色，扁平，边缘有具缺刻的宽薄翅；上部茎生叶长圆状卵形、长圆状披针形至长披针形，先端圆钝至短急尖，全缘或有裂齿，有柄或抱茎，有粉霜。花鲜黄色；萼片长圆形或卵状披针形，淡绿色至黄色；花瓣倒卵形，基部渐窄成爪。长角果较粗短，两侧压扁，直立，喙长 4 ~ 10mm，宽约 1mm，先端圆，果梗开展或上升，较粗；种子球形，棕色。花期 5 月，果期 6 月。 |

白菜

| **生境分布** |

栽培于菜地。重庆各地均有分布。

| **资源情况** |

野生资源稀少，栽培资源丰富。药材来源于栽培。

| **采收加工** |

秋、冬季采收，鲜用。

| **药材性状** |

本品茎缩短，肉质，类白色，被层层包叠的基生叶。基生叶倒宽卵形、长圆形，长 30 ～ 60cm，宽不及长的 1/2。外层叶片绿色，内层叶片淡黄白色至白色，先端钝圆，具波状缘或细齿，中脉宽，细脉明显，呈凹凸不平的网状，叶片上端较薄，下部较厚，肉质，折断有筋脉。干燥叶黄棕色。气微，味淡。

| **功能主治** |

甘，平。归胃经。通利肠胃，养胃和中，利小便。

| **用法用量** |

内服煮食；或捣汁饮。

| **附　　注** |

（1）在 FOC 中，本种的拉丁学名被修订为 *Brassica rapa* var. *glabra* Regel。

（2）本种种植宜选择富含有机质，保水性、排水性、通透性好的土壤。

芜青

十字花科 Cruciferae 芸薹属 Brassica

芜青 *Brassica rapa* L.

| 药 材 名 |

芜菁（药用部位：根、叶。别名：蔓菁、葑、须）、芜菁花（药用部位：花。别名：蔓菁花）、芜菁子（药用部位：种子。别名：蔓菁子）。

| 形态特征 |

二年生草本，高达 100cm。块根肉质，球形、扁圆形或长圆形，外皮白色、黄色或红色；根肉质白色或黄色，无辣味。茎直立，有分枝，下部稍被毛，上部无毛。基生叶大头羽裂或为复叶，顶裂片或小叶很大，边缘波状或浅裂，侧裂片或小叶约 5 对，向下渐变小，上面被少数散生刺毛，下面被白色尖锐刺毛，叶柄有小裂片；中部及上部茎生叶长圆状披针形，无毛，带粉霜，基部宽心形，至少半抱茎，无柄。总状花序顶生；花梗长 10 ~ 15mm；萼片长圆形；花瓣鲜黄色，倒披针形，有短爪。长角果线形，果瓣具 1 显明中脉，喙长 10 ~ 20mm，果梗长达 3cm；种子球形，浅黄棕色，近种脐处黑色，有细网状窠穴。花期 3 ~ 4 月，果期 5 ~ 6 月。

| 生境分布 |

栽培于菜地。重庆各地均有分布。

| **资源情况** | 栽培资源丰富。药材主要来源于栽培。 |

采收加工	芜菁：冬季至翌年 3 月采收，鲜用或晒干。
	芜菁花：3 ~ 4 月花开时采收，鲜用或晒干。
	芜菁子：5 ~ 6 月果实成熟时割取全株，晒干，打下种子。

药材性状 | 芜菁：本品块根肉质，膨大成球形、扁圆形或长椭圆形，直径 5 ~ 15cm。上部淡黄棕色，较光滑，下部类白色或淡黄色，两侧各有 1 条纵沟，沟中着生多数须状侧根，根头部有环状排列的叶痕。横切面类白色，木部占大部分，主要为薄壁组织。叶多皱缩成条状，基生叶展平后呈阔披针形，长 20 ~ 50cm，羽状深裂，裂片边缘波状或浅齿裂，表面蓝绿色，疏生白色糙毛；叶柄长 10 ~ 15cm，两侧有叶状小裂片。质厚。气微，味淡。

芜菁子：本品圆球形，直径 1.2 ~ 1.8mm。种皮呈棕褐色，少数呈深棕色至棕红色，种脐呈卵圆形，光滑，色浅。种皮薄，易用手指压破，露出鲜黄色子叶 2。气微，味微辛。

功能主治 | 芜菁：辛、甘、苦，温。归胃、肝经。消食下气，解毒消肿。用于宿食不化，心腹冷痛，咳嗽，疔毒痈肿。

芜菁花：辛，平。归肝经。补肝明目，敛疮。用于虚劳目暗，疮口久不愈合。

芜菁子：苦、辛，寒。养肝明目，行气利水，清热解毒。用于青盲目暗，黄疸便结，小便不利，疮疽，面疱。

用法用量 | 芜菁：内服煮食或捣汁饮。外用适量，捣敷。

芜菁花：内服研末，3 ~ 6g。外用适量，研末调敷。

芜菁子：内服煎汤，3 ~ 9g；或研末。外用适量，研末调敷。

附　注 | 本种喜阴湿环境，耐寒。种植宜选择疏松、肥沃、排水良好的土壤。

十字花科 Cruciferae 荠属 Capsella

荠

Capsella bursapastoris (L.) Medic.

荠

| 药 材 名 |

荠菜（药用部位：全草。别名：清明菜、香田芥、枕头草）、荠菜花（药用部位：花序。别名：荠花、地米花）、荠菜子（药用部位：种子。别名：荠实、蒫、荠熟干实）。

| 形态特征 |

一年生或二年生草本，高（7～）10～50cm，无毛、被单毛或分叉毛。茎直立，单一或下部分枝。基生叶丛生，呈莲座状，大头羽状分裂，长可达 12cm，宽可达 2.5cm，顶裂片卵形至长圆形，长 5～30mm，宽 2～20mm，侧裂片 3～8 对，长圆形至卵形，长 5～15mm，先端渐尖，浅裂，或有不规则粗锯齿或近全缘，叶柄长 5～40mm；茎生叶窄披针形或披针形，长 5～6.5mm，宽 2～15mm，基部箭形，抱茎，边缘有缺刻或锯齿。总状花序顶生及腋生，果期延长达 20cm；花梗长 3～8mm；萼片长圆形，长 1.5～2mm；花瓣白色，卵形，长 2～3mm，有短爪。短角果倒三角形或倒心状三角形，长 5～8mm，宽 4～7mm，扁平，无毛，先端微凹，裂瓣具网脉，花柱长约 0.5mm，果梗长 5～15mm；种子 2 行，长椭圆形，长约 1mm，浅褐色。花果期 4～6 月。

| **生境分布** | 生于山坡、田边或路旁。重庆各地均有分布。

| **资源情况** | 野生资源较丰富。药材主要来源于野生。

| **采收加工** | 荠菜：春季开花结果时采收，洗净，晒干。
荠菜花：4 ~ 5 月采收，晒干。
荠菜子：6 月果实成熟时采摘果枝，晒干，揉出种子。

| **药材性状** | 荠菜：本品主根较细，微弯曲，长 2 ~ 6cm，直径 1.5 ~ 3mm；表面黄白色，并具须状分枝；质较硬，断面黄白色。茎纤细，长 15 ~ 40cm；表面黄绿色，分枝。基生叶常脱落；茎生叶互生，抱茎，灰绿色或黄绿色；叶片皱缩，多破碎，完整者湿润展平后呈披针形，全缘或具不规则锯齿。茎梢带白色小花。短角果呈扁倒三角形，有细柄，淡黄色。种子细小，长椭圆形，长约 0.8mm，淡褐色。气微，味淡。
荠菜花：本品总状花序轴较细，鲜者绿色，干者黄绿色；小花梗纤细，易断。花小，直径约 2.5mm，花瓣 4，白色或淡黄棕色；花序轴下部常有小倒三角形的角果，绿色或黄绿色，长 5 ~ 8mm，宽 4 ~ 6mm。气微清香，味淡。
荠菜子：本品呈小圆球形或卵圆形，直径约 2mm。表面黄棕色或棕褐色，一端可见类白色小脐点。种皮薄，易压碎。气微香，味淡。

| **功能主治** | 荠菜：甘、淡，凉。归肝、脾、膀胱经。清热利湿，平肝明目，凉血止血，和胃消滞。用于肾炎水肿，尿痛，尿血，便血，月经过多，目赤肿痛，小儿乳滞，腹泻，痢疾，乳糜尿，高血压。
荠菜花：甘，凉。归肝、脾经。凉血止血，清热利湿。用于痢疾，崩漏，尿血，吐血，咯血，衄血，小儿乳积，赤白带下。
荠菜子：甘，平。归肝经。祛风明目。用于目痛，青盲翳障。

| **用法用量** | 荠菜：内服煎汤，9 ~ 15g。
荠菜花：内服煎汤，10 ~ 15g；或研末。
荠菜子：内服煎汤，10 ~ 30g。

十字花科 Cruciferae 碎米荠属 Cardamine

弯曲碎米荠 *Cardamine flexuosa* With.

| **药 材 名** | 碎米荠（药用部位：全草。别名：雀儿菜、野养菜、米花香荠菜）。

| **形态特征** | 一年生或二年生草本，高达 30cm。茎自基部多分枝，斜生成铺散状，表面疏生柔毛。基生叶有叶柄，小叶 3 ~ 7 对，顶生小叶卵形、倒卵形或长圆形，先端 3 齿裂，基部宽楔形，有小叶柄，侧生小叶卵形，较顶生的小，1 ~ 3 齿裂，有小叶柄；茎生叶有小叶 3 ~ 5 对，小叶多为长卵形或线形，1 ~ 3 裂或全缘，小叶柄有或无，全部小叶近于无毛。总状花序多数，生于枝顶，花小，花梗纤细；萼片长椭圆形，边缘膜质；花瓣白色，倒卵状楔形；花丝不扩大；雌蕊柱状，花柱极短，柱头扁球状。长角果线形，扁平，与果序轴近于平行排列，果序轴左右弯曲，果梗直立开展；种子长圆形而扁，黄绿色，先端有极窄的翅。花期 3 ~ 5 月，果期 4 ~ 6 月。

弯曲碎米荠

︱生境分布︱

生于海拔250～270m的田边、路旁或湿润草地。重庆各地均有分布。

︱资源情况︱

野生资源丰富。药材主要来源于野生。

︱采收加工︱

3～4月采挖，除去泥沙，晒干。

︱药材性状︱

本品主根呈细长圆柱形，支根须状。茎纤细，由基部分枝，斜生；表面黄绿色至淡黄褐色，有细纵棱，疏被短柔毛。羽状复叶互生，小叶3～5对，顶生叶倒卵形，先端钝圆，基部楔形，全缘或1～3圆裂；侧生小叶倒卵形或近线形。长角果线形，略扁，长1～2cm，与果序轴近平行排列，果序轴略呈"之"字形弯曲。种子长圆形而扁，黄绿色或褐色，先端或边缘具窄翅。气微，味淡。

︱功能主治︱

甘，温。清热利湿，收敛止带，止痢。用于带下，痢疾。

︱用法用量︱

内服煎汤，15～30g。

异叶碎米荠

Cardamine heterophylla T. Y. Cheo et R. C. Fang

异叶碎米荠

| 药 材 名 |

异叶碎米荠（药用部位：全草）。

| 形 态 特 征 |

一年生或多年生草本，高达 30cm。根茎稍粗壮，被有叶柄残基。茎直立，有少数分枝，表面有沟棱，无毛。基生叶数枚，叶柄长约 2.5cm，羽状复叶有小叶 1 ~ 2 对，顶生小叶近圆形，长 15 ~ 30mm，宽 13 ~ 23mm，先端圆，边缘有不整齐圆齿，基部浅心形或截形，稍歪斜，侧生小叶较小，卵形，长与宽均 6 ~ 12mm，边缘有不整齐圆齿，基部稍歪斜；茎中部的叶有小叶 1 对，上部的叶为单叶，长卵形，长 20 ~ 35mm，宽 13 ~ 18mm，先端渐尖，边缘具不整齐钝齿，叶柄短，基部下延，并有 1 对钝而短小的耳；全部小叶上面疏生贴伏状短毛，下面无毛。总状花序顶生，有花 7 ~ 25，花梗长 5 ~ 6mm；萼片长圆形，长约 3.5mm，先端钝，边缘膜质；花瓣白色，长椭圆状楔形，长约 6.5mm；花丝扁平，稍扩大，花药长卵形；雌蕊柱状，花柱极短，几与子房等粗，柱头头状。成熟长角果未见；幼果线形，长可达 35mm，果瓣平坦，无脉，花柱极短，柱头压扁。花果期 4 ~ 5 月。

| **生境分布** | 生于海拔 1450～1700m 的山坡阴湿处。分布于重庆南川、万州、开州、石柱等地。

| **资源情况** | 野生资源稀少。药材主要来源于野生。

| **采收加工** | 3～4 月采挖，除去泥沙，晒干。

| **功能主治** | 清热解毒，消炎止血。用于痈肿，吐血，便血，疔疮。

| **用法用量** | 内服煎汤，15～30g。外用适量，捣敷。

十字花科 | Cruciferae | 碎米荠属 | Cardamine

碎米荠

Cardamine hirsuta L.

碎米荠

| 药 材 名 |

白带草（药用部位：全草。别名：雀儿菜、野养菜、米花香荠菜）。

| 形态特征 |

一年生小草本，高 15 ~ 35cm。茎直立或斜生，被较密柔毛，上部毛渐少。基生叶具叶柄，有小叶 2 ~ 5 对，顶生小叶肾形或肾圆形，边缘有 3 ~ 5 圆齿，小叶柄明显，侧生小叶卵形或圆形，较顶生的形小，基部楔形而两侧稍歪斜，边缘有 2 ~ 3 圆齿；茎生叶具短柄，有小叶 3 ~ 6 对，生于茎下部的与基生叶相似，生于茎上部的顶生小叶菱状长卵形，先端 3 齿裂，侧生小叶长卵形至线形，多数全缘；全部小叶两面稍被毛。总状花序生于枝顶，花小，花梗纤细；萼片边缘膜质，外面有疏毛；花瓣白色，向基部渐狭；花丝稍扩大；雌蕊柱状，花柱极短，柱头扁球形。长角果线形，稍扁，无毛，果梗纤细，直立开展；种子椭圆形，先端有的具明显的翅。花期 2 ~ 4 月，果期 4 ~ 6 月。

| 生境分布 |

生于海拔 250 ~ 2700m 的山坡阴湿处。重庆各地均有分布。

| 资源情况 |

野生资源丰富。药材主要来源于野生。

| 采收加工 |

2 ~ 5 月采收，晒干或鲜用。

| 药材性状 |

本品扭曲成团。主根细长，侧根须状，淡黄白色。茎多分枝，黄绿色，下部微带淡紫色，密被灰白色粗糙毛。奇数羽状复叶，多皱缩，小叶 2 ~ 5 对；顶生小叶肾状圆形，长 4 ~ 10mm，宽 5 ~ 12mm，边缘 3 ~ 5 波状浅裂，两面均有毛；侧生小叶较小，卵圆形，基部楔形，稍不对称，叶缘有 2 ~ 3 圆齿，无柄。长角果线形而扁，长达 3cm，每室种子 1 行。种子椭圆形，长 1.2 ~ 1.5mm，宽 0.6 ~ 0.8mm，棕色，有小疣点。气微清香，味微甘。

| 功能主治 |

甘、淡，凉。清热利湿，安神，止血。用于湿热泻痢，热淋，带下，心悸，失眠，虚火牙痛，小儿疳积，吐血，便血，疔疮。

| 用法用量 |

内服煎汤，15 ~ 30g。外用适量，捣敷。

十字花科 Cruciferae 碎米荠属 Cardamine

湿生碎米荠 *Cardamine hygrophila* T. Y. Cheo et R. C. Fang

| **药 材 名** | 湿生碎米荠（药用部位：全草）。 |

| **形态特征** | 一年或多年生草本，高 12 ~ 28cm。根短而纤细。茎直立，自基部分枝，表面有沟棱，下部被白色柔毛，上部光滑无毛。基生叶叶柄长 2 ~ 3cm，羽状复叶，小叶 1 ~ 2（~ 3）对，顶生小叶肾状圆形，长 9 ~ 15mm，宽 11 ~ 19mm，先端钝圆或微凹，边缘具波状圆齿，基部肾形，有小叶柄，侧生小叶较小，近于圆形，全缘或稍呈波状，无小叶柄或有极短的柄；茎生小叶无柄，羽状复叶，小叶 1 ~ 3 对，与基生叶形态相似，顶生小叶长 7 ~ 24mm，宽 10 ~ 28mm，小叶柄长 2 ~ 17mm，侧生小叶长 4 ~ 13mm，宽 5 ~ 14mm，近于无柄，最下面 1 对小叶抱茎；全部小叶两面均无毛。总状花序有花 5 ~ 13，花梗长 5 ~ 8mm；萼片卵形，长约 2.5mm；花瓣白色，倒卵状楔形， |

湿生碎米荠

长约 6mm；花丝扁平而扩大，花药卵形；雌蕊柱状，花柱长约为子房之半，柱头扁压。成熟长角果未见；幼果果梗细长，水平展开或斜生，果瓣平坦，无脉。花果期 3 ~ 4 月。

生境分布

生于海拔 1650m 的山沟或溪边潮湿地。分布于重庆武隆、南川、綦江等地。

资源情况

野生资源稀少。药材主要来源于野生。

采收加工

3 ~ 4 月采挖，除去泥沙，晒干。

功能主治

清热解毒，消肿。用于痈肿，吐血，便血，疔疮。

用法用量

内服煎汤，15 ~ 30g。外用适量，捣敷。

十字花科 Cruciferae 碎米荠属 Cardamine

弹裂碎米荠
Cardamine impatiens L.

| 药 材 名 | 弹裂碎米荠（药用部位：全草。别名：水菜花、水花菜）。

| 形态特征 | 二年生或一年生草本。茎直立，表面有沟棱，着生多数羽状复叶。基生叶叶柄长 1 ~ 3cm，两缘通常被短柔毛，基部稍扩大，有 1 对托叶状耳，小叶 2 ~ 8 对，顶生小叶卵形，边缘有不整齐钝齿状浅裂，基部楔形，侧生小叶与顶生的相似，自上而下渐小，全缘，都有显著的小叶柄；茎生叶有柄，基部也有抱茎线形弯曲的耳，先端渐尖，缘毛显著，小叶 5 ~ 8 对，顶生小叶卵形或卵状披针形，侧生小叶与之相似；最上部的茎生叶小叶片较狭，边缘少齿裂或近于全缘；全部小叶散生短柔毛，边缘均有缘毛。总状花序顶生和腋生，花多数，形小；花瓣白色，基部稍狭；雌蕊柱状，无毛，花柱极短，柱头较花柱稍宽。长角果狭条形而扁，果瓣无毛，成熟时自下而上弹性开裂，

弹裂碎米荠

果梗直立开展或水平开展，无毛；种子椭圆形，边缘有极狭的翅。花期 4 ~ 6 月，果期 5 ~ 7 月。

| **生境分布** | 生于海拔 250 ~ 2500m 的山坡路旁、沟谷、水边、阴湿地。重庆各地均有分布。

| **资源情况** | 野生资源丰富。药材主要来源于野生。

| **采收加工** | 春季采收，鲜用或晒干。

| **药材性状** | 本品根细长。茎单一或上部分枝，长 20 ~ 50cm；表面黄绿色，具细沟棱；质脆，易断。奇数羽状复叶多皱缩，展平后基生叶叶柄基部稍扩大，两侧呈狭披针形耳状抱茎，小叶 2 ~ 8 对，小叶椭圆形，边缘不整齐钝齿裂，先端锐尖，基部楔形；茎生叶叶柄基部两侧有具缘毛的线形裂片抱茎，先端渐尖，小叶 5 ~ 8 对，卵状披针形，具钝齿裂。总状花序，有淡黄白色的小花或长角果。长角果线形而稍扁，长 2 ~ 2.8cm，宽约 1mm，果实成熟时，果爿自下而上弹性旋裂，每室种子 1 行。种子椭圆形，长 1 ~ 3mm，棕黄色，边缘有极狭的翅。气微清香，味淡。

| **功能主治** | 淡，平。活血调经，清热解毒，利尿通淋。用于妇女月经不调，痈肿，淋证。

| **用法用量** | 内服煎汤，15 ~ 30g。外用适量，捣敷。

十字花科 Cruciferae 碎米荠属 Cardamine

水田碎米荠
Cardamine lyrata Bge.

| 药 材 名 | 水田碎米荠（药用部位：全草。别名：水田荠、水芥菜）。

| 形态特征 | 多年生草本，无毛。茎直立，不分枝，表面有沟棱，通常从近根茎处的叶腋或茎下部叶腋生出细长柔软的匍匐茎。生于匍匐茎上的叶为单叶，心形或圆肾形，先端圆或微凹，基部心形，边缘具波状圆齿或近于全缘，有叶柄；茎生叶无柄，羽状复叶，小叶 2 ~ 9 对，顶生小叶大，圆形或卵形，先端圆或微凹，基部心形、截形或宽楔形，边缘有波状圆齿或近于全缘，侧生小叶比顶生小叶小，卵形、近圆形或菱状卵形，边缘具有少数粗大钝齿或近于全裂，基部两侧不对称，楔形而无柄或有极短的柄，着生于最下的 1 对小叶全缘，向下弯曲成耳状抱茎。总状花序顶生；萼片边缘膜质，内轮萼片基部呈囊状；花瓣白色，倒卵形，先端截平或微凹，基部楔形渐狭；雌蕊圆柱形，

水田碎米荠

花柱长约为子房之半，柱头球形，比花柱宽。长角果线形；种子椭圆形，边缘有显著的膜质宽翅。花期 4 ～ 6 月，果期 5 ～ 7 月。

| 生境分布 | 生于海拔 1150 ～ 1600m 的水田边、溪边或浅水处。分布于重庆南川、城口等地。

| 资源情况 | 野生资源稀少。药材主要来源于野生。

| 采收加工 | 春季采收，洗净，晒干或鲜用。

| 药材性状 | 本品常缠结成团。须根纤细，类白色。根茎短，茎黄绿色，有沟棱；匍匐茎细长，节处有类白色细根。奇数羽状复叶多皱缩，小叶 2 ～ 9 对，顶生小叶圆形或卵圆形，长 1.2 ～ 2.5cm，宽 0.7 ～ 2.3cm，全缘或有波状圆齿，侧生小叶较小，基部不对称；匍匐茎上的叶多为单叶，互生，圆肾形，宽 0.5 ～ 2cm。总状花序顶生。长角果长 2 ～ 3cm，宽约 2mm，绿褐色，每室有数枚种子，1 列。种子椭圆形，长约 1.6mm，宽约 1mm，边缘有膜质宽翅。气微，味微甘。

| 功能主治 | 甘、微辛，平。归膀胱、肝经。清热利湿，凉血调经，明目去翳。用于肾炎水肿，痢疾，吐血，崩漏，月经不调，目赤，云翳。

| 用法用量 | 内服煎汤，15 ～ 30g。

十字花科 Cruciferae 碎米荠属 Cardamine

大叶碎米荠

Cardamine macrophylla Willd.

| **药 材 名** | 普贤菜（药用部位：全草。别名：石格菜、丘乳巴）。

| **形态特征** | 多年生草本。根茎匍匐延伸，密被纤维状的须根。茎较粗壮，圆柱形，直立，表面有沟棱。茎生叶通常 4 ~ 5，有叶柄，长 2.5 ~ 5cm；小叶 4 ~ 5 对，顶生小叶与侧生小叶的形状及大小相似，小叶椭圆形或卵状披针形，先端钝或短渐尖，边缘具比较整齐的锐锯齿或钝锯齿，顶生小叶基部楔形，无小叶柄，侧生小叶基部稍不等，生于最上部的 1 对小叶基部常下延，生于最下部的 1 对有时有极短的柄。总状花序多花；外轮萼片淡红色，边缘膜质，内轮萼片基部囊状；花瓣先端圆或微凹，向基部渐狭成爪；花丝扁平；子房柱状，花柱短。长角果扁平；种子椭圆形，褐色。花期 5 ~ 6 月，果期 7 ~ 8 月。

大叶碎米荠

生境分布

生于海拔 1400～2500m 的山坡灌木林下、沟边、石隙、高山草坡潮湿处。分布于重庆城口、巫溪、巫山、石柱、彭水、南川、秀山、奉节、开州等地。

资源情况

野生资源丰富。药材主要来源于野生。

采收加工

春、夏季采收，洗净，鲜用或晒干。

药材性状

本品根茎细长，其上可见须根。茎圆柱形，具纵棱，直径约 0.5cm；表面绿色或枯绿色。奇数羽状复叶多皱缩，小叶 4～5 对，卵状披针形，先端渐尖，基部楔形，边缘有锯齿，主脉明显，黄绿色或棕绿色；无小叶柄；质脆，易破碎。有时可见总状花序或果序，具长角果，紫棕色或棕色。气清香，味淡。

功能主治

甘、淡，平。健脾，利水消肿，凉血止血。用于脾虚，水肿，小便不利，带下，崩漏，尿血。

用法用量

内服煎汤，9～15g；或炖肉。

十字花科 Cruciferae 碎米荠属 Cardamine

紫花碎米荠

Cardamine tangutorum O. E. Schulz

| **药 材 名** | 石芥菜（药用部位：全草。别名：龙骨七、石格菜）。

| **形态特征** | 多年生草本。根茎细长，呈鞭状，匍匐生长。茎单一，不分枝。基部倾斜，上部直立，表面具沟棱，下部无毛。基生叶有长叶柄；小叶先端短尖，边缘具钝齿，基部呈楔形或阔楔形，两面与边缘被少数短毛；茎生叶通常只有3，着生于茎的中、上部，有叶柄，长1～4cm，小叶3～5对，与基生的相似，但较狭小。总状花序有十几朵花；外轮萼片长圆形，内轮萼片长椭圆形，基部囊状，边缘白色膜质，外面带紫红色，被少数柔毛；花瓣紫红色或淡紫色，倒卵状楔形，先端截形，基部渐狭呈爪；花丝扁而扩大，花药狭卵形；雌蕊柱状，无毛，花柱与子房近于等粗，柱头不显著。长角果线形，扁平，基部具长约1mm的子房柄；种子长椭圆形，褐色。花期5～7月，果

紫花碎米荠

期 6 ~ 8 月。

| **生境分布** | 生于海拔 2100 ~ 2790m 的高山山沟、草地、林下阴湿处。分布于重庆巫溪、南川等地。

| **资源情况** | 野生资源稀少。药材主要来源于野生。

| **采收加工** | 春、夏季采挖，洗净，晒干或鲜用。

| **药材性状** | 本品根茎细长，有较短的须根。茎长 15 ~ 50cm；表面黄绿色，有沟棱，下部通常无叶，上部通常有 3 枚奇数羽状复叶。小叶 3 ~ 5 对，多皱缩，展平后小叶片长椭圆形，长 1.5 ~ 3.5cm，宽 0.5 ~ 1cm，先端短尖，边缘有锯齿，基部楔形下延；无柄。总状花序，花紫色。长角果线形而扁，长 3 ~ 3.5cm，绿褐色。种子长卵形或长椭圆形，长约 3mm，宽 1mm；褐色。气微，味微苦。

| **功能主治** | 苦，平。散瘀通络，祛湿，止血。用于跌打损伤，风湿痹痛，黄水疮，外伤出血。

| **用法用量** | 内服煎汤，6 ~ 9g；或泡酒服。外用适量，捣敷。

| **附　　注** | 本种可在郁闭度较大的林下采用复合种植模式种植。

十字花科 Cruciferae 碎米荠属 Cardamine

三小叶碎米荠

Cardamine trifoliolata Hook. f. et Thoms.

| 药 材 名 | 小三叶碎米荠（药用部位：全草）。

| 形态特征 | 多年生草本。根茎短，具须根。茎直立或斜生，不分枝或稍分枝，无毛或基部被疏单毛。叶少数，茎下部的叶有小叶 1 对，顶生小叶宽卵形，边缘上端呈微波状 3 钝裂，裂片先端有小尖头，基部浅心形或近截形，小叶柄长约 5mm，侧生小叶近卵形，长、宽均约 5mm，小叶柄极短；中部叶有小叶 2 对，顶生小叶倒卵形，上端 3 齿裂，基部楔形，侧生小叶向下渐次变小；上部小叶单一或成对，线形，先端渐尖，全缘或具 1 齿，基部狭细；全部小叶上面散生白色单毛，下面毛较少，并具缘毛。总状花序生于枝端，花少，疏生；萼片长卵形，边缘白色膜质，外面疏生单毛，内轮萼片基部稍呈囊状；花瓣白色、粉红色或紫色，倒卵形；花丝扁平而扩大，被有单毛，

三小叶碎米荠

柱头扁压状，微 2 裂。未成熟长角果线形，果瓣平，被稀疏单毛。花果期 5 ~ 6 月。

| **生境分布** | 生于海拔 1000 ~ 2600m 的山坡阴湿林下。分布于重庆奉节、石柱、南川等地。

| **资源情况** | 野生资源稀少。药材主要来源于野生。

| **采收加工** | 3 ~ 4 月采挖，除去泥沙，晒干。

| **功能主治** | 祛风止痛。用于风湿痛。

| **用法用量** | 内服煎汤，15 ~ 30g。外用适量，捣敷。

十字花科 Cruciferae 播娘蒿属 Descurainia

播娘蒿
Descurainia sophia (L.) Webb. ex Prantl.

| 药 材 名 | 播娘蒿（药用部位：全草。别名：婆婆蒿、翁杠研、麦蒿子）、葶苈子（药用部位：种子。别名：南葶苈子、丁历、大适）。

| 形态特征 | 一年生草本，高 20 ~ 80cm，被毛或无毛，毛为叉状毛，以下部茎生叶为多，向上渐少。茎直立，分枝多，常于下部成淡紫色。叶为3 回羽状深裂，长 2 ~ 12（~ 15）cm，末端裂片条形或长圆形，裂片长（2 ~）3 ~ 5（~ 10）mm，宽 0.8 ~ 1.5（~ 2）mm，下部叶具柄，上部叶无柄。花序伞房状，果期伸长；萼片直立，早落，长圆条形，背面被分叉细柔毛；花瓣黄色，长圆状倒卵形，长 2 ~ 2.5mm，或稍短于萼片，具爪；雄蕊 6，比花瓣长 1/3。长角果圆筒状，长 2.5 ~ 3cm，宽约 1mm，无毛，稍内曲，与果梗不成 1 条直线，果瓣中脉明显，果梗长 1 ~ 2cm；种子每室 1 行，种子形小，多数，

播娘蒿

长圆形，长约 1mm，稍扁，淡红褐色，表面有细网纹。花期 4 ～ 5 月。

| **生境分布** | 生于山坡、田野或农田。分布于重庆南川、开州等地。

| **资源情况** | 野生资源稀少。药材主要来源于野生。

| **采收加工** | 播娘蒿：春、夏季采收，鲜用或晒干。
葶苈子：夏季果实成熟时采割植株，晒干，搓出种子，除去杂质。

| **药材性状** | 葶苈子：本品呈长圆形略扁，长 0.8 ～ 1.2mm，宽约 0.5mm。表面棕色或红棕色，微有光泽，具纵沟 2，其中 1 条较明显。一端钝圆，另一端微凹或较平截，种脐类白色，位于凹入端或平截处。气微，味微辛、苦，略带黏性。

| **功能主治** | 播娘蒿：辛，平。利湿通淋。用于气淋，劳淋，疥癣。
葶苈子：辛、苦，大寒。归肺、膀胱经。泻肺平喘，行水消肿。用于痰涎壅肺，喘咳痰多，胸胁胀满，不得平卧，胸腹水肿，小便不利。

| **用法用量** | 播娘蒿：内服煎汤，15 ～ 30g。外用适量，煎汤熏洗。
葶苈子：内服煎汤，3 ～ 10g，包煎。

| **附　注** | 本种适应性极强，耐寒，耐旱，对土壤要求不严，对环境变化有很强的适应能力。

十字花科 Cruciferae 菘蓝属 Isatis

菘蓝 *Isatis indigotica* Fortune

菘蓝

| 药 材 名 |

板蓝根（药用部位：根。别名：靛青根、蓝靛根）、大青叶（药用部位：叶。别名：蓝叶、蓝菜）。

| 形态特征 |

二年生草本，高 40 ~ 100cm。茎直立，绿色，顶部多分枝，植株光滑无毛，带白粉霜。基生叶莲座状，长圆形至宽倒披针形，长 5 ~ 15cm，宽 1.5 ~ 4cm，先端钝或尖，基部渐狭，全缘或稍具波状齿，具柄；茎生叶蓝绿色，长椭圆形或长圆状披针形，长 7 ~ 15cm，宽 1 ~ 4cm，基部叶耳不明显或为圆形。萼片宽卵形或宽披针形，长 2 ~ 2.5mm；花瓣黄白，宽楔形，长 3 ~ 4mm，先端近平截，具短爪。短角果近长圆形，扁平，无毛，边缘有翅，果梗细长，微下垂；种子长圆形，长 3 ~ 3.5mm，淡褐色。花期 4 ~ 5 月，果期 5 ~ 6 月。

| 生境分布 |

栽培于肥沃的土壤中。分布于重庆云阳、南川等地。

| **资源情况** | 栽培资源稀少。药材主要来源于栽培。

| **采收加工** | 板蓝根：秋季采收，除去泥沙，晒干。

大青叶：夏、秋季分 2 ～ 3 次采收，除去杂质，晒干。

| **药材性状** | 板蓝根：本品呈圆柱形，稍扭曲，长 10 ～ 20cm，直径 0.5 ～ 1cm。表面淡灰黄色或淡棕黄色，有纵皱纹、横长皮孔样突起及支根痕。根头部略膨大，可见暗绿色或暗棕色轮状排列的叶柄残基和密集的疣状突起。体实，质略软，断面皮部黄白色，木部黄色。气微，味先微甘，后苦、涩。

大青叶：本品多皱缩卷曲，有的破碎。完整者展平后呈长椭圆形至长圆状倒披针形，长 5 ～ 15cm，宽 2 ～ 4cm；上表面暗灰绿色，有的可见色较深的稍凸起的小点；先端钝，全缘或微波状，基部狭窄，下延至叶柄成翼状；叶柄长 4 ～ 10cm，淡棕黄色。质脆。气微，味微酸、苦、涩。

| **功能主治** | 板蓝根：苦，寒。归心、胃经。清热解毒，凉血利咽。用于瘟疫时毒，发热咽痛，温毒发斑，痄腮，烂喉丹痧，大头瘟，丹毒，痈肿。

大青叶：苦，寒。归心、胃经。清热解毒，凉血消斑。用于温病高热，神昏，发斑发疹，痄腮，喉痹，丹毒，痈肿。

| **用法用量** | 板蓝根：内服煎汤，9 ～ 15g。

大青叶：内服煎汤，9 ～ 15g。

| **附　　注** | （1）在 FOC 中，本种被修订为欧洲菘蓝 *Isatis tinctoria* L.。

（2）本种适应性强，喜温暖气候，耐寒，耐霜。种植宜选择土层深厚、肥沃疏松的砂壤土。生产中多采用种子繁殖方式。

十字花科 Cruciferae 独行菜属 Lepidium

独行菜 *Lepidium apetalum* Willd.

| 药 材 名 | 葶苈子(药用部位:种子。别名:北葶苈子、丁历、大适)、辣辣菜(药用部位:全草。别名:腺茎独行菜、小辣辣、羊辣罐)。

| 形态特征 | 一年生或二年生草本,高 5 ~ 30cm。茎直立,有分枝,无毛或被微小头状毛。基生叶窄匙形,1 回羽状浅裂或深裂,长 3 ~ 5cm,宽 1 ~ 1.5cm,叶柄长 1 ~ 2cm;茎上部叶线形,有疏齿或全缘。总状花序在果期可延长至 5cm;萼片早落,卵形,长约 0.8mm,外面被柔毛;花瓣不存或退化成丝状,比萼片短;雄蕊 2 或 4。短角果近圆形或宽椭圆形,扁平,长 2 ~ 3mm,宽约 2mm,先端微缺,上部有短翅,隔膜宽不到 1mm,果梗弧形,长约 3mm;种子椭圆形,长约 1mm,平滑,棕红色。花果期 5 ~ 7 月。

独行菜

| 生境分布 | 生于海拔 400 ~ 2000m 的山坡、沟边、路旁。分布于重庆城口、巫溪、巫山、南川、永川等地。

| 资源情况 | 野生资源稀少。药材主要来源于野生，亦有少量栽培。

| 采收加工 | 葶苈子：参见"播娘蒿"条。
辣辣菜：春季采挖，洗净，晒干。

| 药材性状 | 葶苈子：本品种子扁卵形，长约 1.5mm，宽 0.5 ~ 1mm。一端钝圆，另一端渐尖而微凹，凹处现白色种脐。表面具多数细微颗粒状突起，可见 2 条纵列的浅槽。味微辛，遇水黏滑性较强。

| 功能主治 | 葶苈子：参见"播娘蒿"条。
辣辣菜：辛，平。归肾、膀胱经。清热解毒，利尿，通淋。用于痢疾，腹泻，小便不利，淋证，水肿。

| 用法用量 | 葶苈子：参见"播娘蒿"条。
辣辣菜：内服煎汤，6 ~ 9g。

| 附　　注 | 本种喜凉爽湿润气候。播种时应选择杂草少的块地，适当施用基肥，不必过多，耕翻土地不宜过深，畦宽 1.3m，畦面一定要整平、整细，以防种子漏入深处。

十字花科 Cruciferae 独行菜属 Lepidium

北美独行菜 *Lepidium virginicum* L.

| 药 材 名 | 大叶香荠菜（药用部位：全草。别名：葶苈子、琴叶葶苈、北美独行菜）、葶苈子（药用部位：种子。别名：大适、大室）。

| 形态特征 | 一年生或二年生草本，高 20 ~ 50cm。茎单一，直立，上部分枝，被柱状腺毛。基生叶倒披针形，羽状分裂或大头羽裂，裂片大小不等，卵形或长圆形，边缘有锯齿，两面被短伏毛，叶柄长 1 ~ 1.5cm；茎生叶有短柄，倒披针形或线形，先端急尖，基部渐狭，边缘有尖锯齿或全缘。总状花序顶生；萼片椭圆形；花瓣白色，倒卵形，和萼片等长或稍长；雄蕊 2 或 4。短角果近圆形，扁平，有窄翅，先端微缺，花柱极短，果梗长 2 ~ 3mm；种子卵形，光滑，红棕色，边缘有窄翅，子叶缘倚胚根。花期 4 ~ 5 月，果期 6 ~ 7 月。

北美独行菜

| **生境分布** | 生于路旁、荒地或杂草地。分布于重庆南川、武隆等地。 |

| **资源情况** | 野生资源稀少。药材主要来源于野生。 |

| **采收加工** | 大叶香荠菜：春、夏季采收，鲜用或晒干。
葶苈子：4月底至5月上旬采收，果实呈黄绿色时及时收割，以免过熟种子脱落。晒干，除去茎、叶、杂质。 |

| **功能主治** | 大叶香荠菜：甘，平。驱虫消积。用于小儿虫积腹胀。
葶苈子：辛、苦，寒。归肺、膀胱、大肠经。泻肺降气，祛痰平喘，利水消肿，泻热逐邪。用于痰涎壅肺之喘咳痰多，肺痈，水肿，胸腹积水，小便不利，慢性肺源性心脏病，心力衰竭之喘肿，痈疽恶疮，瘰疬结核。 |

| **用法用量** | 大叶香荠菜：内服煎汤，9～15g。
葶苈子：内服煎汤，3～9g；或入丸、散。外用适量，煎汤洗；或研末调敷。 |

| **附　　注** | 《中国药典》所收录的葶苈子为播娘蒿或独行菜的干燥成熟种子，并非本种的种子。 |

十字花科 Cruciferae 豆瓣菜属 Nasturtium

豆瓣菜
Nasturtium officinale R. Br.

药 材 名	西洋菜干（药用部位：全草。别名：无心菜、西洋菜、水蔊菜）。
形态特征	多年生水生草本，高 20～40cm，全体光滑无毛。茎匍匐或浮水生，多分枝，节上生不定根。奇数羽状复叶，小叶片 3～7（～9），宽卵形、长圆形或近圆形，先端 1 较大，长 2～3cm，宽 1.5～2.5cm，具钝头或微凹，近全缘或呈浅波状，基部截平，小叶柄细而扁，侧生小叶与顶生的相似，基部不等称，叶柄基部成耳状，略抱茎。总状花序顶生，花多数；萼片长卵形，长 2～3mm，宽约 1mm，边缘膜质，基部略呈囊状；花瓣白色，倒卵形或宽匙形，具脉纹，长 3～4mm，宽 1～1.5mm，先端圆，基部渐狭成细爪。长角果圆柱形而扁，长 15～20mm，宽 1.5～2mm，果柄纤细，开展或微弯，花柱短；种子每室 2 行，卵形，直径约 1mm，红褐色，表面具网纹。

豆瓣菜

花期 4 ~ 5 月，果期 6 ~ 7 月。

| **生境分布** | 生于水沟边、山涧、河边、沼泽地或水田中。分布于重庆北碚、武隆、彭水、南川等地。

| **资源情况** | 野生资源丰富。药材主要来源于野生。

| **采收加工** | 春、冬季采收，晒干。

| **药材性状** | 本品匍匐茎细长，缠绕成团，节上有多数纤细的不定根；易折断。叶多皱缩，奇数羽状复叶，小叶片宽卵形或长椭圆形，先端 1 较大，长 2 ~ 3cm，全缘或波状，基部宽楔形；侧生小叶基部不对称；叶柄基部下延成耳状，略抱茎。长角果圆柱形而扁，长 0.8 ~ 2cm，宽 1.5 ~ 2mm，先端有宿存短花柱。种子扁圆形或近椭圆形，红褐色，有网状纹理。气微，味苦、辛。

| **功能主治** | 甘、淡，凉。清肺，凉血，利尿，解毒。用于肺热燥咳，维生素 C 缺乏症，尿路感染，疔毒痈肿，皮肤瘙痒。

| **用法用量** | 内服煎汤，10 ~ 15g；或煮食。外用适量，捣敷。

萝卜

Raphanus sativus L.

| **药 材 名** | 莱菔（药用部位：鲜根。别名：萝卜、萝菖、楚菘）、莱菔头（药用部位：开花结实后的老根。别名：仙人骨、出子萝卜、老萝卜头）、莱菔叶（药用部位：基生叶。别名：萝卜叶、萝卜秆叶、莱菔菜）、莱菔子（药用部位：成熟种子。别名：萝卜子、芦菔子）。 |

| **形态特征** | 二年生或一年生草本，高 20 ～ 100cm。直根肉质，长圆形、球形或圆锥形，外皮绿色、白色或红色。茎有分枝，无毛，稍具粉霜。基生叶和下部茎生叶大头羽状半裂，顶裂片卵形，侧裂片 4 ～ 6 对，长圆形，有钝齿，疏生粗毛；上部叶长圆形，有锯齿或近全缘。总状花序顶生及腋生；花白色或粉红色；花梗长 5 ～ 15mm；萼片长圆形，长 5 ～ 7mm；花瓣倒卵形，具紫纹，下部有长 5mm 的爪。长角果圆柱形，在相当种子间处缢缩，并形成海绵质横隔，先端喙 |

萝卜

长 1 ~ 1.5cm，果梗长 1 ~ 1.5cm；种子 1 ~ 6，卵形，微扁，红棕色，有细网纹。花期 4 ~ 5 月，果期 5 ~ 6 月。

| 生境分布 | 栽培于菜地。重庆各地均有分布。

| 资源情况 | 野生资源稀少，栽培资源丰富。药材主要来源于栽培。

| 采收加工 | 莱菔：秋、冬季采挖鲜根，除去茎、叶，洗净。
莱菔头：待种子成熟后，连根拔起，剪除地上部分，将根洗净，晒干。
莱菔叶：冬季或早春采收，洗净，风干或晒干。
莱菔子：夏季果实成熟时采割植株，晒干，搓出种子，除去杂质，晒干。

| **药材性状** | 莱菔：本品肉质，圆柱形、圆锥形或球形，有的具分叉，大小差异较大。表面红色、
紫红色、绿色、白色或粉红色与白色间有，先端有残留叶柄基。质脆，富含水
分，断面类白色、浅绿色或紫红色，形成层环明显，皮部色深，木部占大部分，
可见点状放射状纹理。气微，味甘、淡或辛。

莱菔头：本品呈圆柱形，长 20 ~ 25cm，直径 3 ~ 4cm，微扁，略扭曲，紫红
色或灰褐色。表面不平整，具波状纵皱纹或网状纹理，可见横向排列的黄褐色
条纹及长 2 ~ 3cm 的支根或支根痕；先端具中空的茎基，长 1 ~ 4cm。质轻，
折断面淡黄色而疏松。气微，味略辛。

莱菔叶：本品通常皱缩卷曲成团，展平后成琴形羽状分裂，长可达 40cm。表面
不平滑，黄绿色。质干脆，易破碎。有香气。

莱菔子：本品类卵圆形或椭圆形，稍扁，长 2.5 ~ 4mm，宽 2 ~ 3mm。表面黄棕色、

红棕色或灰棕色。一端有深棕色圆形种脐，一侧有数条纵沟。种皮薄而脆，子叶2，黄白色，有油性。气微，味淡、微苦、辛。

| 功能主治 | 莱菔：辛、甘，凉。归肺、脾、胃、大肠经。消食，下气，化痰，止血，解渴，利尿。用于消化不良，食积胀满，吞酸，吐食，腹泻，痢疾，便秘，痰热咳嗽，咽喉不利，咯血，吐血，衄血，便血，消渴，淋浊，疮疡，损伤瘀肿，烫火伤，冻疮。

莱菔头：甘、辛，平。归肺、脾、胃经。行气消积，化痰，解渴，利水消肿。用于咳嗽痰多，食积气滞，腹胀痞满，痢疾，消渴，脚气，水肿。

莱菔叶：辛、苦，平。消食理气，清肺利咽，散瘀消肿。用于食积气滞，脘腹痞满，呃逆，吐酸，泄泻，痢疾，咳嗽，喑哑，咽喉肿痛，妇女乳房肿痛、乳汁不通，损伤瘀肿。

莱菔子：辛、甘，平。归肺、脾、胃经。消食除胀，降气化痰。用于饮食停滞，脘腹胀痛，大便秘结，积滞泻痢，痰壅喘咳。

| 用法用量 | 莱菔：内服生食或捣汁饮，30～100g；或煎汤；或煮食。外用适量，捣敷；捣汁涂；滴鼻；煎汤洗。

莱菔头：内服煎汤，10～30g；或入丸、散。

莱菔叶：内服煎汤，10～15g；或研末；或鲜叶捣汁。外用适量，鲜叶捣敷；或干叶研末调敷。

莱菔子：内服煎汤，5～12g。

| 附　注 | 种植宜选择疏松、肥沃、排水良好的土壤。

十字花科 Cruciferae 萝卜属 Raphanus

长羽裂萝卜
Raphanus sativus L. var. *longipinnatus* L. H. Bailey

| 药 材 名 | 莱菔子（药用部位：种子）、地骷髅（药用部位：根）、莱菔荚（药用部位：叶）。

| 形态特征 | 本种与原变种萝卜的区别在于本种为二年生粗壮草本，根长大而坚实，基生叶长而窄，长 30 ~ 60cm，有裂片 8 ~ 12 对，无毛或有硬毛。

| 生境分布 | 栽培于菜地。重庆各地均有分布。

| 资源情况 | 野生资源稀少，栽培资源丰富。药材主要来源于栽培。

| 采收加工 | 莱菔子：夏季果实成熟时采割植株，晒干，搓出种子，除去杂质，再晒干。

长羽裂萝卜

地骷髅：待种子成熟后，连根拔起，剪除地上部分，将根洗净晒干，贮于干燥处。

莱菔荚：冬季或早春采收，洗净，风干或晒干。

功能主治

莱菔子：辛、甘，平。消食除胀，降气化痰。用于饮食停滞，脘腹胀痛，大便秘结，积滞泻痢，痰壅喘咳。

地骷髅：消食积，利尿消肿。用于胃脘疼痛，水肿。

莱菔荚：辛、苦，平。消食，理气，化痰。

用法用量

莱菔子：内服煎汤，5～12g。

地骷髅：内服煎汤，10～30g；或入丸、散。

莱菔荚：内服煎汤，10～15g；或研末；或鲜品捣汁。外用适量，鲜叶捣敷；或干叶研末调敷。

十字花科 Cruciferae 蔊菜属 *Rorippa*

无瓣蔊菜
Rorippa dubia (Pers.) Hara

| 药 材 名 | 蔊菜（药用部位：全草。别名：清明菜、地豇豆、铁菜子）。

| 形态特征 | 一年生草本，高 10 ~ 30cm，植株较柔弱，光滑无毛，直立或呈铺散状分枝，表面具纵沟。单叶互生，基生叶与茎下部叶倒卵形或倒卵状披针形，长 3 ~ 8cm，宽 1.5 ~ 3.5cm，多数呈大头羽状分裂，顶裂片大，边缘具不规则锯齿，下部具 1 ~ 2 对小裂片，稀不裂，叶质薄；茎上部叶卵状披针形或长圆形，边缘具波状齿，上下部叶形及大小均多变化，具短柄或无柄。总状花序顶生或侧生，花小，多数，具细花梗；萼片 4，边缘膜质；无花瓣（偶有不完全花瓣）。长角果线形，长 2 ~ 3.5cm，宽约 1mm，细而直；种子每室 1 行，多数，细小，种子褐色，近卵形，一端尖而微凹，表面具细网纹，子叶缘倚胚根。花期 4 ~ 6 月，果期 6 ~ 8 月。

无瓣蔊菜

| 生境分布 | 生于海拔 150 ~ 2000m 的山坡、路旁、山谷、河边、田野潮湿处。重庆各地均有分布。

| 资源情况 | 野生资源丰富。药材主要来源于野生。

| 采收加工 | 夏、秋季花期采挖，除去杂质，干燥。

| 药材性状 | 本品根较细，直径 0.5 ~ 1mm。茎呈圆柱形，有分枝，长 10 ~ 30cm。叶片皱缩破碎，完整者展平后呈卵形，大头羽裂，先端裂片边缘具钝锯齿缘，侧裂片 1 ~ 3 对，向下渐小；茎上部叶呈披针形，表面绿褐色或枯黄色；基生叶和茎下部叶具长柄，两侧具狭翅。总状花序；萼片 4，黄绿色，无花瓣。角果呈长柱形，长 1.5 ~ 3cm，直径约 0.1cm；表面绿褐色，光滑。种子多数，排成 1 行，球形，直径约 0.7mm，黄褐色。

| 功能主治 | 辛，温。归肺、肝经。祛痰止咳，解表散寒，活血解毒，利湿退黄。用于咳嗽痰喘，感冒发热，麻疹透发不畅，湿热黄疸，咽喉肿痛，风湿痹痛，疔疮痈肿，跌打损伤。

| 用法用量 | 内服煎汤，15 ~ 30g。外用适量，捣敷。

十字花科 Cruciferae 蔊菜属 Rorippa

风花菜

Rorippa globosa (Turcz.) Hayek

风花菜

| 药 材 名 |

风花菜（药用部位：全草）。

| 形态特征 |

一年生或二年生直立粗壮草本，植株被白色硬毛或近无毛。茎单一，基部木质化，下部被白色长毛。茎下部叶具柄，上部叶无柄，叶片长圆形至倒卵状披针形，基部渐狭，下延成短耳状而半抱茎，边缘具不整齐粗齿，两面被疏毛。总状花序多数，呈圆锥花序式排列，果期伸长；花小，黄色；萼片4，长卵形，长约1.5mm，开展，基部等大，边缘膜质；花瓣4，倒卵形，与萼片等长成稍短，基部渐狭成短爪。短角果近球形，直径约2mm，果瓣隆起，平滑无毛，有不明显网纹，先端具宿存短花柱；种子多数，淡褐色，极细小，扁卵形，一端微凹，子叶缘倚胚根。花期4～6月，果期7～9月。

| 生境分布 |

生于海拔300～1000m的河岸、湿地、路旁、沟边或草丛中。分布于重庆长寿、九龙坡等地。

| **资源情况** | 野生资源稀少。药材主要来源于野生，亦有少量栽培。 |

| **采收加工** | 夏、秋季花期采挖，除去杂质，干燥。 |

| **功能主治** | 补肾，凉血。用于乳痈。 |

| **用法用量** | 内服煎汤，适量。外用捣敷。 |

| **附　注** | 本种喜湿，耐阴。 |

十字花科 Cruciferae 蔊菜属 Rorippa

蔊菜
Rorippa indica (L.) Hiern

| 药 材 名 | 蔊菜（药用部位：全草。别名：天菜子、印度蔊菜、香荠菜）。

| 形态特征 | 一年生或二年生直立草本，高20～40cm，植株较粗壮，无毛或被疏毛。茎单一或分枝，表面具纵沟。叶互生，基生叶及茎下部叶具长柄，通常大头羽状分裂，先端裂片大，卵状披针形，边缘具不整齐牙齿，侧裂片1～5对；茎上部叶具短柄或基部耳状抱茎。总状花序顶生或侧生，花小，多数；花瓣4，黄色，匙形，基部渐狭呈短爪，与萼片近等长；雄蕊6，2稍短。长角果线状圆柱形，短而粗，直立或稍内弯，成熟时果瓣隆起，果梗纤细，斜生或近水平开展；种子每室2行，多数，细小，卵圆形而扁，一端微凹，表面褐色，具细网纹，子叶缘倚胚根。花期4～6月，果期6～8月。

蔊菜

| 生境分布 | 生于海拔 150 ~ 2000m 的路旁、田边、河沟边、林缘、屋边墙脚下或山坡路旁潮湿处。重庆各地均有分布。

| 资源情况 | 野生资源丰富。药材主要来源于野生，亦有少量栽培。

| 采收加工 | 参见"无瓣蔊菜"条。

| 药材性状 | 本品长 15 ~ 35cm。根细长，弯曲，直径约 0.2cm；表面淡黄色至浅黄褐色，有不规则纵皱纹及须根痕；质脆，易折断，断面皮部类白色，木部淡黄色。茎单一或近基部分枝，淡绿色，有的带紫色，具细纵沟。叶多卷缩或破碎，完整者展平后呈长椭圆形或宽披针形，黄绿色，有的成头状羽裂，边缘有疏齿。总状花序顶生或侧生，花小，黄色。长角果细圆柱形，长 1.5 ~ 2cm，直径 0.1 ~ 0.15cm。种子每室 2 列。气微，味淡。

| 功能主治 | 参见"无瓣蔊菜"条。

| 用法用量 | 参见"无瓣蔊菜"条。

| 附　注 | 本种适应性强，易栽培，具有抗旱、耐贫瘠、抗菌核病、耐湿等优异特性。

十字花科 Cruciferae 蔊菜属 Rorippa

沼生蔊菜
Rorippa islandica (Oed.) Borb.

沼生蔊菜

药材名

水前草（药用部位：全草。别名：水萝卜、蔊菜、叶香）。

形态特征

一年生或二年生草本，光滑无毛或稀被单毛。茎直立，单一成分枝，下部常带紫色，具棱。基生叶多数，具柄，叶片羽状深裂或大头羽裂，长圆形至狭长圆形，裂片3～7对，边缘不规则浅裂或呈深波状，先端裂片较大，基部耳状抱茎，有时有缘毛；茎生叶向上渐小，近无柄，叶片羽状深裂或具齿，基部耳状抱茎。总状花序顶生或腋生，果期伸长，花小，多数，黄色或淡黄色；萼片长椭圆形；花瓣长倒卵形至楔形，等于或稍短于萼片；雄蕊6，近等长，花丝线状。短角果椭圆形或近圆柱形，有时稍弯曲，长3～8mm，宽1～3mm，果瓣肿胀；种子每室2行，多数，褐色，细小，近卵形而扁，一端微凹，表面具细网纹，子叶缘倚胚根。花期4～7月，果期6～8月。

生境分布

生于潮湿环境或近水处、溪岸、路旁、田边、山坡草地、草场。分布于重庆南川、涪陵等地。

| 资源情况 | 野生资源稀少。药材主要来源于野生。

| 采收加工 | 7～8月采收，洗净，切段，晒干。

| 药材性状 | 本品茎表面黄绿色，基部带紫色，具数条棱线；断面髓部类白色。叶多皱缩破碎，完整基生叶羽状深裂，侧裂片3～7对，裂片宽披针形或条形，边缘具疏齿，表面黄绿色，有长柄；茎生叶稍小，基部耳状抱茎。短角果圆柱形或椭圆形，稍弯曲，长4～6mm，果爿肿胀，绿褐色。种子近卵圆形而扁，长0.8～1mm；褐色，具细网纹。气微，味辛。

| 功能主治 | 辛、苦，凉。归肝、膀胱经。清热解毒，利水消肿。用于风热感冒，咽喉肿痛，黄疸，淋病，水肿，关节炎，痈肿，烫火伤。

| 用法用量 | 内服煎汤，6～15g。外用适量，捣敷。

| 附　　注 | 在 FOC 中，本种的拉丁学名被修订为 *Rorippa palustris* (L.) Bess.。

白芥 *Sinapis alba* L.

白芥

药材名

白芥子（药用部位：种子。别名：辣菜子）、白芥（药用部位：嫩茎叶。别名：胡芥、蜀芥、辣菜）。

形态特征

一年生草本，高75（～100）cm。茎直立，有分枝，被稍外折硬单毛。下部叶大头羽裂，长5～15cm，宽2～6cm，有2～3对裂片，顶裂片宽卵形，长3.5～6cm，宽3.5～4.5cm，常3裂，侧裂片长1.5～2.5cm，宽5～15mm，二者先端皆圆钝或急尖，基部和叶轴会合，边缘有不规则粗锯齿，两面粗糙，被柔毛或近无毛，叶柄长1～1.5cm；上部叶卵形或长圆卵形，长2～4.5cm，边缘有缺刻状裂齿，叶柄长3～10mm。总状花序有多数花，果期长达30cm，无苞片；花淡黄色，直径约1cm；花梗开展或稍外折，长5～14mm；萼片长圆形或长圆状卵形，长4～5mm，无毛或稍被毛，具白色膜质边缘；花瓣倒卵形，长8～10mm，具短爪。长角果近圆柱形，长2～4cm，宽3～4mm，直立或弯曲，被糙硬毛，果瓣有3～7平行脉；喙稍扁压，剑状，长6～15mm，常弯曲，向先端渐细，有种子1或无；种子每室1～4，球形，直径约2mm，黄棕色，有细窝穴。花果期6～8月。

| 生境分布 | 栽培于庭院。分布于重庆垫江、武隆、铜梁、南川等地。

| 资源情况 | 野生和栽培资源均稀少。药材主要来源于栽培。

| 采收加工 | 白芥子：夏末秋初果实成熟时采割植株，晒干，打下种子，除去杂质。
白芥：春、秋季采摘，鲜用或晒干。

| 药材性状 | 白芥子：本品呈球形，直径 1.5 ~ 2.5mm。表面灰白色至淡黄色，具细微网纹，有明显的点状种脐。种皮薄而脆，破开后内有白色折叠的子叶，有油性。气微，味辛辣。
白芥：本品多皱缩破碎，完整者倒卵形，长 3 ~ 10cm，大头羽裂或近全缘，先端裂片较大，两侧裂片 1 ~ 3 对，边缘波状或具疏齿，表面墨绿色、黄绿色或枯黄色，稍粗糙，有类白色粗毛。质脆，易碎，受潮变软。气微，搓之有辛辣气。

| 功能主治 | 白芥子：辛，温。归肺经。温肺豁痰利气，散结通络止痛。用于寒痰咳嗽，胸胁胀痛，痰滞经络，关节麻木、疼痛，痰湿流注，阴疽肿毒。
白芥：辛，温。归胃、肺经。温中散寒，利气化痰。用于脘腹冷痛，咳嗽痰喘。

| 用法用量 | 白芥子：内服煎汤，3 ~ 9g。外用适量。
白芥：内服适量，煮食。

| 附　　注 | 本种喜温暖湿润气候，较耐干旱，喜阳光，适宜在肥沃湿润的砂壤土中栽培，忌在瘠薄或低洼积水地栽培。

十字花科 Cruciferae 菥蓂属 Thlaspi

菥蓂
Thlaspi arvense L.

菥蓂

药 材 名

菥蓂（药用部位：地上部分。别名：大蕺、马辛、析目）、菥蓂子（药用部位：种子。别名：大荠、蔑菥、大蕺）。

形态特征

一年生草本，高 9 ~ 60cm，无毛。茎直立，不分枝或分枝，具棱。基生叶倒卵状长圆形，长 3 ~ 5cm，宽 1 ~ 1.5cm，先端圆钝或急尖，基部抱茎，两侧箭形，边缘具疏齿，叶柄长 1 ~ 3cm。总状花序顶生，花白色，直径约 2mm；花梗细，长 5 ~ 10mm；萼片直立，卵形，长约 2mm，先端圆钝；花瓣长圆状倒卵形，长 2 ~ 4mm，先端圆钝或微凹。短角果倒卵形或近圆形，长 13 ~ 16mm，宽 9 ~ 13mm，扁平，先端凹入，边缘有翅，宽约 3mm；种子每室 2 ~ 8，倒卵形，长约 1.5mm，稍扁平，黄褐色，有同心环状条纹。花期 3 ~ 4 月，果期 5 ~ 6 月。

生境分布

生于海拔 500 ~ 2600m 的平地路旁、沟边或村落附近。重庆各地均有分布。

| **资源情况** | 野生资源稀少。药材主要来源于野生。

| **采收加工** | 菥蓂：夏季果实成熟时采割，除去杂质，干燥。

菥蓂子：秋季果实成熟时采收，晒干，打下种子，除去杂质。

| **药材性状** | 菥蓂：本品茎呈圆柱形，长 20 ~ 40cm，直径 0.2 ~ 0.5cm；表面黄绿色或灰黄色，有细纵棱线；质脆，易折断，断面髓部白色。叶互生，披针形，基部多为倒披针形，多脱落。总状果序生于茎枝先端和叶腋，果实卵圆形而扁平，直径 0.5 ~ 1.3cm；表面灰黄色或灰绿色，中心略隆起，边缘有翅，宽约 0.2cm，两面中间各有 1 条纵棱线，先端凹陷，基部有细果梗，长约 1cm；果实内分 2 室，中间有纵隔膜，每室种子 5 ~ 7。种子扁卵圆形。气微，味淡。

菥蓂子：本品扁卵圆形，长约 1.5mm，宽 1 ~ 1.4mm。表面红褐色至暗褐色，少数红棕色，具同心性隆起环纹。种脐位于种子尖凸部分，色浅，点状。种皮薄而脆，种仁黄色，有油性。无臭，味微苦、辛。

| **功能主治** | 菥蓂：辛，微寒。归肝、胃、大肠经。清肝明目，和中利湿，解毒消肿。用于目赤肿痛，脘腹胀痛，胁痛，肠痈，水肿，带下，疮疖痈肿。

菥蓂子：辛，温。归肝经。清肺热、肾热，健胃。用于肺热，肾热，淋病，消化不良，呕吐。

| **用法用量** | 菥蓂：内服煎汤，9 ~ 15g。

菥蓂子：内服煎汤，2 ~ 3g。

金缕梅科 Hamamelidaceae 蜡瓣花属 Corylopsis

圆叶蜡瓣花 *Corylopsis rotundifolia* Chang

| 药 材 名 | 蜡瓣花根（药用部位：根、根皮）。

| 形态特征 | 落叶灌木，高 2 ~ 3m。嫩枝被黄褐色绒毛，老枝秃净，有细小皮孔，干后褐色；芽体长卵形，外面被绒毛。叶圆形或近于圆形，直径 4 ~ 8cm，稀为短圆形；上面绿色，中脉及侧脉被短柔毛，下面被稀疏短柔毛，脉上被长毛；先端圆形，有 1 短尖头，基部心形，近于等侧；侧脉 6 ~ 9 对，第 1 对侧脉第 2 次分枝侧脉不强烈；边缘有锯齿，齿尖长 1mm；叶柄长 7 ~ 12mm，被绒毛；托叶矩圆形，长 8 ~ 13mm，宽 4mm，内外两面均被黄褐色柔毛，早落。总状花序生于具有 2 ~ 3 叶的枝顶；总苞状鳞片 4 ~ 6，卵圆形，长 1.2 ~ 1.5cm，宽 1 ~ 1.2cm，内外两面均被褐色绒毛；苞片 1，卵形，长 4mm，被毛；小苞片 2，矩圆形，长 2 ~ 3mm，被毛；花序

圆叶蜡瓣花

柄长约 1.5cm, 花序轴长 1.5 ~ 2.5cm, 均被绒毛; 萼筒长 1.5mm, 无毛, 萼齿卵圆形, 长 1mm, 先端圆; 花瓣广倒卵形, 长 3mm, 宽 2.5mm, 有短柄; 雄蕊长 2mm; 退化雄蕊 2 裂, 比萼齿略短, 先端钝; 子房无毛, 花柱长 1.5mm, 柱头稍膨大。果序长 4.5cm, 有蒴果 10 ~ 17, 蒴果长 6mm; 种子白色, 长 3.5mm。

| **生境分布** | 生于海拔 1450 ~ 1930m 的阔叶林下或路旁。分布于重庆南川、城口、酉阳等地。

| **资源情况** | 野生资源稀少。药材主要来源于野生。

| **采收加工** | 夏季采挖根, 刮去粗皮, 洗净, 晒干。

| **功能主治** | 甘, 平。归胃、心经。疏风和胃, 宁心安神。用于外感风邪, 头痛, 恶心呕吐, 心悸, 烦躁不安。

| **用法用量** | 内服煎汤, 3 ~ 10g。

金缕梅科 Hamamelidaceae 蜡瓣花属 Corylopsis

四川蜡瓣花 *Corylopsis willmottiae* Rehd. et Wils.

| 药 材 名 | 四川蜡瓣花（药用部位：根、果皮）。

| 形态特征 | 落叶灌木或小乔木，高约5m。嫩枝无毛，纤细，老枝有白色细小皮孔，干后灰褐色；芽体长卵形，外侧秃净无毛。叶倒卵形或广倒卵形，先端急短尖，基部不等侧微心形或圆形，上面秃净无毛，下面有时脉上被毛，侧脉7～9对，干后在上面下陷，第1对侧脉第2次分枝侧脉不强烈；边缘上半部有不显著的小齿突；叶柄长1～1.5cm，无毛；托叶长矩圆形，紫色，外侧无毛。总状花序生于具有1～3叶的新枝上，有花12～20；花序轴被毛；总苞状鳞片卵圆形，外侧无毛；小苞片卵形，内外两侧均被柔毛；花瓣广倒卵形，有短柄；雄蕊长2.5～3mm；退化雄蕊2裂，先端尖；子房无毛，花柱长3～4mm；花序柄与花序轴均被绒毛。果序长4～5cm，蒴果宿

四川蜡瓣花

存花柱斜出稍平展，或稍向下弯曲，萼筒包着蒴果过半；种子黑色，有光泽。

| **生境分布** | 生于山谷杂木林中。分布于重庆巫溪、巫山、云阳等地。

| **资源情况** | 野生资源稀少。药材主要来源于野生。

| **采收加工** | 夏季采挖根，刮去粗皮，洗净，晒干。果实成熟时采收果实，剥取果皮，晒干。

| **功能主治** | 根，清热，除烦，止呕。果皮，止血。

| **用法用量** | 内服煎汤，适量。

金缕梅科 Hamamelidaceae 蚊母树属 Distylium

中华蚊母树 *Distylium chinense* (Fr.) Diels

| 药 材 名 | 中华蚊母树（药用部位：根）。

| 形态特征 | 常绿灌木，高约 1m。嫩枝粗壮，节间长 2 ～ 4mm，被褐色柔毛，老枝暗褐色，秃净无毛；芽体裸露，被柔毛。叶革质，矩圆形，长 2 ～ 4cm，宽约 1cm，先端略尖，基部阔楔形，上面绿色，稍发亮，下面秃净无毛；侧脉 5 对，在上面不明显，在下面隐约可见，网脉在上下两面均不明显；边缘在靠近先端处有 2 ～ 3 小锯齿；叶柄长 2mm，略被柔毛；托叶披针形，早落。雄花穗状花序长 1 ～ 1.5cm，花无柄；萼筒极短，萼齿卵形或披针形，长 1.5mm；雄蕊 2 ～ 7，长 4 ～ 7mm，花丝纤细，花药卵圆形。蒴果卵圆形，长 7 ～ 8mm，外面被褐色星状柔毛，宿存花柱长 1 ～ 2mm，干后 4 片裂开；种子长 3 ～ 4mm，褐色，有光泽。

中华蚊母树

| **生境分布** | 生于河溪旁。分布于重庆巫溪、巫山、奉节等地。

| **资源情况** | 野生资源一般。药材主要来源于野生。

| **采收加工** | 全年均可采挖，洗净，切段，晒干。

| **功能主治** | 祛风除湿，利水消肿。用于全身或手足水肿，风湿痹痛。

| **用法用量** | 内服煎汤，6 ~ 12g。

金缕梅科 Hamamelidaceae 蚊母树属 *Distylium*

杨梅叶蚊母树 *Distylium myricoides* Hemsl.

杨梅叶蚊母树

| 药 材 名 |

杨梅叶蚊母树根（药用部位：根。别名：萍柴）。

| 形态特征 |

常绿灌木或小乔木。嫩枝有鳞垢，老枝无毛，有皮孔，干后灰褐色；芽体无鳞状苞片，外面有鳞垢。叶革质，矩圆形或倒披针形，先端锐尖，基部楔形，上面绿色，干后暗晦无光泽，下面秃净无毛；侧脉约 6 对，干后在上面下陷，在下面凸起；边缘上半部有数个小齿突；叶柄有鳞垢；托叶早落。总状花序腋生，雄花与两性花同在 1 个花序上，两性花位于花序先端，花序轴有鳞垢，苞片披针形；萼筒极短，萼齿 3 ~ 5，披针形，有鳞垢；雄蕊 3 ~ 8，花药长约 3mm，红色，花丝长不及 2mm；子房上位，被星毛，花柱长 6 ~ 8mm；雄花的萼筒很短，雄蕊长短不一，无退化子房。蒴果卵圆形，被黄褐色星毛，先端尖，裂为 4 片，基部无宿存萼筒；种子褐色，有光泽。

| 生境分布 |

生于海拔 600 ~ 1250m 的山谷杂木林中。分布于重庆城口、石柱、北碚、巫山等地。

| 资源情况 | 野生资源一般。药材主要来源于野生，亦有少量栽培。 |

| 采收加工 | 全年均可采挖，洗净，切段，晒干。 |

| 药材性状 | 本品呈长圆锥形，大小、长短不一。表面灰褐色。质坚硬，不易折断，断面纤维性。气微，味淡。 |

| 功能主治 | 辛、微苦，平。利水渗湿，祛风活络。用于水肿，风湿骨节疼痛，跌打损伤。 |

| 用法用量 | 内服煎汤，6 ~ 12g。 |

| 附　注 | 本种喜光、稍耐阴，喜温暖湿润气候；对土壤要求不严，宜选择肥沃湿润、排水良好的土壤种植，酸性、中性和微碱性土壤也能种植。 |

金缕梅科 Hamamelidaceae 蚊母树属 Distylium

蚊母树

Distylium racemosum Sieb. et Zucc.

蚊母树

| 药 材 名 |

蚊母树（药用部位：根、树皮）。

| 形态特征 |

常绿灌木或中乔木。嫩枝有鳞垢，老枝秃净；芽体裸露无鳞状苞片，被鳞垢。叶革质，椭圆形或倒卵状椭圆形，先端钝或略尖，基部阔楔形，上面深绿色，发亮，下面初时有鳞垢；侧脉 5 ～ 6 对，边缘无锯齿；叶柄略有鳞垢。托叶细小，早落。总状花序长约 2cm，花序轴无毛，总苞片 2 ～ 3，卵形，有鳞垢；苞片披针形，花雌雄同在 1 个花序上，雌花位于花序的先端；萼筒短，萼齿大小不相等，被鳞垢；雄蕊 5 ～ 6，花丝长约 2mm，花药长 3.5mm，红色；子房被星状绒毛，花柱长 6 ～ 7mm。蒴果卵圆形，先端尖，外面被褐色星状绒毛，上半部 2 片裂开，每片 2 浅裂，不具宿存萼筒，果梗短，长不及 2mm；种子卵圆形，深褐色，发亮，种脐白色。

| 生境分布 |

生于溪边，或栽培于绿化带、园林。重庆各地均有分布。

| **资源情况** | 野生资源一般，栽培资源丰富。药材来源于野生和栽培。

| **采收加工** | 全年均可采挖，洗净，切段，晒干。

| **功能主治** | 辛、微苦，微温。活血祛瘀，抗肿瘤。用于跌打损伤，肿瘤。

| **用法用量** | 内服煎汤，6 ~ 12g。

缺萼枫香树
Liquidambar acalycina Chang

| **药 材 名** | 缺萼枫香树（药用部位：果序）。

| **形态特征** | 落叶乔木，高达 25m，树皮黑褐色。小枝无毛，有皮孔，干后黑褐色。叶阔卵形，掌状 3 裂，长 8 ~ 13cm，宽 8 ~ 15cm，中央裂片较长，先端尾状渐尖，两侧裂片三角状卵形，稍平展；上下两面均无毛，暗晦无光泽，或幼嫩时基部被柔毛，下面有时稍带灰色；掌状脉 3 ~ 5，在上面很显著，在下面凸起，网脉在上下两面均明显；边缘有锯齿，齿尖有腺状突起；叶柄长 4 ~ 8cm；托叶线形，长 3 ~ 10mm，着生于叶柄基部，被褐色绒毛。雄性短穗状花序多个排成总状花序，花序柄长约 3cm，花丝长 1.5mm，花药卵圆形。雌性头状花序单生短枝的叶腋内，有雌花 15 ~ 26，花序柄长 3 ~ 6cm，略被短柔毛；萼齿不存在，或为鳞片状，有时极短，花柱长 5 ~ 7mm，被褐

缺萼枫香树

色短柔毛，先端卷曲。头状果序宽 2.5cm，干后变黑褐色，疏松易碎，宿存花柱粗而短，稍弯曲，不具萼齿；种子多数，褐色，有棱。

| 生境分布 | 生于海拔 1030 ~ 1550m 的山地或常绿树混交林。分布于重庆南川、开州、万州、石柱等地。

| 资源情况 | 野生资源稀少。药材主要来源于野生。

| 采收加工 | 冬季采摘，除去杂质，洗净，晒干。

| 功能主治 | 行气温中，活血通络。

| 用法用量 | 内服煎汤，5 ~ 9g。

金缕梅科 Hamamelidaceae 枫香树属 Liquidambar

枫香树 *Liquidambar formosana* Hance

| 药 材 名 | 枫香脂（药材来源：树脂。别名：白胶香、枫脂、白胶）、枫香树根（药用部位：根。别名：枫果根、杜东根）、枫香树皮（药用部位：树皮。别名：枫皮、枫香木皮）、枫香树叶（药用部位：叶）、路路通（药用部位：成熟果序。别名：枫实、枫果、枫木上球）。

| 形态特征 | 落叶乔木，高达 30m。树皮灰褐色，方块状剥落。小枝干后灰色，被柔毛，略有皮孔；芽体卵形，略被微毛，鳞状苞片敷有树脂。叶薄革质，阔卵形，掌状 3 裂，中央裂片较长，两侧裂片平展，基部心形，上面绿色，下面被短柔毛，或变秃净仅在脉腋间被毛；掌状脉 3 ~ 5，网脉明显可见，边缘有锯齿，齿尖有腺状突起；叶柄常被短柔毛；托叶线形，游离，或略与叶柄连生，红褐色，被毛，早落。雄性短穗状花序常多个排成总状，雄蕊多数。雌性头状花序有

枫香树

花 24 ~ 43；萼齿 4 ~ 7，针形，子房下半部藏在头状花序轴内，上半部游离，被柔毛，花柱先端常卷曲。头状果序圆球形，木质；蒴果下半部藏于花序轴内，有宿存花柱及针刺状萼齿；种子多数，褐色，多角形或有窄翅。

| 生境分布 | 生于海拔 200 ~ 1700m 的林边坡地疏林中。分布于重庆北碚、黔江、綦江、万州、忠县、南岸、城口、秀山、巫山、涪陵、彭水、大足、奉节、酉阳、合川、石柱、江津、璧山、铜梁、云阳、永川、垫江、巫溪、南川、九龙坡、丰都、长寿、武隆、开州、梁平、巴南、沙坪坝、荣昌等地。

| 资源情况 | 野生资源稀少，栽培资源较丰富。药材主要来源于栽培，外销内用。

| 采收加工 | 枫香脂：7 ~ 8 月割裂树干，使树脂流出，10 月至翌年 4 月采收，阴干。
枫香树根：秋、冬季采挖，洗净，除去粗皮，晒干。
枫香树皮：全年均可剥取树皮，洗净，晒干或烘干。
枫香树叶：春、夏季采摘，洗净，鲜用或晒干。
路路通：冬季果实成熟后采收，除去杂质，干燥。

| 药材性状 | 枫香脂：本品呈不规则块状。淡黄色至黄棕色，半透明或不透明。质脆，断面具光泽。气香，味淡。
枫香树根：本品呈圆锥形，稍弯曲，直径 2 ~ 6cm，长 20 ~ 30cm。表面灰黑

色或灰棕色，外皮剥落处显黄白色。质坚硬，不易折断，断面纤维性，皮部黑棕色，木部黄白色。气清香，味辛、微苦、涩。

枫香树皮：本品呈板片状，长 20 ~ 40cm，厚 0.3 ~ 1cm。外表面灰黑色，栓皮易成长块状剥落，有纵槽及横裂纹；内表面浅黄棕色，较平滑。质硬脆，易折断，断面纤维性。气清香，味辛、微苦、涩。

枫香树叶：本品多破碎，完整者呈阔卵形，掌状 3 裂，长 5 ~ 12cm，宽 7 ~ 17cm；中央裂片较长且先端尾状渐尖，基部心形，边缘有细锯齿；上面灰绿色，下面浅棕色，掌状脉 3 ~ 5，在叶下面明显凸起。叶柄长 7 ~ 11cm，基部鞘状。质脆，易破碎。揉之有清香气，味辛、微苦、涩。

路路通：本品为聚花果，由多数小蒴果集合而成，呈球形，直径 2 ~ 3cm，基部有总果梗。表面灰棕色或棕褐色，有多数尖刺及喙状小钝刺，长 0.5 ~ 1mm，常折断，小蒴果顶部开裂，呈蜂窝状小孔。体轻，质硬，不易破开。气微，味淡。

| 功能主治 | 枫香脂：辛、微苦，平。归肺、脾经。活血止痛，解毒生肌，凉血止血。用于跌打损伤，痈疽肿痛，吐血，衄血，外伤出血。

枫香树根：辛、苦，平。解毒消肿，祛风止痛。用于痈疽疔疮，风湿痹痛，牙痛，湿热泄泻，痢疾，小儿消化不良。

枫香树皮：辛、微涩，平。归脾、肝经。除湿止泻，祛风止痒。用于泄泻，痢疾，大风癞疮，痒疹。

枫香树叶：辛、苦，平。归脾、肝经。行气止痛，解毒，止血。用于胃脘疼痛，伤暑腹痛，痢疾，泄泻，痈肿疮疡，湿疹，吐血，咯血，创伤出血。

路路通：苦、平。归肝、肾经。祛风活络，利水通经。用于关节痹痛，麻木拘挛，水肿胀满，乳少经闭。

| **用法用量** | 枫香脂：1 ~ 3g，入丸、散。外用适量。
枫香树根：内服煎汤，15 ~ 30g；或捣汁。外用适量，捣敷。
枫香树皮：内服煎汤，鲜品 30 ~ 60g。外用适量，煎汤洗；或研末调敷。
枫香树叶：内服煎汤，15 ~ 30g；或鲜品捣汁。外用适量，捣敷。
路路通：内服煎汤，5 ~ 9g。

| **附　　注** | 本种喜冷凉气候，耐寒，忌高温，宜选择温暖湿润、土壤深厚的山谷、山坡下部和中部低山丘陵区种植。

檵木

Loropetalum chinense (R. Br.) Oliver

檵木

药材名

檵花（药用部位：花。别名：纸末花、白清明花）、檵木叶（药用部位：叶。别名：檵花叶）、檵木根（药用部位：根。别名：檵花根、土降香）。

形态特征

灌木，有时为小乔木。多分枝，小枝被星毛。叶革质，卵形，长 2 ～ 5cm，宽 1.5 ～ 2.5cm，先端尖锐，基部钝，不等侧，上面略被粗毛或秃净，干后暗绿色，无光泽，下面被星毛，稍带灰白色，侧脉约 5 对，在上面明显，在下面凸起，全缘；叶柄长 2 ～ 5mm，被星毛；托叶膜质，三角状披针形，长 3 ～ 4mm，宽 1.5 ～ 2mm，早落。花 3 ～ 8 簇生，有短花梗，白色，比新叶先开放，或与嫩叶同时开放，花序柄长约 1cm，被毛；苞片线形，长 3mm；萼筒杯状，被星毛，萼齿卵形，长约 2mm，花后脱落；花瓣 4，带状，长 1 ～ 2cm，先端圆或钝；雄蕊 4，花丝极短，药隔凸出成角状；退化雄蕊 4，鳞片状，与雄蕊互生；子房完全下位，被星毛；花柱极短，长约 1mm；胚珠 1，垂生于心皮内上角。蒴果卵圆形，长 7 ～ 8mm，宽 6 ～ 7mm，先端圆，被褐色星状绒毛，萼筒长为蒴果的

2/3；种子圆卵形，长 4 ～ 5mm，黑色，发亮。花期 3 ～ 4 月。

| 生境分布 | 生于海拔 200 ～ 1900m 的山地针叶林下。分布于重庆长寿、黔江、丰都、万州、垫江、忠县、南岸、涪陵、奉节、合川、城口、北碚、石柱、酉阳、云阳、南川、彭水、巫溪、武隆、开州、璧山、梁平、巴南、沙坪坝、九龙坡等地。

| 资源情况 | 野生资源丰富。药材主要来源于野生，亦有栽培。

| 采收加工 | 檵花：清明前后采收，阴干。
檵木叶：全年均可采摘，晒干。
檵木根：全年均可采挖，洗净，切块，晒干或鲜用。

| 药材性状 | 檵花：本品花常 3 ～ 8 簇生，基部有短花梗。脱落的单个花常皱缩呈条带状，长 1 ～ 2cm，淡黄色或浅棕色。湿润展平后，花萼筒杯状，长约 2mm，4 裂，萼齿卵形，表面有灰白色星状毛；花瓣 4，带状或倒卵状匙形，淡黄色，有明显的棕色羽状脉纹；雄蕊 4，花丝极短，与鳞片退化雄蕊互生，子房下位，花柱极短，柱头 2 裂。质柔韧。气微清香，味淡、微苦。
檵木叶：本品多少皱卷，完整者展开后呈椭圆形或卵形，长 1.5 ～ 3cm 或更长，宽 1 ～ 2.5cm，先端锐尖，基部钝，稍偏斜，通常全缘，上面灰绿色或浅棕褐色，下面色较浅，两面被星状毛；叶柄被棕色星状绒毛。气微，味涩、微苦。
檵木根：本品呈圆柱形、拐状不规则弯曲或不规则分枝状，长短、粗细不一。一般切成块状，表面灰褐色或黑褐色，具浅纵纹，有圆形茎痕及支根痕；栓皮易成片状剥落而露出棕红色的皮部。体重，质坚硬，不易折断，断面灰黄色或棕红色，纤维性。气微，味淡、微苦、涩。

| 功能主治 | 檵花：甘、涩，平。归肺、脾、大肠经。清热止咳，收敛止血。用于肺热咳嗽，咯血，鼻衄，便血，痢疾，泄泻，崩漏。
檵木叶：苦、涩，凉。归肝、脾、大肠经。收敛止血，清热解毒。用于咯血，吐血，便血，崩漏，产后恶露不尽，紫癜，暑热泻痢，跌打损伤，肝热目赤，喉痛等。
檵木根：苦、涩，微温。归肝、脾、大肠经。止血，活血，收敛固涩。用于咯血，吐血，便血，崩漏，产后恶露不尽，风湿关节疼痛，跌打损伤，泄泻，痢疾等。

| 用法用量 | 檵花：内服煎汤，6 ～ 10g。外用适量，研末撒；或鲜品揉团塞鼻。
檵木叶：内服煎汤，15 ～ 30g；或捣汁。外用适量，捣敷或研末敷；煎汤洗；或含漱。
檵木根：内服煎汤，15 ～ 30g。外用适量，研末敷。

金缕梅科 Hamamelidaceae 檵木属 Loropetalum

红花檵木

Loropetalum chinense Oliver var. *rubrum* Yieh

| 药 材 名 | 红花檵木（药用部位：叶、花）。

| 形态特征 | 本种与原变种檵木的区别在于花紫红色，长 2cm。

| 生境分布 | 栽培于庭院。重庆各地均有分布。

| 资源情况 | 野生资源稀少，栽培资源一般。药材主要来源于栽培，亦有少量野生。

| 功能主治 | 叶，止血，止痛，止泻。花，清热止血。

| 用法用量 | 叶，外用适量，捣敷；或研末敷。花，内服煎汤，适量。外用适量，研末撒；或鲜品揉团塞鼻。

红花檵木

金缕梅科 Hamamelidaceae 半枫荷属 Semiliquidambar

半枫荷

Semiliquidambar cathayensis Chang

| 药 材 名 | 金缕半枫荷（药用部位：根）、金缕半枫荷叶（药用部位：叶）。

| 形态特征 | 常绿乔木，高约 17m，胸径达 60cm，树皮灰色，稍粗糙。芽体长卵形，略有短柔毛；当年生枝干后暗褐色，无毛；老枝灰色，有皮孔。叶簇生于枝顶，革质，异型，不分裂的叶片卵状椭圆形，长 8 ～ 13cm，宽 3.5 ～ 6cm，先端渐尖，尾部长 1 ～ 1.5cm，基部阔楔形或近圆形，稍不等侧，上面深绿色，发亮，下面浅绿色，无毛，或为掌状 3 裂，中央裂片长 3 ～ 5cm，两侧裂片卵状三角形，长 2 ～ 2.5cm，斜行向上，有时为单侧叉状分裂，边缘有具腺锯齿；掌状脉 3，两侧的较纤细，在不分裂的叶上常离基 5 ～ 8mm，中央的主脉还有侧脉 4 ～ 5 对，与网状小脉在上面很明显，在下面凸起；叶柄长 3 ～ 4cm，较粗壮，上部有槽，无毛。雄花的短穗状花序常数个排成总状，长 6cm，花

半枫荷

被全缺；雄蕊多数，花丝极短，花药先端凹入，长 1.2mm。雌花的头状花序单生，萼齿针形，长 2 ~ 5mm，被短柔毛；花柱长 6 ~ 8mm，先端卷曲，被柔毛；花序柄长 4.5cm，无毛。头状果序直径 2.5cm，有蒴果 22 ~ 28，宿存萼齿比花柱短。

| **生境分布** | 生于湿润、肥沃的山坡杂木林中、溪边或路旁。分布于重庆城口、南川等地。

| **资源情况** | 野生资源稀少。药材主要来源于野生。

| **采收加工** | 金缕半枫荷：全年均可采挖，洗净，晒干。
金缕半枫荷叶：春、夏、秋季叶生长茂盛时采收，晒干或鲜用。

| **药材性状** | 金缕半枫荷：本品呈圆柱形或不规则分枝状，长短、粗细不一。表面棕褐色，较粗糙，有纵皱纹及横向凸起的皮孔，长 2 ~ 5mm。质坚实，不易折断，切断面皮部薄，易剥离，木部淡黄色至棕红色，较粗者可见明显的多轮同心性圆环。气微香，味涩、微苦。
金缕半枫荷叶：多卷折，叶有 2 形，一种卵状长圆形，不分裂；一种单侧叉状分裂或掌状 3 裂。不裂叶长 8 ~ 13cm，宽 3 ~ 6cm，先端尾尖，叶脉网状。掌状 3 裂叶的中央裂片长 3 ~ 5cm，两侧裂片较小，有掌状脉 3。上表面浅绿色，有光泽，下表面浅棕黄色，脉序明显凸起；叶缘有具腺锯齿。叶柄较粗壮，上部有槽。革质而脆，易折断。揉之有香气，味淡。

| **功能主治** | 金缕半枫荷：涩、微苦，温。归肝经。祛风止痛，除湿，通络。用于风湿痹痛，脚气，腰腿痛，偏头痛，半身不遂，跌打损伤。
金缕半枫荷叶：祛风除湿，通络止痛，止血。用于风湿痹痛，外伤出血。

| **用法用量** | 金缕半枫荷：内服煎汤，10 ~ 30g；或浸酒。外用适量，煎汤熏洗。
金缕半枫荷叶：内服煎汤，5 ~ 10g。外用适量，研末撒；或鲜品捣敷；或煎汤洗。

景天科 Crassulaceae 落地生根属 Bryophyllum

落地生根 *Bryophyllum pinnatum* (L. f.) Oken

落地生根

药材名

落地生根（药用部位：全草或根。别名：土三七、叶生根、番鬼牡丹）。

形态特征

多年生草本，高 40 ~ 150cm。茎有分枝。羽状复叶，长 10 ~ 30cm，小叶长圆形至椭圆形，长 6 ~ 8cm，宽 3 ~ 5cm，先端钝，边缘有圆齿，圆齿底部容易生芽，芽长大后落地即成一新植物；小叶柄长 2 ~ 4cm。圆锥花序顶生，长 10 ~ 40cm；花下垂，花萼圆柱形，长 2 ~ 4cm；花冠高脚碟形，长达 5cm，基部稍膨大，向上成管状，裂片 4，卵状披针形，淡红色或紫红色；雄蕊 8，着生于花冠基部，花丝长；鳞片近长方形；心皮 4。蓇葖果包在花萼及花冠内；种子小，有条纹。花期 1 ~ 3 月。

生境分布

生于山坡、沟谷、路旁湿润的草地上。重庆各地均有分布。

资源情况

野生和栽培资源均稀少。药材来源于野生和栽培。

| **采收加工** | 全年均可采收，多鲜用。

| **功能主治** | 苦、酸，寒。归肺、肾经。凉血止血，清热解毒。用于吐血，外伤出血，跌打损伤，疗疮痈肿，乳痈，乳岩，丹毒，溃疡，烫伤，胃痛，关节痛，咽喉肿痛，肺热咳嗽。

| **用法用量** | 内服煎汤，鲜全草 30 ～ 60g，根 3 ～ 6g；或绞汁。外用适量，捣敷；或绞汁晒干，研粉撒；或捣汁含漱。

景天科 Crassulaceae 八宝属 Hylotelephium

八宝

Hylotelephium erythrostictum (Miq.) H. Ohba

八宝

药材名

景天（药用部位：全草。别名：火焰草、八宝草、佛指甲）、景天花（药用部位：花）。

形态特征

多年生草本。块根胡萝卜状。茎直立，高30～70cm，不分枝。叶对生，少有互生或3叶轮生，长圆形至卵状长圆形，长4.5～7cm，宽2～3.5cm，先端急尖、钝，基部渐狭，边缘有疏锯齿，无柄。伞房状花序顶生；花密生，直径约1cm，花梗稍短或同长；萼片5，卵形，长1.5mm；花瓣5，白色或粉红色，宽披针形，长5～6mm，先端渐尖；雄蕊10，与花瓣同长或稍短，花药紫色；鳞片5，长圆状楔形，长1mm，先端有微缺；心皮5，直立，基部几分离。花期8～10月。

生境分布

生于山坡草丛、石缝中或沟边湿地。分布于重庆城口、巫山、云阳、酉阳等地。

资源情况

野生资源稀少。药材主要来源于野生。

采收加工

景天：夏、秋季采挖，除去泥土，置沸水中稍烫，晒干。

景天花：7 ~ 8 月花期采摘，晒干。

药材性状

景天：本品根呈圆锥形，表面较粗糙，密生多数细根。茎呈圆柱形，长 30 ~ 60cm，直径 2 ~ 10mm；表面淡黄绿色、淡紫色或黑棕色，有细纵纹及叶痕。叶多对生，叶片多已碎落，展平后呈长卵形，无柄。有的可见顶生伞房花序或黄白色果实。气微，味甘、淡。

功能主治

景天：苦、酸，寒。归心、肝经。清热解毒，止血。用于赤游丹毒，疔疮痈疖，火眼目翳，烦热惊狂，风疹，漆疮，烫火伤，蛇虫咬伤，吐血，咯血，月经量多，外伤出血。

景天花：苦，寒。清热利湿，明目，止痒。用于赤白带下，火眼赤肿，风疹瘙痒。

用法用量

景天：内服煎汤，15 ~ 30g，鲜品 50 ~ 100g；或捣汁。外用适量，捣敷；或取汁摩涂、滴眼；或研粉调搽；或煎汤外洗。

景天花：内服煎汤，适量；或捣汁。外用适量，捣敷；或取汁摩涂、滴眼；或研粉调搽；或煎汤外洗。

景天科 Crassulaceae 八宝属 Hylotelephium

轮叶八宝

Hylotelephium verticillatum (L.) H. Ohba

轮叶八宝

| 药 材 名 |

轮叶八宝（药用部位：全草。别名：鸡眼睛、还魂草、打不死）。

| 形态特征 |

多年生草本。须根细。茎直立，不分枝。4叶少有5叶轮生，下部的常为3叶轮生或对生，叶比节间长，长圆状披针形至卵状披针形，先端急尖，基部楔形，边缘有整齐的疏牙齿，叶下面常带苍白色，叶有柄。聚伞状伞房花序顶生；花密生，顶部半圆球形；苞片卵形；萼片5，三角状卵形，基部稍合生；花瓣5，淡绿色至黄白色，长圆状椭圆形，先端急尖，基部渐狭，分离；雄蕊10，对萼的较花瓣稍长，对瓣的稍短；鳞片5，线状楔形，先端有微缺；心皮5，倒卵形至长圆形，有短柄，花柱短。种子狭长圆形，淡褐色。花期7～8月，果期9月。

| 生境分布 |

生于山坡草丛中或沟边阴湿处。分布于重庆城口、巫溪、开州、涪陵等地。

| 资源情况 |

野生资源稀少。药材主要来源于野生。

| 采收加工 | 夏、秋季采收，鲜用或晒干。

| 功能主治 | 苦，凉。活血化瘀，解毒消肿。用于劳伤腰痛，金创出血，无名肿痛，蛇虫咬伤。

| 用法用量 | 内服煎汤，6 ~ 12g；或泡酒服。外用适量，捣敷；或绞汁涂。

景天科 Crassulaceae 红景天属 Rhodiola

菱叶红景天
Rhodiola henryi (Diels) S. H. Fu

| 药 材 名 | 豌豆七（药用部位：全草。别名：白三七、一代宗、打不死）、豌豆七根（药用部位：根。别名：白三七根）。

| 形态特征 | 多年生草本。根颈直立，直径7～10mm，先端被披针状三角形鳞片。花茎直立，高30～40cm，不分枝。3叶轮生，卵状菱形至椭圆状菱形，长1～3cm，宽0.8～2cm，先端急尖，基部宽楔形至圆形，边缘有疏锯齿3～6，膜质，干后带黄绿色，无柄。聚伞圆锥花序，高3～7cm，宽2～7cm；雌雄异株；萼片4，线状披针形，长1mm，花瓣4，黄绿色，长圆状披针形，长2mm，宽1mm；雄蕊8，长1.6mm，淡黄绿色；鳞片4，匙状四方形，长0.5mm，宽0.2mm，先端有微缺；雌花心皮4，黄绿色，长圆状披针形，长2mm，花柱长0.5mm在内。蓇葖果上部叉开，呈星芒状。花期5月，果期6～7月。

菱叶红景天

| 生境分布 | 生于海拔1500～2700m的山坡沟边阴湿岩石上或林中。分布于重庆巫溪、丰都、涪陵、石柱、武隆、黔江、彭水、酉阳、南川、巫山等地。

| 资源情况 | 野生资源稀少。药材主要来源于野生。

| 采收加工 | 豌豆七：夏季采收全草，鲜用或晒干。
豌豆七根：初春或秋季采挖，除去残茎、须根及泥土，晒干。

| 功能主治 | 豌豆七：微辛、甘、涩，平。归肝、肾经。散瘀止痛，止血，安神。用于跌打损伤，骨折，外伤出血，月经不调，痛经，失眠。
豌豆七根：苦、涩，凉。归大肠、肝经。清热止泻，散瘀止痛，安神。用于痢疾，泄泻，跌打损伤，风湿疼痛，心烦，失眠。

| 用法用量 | 豌豆七：内服煎汤，6～9g；或泡酒。外用适量，鲜品捣敷。
豌豆七根：内服煎汤，9～15g；或泡酒。

| 附　　注 | （1）在FOC中，本种被修订为云南红景天 *Rhodiola yunnanensis* (Franch.) S. H. Fu。
（2）本种为药食兼用植物，有"黄金植物"和"高原人参"的美誉。

景天科 Crassulaceae 景天属 Sedum

费菜
Sedum aizoon L.

| 药 材 名 | 景天三七（药用部位：全草或根。别名：费菜、土三七、八仙草）。

| 形态特征 | 多年生草本。根茎短，粗茎高 20 ~ 50cm，有 1 ~ 3 茎，直立，无毛，不分枝。叶互生，狭披针形、椭圆状披针形至卵状倒披针形，长 3.5 ~ 8cm，宽 1.2 ~ 2cm，先端渐尖，基部楔形，边缘有不整齐的锯齿；叶坚实，近革质。聚伞花序有多花，水平分枝，平展，下托以苞叶；萼片 5，线形，肉质，不等长，长 3 ~ 5mm，先端钝；花瓣 5，黄色，长圆形至椭圆状披针形，长 6 ~ 10mm，有短尖；雄蕊 10，较花瓣短；鳞片 5，近正方形，长 0.3mm，心皮 5，卵状长圆形，基部合生，腹面凸出，花柱长钻形。蓇葖果星芒状排列，长 7mm；种子椭圆形，长约 1mm。花期 6 ~ 7 月，果期 8 ~ 9 月。

费菜

| 生境分布 | 生于向阳的山坡岩石上。分布于重庆巫山、城口、丰都、云阳、奉节、开州、巫溪等地。

| 资源情况 | 野生资源较丰富。药材主要来源于野生，亦有少量栽培。

| 采收加工 | 夏、秋季采挖，除去泥沙，晒干。

| 药材性状 | 本品根茎短小，略呈块状，表面灰棕色。根数条，粗细不等；质硬，断面呈暗棕色或类灰白色。茎圆柱形，长 15 ~ 40cm，直径 2 ~ 5mm；表面暗棕色或紫棕色，有纵棱；质脆，易折断，断面常中空。叶互生或近对生，几无柄；叶片皱缩，完整者展平后呈长披针形至倒披针形，长 3 ~ 8cm，宽 1 ~ 2cm，灰绿色或棕褐色，先端渐尖，基部楔形，边缘上部有锯齿，下部全缘。聚伞花序顶生，花黄色。气微，味微涩。

| 功能主治 | 甘、微酸，平。归心、肝经。散瘀，止血，安神。用于消化性溃疡，肺结核，支气管扩张及血小板减少性紫癜等导致的中、小量出血，外伤出血，烦躁不安。

| 用法用量 | 内服煎汤，15 ~ 30g。

| 附　　注 | （1）在 FOC 中，本种的拉丁学名被修订为 *Phedimus aizoon* (L.) 't Hart，属名被修订为费菜属 *Phedimus*。
（2）本种适应性强，耐酷寒炎热，耐贫瘠，耐旱，忌水湿。

景天科 Crassulaceae 景天属 Sedum

大苞景天 *Sedum amplibracteatum* K. T. Fu

大苞景天

| 药 材 名 |

灯台菜（药用部位：全草。别名：苞叶景天）。

| 形态特征 |

一年生草本。茎高 15 ~ 50cm。叶互生，上部为 3 叶轮生，下部叶常脱落，叶菱状椭圆形，两端渐狭，钝，常聚生在花序下，有叶柄。苞片圆形或稍长，与花略同长。聚伞花序常三歧分枝，每枝有花 1 ~ 4，无梗；萼片 5，宽三角形，有钝头；花瓣 5，黄色，长圆形，近急尖，中脉不显；雄蕊 5 或 10，较花瓣稍短；鳞片 5，近长方形至长圆状匙形；心皮5，略叉开，基部 2mm 合生，花柱长。蓇葖果有种子 1 ~ 2，种子大，纺锤形，有微乳头状突起。花期 6 ~ 9 月，果期 8 ~ 11 月。

| 生境分布 |

生于海拔 850 ~ 2150m 的山坡树下阴湿处。分布于重庆奉节、云阳、万州、石柱、酉阳、南川、黔江等地。

| 资源情况 |

野生资源稀少。药材主要来源于野生。

| 采收加工 | 夏、秋季采收，洗净，晒干。

| 功能主治 | 甘、淡，寒。清热解毒，活血行瘀。用于产后腹痛，胃痛，大便燥结，烫火伤。

| 用法用量 | 内服煎汤，6 ~ 12g。外用适量，捣敷。

| 附　　注 | 在 FOC 中，本种的拉丁学名被修订为 *Sedum oligospermum* Maire。

景天科 Crassulaceae 景天属 Sedum

珠芽景天 *Sedum bulbiferum* Makino

| 药 材 名 | 珠芽半支（药用部位：全草。别名：狗牙菜、狗牙瓣、小箭草）。

| 形态特征 | 多年生草本。根须状。茎高 7 ~ 22cm，茎下部常横卧。叶腋常有圆球形、肉质、小型珠芽着生；基部叶常对生，上部的互生，下部叶卵状匙形，上部叶匙状倒披针形，长 10 ~ 15mm，宽 2 ~ 4mm，先端钝，基部渐狭。花序聚伞状，分枝 3，常再二歧分枝；萼片 5，披针形至倒披针形，长 3 ~ 4mm，宽达 1mm，有短距，先端钝；花瓣 5，黄色，披针形，长 4 ~ 5mm，宽 1.25mm，先端有短尖；雄蕊 10，长 3mm；心皮 5，略叉开，基部 1mm 合生，全长 4mm，连花柱长 1mm。花期 4 ~ 5 月。

珠芽景天

| 生境分布 | 生于海拔1100m以下的低山、平地、田野阴湿处。分布于重庆云阳、丰都、秀山、璧山、永川、垫江、大足、南岸、万州、石柱、綦江、黔江、南川、涪陵、酉阳、长寿、忠县、开州、铜梁、合川、荣昌等地。 |

| 资源情况 | 野生资源丰富。药材主要来源于野生。 |

| 采收加工 | 夏季采收，鲜用或晒干。 |

| 功能主治 | 酸、涩，凉。归肝经。清热解毒，凉血止血，截疟。用于热毒痈肿，牙龈肿痛，毒蛇咬伤，血热出血，外伤出血，疟疾。 |

| 用法用量 | 内服煎汤，12～24g；或浸酒。 |

景天科 Crassulaceae 景天属 Sedum

细叶景天 *Sedum elatinoides* Franch.

| **药 材 名** | 崖松（药用部位：带根全草。别名：小鹅儿肠、半边莲）。

| **形态特征** | 一年生草本，无毛。有须根。茎单生或丛生，高 5 ~ 30cm。3 ~ 6 叶轮生，叶狭倒披针形，长 8 ~ 20mm，宽 2 ~ 4mm，先端急尖，基部渐狭，全缘，无柄或几无柄。花序圆锥状或伞房状，分枝长，下部叶腋也生有花序；花稀疏；花梗长 5 ~ 8mm，细；萼片 5，狭三角形至卵状披针形，长 1 ~ 1.5mm，先端近急尖；花瓣 5，白色，披针状卵形，长 2 ~ 3mm，急尖；雄蕊 10，较花瓣短；鳞片 5，宽匙形，长 0.5mm，先端有缺刻；心皮 5，近直立，椭圆形，下部合生，有微乳头状突起。蓇葖果成熟时上半部斜展；种子卵形，长 0.4mm。花期 5 ~ 7 月，果期 8 ~ 9 月。

细叶景天

| **生境分布** | 生于海拔 250 ~ 1800m 的山坡、山谷石崖上。分布于重庆武隆、黔江、璧山、铜梁、开州、垫江、忠县、南岸、彭水、秀山、奉节、合川、酉阳、云阳、丰都、南川、长寿、石柱、巫溪等地。 |

| **资源情况** | 野生资源丰富。药材主要来源于野生，亦有少量栽培。 |

| **采收加工** | 春、夏季挖取带根全草，洗净，晒干或鲜用。 |

| **功能主治** | 酸、涩，寒。清热解毒。用于热毒痈肿，丹毒，睾丸炎，烫火伤，湿疮，细菌性痢疾，阿米巴痢疾。 |

| **用法用量** | 内服煎汤，15 ~ 30g；或捣汁，鲜品 50 ~ 100g。外用适量，捣敷；或捣汁涂；或煎汤洗。 |

景天科 Crassulaceae **景天属** Sedum

凹叶景天 *Sedum emarginatum* Migo

| **药 材 名** | 凹叶景天（药用部位：全草。别名：马牙半支、石马齿苋、豆瓣草）。

| **形态特征** | 多年生草本。茎细弱，高 10 ~ 15cm。叶对生，匙状倒卵形至宽卵形，长 1 ~ 2cm，宽 5 ~ 10mm，先端圆，有微缺，基部渐狭，有短距。花序聚伞状，顶生，宽 3 ~ 6mm，有多花，常有 3 分枝；花无梗；萼片 5，披针形至狭长圆形，长 2 ~ 5mm，宽 0.7 ~ 2mm，先端钝，基部有短距；花瓣 5，黄色，线状披针形至披针形，长 6 ~ 8mm，宽 1.5 ~ 2mm；鳞片 5，长圆形，长 0.6mm，钝圆，心皮 5，长圆形，长 4 ~ 5mm，基部合生。蓇葖果略叉开，腹面有浅囊状隆起；种子细小，褐色。花期 5 ~ 6 月，果期 6 月。

| **生境分布** | 生于海拔 200 ~ 1800m 的较阴湿的山坡岩石上或溪谷林下。分布于

凹叶景天

重庆黔江、綦江、万州、垫江、城口、彭水、江津、潼南、秀山、长寿、合川、奉节、石柱、云阳、酉阳、永川、璧山、铜梁、南川、涪陵、忠县、九龙坡、丰都、巫溪、武隆、开州、北碚、巫山、南岸、大足、梁平、巴南、沙坪坝、荣昌等地。

| 资源情况 | 野生资源丰富。药材主要来源于野生。

| 采收加工 | 夏、秋季采收，洗净，鲜用；或除去泥沙杂质，置沸水中稍烫，取出晒干。

| 药材性状 | 本品茎细长，弯曲或扭曲，长 10 ~ 15cm，直径 0.5 ~ 1mm；表面绿褐色或浅灰棕色，放大镜下观察有明显的细纵皱纹，节明显，有的节上生有须根；质脆，易折断，断面绿褐色或灰棕色。叶对生，表面绿褐色或棕褐色，多已皱缩破碎，展平后呈匙状倒卵形至匙状宽卵形，长 1 ~ 2cm，宽 0.5 ~ 1cm，先端圆而凹，基部渐狭，楔形，近无柄，有短距，放大镜下可见背面中肋处具细纵沟纹。聚伞状花序有时可见，生于茎先端。气微，味淡、微涩。

| 功能主治 | 酸、涩，凉。归肝、脾、大肠经。清热解毒，收敛止血。用于湿热胁痛，痢疾，烧伤，吐血，衄血，月经过多，外伤出血，疮疖，痈肿。

| 用法用量 | 内服煎汤，30 ~ 45g，鲜品 90 ~ 120g。外用鲜品适量，捣敷。

景天科 Crassulaceae 景天属 Sedum

小山飘风 *Sedum filipes* Hemsl.

| 药 材 名 | 小山飘风（药用部位：全草。别名：豆瓣还阳）。

| 形态特征 | 一年生或二年生草本，全株无毛。花茎常分枝，直立或上升，高
10～30cm。叶对生，或3～4叶轮生，宽卵形至近圆形，长1.5～3cm，
宽1.2～2cm，先端圆，基部有距，全缘，有假叶柄，长达1.5cm。
伞房状花序顶生及上部腋生，宽5～10cm；花梗长3～5mm；萼片5，
披针状三角形，长1～1.2mm，钝；花瓣5，淡红紫色，卵状长圆形，
长3～4mm，先端钝；雄蕊10，长3～5mm；鳞片5，匙形，微小，
先端有微缺；心皮5，披针形，近直立，长3～4mm，花柱长1mm
在内。蓇葖果有种子3～4；种子倒卵形，长1mm，棕色。花期8
月至10月初，果期10月。

小山飘风

| 生境分布 | 生于海拔 800 ～ 2000m 的山坡林下。分布于重庆彭水、南川、江津、城口、石柱等地。

| 资源情况 | 野生资源稀少。药材主要来源于野生。

| 功能主治 | 清热凉血。用于痢疾。

| 用法用量 | 内服煎汤，适量。

景天科 Crassulaceae 景天属 Sedum

佛甲草 *Sedum lineare* Thunb.

佛甲草

| 药 材 名 |

佛甲草（药用部位：茎叶。别名：尖叶小石指甲、火烧草、火焰草）。

| 形态特征 |

多年生草本，无毛。茎高 10 ~ 20cm。3 叶轮生，少有 4 叶轮生或对生的，叶线形，长 20 ~ 25mm，宽约 2mm，先端钝尖，基部无柄，有短距。花序聚伞状，顶生，疏生花，宽 4 ~ 8cm，中央有 1 有短梗的花，另有 2 ~ 3 分枝，分枝常再 2 分枝，着生花无梗；萼片 5，线状披针形，长 1.5 ~ 7mm，不等长，不具距，有时有短距，先端钝；花瓣 5，黄色，披针形，长 4 ~ 6mm，先端急尖，基部稍狭；雄蕊 10，较花瓣短；鳞片 5，宽楔形至近四方形，长 0.5mm，宽 0.5 ~ 0.6mm。蓇葖果略叉开，长 4 ~ 5mm，花柱短；种子小。花期 4 ~ 5 月，果期 6 ~ 7 月。

| 生境分布 |

生于低山阴湿处或山坡岩石缝中。分布于重庆城口、丰都、永川、南川、涪陵、云阳、巫溪、沙坪坝、开州、万州等地。

| 资源情况 |

野生资源一般。药材主要来源于野生，亦有少量栽培。

| 采收加工 |

夏、秋季采收，洗净，置沸水中烫后，晒干。

| 药材性状 |

本品根细小。茎弯曲，长 7 ~ 12cm，直径 0.1cm；表面淡褐色至棕褐色，有明显的节，偶有残留的不定根。叶轮生，无柄；叶片皱缩卷曲，多脱落，展平后呈条形或条状披针形，长 1 ~ 2cm，宽约 0.1cm。聚伞花序顶生，花小，浅棕色。蓇葖果。气微，味淡。

| 功能主治 |

甘、微酸，寒。清热解毒，消肿，止血。用于咽喉肿痛，目赤，痢疾，漆疮，带状疱疹，痈肿，丹毒，烫火伤，外伤出血。

| 用法用量 |

内服煎汤，9 ~ 15g，鲜品加倍。外用鲜品适量，捣敷。

| 附　注 |

本种适应性强，耐寒，耐旱，耐贫瘠。

景天科 Crassulaceae 景天属 Sedum

山飘风
Sedum major (Hemsl.) Migo

山飘风

药材名

豆瓣还阳（药用部位：全草。别名：豆瓣菜、山飘香）。

形态特征

小草本，高 10cm。基部分枝或不分枝。4 叶轮生，叶圆形至卵状圆形，大的 1 对长、宽均 4cm，小的 1 对常稍小或较小，先端圆或钝，基部急狭，入于假叶柄，或几无柄，全缘。伞房状花序，总梗长 1.5 ~ 3cm；花梗长 3 ~ 5mm；萼片 5，近正三角形，长 0.5mm，钝；花瓣 5，白色，长圆状披针形，长 3 ~ 4mm，宽 1 ~ 1.2mm；雄蕊 10，长 3mm；鳞片 5，长方形，长 0.8mm；心皮 5，椭圆状披针形，长 3 ~ 4mm，直立，基部 1mm 合生。种子少数。花期 7 ~ 10 月。

生境分布

生于海拔 1000 ~ 2500m 的山坡林下石上。分布于重庆彭水等地。

资源情况

野生资源稀少。药材主要来源于野生。

| **采收加工** | 夏、秋季拔取全草，除去泥土，洗净，晒干。 |

| **药材性状** | 本品常皱缩成团。根须状，灰棕色。茎细而弯曲。4叶轮生，叶片多皱缩卷曲，灰绿色，展平后呈圆形或卵圆形，大小各1对。有的可见顶生伞房花序，花淡棕黄色。气微，味淡。 |

| **功能主治** | 淡，凉。清热解毒，活血止痛。用于月经不调，劳伤腰痛，鼻衄，烧伤，跌打损伤，外伤出血，疔痈。 |

| **用法用量** | 内服煎汤，6～9g。外用适量，捣敷。 |

景天科 Crassulaceae 景天属 Sedum

齿叶景天
Sedum odontophyllum Fröd.

| 药 材 名 | 红胡豆七（药用部位：全草。别名：打不死、大打不死、大红袍）。

| 形态特征 | 多年生草本，无毛。须根长。不育枝斜生，长 5 ~ 10cm，叶对生或 3 叶轮生，常聚生枝顶。花茎在基部生根，弧状直立。叶互生或对生，卵形或椭圆形，先端稍急尖或钝，边缘有疏而不规则的牙齿，基部急狭，入于假叶柄，假叶柄长 11 ~ 18mm。聚伞状花序，分枝蝎尾状；花无梗，萼片 5 ~ 6，三角状线形，先端钝，基部扩大，无距；花瓣 5 ~ 6，黄色，披针状长圆形，或几为卵形，先端有长的短尖头，基部稍狭；鳞片 5 ~ 6，近四方形，先端稍扩大，有微缺，心皮 5 ~ 6，近直立，卵状长圆形，基部 0.5 ~ 0.7mm 合生，腹面稍呈浅囊状。蓇葖果横展，基部 1mm 合生，腹面囊状隆起；种子多数。花期 4 ~ 6 月，果期 6 月底。

齿叶景天

| 生境分布 |

生于海拔 300 ～ 1200m 的山坡阴湿处岩缝中。
分布于重庆南川、北碚、丰都、忠县、长寿、綦江、
奉节、开州、石柱等地。

| 资源情况 |

野生资源一般。药材主要来源于野生。

| 采收加工 |

夏季采收，洗净，鲜用或晒干。

| 功能主治 |

甘、微辛、涩，凉。散瘀止血，清热解毒。用
于血滞经闭，痛经，崩漏，跌打损伤，瘀肿疼痛，
骨折，肺痨咯血，便血，金创出血，疮疖肿毒。

| 用法用量 |

内服煎汤，9 ～ 15g。外用适量，研末撒；或鲜
品捣敷。

| 附　注 |

在 FOC 中，本种被修订为齿叶费菜 *Phedimus
odontophyllus* (Fröd.) 't Hart，属名被修订为费
菜属 *Phedimus*。

景天科 Crassulaceae 景天属 Sedum

南川景天

Sedum rosthornianum Diels

| 药 材 名 | 南川景天（药用部位：全草）。

| 形态特征 | 多年生草本，植株无毛。花茎不分枝，直立，高 15 ～ 25cm。叶对生，或 3 ～ 4 叶轮生，菱状长圆形，长 2 ～ 3.3cm，宽 8 ～ 12mm，先端近急尖，基部急狭，入于长 4 ～ 6mm 的宽假叶柄，边缘有浅锯齿 4 ～ 8。聚伞圆锥花序，有稀疏的花，长 5 ～ 10cm；花梗长 3 ～ 8mm；萼片 5，狭三角形，长 1 ～ 1.5mm，有中脉 1，基部合生；花瓣 5，白色，半长圆形，长 3 ～ 4mm，先端渐尖，稍钝，基部宽广；雄蕊 10，对瓣的长 1.5mm，在基部稍上着生，对萼的长 2mm；鳞片 5，宽匙形，长 0.6mm，心皮 5，宽卵形，长 3mm，花柱细，长 1mm，心皮外侧被微乳头状突起。种子多数，卵形，长 0.6mm。花期 6 月。

南川景天

| **生境分布** | 生于海拔 1500m 的山坡草地上。分布于重庆城口、巫山、南川、丰都等地。

| **资源情况** | 野生资源稀少。药材主要来源于野生。

| **采收加工** | 夏季采收全草，洗净，鲜用或晒干。

| **功能主治** | 清热解毒，止痢，止血。用于咽喉痛，痢疾，便血。

| **用法用量** | 内服煎汤，适量。外用适量，研末撒；或鲜品捣敷。孕妇慎服。

景天科 Crassulaceae 景天属 Sedum

垂盆草
Sedum sarmentosum Bge.

| 药 材 名 | 垂盆草（药用部位：全草。别名：地蜈蚣草、太阳花、枉开口）。

| 形态特征 | 多年生草本。不育枝及花茎细，匍匐而节上生根，直到花序之下，长 10 ~ 25cm。3 叶轮生，叶倒披针形至长圆形，长 15 ~ 28mm，宽 3 ~ 7mm，先端近急尖，基部急狭，有距。聚伞花序，有 3 ~ 5 分枝，花少，宽 5 ~ 6cm；花无梗；萼片 5，披针形至长圆形，长 3.5 ~ 5mm，先端钝，基部无距；花瓣 5，黄色，披针形至长圆形，长 5 ~ 8mm，先端有稍长的短尖；雄蕊 10，较花瓣短；鳞片 10，楔状四方形，长 0.5mm，先端稍有微缺；心皮 5，长圆形，长 5 ~ 6mm，略叉开，有长花柱。种子卵形，长 0.5mm。花期 5 ~ 7 月，果期 8 月。

垂盆草

生境分布

生于海拔 1600m 以下的向阳山坡石隙、沟边、路旁湿润处。重庆各地均有分布。

资源情况

野生资源丰富。药材主要来源于野生，亦有少量栽培。

采收加工

夏、秋季采收，除去杂质，干燥。

药材性状

本品茎纤细，长可达 20cm 以上，部分节上可见纤细的不定根。3 叶轮生，叶片倒披针形至矩圆形，绿色，肉质，长 15 ~ 28mm，宽 3 ~ 7mm，先端近急尖，基部急狭，有距。气微，味微苦。

功能主治

味甘、淡，凉。归肝、胆、小肠经。利湿退黄，清热解毒。用于湿热黄疸，小便不利，痈肿疮疡。

用法用量

内服煎汤，15 ~ 30g。

附　注

本种对环境要求不高，耐旱，耐高温，耐湿，耐盐碱，耐贫瘠，生长速度快，繁殖容易。生产中主要采用分根和扦插两种繁殖方式。

景天科 Crassulaceae 景天属 Sedum

火焰草
Sedum stellariifolium Franch.

火焰草

| 药 材 名 |

火焰草（药用部位：全草。别名：红瓦松、狗牙风）。

| 形态特征 |

一年生或二年生草本，植株被腺毛。茎直立，有多数斜上的分枝，基部呈木质，高10 ~ 15cm，褐色，被腺毛。叶互生，正三角形或三角状宽卵形，长 7 ~ 15mm，宽5 ~ 10mm，先端急尖，基部宽楔形至截形，入于叶柄，叶柄长 4 ~ 8mm，全缘。总状聚伞花序，花顶生，花梗长 5 ~ 10mm；萼片 5，披针形至长圆形，长 1 ~ 2mm，先端渐尖；花瓣 5，黄色，披针状长圆形，长 3 ~ 5mm，先端渐尖；雄蕊 10，较花瓣短；鳞片 5，宽匙形至宽楔形，长 0.3mm，先端有微缺；心皮 5，近直立，长圆形，长约 4mm，花柱短。蓇葖果下部合生，上部略叉开；种子长圆状卵形，长 0.3mm，有纵纹，褐色。花期 6 ~ 7月（湖北及以南地区）或 7 ~ 8 月（华北及西南高山地区），果期 8 ~ 9 月。

| 生境分布 |

生于坡上、山谷土上或石缝中。分布于重庆彭水、丰都、涪陵、江津、武隆等地。

| **资源情况** | 野生资源稀少。药材来源于野生。

| **采收加工** | 夏季采收，晒干。

| **功能主治** | 微苦，凉。清热解毒，凉血止血。用于热毒疮疡，乳痈，丹毒，无名肿毒，烫火伤，咽喉肿痛，牙龈炎，血热吐血，咯血，鼻衄，外伤出血。

| **用法用量** | 内服煎汤，10 ~ 30g，鲜品 50 ~ 100g；或捣汁。外用适量，捣敷。

景天科 Crassulaceae 石莲属 Sinocrassula

石莲 *Sinocrassula indica* (Decne.) Berger

| 药 材 名 | 石上开花（药用部位：全草。别名：岩莲花、红花岩松、岩松）。

| 形态特征 | 二年生草本，无毛。根须状。花茎高 15 ~ 60cm，直立，常被微乳头状突起。基生叶莲座状，匙状长圆形；茎生叶互生，宽倒披针状线形至近倒卵形，上部的渐缩小，渐尖。花序圆锥状或近伞房状，总梗长 5 ~ 6cm；苞片似叶而小；萼片 5，宽三角形，先端稍急尖，花瓣 5，红色，披针形至卵形，先端常反折；雄蕊 5，长 3 ~ 4mm；鳞片 5，正方形，先端有微缺；心皮 5，基部 0.5 ~ 1mm 合生，卵形，先端急狭，花柱长不及 1mm。蓇葖果的喙反曲；种子平滑。花期 7 ~ 10 月。

| 生境分布 | 生于海拔 450 ~ 1200m 的山坡岩石上。分布于重庆巫溪、开州、石柱、彭水、璧山、铜梁、合川、永川、荣昌、云阳、江津、武隆、丰都等地。

石莲

| **资源情况** | 野生资源稀少。药材主要来源于野生。

| **采收加工** | 8 ~ 9 月采收，洗净，晒干。

| **功能主治** | 酸、辛，微寒。清热解毒，凉血止血，收敛生肌，止咳。用于热毒疮疡，咽喉肿痛，烫伤，痢疾，热淋，血热出血，肺热咳嗽。

| **用法用量** | 内服煎汤，3 ~ 9g；或蒸酒。外用适量，捣敷。

虎耳草科 Saxifragaceae 落新妇属 Astilbe

落新妇

Astilbe chinensis (Maxim.) Franch. et Savat.

| **药 材 名** | 落新妇（药用部位：根茎。别名：红升麻、小升麻、术活）。

| **形态特征** | 多年生草本，高 50 ~ 100cm。根茎暗褐色，粗壮；须根多数。茎无毛。基生叶为二至三回三出羽状复叶，顶生小叶片菱状椭圆形，侧生小叶片卵形至椭圆形，长 1.8 ~ 8cm，宽 1.1 ~ 4cm，先端短渐尖至急尖，边缘有重锯齿，基部楔形、浅心形至圆形，腹面沿脉被硬毛，背面沿脉疏生硬毛和小腺毛，叶轴仅于叶腋被褐色柔毛；茎生叶 2 ~ 3，较小。圆锥花序长 8 ~ 37cm，宽 3 ~ 4（~ 12）cm；下部第 1 回分枝长 4 ~ 11.5cm，通常与花序轴成 15° ~ 30° 角斜上；花序轴密被褐色卷曲长柔毛；苞片卵形，几无花梗；花密集；萼片 5，卵形，长 1 ~ 1.5mm，宽约 0.7mm，两面无毛，边缘中部以上被微腺毛；花瓣 5，淡紫色至紫红色，线形，长 4.5 ~ 5mm，宽 0.5 ~ 1mm，

落新妇

单脉；雄蕊 10，长 2 ~ 2.5mm；心皮 2，仅基部合生，长约 1.6mm。蓇葖果长约 3mm；种子褐色，长约 1.5mm。花果期 6 ~ 9 月。

| 生境分布 | 生于海拔 400 ~ 1800m 的山坡林下阴湿地或林缘路旁草丛中。分布于重庆黔江、彭水、城口、奉节、巫山、秀山、丰都、石柱、酉阳、巫溪、涪陵、南川、武隆、开州等地。

| 资源情况 | 野生资源较丰富。药材主要来源于野生，自产自销。

| 采收加工 | 夏、秋季采挖，除去泥沙、须根及鳞毛等，干燥。

| 药材性状 | 本品呈不规则长块状，长约 7cm，直径 0.5 ~ 1cm。表面棕褐色或黑褐色，凹凸不平，有多数须根痕，有时可见鳞片状苞片。残留茎基生有棕黄色长绒毛。质硬，不易折断，断面粉性，红色或红棕色。气微，味苦、辛。

| 功能主治 | 辛、苦，温。归脾、肺经。活血，散瘀，止痛。用于跌打损伤，风湿痹痛，筋骨疼痛。

| 用法用量 | 内服煎汤，6 ~ 9g。

| 附   注 | 本种药材在古代就与升麻混用，存在异物同名现象。现在民间将本种和大落新妇的根茎称为"红升麻"，以便与升麻区别使用。

虎耳草科 Saxifragaceae 落新妇属 *Astilbe*

大落新妇 *Astilbe grandis* Stapf ex Wils.

| 药 材 名 | 落新妇（药用部位：全草或根茎。别名：红升麻、小升麻、术活）。

| 形态特征 | 多年生草本，高 0.4 ~ 1.2m。根茎粗壮。茎通常不分枝，被褐色长柔毛和腺毛。二至三回三出复叶至羽状复叶；叶轴长 3.5 ~ 32.5cm，与小叶柄均多少被腺毛，叶腋近旁被长柔毛；小叶片卵形、狭卵形至长圆形，顶生者有时为菱状椭圆形，长 1.3 ~ 9.8cm，宽 1 ~ 5cm，先端短渐尖至渐尖，边缘有重锯齿，基部心形、偏斜圆形至楔形，腹面被糙伏腺毛，背面沿脉被短腺毛，有时亦杂有长柔毛；小叶柄长 0.2 ~ 2.2cm。圆锥花序顶生，通常塔形，长 16 ~ 40cm，宽 3 ~ 17cm；下部第 1 回分枝长 2.5 ~ 14.5cm，与花序轴成 35° ~ 50° 角斜上；花序轴与花梗均被腺毛；小苞片狭卵形，长约 2.1mm，宽约 1mm，全缘或具齿；花梗长 1 ~ 1.2mm；萼片 5，卵形、阔卵形至

大落新妇

椭圆形，长 1 ~ 2mm，宽 1 ~ 1.2mm，先端钝或微凹且被微腺毛，边缘膜质，两面无毛；花瓣 5，白色或紫色，线形，长 2 ~ 4.5mm，宽 0.2 ~ 0.5mm，先端急尖，单脉；雄蕊 10，长 1.3 ~ 5mm；雌蕊长 3.1 ~ 4mm，心皮 2，仅基部合生，子房半下位，花柱稍叉开。幼果长约 5mm。花果期 6 ~ 9 月。

| 生境分布 | 生于海拔 450 ~ 2000m 的山谷或杂木林下。分布于重庆巫山、巫溪、黔江、南川、彭水、城口等地。

| 资源情况 | 野生资源较少。药材主要来源于野生。

| 采收加工 | 夏、秋季采挖根茎，除去泥沙、须根及鳞毛等，干燥。秋季采收全草，除去根茎，洗净，晒干或鲜用。

| 药材性状 | 本品根茎呈块状，长约 6cm，直径 1 ~ 2cm；残留茎基有褐色膜质鳞片；质脆，易折断，断面粉性，红棕色；茎直径 1 ~ 6mm；表面被褐色长柔毛和腺毛。基生叶为复叶，完整小叶卵形或长圆形，长 1.3 ~ 9.8cm，宽 1 ~ 5cm，先端渐尖或长渐尖，基部心形或楔形，边缘有锐重锯齿，上面被糙伏腺毛，下面沿脉生短腺毛；茎生叶较小。圆锥花序密生短柔毛和腺毛。有时可见果实，长约 5mm。气微，味苦。

| 功能主治 | 辛、苦，温。归脾、肺经。活血，散瘀，止痛。用于跌打损伤，风湿痹痛，筋骨疼痛。

| 用法用量 | 内服煎汤，6 ~ 9g。

多花落新妇

Astilbe rivularis Buch.-Ham. ex D. Don var. *myriantha* (Diels) J. T. Pan

| 药 材 名 | 金毛七（药用部位：根茎。别名：红升麻、铁杆升麻、小牛胃花）。

| 形态特征 | 多年生草本，高 0.6 ~ 2.5m。茎被褐色长腺柔毛。二至三回羽状复叶，叶轴与小叶柄均被褐色长柔毛，小叶片通常卵形、阔卵形至阔椭圆形，基部偏斜状心形、圆形至楔形，边缘有重锯齿，先端渐尖，腹面疏生褐色腺糙伏毛，背面沿脉被褐色长柔毛和腺毛。圆锥花序长 41 ~ 42cm，多花；花序分枝长 1 ~ 18cm；苞片 3，近椭圆形，长 1.1 ~ 1.4mm，宽 0.2 ~ 0.6mm，全缘或具齿牙，边缘疏生褐色柔毛；花梗长 0.6 ~ 1.8mm，与花序轴均被褐色卷曲腺柔毛；萼片 4 ~ 5，近膜质，绿色，卵形、椭圆形至长圆形，长 1.2 ~ 1.5mm，宽约 1mm，内面稍凹陷，外面略弓凸，无毛，单脉；无花瓣或有时具 1 ~ 2（ ~ 5）退化花瓣；雄蕊 5 ~ 10（ ~ 12），长 0.5 ~ 2.4mm；

多花落新妇

雌蕊长约 2mm，心皮 2，基部合生，子房近上位，花柱叉开。花果期 6 ～ 10 月。

| **生境分布** | 生于海拔 1100 ～ 2550m 的沟谷或林边草丛中。分布于重庆黔江、城口、巫溪、巫山、南川等地。

| **资源情况** | 野生资源稀少。药材主要来源于野生，自产自销。

| **采收加工** | 春初、秋季采挖，除去须根和杂质，晒干。

| **药材性状** | 本品呈不规则团块状或连珠状。表面棕褐色，有须根痕、圆锥状芽痕或茎基，多残留红棕色绒毛及褐色膜质鳞叶。质坚硬，不易折断，断面近边缘处黄白色维管束点排列成环状，中心棕褐色。气微，味微苦、涩。

| **功能主治** | 辛，温。归肺经。解表散寒，祛风除湿。用于风寒表证，肢节疼痛，头痛。

| **用法用量** | 内服煎汤，6 ～ 9g。

虎耳草科 Saxifragaceae 金腰属 Chrysosplenium

肾萼金腰
Chrysosplenium delavayi Franch.

| 药 材 名 | 肾萼金腰（药用部位：全草。别名：青猫儿眼睛草）。

| 形态特征 | 多年生草本，高 4.5 ～ 13cm。不育枝出自茎下部叶腋。花茎无毛。叶对生，近扁圆形，长约 7mm，宽 8.2 ～ 9.2mm，先端钝圆，边缘具 8 圆齿（齿先端具 1 褐色乳头状突起），基部宽楔形，两面无毛，叶柄长约 5mm，叶腋具褐色乳头状突起，顶生者阔卵形、阔椭圆形至近扁圆形，长 0.95 ～ 1.1cm，宽 1 ～ 1.25cm，先端钝，边缘具 7 ～ 10 圆齿，基部宽楔形至稍心形，腹面无毛，背面疏生褐色乳头状突起，叶柄长 0.5 ～ 3mm，叶腋及近旁具褐色乳头状突起；茎生叶对生，叶片阔卵形、近圆形至扇形，长 0.22 ～ 1.5cm，宽 0.3 ～ 1.6cm，先端钝，边缘具 7 ～ 12 圆齿（齿不甚明显，先端具 1 褐色乳头状突起），基部宽楔形，腹面无毛，背面疏生褐色乳头状突起，叶柄长 3 ～ 7mm，

肾萼金腰

叶腋具褐色柔毛和乳头状突起。单花或聚伞花序具 2 ~ 5 花，长 1 ~ 1.4cm；花序分枝无毛；苞叶通常阔卵形，长 2 ~ 5mm，宽 2.4 ~ 5mm，先端钝，边缘具 6 ~ 9 圆齿（齿先端具 1 褐色乳头状突起），腹面无毛，但偶尔疏生褐色乳头状突起，背面疏生褐色乳头状突起，柄长 2 ~ 5.6mm，苞腋及其近旁具褐色乳头状突起；花梗长 2.5 ~ 19mm，无毛；花黄绿色，直径约 8.7mm；萼片在花期开展，近扁圆形，长 1.9 ~ 3mm，宽 3 ~ 5mm，先端微凹，凹处具 1 褐色乳头状突起，其边缘有时相互叠接；雄蕊 8，长约 0.6mm；子房近下位，花柱长约 0.4mm；花盘 8 裂，周围疏生褐色乳头状突起。蒴果先端近平截而微凹，2 果瓣近等大且水平状叉开，喙长约 0.4mm；种子黑褐色，卵球形，长 0.7 ~ 1mm，具纵肋 13 ~ 15，肋上有横纹。花果期 3 ~ 6 月。

| **生境分布** | 生于海拔 500 ~ 1750m 的林下、灌丛或山谷石隙。分布于重庆石柱、武隆、南川等地。

| **资源情况** | 野生资源稀少。药材主要来源于野生，自产自销。

| **采收加工** | 夏季采收，鲜用或晒干。

| **功能主治** | 清热解毒，生肌。用于小儿惊风，烫伤，痈疮肿毒。

| **用法用量** | 内服煎汤，6 ~ 12g。外用适量，捣敷。

虎耳草科 Saxifragaceae 金腰属 Chrysosplenium

绵毛金腰 *Chrysosplenium lanuginosum* Hook. f. et Thoms.

| 药 材 名 | 绵毛金腰（药用部位：全草）。

| 形态特征 | 多年生草本。根茎直下或横走。不育枝出自基生叶腋部，被褐色长柔毛。基生叶卵形、阔卵形至近椭圆形，先端钝圆，边缘具不明显之9～17波状圆齿，基部通常宽楔形，稀稍心形，两面和边缘均多少被褐色柔毛，叶柄密被褐色柔毛；茎生叶1～3，互生，边缘具5～9圆齿，基部楔形，叶柄密被褐色柔毛。聚伞花序；苞叶偏斜状阔卵形、近扇形至倒卵形，边缘具5～11圆齿，最下部1苞叶腹面被褐色柔毛；花较疏，绿色；萼片在花期开展，具褐色单宁质斑点，肾状扁圆形至阔卵形，先端钝或短渐尖；雄蕊8；子房近下位；花盘退化，周围具1圈褐色乳头状突起。蒴果先端近平截而微凹，2果瓣近等大，喙长约0.8mm；种子黑褐色，近卵球形，具微乳头状突起。花果期4～6月。

绵毛金腰

| 生境分布 | 生于海拔 1130 ～ 1600m 的山地阴湿林下。分布于重庆丰都、黔江、彭水、秀山、南川、石柱等地。

| 资源情况 | 野生资源稀少。药材主要来源于野生。

| 采收加工 | 夏、秋季采收，晒干。

| 药材性状 | 本品根茎长达 20cm，粗细不一，有多数细根。不育枝长 5 ～ 25cm，被褐色柔毛。叶互生，完整者卵形至近扇形，长 2.8 ～ 25mm，宽 2.5 ～ 17mm，基部楔形，边缘具 5 ～ 12 圆齿，两面和边缘均具褐色长柔毛；叶柄长 0.7 ～ 1cm，密被褐色长柔毛；基生叶卵形至近椭圆形，长 1.3 ～ 4.5cm，宽 1.2 ～ 2.9cm，先端钝圆，基部宽楔形，边缘具不明显 9 ～ 17 波状圆齿，两面和边缘均多少具褐色长柔毛，叶柄长 0.8 ～ 5cm，密被褐色柔毛；茎生叶似基生叶，长 0.2 ～ 1cm，宽 0.16 ～ 1cm，边缘具 5 ～ 9 圆齿，两面和边缘多少具褐色柔毛，叶柄长 0.5 ～ 1.7cm，密被褐色柔毛。聚伞花序分枝无毛或疏生柔毛；苞片近扇形；花绿色；萼片具褐色单宁质斑点，肾状扁圆形至阔卵形。气微，味淡、微涩。

| 功能主治 | 清热解毒，生肌收敛，活血通络。用于臁疮，烫火伤，劳伤，跌打损伤，黄疸。

| 用法用量 | 内服煎汤，6 ～ 9g。外用适量，捣敷。

虎耳草科 Saxifragaceae 金腰属 Chrysosplenium

大叶金腰
Chrysosplenium macrophyllum Oliv.

| 药材名 | 虎皮草（药用部位：全草。别名：岩窝鸡、岩乌金菜、大虎耳草）。

| 形态特征 | 多年生草本，高 17 ～ 21cm。不育枝长 23 ～ 35cm。花茎疏生褐色长柔毛。基生叶数枚，具柄，叶片革质，倒卵形，长 2.3 ～ 19cm，宽 1.3 ～ 11.5cm，先端钝圆，全缘或具不明显之微波状小圆齿，基部楔形，腹面疏生褐色柔毛，背面无毛；茎生叶通常 1，叶片狭椭圆形，长 1.2 ～ 1.7cm，宽 0.5 ～ 0.75cm，边缘通常具 13 圆齿，背面无毛，腹面和边缘疏生褐色柔毛。多歧聚伞花序长 3 ～ 4.5cm；花序分枝疏生褐色柔毛或近无毛；苞叶卵形至阔卵形，长 0.6 ～ 2cm，宽 0.5 ～ 1.4cm，先端钝状急尖，边缘通常具 9 ～ 15 圆齿（有时不明显），基部楔形，柄长 3 ～ 10mm；萼片近卵形至阔卵形，长 3 ～ 3.2mm，宽 2.5 ～ 3.9mm，先端微凹，无毛；雄蕊高出萼片，长 4 ～ 6.5mm；

大叶金腰

子房半下位，花柱长约 5mm，近直上；无花盘。蒴果长 4 ~ 4.5mm，先端近平截而微凹，2 果瓣近等大，喙长 3 ~ 4mm；种子黑褐色，近卵球形，长约 0.7mm，密被微乳头状突起。花果期 4 ~ 6 月。

| **生境分布** | 生于海拔 800 ~ 2000m 的山坡林下或沟旁阴湿处。分布于重庆巫溪、奉节、黔江、万州、南川、石柱、巫山等地。

| **资源情况** | 野生资源较少。药材来源于野生，自产自销。

| **采收加工** | 春、夏季采收，晒干或鲜用。

| **药材性状** | 本品根茎长圆柱形，长短不一，直径约 3mm；表面淡棕褐色，具纵皱纹，被纤维状毛，节上有黄棕色膜质鳞片及多数不定根。不育枝细长，茎圆柱形，疏生褐色长柔毛，通常具 1 叶片。叶互生，多皱缩卷曲，展开后多呈倒卵形或宽倒卵形，上面灰绿色或绿褐色，疏被刺状柔毛，下面棕色；叶柄较长，有棕色柔毛。有时可见聚伞花序，花序分枝疏生褐色柔毛或近无毛；苞片卵形或狭卵形，萼片黄绿色，卵形。有已结果者。气微，味淡、微涩。

| **功能主治** | 苦、涩，寒。清热解毒，止咳，止带，收敛生肌。用于小儿惊风，无名肿毒，咳嗽，带下，臁疮，烫火伤。

| **用法用量** | 内服煎汤，30 ~ 60g。外用适量，捣敷；捣汁或熬膏涂。

虎耳草科 Saxifragaceae 金腰属 Chrysosplenium

中华金腰
Chrysosplenium sinicum Maxim.

| **药 材 名** | 华金腰子（药用部位：全草。别名：猫眼草、金钱苦叶草）。

| **形态特征** | 多年生草本。不育枝发达，出自茎基部叶腋，无毛。花茎无毛。叶通常对生，叶片近圆形至阔卵形，先端钝圆，边缘具 12 ~ 16 钝齿，基部宽楔形，无毛。聚伞花序具 4 ~ 10 花；苞叶边缘具 5 ~ 16 钝齿，基部宽楔形至偏斜形，无毛，近苞腋部具褐色乳头状突起；花黄绿色；萼片在花期直立，阔卵形至近阔椭圆形，先端钝；雄蕊 8，长约 1mm；子房半下位；无花盘。蒴果 2 果瓣明显不等大，叉开，喙长 0.3 ~ 1.2mm；种子黑褐色，椭球形至阔卵球形，被微乳头状突起，有光泽。花果期 4 ~ 8 月。

| **生境分布** | 生于海拔 500 ~ 2350m 的河边湿地、山地树林中。分布于重庆城口、

中华金腰

石柱、武隆、南川等地。

| **资源情况** | 野生资源稀少。药材主要来源于野生。

| **采收加工** | 8 ~ 9 月采收，洗净，晒干或鲜用。

| **功能主治** | 苦，寒。利尿退黄，清热解毒。用于黄疸，淋证，膀胱结石，胆道结石，疔疮。

| **用法用量** | 内服煎汤，6 ~ 9g。外用适量，捣敷。

虎耳草科 Saxifragaceae 赤壁木属 Decumaria

赤壁木 *Decumaria sinensis Oliv.*

药 材 名	赤壁草（药用部位：全草）。
形态特征	攀缘灌木，长 2 ~ 5m。小枝圆柱形，灰棕色，嫩枝疏被长柔毛，老枝无毛，节稍肿胀。叶薄革质，倒卵形、椭圆形或倒披针状椭圆形，长 3.5 ~ 7cm，宽 2 ~ 3.5cm，先端钝或急尖，基部楔形，全缘或上部有时具疏离锯齿或波状，近无毛或嫩叶疏被长柔毛；侧脉每边 4 ~ 6，常纤细而不明显；叶柄长 1 ~ 2cm。伞房状圆锥花序长 3 ~ 4cm，宽 4 ~ 5cm；花序梗长 1 ~ 3cm，疏被长柔毛；花白色，芳香；花梗长 5 ~ 10mm，果期更长，疏被长柔毛；萼筒陀螺形，高约 2mm，无毛，裂片卵形或卵状三角形，长约 1mm；花瓣长圆状椭圆形，长 3 ~ 4mm；雄蕊 20 ~ 30，花丝纤细，长 3 ~ 4mm，

赤壁木

花药卵形或近球形；花柱粗短，长不及 1mm，柱头扁盘状，7 ~ 9 裂。蒴果钟状或陀螺状，长约 6mm，直径约 5mm，先端截形，具宿存花柱和柱头，暗褐色，有隆起的脉纹或棱条 10 ~ 12；种子细小，两端尖，长约 3mm，有白翅。花期 3 ~ 5 月，果期 8 ~ 10 月。

| 生境分布 |　生于海拔 700 ~ 1450m 的山坡岩石缝的灌丛中。分布于重庆城口、巫山、巫溪、奉节、南川等地。

| 资源情况 |　野生资源稀少。药材主要来源于野生。

| 功能主治 |　祛风除湿。用于风湿筋骨痛。

| 用法用量 |　内服煎汤，适量；或泡酒。

虎耳草科 Saxifragaceae 溲疏属 Deutzia

粉背溲疏 *Deutzia hypoglauca* Rehd.

| 药 材 名 | 粉背溲疏根（药用部位：根）、粉背溲疏枝叶（药用部位：枝、叶）。

| 形态特征 | 灌木，高约 2.5m。老枝浅灰色或浅褐色，表皮常片状脱落；花枝长 8 ~ 14cm，具 4 ~ 8 叶，紫红色，无毛。叶膜质或近纸质，卵状披针形或椭圆状披针形，长 7 ~ 9cm，宽 1.5 ~ 2.5cm，先端渐尖，基部圆形或阔楔形，边缘具细锯齿，上面疏被 3 ~ 5 辐线星状毛，下面无毛，灰绿色，具白粉；叶柄长 2 ~ 5mm，稍紫红色。伞房花序直径 3 ~ 6cm，有花 5 ~ 15；花序梗和花序轴均无毛；花蕾球形或倒卵形，花冠直径 1.5 ~ 2cm；花梗长 5 ~ 15mm；萼筒杯状，高约 2.5mm，被 6 ~ 8 辐线星状毛，裂片阔卵形，较萼筒短，外面被毛；花瓣白色或先端稍粉红色，倒卵形，长 6 ~ 10mm，宽 5 ~ 6mm，先端圆形，基部急收狭，外面被星状毛；花蕾时覆瓦状排列；外轮

粉背溲疏

雄蕊长 6 ~ 7mm，花丝先端 2 齿，花药具短柄，生于花丝内侧裂齿间或稍下，较花丝齿短或等长，内轮雄蕊线形，长 5 ~ 6mm，先端钝或浅 2 裂，花药生于花丝内侧近中部；花柱 3，与雄蕊近等长。蒴果半球形，直径 3 ~ 4mm，被毛。花期 5 ~ 7 月，果期 8 ~ 10 月。

| 生境分布 |

生于海拔 1000 ~ 2000m 的山地灌丛中。分布于重庆武隆、黔江、江津、南川、城口、巫溪等地。

| 资源情况 |

野生资源一般。药材主要来源于野生。

| 采收加工 |

粉背溲疏根：全年均可采挖，除去泥土，晒干。
粉背溲疏枝叶：夏、秋季采收，切段，晒干或鲜用。

| 功能主治 |

粉背溲疏根：祛风除湿，利尿。
粉背溲疏枝叶：清热利尿，除烦。用于外感暑热，身热烦渴，热淋涩痛。

| 用法用量 |

内服煎汤，适量；或作丸。外用适量，捣敷；或煎汤洗。

虎耳草科 Saxifragaceae 溲疏属 Deutzia

南川溲疏
Deutzia nanchuanensis W. T. Wang

| 药 材 名 | 南川溲疏（药用部位：根）。

| 形态特征 | 灌木，高 1.5 ~ 2.5m。老枝灰褐色，无毛，表皮常片状脱落；花枝长 5 ~ 8cm，具 4 ~ 6 叶，暗紫色，被星状毛。叶近革质或厚纸质，长圆状披针形或披针形，长 5 ~ 7（~ 13）cm，宽 1.6 ~ 3（~ 4.5）cm，先端急尖或急渐尖，基部楔形或阔楔形，边缘具细密锯齿，齿端角质，有时紫红色，上面绿色，疏被 4 ~ 6 辐线星状毛，下面黄褐色，被 7 ~ 9（~ 13）辐线星状毛，毛紧贴叶面，常与叶表皮颜色相同，毛被不连续覆盖；叶脉上常具中央长辐线，侧脉每边 5 ~ 6；叶柄长 2.5 ~ 5（~ 10）mm。聚伞花序长 3 ~ 8cm，直径 4 ~ 7cm，有花 15 ~ 50，无花序梗，分枝常呈紫红色，疏被星状毛；花蕾椭圆形；花冠直径 1.8 ~ 2.2cm；花梗长 3 ~ 14mm，疏被星状毛；萼筒杯状，

南川溲疏

高约 3.5mm，直径约 3mm，密被灰色星状短柔毛，裂片革质，披针形或长圆状披针形，长 2.5 ~ 3.5mm，疏被星状毛，紫红色，1 脉；花瓣长圆形，长 10 ~ 12mm，宽 4 ~ 5mm，外面粉红色，内面白色，先端圆形或急尖，边缘皱波状，花蕾时内向镊合状排列；外轮雄蕊长 6 ~ 7mm，花丝先端 2 齿，齿较花药长或近相等；花药卵形或长圆形，具短柄，内轮雄蕊较短，花丝先端 2 浅裂或钝圆，花药从花丝内侧近中部伸出，较花丝短或近等长；花柱 3，较雄蕊稍长。蒴果近球形，直径约 4mm，褐色，疏被星状毛，宿存萼裂片外弯。花期 5 ~ 6 月，果期 9 ~ 10 月。

| 生境分布 |

生于海拔 1500 ~ 2000m 的林缘和山坡灌丛中。分布于重庆南川、开州、巫溪、江津、城口等地。

| 资源情况 |

野生资源稀少。药材主要来源于野生，自产自销。

| 采收加工 |

全年均可采挖，除去泥土，晒干。

| 功能主治 |

祛风除湿，清热利尿。用于风湿痹证，小便不利。

| 用法用量 |

内服煎汤，适量。

虎耳草科 Saxifragaceae 溲疏属 Deutzia

光叶溲疏

Deutzia nitidula W. T. Wang

| **药 材 名** | 光叶溲疏（药用部位：枝叶）。

| **形态特征** | 灌木，高1～2m。老枝褐色，无毛；花枝长10～15mm，具4～6叶，暗紫色，光滑，疏被星状毛。叶薄革质或纸质，椭圆状卵形或狭卵形，长3.5～8cm，宽2～4.5cm，先端渐尖或尾状渐尖，基部圆形或近楔形，边缘具细锯齿，上面绿色，有光泽，疏被4～6辐线星状毛，下面灰绿色，密被8～12辐线星状毛，毛被连续覆盖，侧脉每边4～5；叶柄长3～6.5mm。聚伞花序长3～6cm，直径4～6cm，有花6～15；花蕾长圆形或倒卵状长圆形；花冠直径约1cm；花梗长3～9mm，密被星状短毛；萼筒杯状，高2.5～3mm，宽约2.5mm，外面密被10～14辐线星状毛，花萼裂片三角形，长约1mm；花瓣白色，长圆形，长5～6mm，宽2～2.2mm，外面密被星状毛，花

光叶溲疏

蕾时内向镊合状排列；外轮雄蕊长约 4mm，花丝先端具 2 齿，齿扩展，与花药近等长，花药球形，具短柄，内轮雄蕊长约 3mm，花丝先端稍 2 裂或渐尖，花药从花丝内侧近中部伸出；花柱 3，较雄蕊稍短。果未见。花期 5 月。

| 生境分布 |

生于海拔 600 ～ 1200m 的林中。分布于重庆涪陵、南川、綦江、开州等地。

| 资源情况 |

野生资源较少。药材主要来源于野生，自产自销。

| 采收加工 |

夏、秋季采收，切段，晒干或鲜用。

| 功能主治 |

清热除湿，利尿。用于风湿痹证，小便不利。

| 用法用量 |

内服煎汤，适量。

| 附　　注 |

在 FOC 中，本种被修订为多辐线溲疏 *Deutzia multiradiata* W. T. Wang。

四川溲疏
Deutzia setchuenensis Franch.

| **药 材 名** | 川溲疏（药用部位：枝叶、果实。别名：四肢通、夜胡椒）。

| **形态特征** | 灌木，高约 2m。老枝灰色或灰褐色，表皮常片状脱落，无毛；花枝长 8 ~ 12（~ 20）cm，具 4 ~ 6 叶，褐色或黄褐色，疏被紧贴星状毛。叶纸质或膜质，卵形、卵状长圆形或卵状披针形，长 2 ~ 8cm，宽 1 ~ 5cm，先端渐尖或尾状，基部圆形或阔楔形，边缘具细锯齿，上面深绿色，被 3 ~ 5（~ 6）辐线星状毛，沿叶脉稀具中央长辐线，下面干后黄绿色，被 4 ~ 7（~ 8）辐线星状毛；侧脉每边 3 ~ 4，下面明显隆起，网脉不明显隆起；叶柄长 3 ~ 5mm，被星状毛。伞房状聚伞花序长 1.5 ~ 4cm，直径 2 ~ 5cm，有花 6 ~ 20；花序梗柔弱，被星状毛；花蕾长圆形或卵状长圆形；花冠直径 1.5 ~ 1.8cm；花梗长 3 ~ 10mm；花瓣白色，卵状长圆形，长 5 ~ 8cm，宽 2 ~ 3cm；

四川溲疏

萼筒杯状,长、宽均约3mm,密被10～12辐线星状毛,裂片阔三角形,长约1.5mm,宽 2～3mm，先端急尖，外面密被星状毛，花蕾时内向镊合状排列；外轮雄蕊长 5～6mm，花丝先端 2 齿，齿长圆形，扩展，约与花药等长或较长，花药具短柄，从花丝裂齿间伸出，内轮雄蕊较短，花丝先端 2 浅裂，花药从花丝内侧近中部伸出；花柱 3，长约3mm。蒴果球形，直径 4～5mm，宿存萼裂片内弯。花期 4～7 月，果期 6～9 月。

| 生境分布 | 生于海拔300～2000m的山地灌丛中。分布于重庆城口、奉节、云阳、酉阳、彭水、石柱、南川、綦江、涪陵、忠县等地。

| 资源情况 | 野生资源稀少。药材主要来源于野生，自产自销。

| 采收加工 | 夏、秋季采收，切段，晒干或鲜用。

| 药材性状 | 本品茎圆柱形，直径 1～5mm，褐色，小枝上疏生紧贴的星状毛。叶对生，多皱缩破碎，完整者呈狭卵形或卵形，长 2～7.5cm，宽 1～2.4cm，先端渐尖或尾状渐尖，基部圆形，边缘有小齿，两面褐色，均有星状毛。有时可见聚伞花序，花梗疏生星状毛；花萼密生白色星状毛；萼筒长约1.2mm，裂片 5，正三角形；花瓣 5，白色。有时可见果实，近球形，直径约4mm，黑红色。气微，味较苦。

| 功能主治 | 苦，微寒。清热除烦，利尿消积。用于外感暑热，身热烦渴，热淋涩痛，小儿疳积，风湿痹证，湿热疮毒，毒蛇咬伤。

| 用法用量 | 内服煎汤，10～30g。外用适量，煎汤洗。

| 虎耳草科 | Saxifragaceae | 常山属 | Dichroa

常山 *Dichroa febrifuga* Lour.

| **药 材 名** | 常山（药用部位：根。别名：黄常山、恒山、翻胃木）、蜀漆（药用部位：嫩枝叶。别名：七叶、鸡尿草、鸭尿草）。

| **形态特征** | 灌木，高 1 ~ 2m。小枝圆柱状或稍具 4 棱，无毛或被稀疏短柔毛，常呈紫红色。叶形状大小变异大，常椭圆形、倒卵形、椭圆状长圆形或披针形，长 6 ~ 25cm，宽 2 ~ 10cm，先端渐尖，基部楔形，边缘具锯齿或粗齿，稀波状，两面绿色或一至两面紫色，无毛或仅叶脉被皱卷短柔毛，稀下面被长柔毛，侧脉每边 8 ~ 10，网脉稀疏；叶柄长 1.5 ~ 5cm，无毛或疏被毛。伞房状圆锥花序顶生，有时叶腋有侧生花序，直径 3 ~ 20cm，花蓝色或白色；花蕾倒卵形，盛开时直径 6 ~ 10mm；花梗长 3 ~ 5mm；花萼倒圆锥形，4 ~ 6 裂；裂片阔三角形，急尖，无毛或被毛；花瓣长圆状椭圆形，稍肉质，

常山

花后反折；雄蕊 10 ~ 20，一半与花瓣对生，花丝线形，扁平，初与花瓣合生，后分离，花药椭圆形；花柱 4 ~ 5（~ 6），棒状，柱头长圆形，子房 3/4 下位。浆果直径 3 ~ 7mm，蓝色，干时黑色；种子长约 1mm，具网纹。花期 2 ~ 4 月，果期 5 ~ 8 月。

| **生境分布** | 生于海拔 200 ~ 2000m 的山地灌丛或林缘。重庆各地均有分布。

| **资源情况** | 野生资源丰富。药材主要来源于野生，自产自销。

| **采收加工** | 常山：秋季采挖，除去须根，洗净，晒干。
蜀漆：夏季采收，晒干。

| **药材性状** | 常山：本品呈圆柱形，常弯曲扭转，或有分枝，长 9 ~ 15cm，直径 0.5 ~ 2cm。表面棕黄色，具细纵纹，外皮易剥落，剥落处露出淡黄色木部。质坚硬，不易折断，折断时有粉尘飞扬；横切面黄白色，射线类白色，呈放射状。气微，味苦。
蜀漆：本品长 30 ~ 50cm。茎圆柱形或微具不规则棱，直径 0.3 ~ 1cm；灰绿色至灰棕色，可见交互对生的叶或叶痕，表面有细微的纵纹；体轻，质硬脆，折断面纤维状，木部淡黄色或浅黄绿色，中空，嫩茎髓部大。叶皱缩，多破碎或脱落，灰绿色至灰棕色，完整者展平后呈椭圆形，长 7 ~ 14cm，宽 3 ~ 5cm，叶缘除基部外具细锯齿，上表面被疏短毛，下表面仅脉上具短毛；有叶柄。气微，味淡、微涩。

| **功能主治** | 常山：苦、辛，寒；有毒。归肺、肝、心经。涌吐痰涎，截疟。用于痰饮停聚，胸膈痞塞，疟疾。
蜀漆：辛，平；有毒。归心包、肝经。截疟，祛痰。用于疟疾，停痰积饮。

| **用法用量** | 常山：内服煎汤，5 ~ 9g。
蜀漆：内服煎汤，3 ~ 6g。

| **附　注** | 本种喜阴凉湿润环境，要求土壤肥沃、疏松、排水良好，含腐殖质较多的细砂土、夹砂土对其生长有利，土壤黏重、瘦薄、干燥则对其生长不利。

虎耳草科 Saxifragaceae 绣球属 Hydrangea

冠盖绣球 *Hydrangea anomala* D. Don

| 药 材 名 | 藤常山（药用部位：根。别名：土常山、木枝挂苦藤）、冠盖绣球叶（药用部位：叶）。

| 形态特征 | 攀缘藤本，长 2 ~ 4m 或更长。小枝粗壮，淡灰褐色，无毛，树皮薄而疏松，老后呈片状剥落。叶纸质，椭圆形、长卵形或卵圆形，长 6 ~ 17cm，宽 3 ~ 10cm，先端渐尖，基部楔形、近圆形或有时浅心形，边缘有密而小的锯齿，上面绿色，下面浅绿色，干后呈黄褐色，两面无毛或有时于中脉、侧脉上被少许淡褐色短柔毛，下面脉腋间常具髯毛；侧脉 6 ~ 8 对，上面微凹或平坦，下面凸起，小脉密集，网状，下面凸起；叶柄长 2 ~ 8cm，无毛或被疏长柔毛。伞房状聚伞花序较大，结果时直径达 30cm，先端弯拱，初时花序轴及分枝密被短柔毛，后其下部的毛逐渐脱落；不育花萼片 4，阔倒

冠盖绣球

卵形或近圆形，长和宽均为 1 ~ 2.2cm，全缘或微波状，或有时顶部具数个圆钝齿，初时略被微柔毛；孕性花多数，密集，萼筒钟状，长 1 ~ 1.5mm，基部略尖，无毛，萼齿阔卵形或三角形，长 0.5 ~ 0.8mm，先端钝；花瓣联合成 1 冠盖状花冠，先端圆或有时略尖，花后整个冠盖立即脱落；雄蕊 9 ~ 18，近等长，花药小，近圆形；子房下位，花柱 2，少有 3，结果时长约 1.5mm，外反。蒴果坛状，不连花柱长 3 ~ 4.5mm，宽 4 ~ 5.5mm，先端截平；种子淡褐色，椭圆形或长圆形，长 0.7 ~ 1mm，扁平，周边具薄翅。花期 5 ~ 6 月，果期 9 ~ 10 月。

| **生境分布** | 生于海拔 500 ~ 2500m 的山谷、溪边或林下。分布于重庆巫山、巫溪、奉节、开州、忠县、南川等地。

| **资源情况** | 野生资源稀少。药材主要来源于野生。

| **采收加工** | 藤常山：夏、秋季采挖，洗净，切片，晒干。
冠盖绣球叶：夏、秋季采收，晒干。

| **功能主治** | 藤常山：辛，凉；有小毒。祛痰，截疟，解毒，散瘀。用于久疟痞块，消渴，痢疾，泄泻。
冠盖绣球叶：清热，截疟。用于疟疾，胸腹胀满，消渴，皮肤疥癣。

| **用法用量** | 藤常山：内服煎汤，3 ~ 9g。
冠盖绣球叶：内服煎汤，3 ~ 6g。外用适量，捣敷。

虎耳草科 Saxifragaceae 绣球属 Hydrangea

中国绣球 *Hydrangea chinensis* Maxim.

| 药 材 名 | 华八仙花根（药用部位：根。别名：常山、常山树、常山尼）。

| 形态特征 | 灌木，高 0.5 ~ 2m。一年生或二年生小枝红褐色或褐色，初时被短柔毛，后渐变无毛，老后树皮呈薄片状剥落。叶薄纸质至纸质，长圆形或狭椭圆形，有时近倒披针形，长 6 ~ 12cm，宽 2 ~ 4cm，先端渐尖或短渐尖，具尾状尖头或短尖头，基部楔形，边缘近中部以上具疏钝齿或小齿，两面被疏短柔毛或仅脉上被毛，下面脉腋间常有髯毛；侧脉 6 ~ 7 对，纤细，弯拱，下面稍凸起，小脉稀疏网状，下面较明显；叶柄长 0.5 ~ 2cm，被短柔毛。伞形状或伞房状聚伞花序顶生，长和宽均为 3 ~ 7cm，结果时直径 10 ~ 14cm，先端截平或微拱；分枝 5 或 3，如分枝 5，其长短、粗细相若，被短柔毛；不育花萼片 3 ~ 4，椭圆形、卵圆形、倒卵形或扁圆形，结果时长

中国绣球

1.1 ~ 3cm，宽 1 ~ 3cm，全缘或具数小齿；孕性花萼筒杯状，长约 1mm，宽约 1.5mm，萼齿披针形或三角状卵形，长 0.5 ~ 2mm；花瓣黄色，椭圆形或倒披针形，长 3 ~ 3.5mm，先端略尖，基部具短爪；雄蕊 10 ~ 11，近等长，盛开时长 3 ~ 4.5mm，花蕾时不内折；子房近半下位，花柱 3 ~ 4，结果时长 1 ~ 2mm，直立或稍扩展，柱头通常增大成半环状。蒴果卵球形，不连花柱长 3.5 ~ 5mm，宽 3 ~ 3.5mm，先端凸出部分长 2 ~ 2.5mm，稍长于萼筒；种子淡褐色，椭圆形、卵形或近圆形，长 0.5 ~ 1mm，宽 0.4 ~ 0.5mm，略扁，无翅，具网状脉纹。花期 5 ~ 6 月，果期 9 ~ 10 月。

| **生境分布** | 生于海拔 950 ~ 1620m 的山谷溪边疏林或密林，或山坡、山顶灌丛，或草丛中。分布于重庆奉节、黔江、石柱、南川等地。

| **资源情况** | 野生资源较丰富。药材主要来源于野生。

| **采收加工** | 夏、秋季采挖，除去茎叶和须根，洗净，切段，晒干。

| **功能主治** | 活血止痛，截疟，清热利尿。用于跌打损伤，骨折，疟疾，头痛，麻疹，小便淋痛。

| **用法用量** | 内服煎汤，3 ~ 9g。外用适量，捣敷。

| **附　　注** | 本种为短日照植物，喜温暖湿润和半阴的环境。种植宜选择含腐殖质丰富、湿润、排水良好的砂壤土。

虎耳草科 Saxifragaceae 绣球属 Hydrangea

西南绣球 *Hydrangea davidii* Franch.

| 药 材 名 | 马鞭绣球（药用部位：根、叶。别名：大卫绣球）、绣球小通草（药用部位：茎髓。别名：小通草）。

| 形态特征 | 灌木，高 1 ~ 2.5m。一年生小枝褐色或暗红褐色，初时密被淡黄色短柔毛，后渐变近无毛；二年生小枝淡黄褐色，树皮呈薄片状剥落。叶纸质，长圆形或狭椭圆形，长 7 ~ 15cm，宽 2 ~ 4.5cm，先端渐尖，具尾状长尖头，基部楔形或略钝，边缘于基部以上具粗齿或小锯齿，干后上面黄褐色，疏被小糙伏毛，后渐变近无毛，脉上的毛较密，短而略弯曲，不易脱落，下面黄绿色，近无毛，仅脉上被稍长的柔毛，脉腋间的毛常密集成丛；侧脉 7 ~ 11 对，弯拱，下面稍凸起，小脉稀疏网状，下面明显；叶柄长 1 ~ 1.5cm，被微弯的短柔毛或扩展的疏长毛。伞房状聚伞花序顶生，直径 7 ~ 10cm，结果

西南绣球

时达 14cm，先端微拱或截平，分枝 3，不等粗，中间 1 常较粗和长，密被淡黄褐色短柔毛；不育花萼片 3 ~ 4，阔卵形、三角状卵形或扁卵圆形，不等大，较大的长 1.3 ~ 2.3cm，宽 1.1 ~ 3cm，先端略尖或浑圆，全缘或具数小齿；孕性花深蓝色，萼筒杯状，长 0.7 ~ 1mm，宽 1.5 ~ 2mm，萼齿狭披针形或三角状卵形，长 0.5 ~ 1.5mm；花瓣狭椭圆形或倒卵形，长 2.5 ~ 4mm，宽 1 ~ 1.1mm，先端渐尖或钝，基部具长 0.5 ~ 1mm 的爪；雄蕊 8 ~ 10，近等长，长 1.5 ~ 2.5mm，较长的于花蕾时不内折，花药阔长圆形或近圆形，长 0.5 ~ 0.8mm；子房近半上位或半上位，花柱 3 ~ 4，花期长约 1mm，果期长 1.5 ~ 2mm，外弯，柱头增大，沿花柱内侧下延。蒴果近球形，连花柱长 3.5 ~ 4.5mm，宽 2.5 ~ 3.5mm，先端凸出部分长 1.2 ~ 2mm，约等于萼筒长度；种子淡褐色，倒卵形或椭圆形，长 0.5 ~ 0.6mm，无翅，具网状脉纹。花期 4 ~ 6 月，果期 9 ~ 10 月。

| **生境分布** | 生于海拔 650 ~ 1700m 的山地灌木林下。分布于重庆黔江、彭水、奉节、涪陵、酉阳、武隆、巫溪、开州、石柱、南川等地。

| **资源情况** | 野生资源较丰富。药材主要来源于野生，自产自销。

| **采收加工** | 马鞭绣球：夏、秋季采挖根，洗净，切段，晒干；摘叶，阴干或晒干。
绣球小通草：秋季割取茎，截成段，趁鲜时取出髓部，理直，晒干。

| **药材性状** | 马鞭绣球：本品叶多破碎，完整者长圆形、长圆状披针形至椭圆状披针形，长 4 ~ 8cm，宽 1.5 ~ 2.5cm，先端长渐尖，基部楔形，边缘具锐锯齿，上面浅黄绿色，疏生白色柔毛，下面黑褐色，沿脉有细柔毛。叶柄长 1 ~ 1.5cm，被黄色柔毛。纸质，易碎。气微，味苦。
绣球小通草：本品呈圆柱形，长 30 ~ 50cm，直径 0.3 ~ 0.9cm。表面淡黄白色，无纹理。每隔 3 ~ 16cm 有明显或不明显的对生凹陷(叶柄着生处)。体轻，质柔韧，可卷曲成小环，捏之能变形，折断面实心，平坦，显银白色光泽。水浸后无黏滑感。气微，无味。

| **功能主治** | 马鞭绣球：截疟。用于疟疾。
绣球小通草：甘、淡，寒。归肺、胃经。清热，利尿，下乳。用于小便不利，乳汁不下，尿路感染。

| **用法用量** | 马鞭绣球：内服煎汤，4.5 ~ 9g。
绣球小通草：内服煎汤，3 ~ 6g。

| 虎耳草科 | Saxifragaceae | 绣球属 | Hydrangea

绣球
Hydrangea macrophylla (Thunb.) Ser.

| **药 材 名** | 绣球（药用部位：根、叶、花。别名：粉团花、紫阳花、绣球花）。

| **形态特征** | 灌木，高 1 ~ 4m。茎常于基部发出多数放射枝而形成 1 圆形灌丛；枝圆柱形，粗壮，紫灰色至淡灰色，无毛，具少数长形皮孔。叶纸质或近革质，倒卵形或阔椭圆形，长 6 ~ 15cm，宽 4 ~ 11.5cm，先端骤尖，具短尖头，基部钝圆或阔楔形，边缘于基部以上具粗齿，两面无毛或仅下面中脉两侧被稀疏卷曲短柔毛，脉腋间常具少许髯毛；侧脉 6 ~ 8 对，直，向上斜举或上部近边缘处微弯拱，上面平坦，下面微凸，小脉网状，两面明显；叶柄粗壮，长 1 ~ 3.5cm，无毛。伞房状聚伞花序近球形，直径 8 ~ 20cm，具短的总花梗，分枝粗壮，近等长，密被紧贴短柔毛，花密集，多数不育；不育花萼片 4，阔倒卵形、近圆形或阔卵形，长 1.4 ~ 2.4cm，宽 1 ~ 2.4cm，粉红

绣球

色、淡蓝色或白色；孕性花极少数，具 2 ~ 4mm 长的花梗；萼筒倒圆锥状，长 1.5 ~ 2mm，与花梗疏被卷曲短柔毛，萼齿卵状三角形，长约 1mm；花瓣长圆形，长 3 ~ 3.5mm；雄蕊 10，近等长，不凸出或稍凸出，花药长圆形，长约 1mm；子房大半下位，花柱 3，结果时长约 1.5mm，柱头稍扩大，半环状。蒴果未成熟，长陀螺状，连花柱长约 4.5mm，先端凸出部分长约 1mm，约等于蒴果长度的 1/3；种子未熟。花期 6 ~ 8 月。

| 生境分布 | 生于海拔 380 ~ 1700m 的山谷溪旁或山顶疏林中，或栽培于荫蔽而潮湿的环境。重庆各地均有分布。

| 资源情况 | 野生资源稀少，栽培资源丰富。药材主要来源于栽培，自产自销。

| 采收加工 | 秋季采挖根，切片，晒干。夏季采收叶，晒干。初夏至深秋采收花，晒干。

| 药材性状 | 本品叶多皱缩破碎，完整者呈椭圆形至宽卵形，长 6 ~ 15cm，宽 4 ~ 10cm，先端渐尖，基部楔形，边缘除基部外有粗锯齿，两面浅黄色至黑灰色，有时下面脉上有粗毛；叶柄长 1 ~ 3cm；革质，稍厚，易碎。伞房花序球形，多枯萎破碎，完整者直径 10 ~ 20cm，浅黄色至棕褐色；萼片 4，宽卵形或圆形，长 1 ~ 2cm，花序轴及花轴均有褐色短柔毛。体轻，质柔软。气淡，味苦、微辛。

| 功能主治 | 苦、微辛，寒；有小毒。抗疟，清热，解毒，杀虫。用于疟疾，心热惊悸，烦躁，喉痹，阴囊湿疹，疥癣。

| 用法用量 | 内服煎汤，9 ~ 12g。外用适量，煎汤洗；或研末调涂。

| 附　　注 | 本种喜荫蔽而潮湿的环境，适应性强，喜肥沃而排水良好的疏松土壤。

蜡莲绣球 *Hydrangea strigosa* Rehd.

| **药 材 名** | 土常山（药用部位：根。别名：硬毛绣球、癞疠树、大叶土常山）、甜茶（药用部位：幼叶。别名：伞花八仙叶）。 |

| **形态特征** | 灌木，高 1 ~ 3m。小枝圆柱形或微具 4 钝棱，灰褐色，密被糙伏毛，无皮孔，老后色较淡，树皮常呈薄片状剥落。叶纸质，长圆形、卵状披针形或倒卵状倒披针形，长 8 ~ 28cm，宽 2 ~ 10cm，先端渐尖，基部楔形、钝或圆形，边缘有具硬尖头的小齿或小锯齿，干后上面黑褐色，被稀疏糙伏毛或近无毛，下面灰棕色，新鲜时有时呈淡紫红色或淡红色，密被灰棕色颗粒状腺体和灰白色糙伏毛，脉上的毛更密；中脉粗壮，上面平坦，下面隆起，侧脉 7 ~ 10 对，弯拱，沿边缘延伸，上面平坦，下面凸起，小脉网状，下面微凸；叶柄长 1 ~ 7cm，被糙伏毛。伞房状聚伞花序大，直径达 28cm，先端稍拱，分 |

蜡莲绣球

枝扩展，密被灰白色糙伏毛；不育花萼片 4 ~ 5，阔卵形、阔椭圆形或近圆形，结果时长 1.3 ~ 2.7cm，宽 1.1 ~ 2.5cm，先端钝头渐尖或近截平，基部具爪，全缘或具数齿，白色或淡紫红色；孕性花淡紫红色，萼筒钟状，长约 2mm，萼齿三角形，长约 0.5mm；花瓣长卵形，长 2 ~ 2.5mm，初时先端稍联合，后分离，早落；雄蕊不等长，较长的长约 6mm，较短的长约 3mm，花药长圆形，长约 0.5mm；子房下位，花柱 2，结果时长约 2mm，近棒状，直立或外弯。蒴果坛状，不连花柱长和宽为 3 ~ 3.5mm，先端截平，基部圆；种子褐色，阔椭圆形，不连翅长 0.35 ~ 0.5mm，具纵脉纹，两端各具长 0.2 ~ 0.25mm 的翅，先端的翅宽而扁平，基部的收狭成短柄状。花期 7 ~ 8 月，果期 11 ~ 12 月。

| 生境分布 | 生于海拔 500 ~ 1800m 的山谷密林、山坡路旁疏林或灌丛中。重庆各地均有分布。

| 资源情况 | 野生资源丰富。药材主要来源于野生，自产自销。

| 采收加工 | 土常山：立冬至翌年立春采挖，除去茎叶、细根，洗净，鲜用；或擦去栓皮，切段，晒干。

甜茶：立夏前后采摘，揉搓使其出汁，晒干。

| 药材性状 | 土常山：本品呈圆柱形，常弯曲，有分枝，长约 20cm，直径 0.5 ~ 2cm。表面淡黄色或黄白色，外皮极薄，易脱落，脱落处露出黄色木部。质坚硬，不易折断，断面黄白色，纤维性。气微，味辛、酸。

甜茶：本品多皱缩扭曲成条状或小团块状，黄绿色或暗绿色，少数连于小枝上。完整者展平后呈卵状披针形至矩圆形，先端渐尖，基部楔形或圆形，边缘有小锯齿，齿尖有硬尖，上面疏生伏毛或近无毛，下面全部或仅脉上有粗伏毛。质脆，易碎。气微，味微甘。

| 功能主治 | 土常山：辛、酸，凉。截疟，消食，清热解毒，祛痰散结。用于疟疾，食积腹胀，咽喉肿痛，皮肤癣癞，疮疖肿毒，瘿瘤。

甜茶：甘，凉。截疟，利尿降压。用于疟疾，高血压。

| 用法用量 | 土常山：内服煎汤，6 ~ 12g。外用适量，捣敷；或研末调搽；或煎汤洗。

甜茶：内服煎汤，10 ~ 30g。

| 附　注 | 《中华本草》记载伞形绣球 *Hydrangea umbellata* Rehd. 的根作土常山药用，其幼叶作甜茶药用。《中国植物志》将伞形绣球合并为中国绣球 *Hydrangea chinensis* Maxim.。

虎耳草科 Saxifragaceae 绣球属 Hydrangea

阔叶蜡莲绣球

Hydrangea strigosa Rehd. var. *macrophylla* (Hemsl.) Rehd.

| **药 材 名** | 阔叶蜡莲绣球（药用部位：根）。

| **形态特征** | 本变种与原变种蜡莲绣球的主要区别在于叶片较薄，干后下面呈灰绿色，毛较细小，稀疏；不育花萼片扁圆形，宽略大于长，边缘的齿较多而细小。果期 10 月。

| **生境分布** | 生于海拔 900 ~ 1400m 的山沟密林下阴湿处。分布于重庆南川、綦江、石柱、开州、云阳、长寿等地。

| **资源情况** | 野生资源较少。药材来源于野生，自产自销。

| **采收加工** | 冬季采挖，除去茎叶、细根，洗净，切段，晒干。

阔叶蜡莲绣球

| **功能主治** | 解毒截疟，涌吐痰涎。用于疟疾。

| **用法用量** | 内服煎汤，适量。

虎耳草科 Saxifragaceae 绣球属 Hydrangea

柔毛绣球

Hydrangea villosa Rehd.

柔毛绣球

| 药 材 名 |

柔毛绣球（药用部位：全株。别名：鸡骨常山）。

| 形态特征 |

灌木，高 1 ~ 4m。小枝常具钝棱，与叶柄、花序密被灰白色短柔毛或黄褐色、扩展的粗长毛。叶纸质，披针形、卵状披针形、卵形或长椭圆形，长 5 ~ 23cm，宽 2 ~ 8cm，先端渐尖，基部阔楔形或圆形，两侧略不相等或明显不相等，且一侧稍弯拱，边缘具密的小齿，上面密被糙伏毛，下面密被灰白色短绒毛，脉上特别是中脉上的毛较长，有时稍带黄褐色，极易脱落；侧脉 6 ~ 10 对，弯拱，下面稍凸起；叶柄长 1 ~ 4.5cm。伞房状聚伞花序直径 10 ~ 20cm，先端常弯拱，总花梗粗壮，分枝较短，密集，紧靠，彼此间隔小，一般长 0.5 ~ 2cm，个别的有时较长；不育花萼片 4，少有 5，淡红色，倒卵圆形或卵圆形，长 1 ~ 3.3cm，宽 0.9 ~ 2.7cm，边缘常具圆齿或细齿；孕性花紫蓝色或紫红色，萼筒钟状，长约 1mm，被毛，萼齿卵状三角形，长约 0.5mm；花瓣卵形或长卵形，长 2 ~ 2.2mm，先端略尖，基部截平；雄蕊 10，不等长，较短的与花瓣近等长，较长

的长 4 ～ 5mm；子房下位，花柱 2，结果时长约 1mm，扩展或稍外弯，柱头近半环状。蒴果坛状，不连花柱长和宽约 3mm，先端截平，基部圆，具棱；种子褐色，椭圆形或纺锤形，长 0.4 ～ 0.5mm，稍扁，具凸起的纵脉纹，两端各具长 0.15 ～ 0.25mm 的翅，先端的翅较长，扁平，基部的较狭。花期 7 ～ 8 月，果期 9 ～ 10 月。

| 生境分布 |

生于海拔 500 ～ 2400m 的山谷溪边密林、疏林下，或山坡路旁灌丛中。分布于重庆黔江、巫山、石柱、城口、酉阳、忠县、云阳、涪陵、南川、奉节、巫溪、万州、秀山、大足、铜梁、荣昌等地。

| 资源情况 |

野生资源丰富。药材主要来源于野生，自产自销。

| 采收加工 |

全年均可采收，鲜用或晒干。

| 功能主治 |

止血，解毒，祛风除湿。用于外伤出血，疝气，乳痈，烫火伤，风湿痹痛，带下。

| 用法用量 |

内服煎汤，9 ～ 15g。外用适量，捣敷。

| 附　　注 |

在 FOC 中，本种被修订为马桑绣球 *Hydrangea aspera* D. Don。

▎虎耳草科▎ Saxifragaceae ▎绣球属▎ Hydrangea

挂苦绣球 *Hydrangea xanthoneura* Diels

| 药 材 名 | 挂苦绣球根（药用部位：根。别名：六蛾戏珠、涎塌棒）、挂苦绣球树皮（药用部位：树皮）。

| 形态特征 | 灌木至小乔木，高 1 ~ 7m。当年生小枝黑褐色或灰黄褐色，无毛或疏被柔毛；二年生小枝色较淡，常具明显的浅色皮孔，有时一年生小枝亦具皮孔，树皮稍厚，不易脱落或呈小块状剥落。叶纸质至厚纸质，椭圆形、长椭圆形、长卵形或倒长卵形，长 8 ~ 18cm，宽 3 ~ 10cm，先端短渐尖或急尖，基部阔楔形或近圆形，边缘有密而锐尖的锯齿，上面绿色，叶脉淡黄色，无毛，仅中脉和侧脉上被小糙伏毛，下面淡绿色，面上常无毛，脉上被稍密的灰白色短柔毛，极少近无毛，脉腋间常有髯毛；侧脉 7 ~ 8 对，直，斜举，近边缘稍弯拱，向上延伸，彼此以上横脉相连，并有支脉直达齿端，

挂苦绣球

三级脉通常明显，横出，与小脉在下面微凸，网眼小而密集，明显；叶柄长1.5 ~ 5cm，新鲜时紫红色，干后黑褐色，被疏毛。伞房状聚伞花序顶生，直径10 ~ 20cm，先端常弯拱；分枝3，不等粗，亦不等长，中间1枝常较粗长，被短糙伏毛；不育花萼片4，偶有5，淡黄绿色，广椭圆形至近圆形，长1 ~ 3.5cm，宽1 ~ 2.5cm；孕性花萼筒浅杯状，长约1mm，萼齿三角形，与萼筒近等长；花瓣白色或淡绿色，长卵形，长约2.5mm，先端风帽状；雄蕊10 ~ 13，不等长，短的约同于花瓣，长的长3 ~ 4.5mm，花药近圆形，长和宽约0.5mm；子房大半下位，花柱3 ~ 4，结果时长约1mm，上部略尖，基部联合，直立或稍扩展，柱头稍增大，狭椭圆形。蒴果卵球形，不连花柱长3 ~ 3.5mm，宽约3mm，先端凸出部分圆锥形，长约1mm，约等于蒴果长度的1/3；种子褐色或淡褐色，椭圆形或纺锤形，不连翅长约1mm，扁平，具纵脉纹，两端各具长约0.5mm的狭翅。花期7月，果期9 ~ 10月。

| **生境分布** | 生于海拔1180 ~ 1800m的灌丛或荒地中。分布于重庆黔江、奉节、石柱、丰都、南川、酉阳、璧山、城口、开州、巫溪、合川等地。

| **资源情况** | 野生资源较丰富。药材主要来源于野生，自产自销。

| **采收加工** | 挂苦绣球根：夏、秋季采挖，除去茎叶，洗净，切段，干燥。
挂苦绣球树皮：夏、秋季剥取树皮，晒干或鲜用。

| **药材性状** | 挂苦绣球根：本品呈圆柱形，扭曲，长约8cm或更长，直径约2mm。表面灰褐色，有纵皱纹及细根或根痕。外皮易脱落，脱落处显淡黄色。质韧，难折断，断面黄白色，纤维性。气微，味辛。

| **功能主治** | 挂苦绣球根：辛，温。活血祛瘀，接骨续筋。用于骨折，风湿腰痛。
挂苦绣球树皮：苦，凉。清热解毒。用于无名肿毒，恶疮。

| **用法用量** | 挂苦绣球根：内服煎汤，15 ~ 30g；或泡酒。外用适量，捣敷。
挂苦绣球树皮：外用适量，鲜品捣敷；或干品研细末，用醋调敷。

虎耳草科 Saxifragaceae 鼠刺属 Itea

冬青叶鼠刺
Itea ilicifolia Oliv.

| 药 材 名 | 日月青（药用部位：根。别名：月月青、岩爬藤）。

| 形态特征 | 灌木，高 2 ~ 4m。小枝无毛。叶厚革质，阔椭圆形至椭圆状长圆形，稀近圆形，长 5 ~ 9.5cm，宽 3 ~ 6cm，先端锐尖或尖刺状，基部圆形或楔形，边缘具较疏而坚硬刺状锯齿，干时常反卷，上面深绿色，有光泽，下面淡绿色，两面无毛，或下面仅脉腋具簇毛；侧脉 5 ~ 6 对，斜上，中脉及侧脉在下面明显凸起，网脉不明显；叶柄长 5 ~ 10mm，无毛。顶生总状花序，下垂，长 25 ~ 30cm；花序轴被短柔毛；苞片钻形，长约 1mm；花多数，通常 3 个簇生；花梗短，长约 1.5mm，无毛；萼筒浅钟状，萼片三角状披针形，长约 1mm；花瓣黄绿色，线状披针形，长 2.5mm，先端具硬小尖，花开放后直立；雄蕊短于花瓣，约为花瓣之半；花丝无毛，长约 1.5mm；花药长圆形；子房

冬青叶鼠刺

半下位，心皮 2，紧贴；花柱单生，柱头头状。蒴果卵状披针形，长约 5mm，下垂，无毛。花期 5 ~ 6 月，果期 7 ~ 11 月。

| 生境分布 |

生于海拔 600 ~ 1800m 的山坡、灌丛或林下、山谷、河岸、路旁。分布于重庆城口、巫山、巫溪、石柱、开州、奉节、云阳、南川、酉阳等地。

| 资源情况 |

野生资源丰富，亦有零星栽培。药材主要来源于野生，自产自销。

| 采收加工 |

夏、秋季采挖，除去须根，洗净，切段，晒干。

| 功能主治 |

甘，平。清热止咳，滋补肝肾。用于虚劳咳嗽，咽喉干痛，火眼，肾虚眼瞢。

| 用法用量 |

内服煎汤，9 ~ 15g。

| 附　注 |

本种是喜钙植物。种子萌发最适温度为 25 ~ 30℃，在萌发期种子对光照敏感；种子发芽率和萌发指数随着水分胁迫增强而显著降低，在萌发期种子对干旱敏感；种子萌发最适 pH 为 6.5 ~ 7。

矩叶鼠刺
Itea oblonga Hand.-Mazz.

| 药 材 名 |　矩形叶鼠刺（药用部位：根、花。别名：华鼠刺、老茶王、鸡骨柴）、矩形叶鼠刺叶（药用部位：叶）。

| 形态特征 |　灌木或小乔木，高 1.5 ~ 10m，稀更高。幼枝黄绿色，无毛；老枝棕褐色，有纵棱。叶薄革质，长圆形，稀椭圆形，长 6 ~ 12（~ 16）cm，宽 2.5 ~ 5（~ 6）cm，先端尾状尖或渐尖，基部圆形或钝，边缘有极明显的密集细锯齿，近基部近全缘，上面深绿色，下面淡绿色，两面无毛；侧脉 5 ~ 7 对，在叶缘处弯曲和连接，中脉和侧脉在下面显著凸起，细网脉明显；叶柄长 1 ~ 1.5cm，粗壮，无毛，上面有浅槽沟。腋生总状花序，通常长于叶，长 12 ~ 13cm，稀达 23cm，单生或 2 ~ 3 簇生，直立，上部略下弯；花梗长 2 ~ 3mm，被微毛，基部有叶状苞片；苞片三角状披针形或

矩叶鼠刺

倒披针形，长达 1.1cm，宽约 1mm；萼筒浅杯状，被疏柔毛，萼片三角状披针形，长 1.5 ～ 2mm，宽约 1mm；花瓣白色，披针形，长 3 ～ 3.5mm，花时直立，先端稍内弯，略被微毛；雄蕊与花瓣等长或长于花瓣；花丝被细毛；花药长圆状球形；子房上位，密被长柔毛。蒴果长 6 ～ 9mm，被柔毛。花期 3 ～ 5 月，果期 6 ～ 12 月。

| 生境分布 | 生于海拔 350 ～ 1650m 的山谷、疏林或灌丛中，或山坡、路旁。分布于重庆奉节、南川、合川、永川、忠县、丰都、北碚等地。

| 资源情况 | 野生资源较丰富。药材主要来源于野生，自产自销。

| 采收加工 | 矩形叶鼠刺：秋季采根，洗净，切段，晒干。夏季采花，晒干。
矩形叶鼠刺叶：夏、秋季采收，鲜用。

| 功能主治 | 矩形叶鼠刺：苦，温。滋补强壮，祛风除湿，接骨续筋。用于身体虚弱，劳伤乏力，咳嗽，咽痛，产后关节痛，腰痛，带下，跌打损伤，骨折。
矩形叶鼠刺叶：苦，温。止血。用于外伤出血。

| 用法用量 | 矩形叶鼠刺：内服煎汤，根 60 ～ 90g，花 18 ～ 21g。
矩形叶鼠刺叶：外用适量，捣敷。

| 附　注 | 在 FOC 中，本种被修订为娥眉鼠刺 *Itea omeiensis* C. K. Schneid.。

■虎耳草科■ Saxifragaceae ■梅花草属■ *Parnassia*

南川梅花草
Parnassia amoena Diels

| **药 材 名** | 美丽梅花草（药用部位：全草）。

| **形态特征** | 矮小柔弱多年生草本，高 10 ~ 20cm。根茎块状，向下具有多数细长纤维状根，其上有褐色膜质鳞片。基生叶 3 ~ 5，丛生，具柄；叶片肾形，长 1.1 ~ 2.3cm，宽 1.2 ~ 2.6cm，先端圆，常有凸尖头，基部弯缺甚深成深心形或耳状心形，边薄而全缘，稍外卷，上面深绿色，偶有紫绿色，下面淡绿色，有明显凸起之 5 ~ 7 脉；叶柄细弱，扁平，长 2.5 ~ 4.5cm，两侧为窄膜质并有棱条；托叶膜质。茎生叶 3 ~ 6，从基部到上部之叶片常近等大，比基生叶小，近肾形或近圆形，长约 5mm，宽 8 ~ 10mm，先端圆，有明显凸尖头，基部深心形。花单生于茎顶，直径 1 ~ 1.6cm；萼片长圆形或长椭圆形，长 3.5 ~ 5mm，宽 2 ~ 2.2mm，先端圆钝，全缘，边缘近膜质，有时具

南川梅花草

3 脉，并被紫色小点，花后反折；花瓣雪白色，长圆状倒披针形，或卵状倒披针形，长约 7.5mm，宽约 2.5mm，先端圆，有时稀疏啮蚀状，基部楔形，渐窄成长约 1mm 之爪，边缘除去爪和楔形基部外下部的 2/3 被长流苏状毛，毛丝状细长，长约 8mm，但先端不膨大，有明显 3 脉和紫褐色小点，比萼片长 1/3；雄蕊 5，花丝扁平，长约 4.5mm，向基部逐渐加宽，花药椭圆形，长约 1mm，近顶生，比花瓣短 1/3；退化雄蕊 5，枝状，长约 9mm，基部扁，先端分成 3 枝，分枝深度达长度之 2/5，枝扁或柱状，先端具球形腺体，全长比雄蕊短 1/3，比花柱稍长；子房近球形，花柱极短，长约 0.4mm，柱头通常 3 ~ 4 裂，裂片近圆形，花后反折。蒴果先端压扁球形；种子多数，褐色，有光泽。花期 8 ~ 9 月。

| 生境分布 | 生于海拔 1500 ~ 1800m 的山坡林下潮湿地的岩石上或林下。分布于重庆武隆、南川等地。

| 资源情况 | 野生资源稀少。药材主要来源于野生，自产自销。

| 采收加工 | 夏季采收，洗净，晒干或鲜用。

| 功能主治 | 利水祛湿，止咳，止血。用于水肿，小便不利，跌打损伤，咳嗽。

| 用法用量 | 内服煎汤，适量。外用适量，捣敷。

| 附　注 | 本种为重庆特有种。

虎耳草科 Saxifragaceae 梅花草属 *Parnassia*

突隔梅花草 *Parnassia delavayi* Franch.

突隔梅花草

| 药 材 名 |

白侧耳（药用部位：全草或根。别名：肺心草、梅花草、黄草）。

| 形 态 特 征 |

多年生草本，高 12 ~ 35cm。根茎形状多样，其上部有褐色鳞片，下部有不甚发达纤维状根。基生叶 3 ~ 4（~ 7），具长柄；叶片肾形或近圆形，长 2 ~ 4cm，宽 2.5 ~ 4.5cm，先端圆，带凸起圆头或急尖头，基部弯缺甚深成深心形，全缘，上面褐绿色，下面灰绿色，有凸起 5 ~ 7（~ 9）脉；叶柄长（3 ~）5 ~ 16cm，扁平，两侧有窄膜；托叶膜质，灰白色，边缘被褐色流苏状毛。茎中部以下或近中部具 1 茎生叶，与基生叶同形，有时较小，有时近等大，偶有比基生叶大者，常在其基部有 2 ~ 3 铁锈色附属物，无柄，半抱茎。花单生茎顶，直径 3 ~ 3.5cm；萼筒倒圆锥形；萼片长圆形、卵形或倒卵形，长 6 ~ 8mm，宽 4 ~ 6mm，先端圆钝，全缘，通常 3 ~ 5（~ 7）脉，有明显密集褐色小点；花瓣白色，长圆状倒卵形或匙状倒卵形，长（1 ~）1.2 ~ 2.5cm，宽 6 ~ 9mm，先端圆或急尖，基部渐窄成长约 5mm 之爪，上半部 1/3 被短而疏的流苏状毛，通常有 5 紫褐

色脉，并密被紫褐色小点；雄蕊 5，花丝长短不等，长者可达 5.5mm，短的长仅 1mm，向基部逐渐加宽，花药椭圆形，顶生，侧裂，药隔联合伸长，呈匕首状，长可达 5mm；退化雄蕊 5，长 3.5 ～ 4mm，先端 3 裂，裂片长 1.5 ～ 1.8mm，偶达中裂，两侧裂片先端微向内弯，渐尖，中间裂片比两侧裂片窄，偶有稍短，先端截形，偶有先端带球状趋势者；子房上位，先端压扁球形，花柱长约 1.8mm，通常伸出退化雄蕊之外，偶有不伸出者，柱头 3 裂，裂片倒卵形，花后反折。蒴果 3 裂；种子多数，褐色，有光泽。花期 7 ～ 8 月，果期 9 月开始。

| **生境分布** | 生于海拔 1500 ～ 2790m 的溪边疏林中或杂木林下、草滩湿处、碎石坡上。分布于重庆城口、巫溪、南川等地。

| **资源情况** | 野生资源稀少。药材主要来源于野生，自产自销。

| **采收加工** | 夏季采收，洗净，晒干或鲜用。

| **药材性状** | 本品根茎呈不规则团块状，棕褐色，具多数不定根、鳞片及叶柄残基，先端被毛。茎呈圆柱形，长 3 ～ 28cm，直径 1 ～ 2mm，有纵棱；质脆，易折断。叶皱缩，基生叶完整者呈肾形或心形，长 2 ～ 4cm，厚纸质；叶柄长达 16cm。茎生叶 1，圆形，基部心形，抱茎。花黄色，单生茎端。有时可见椭圆形蒴果。气微，味甘。

| **功能主治** | 甘，寒。清热润肺，解毒消肿。用于肺结核，喉炎，腮腺炎，淋巴结炎，热毒疮肿，跌打损伤。

| **用法用量** | 内服煎汤，9 ～ 15g。外用适量，捣敷。

虎耳草科 Saxifragaceae 梅花草属 Parnassia

厚叶梅花草 *Parnassia perciliata* Diels

| 药 材 名 | 厚叶梅花草（药用部位：全草。别名：流苏梅花草）。

| 形态特征 | 多年生草本，植株粗壮，微弯曲，高 18 ~ 30cm。根茎粗大，长圆形或近球形，其上有残存膜质鳞片，其下生出多数纤细丝状和须状根。茎 3 ~ 5，不分枝，中部以上或 1/3 处有 1 茎生叶。基生叶 3 ~ 5，丛生，具柄；叶片近革质，卵状心形，长 3.5 ~ 6.5cm，宽 2.5 ~ 5.5cm，先端渐尖，常有凸起尖头，基部弯缺较深成心形，全缘，偶有波状而向外反卷，上面深绿色或带紫绿色，有明显 7 弧形下陷之脉，下面黄绿色或淡绿色，有明显凸起中脉，散生紫色小点，尤其沿脉更密；叶柄较粗壮，扁平，长 8 ~ 19cm，两侧近膜质；托叶色淡，膜质，大部贴生叶柄，边缘常被疏的锈褐色流苏状毛，早落。茎生叶与基生叶同形，长 2.2 ~ 4cm，宽 2 ~ 3cm，基部常有长约 1mm、铁锈

厚叶梅花草

色的附属物，有时结合成小片状，无柄，半抱茎。花单生茎顶，直径 1.5 ～ 3cm；萼筒管极短；萼片反折，宿存，长圆形或长圆状披针形，长约 10mm，宽约 5mm，先端钝，边缘上部 1/3 全缘，下半部被稀疏铁锈色短缘毛，以后脱落，有 1 明显主脉，内外两面均有明显褐色斑点；花瓣白色，倒卵状长圆形或长圆形，长 8 ～ 13mm，宽 5 ～ 8mm，先端圆或急尖，基部骤然收缩成长约 1.5mm 之爪，除爪外全边被长流苏状毛，缘毛长 3 ～ 4mm，内外两面有显著 3 紫色脉，散成紫色小点，沿脉更密；雄蕊 5，长 8 ～ 9mm，花丝扁平，长约 7mm，花药椭圆形，长约 3mm；退化雄蕊 5，枝状，长约 4mm，通常 5（～ 7）分枝，其深度为全长的 1/3 稍强，有时两侧裂片较短，先端具球形腺体；子房卵球形，花柱极短，长约 1.8mm，柱头 3 裂，裂片长圆形，花后反折。花期 7 ～ 8 月。

| **生境分布** | 生于海拔 1100m 的水沟边。分布于重庆南川等地。

| **资源情况** | 野生资源稀少。药材主要来源于野生，自产自销。

| **功能主治** | 清热解毒，利水祛湿，止咳，止血。

| **用法用量** | 内服煎汤，适量。

| **附　　注** | 本种为重庆特有种。

虎耳草科 Saxifragaceae 山梅花属 Philadelphus

山梅花
Philadelphus incanus Koehne

| 药 材 名 | 山梅花（药用部位：茎、叶。别名：毛叶山梅花、太平花、光萼山梅花）。

| 形态特征 | 灌木，高 1.5 ~ 3.5m。二年生小枝灰褐色，表皮呈片状脱落；当年生小枝浅褐色或紫红色，被微柔毛或有时无毛。叶卵形或阔卵形，长 6 ~ 12.5cm，宽 8 ~ 10cm，先端急尖，基部圆形，花枝上叶较小，卵形、椭圆形至卵状披针形，长 4 ~ 8.5cm，宽 3.5 ~ 6cm，先端渐尖，基部阔楔形或近圆形，边缘具疏锯齿，上面被刚毛，下面密被白色长粗毛；叶脉离基出 3 ~ 5；叶柄长 5 ~ 10mm。总状花序有花 5 ~ 7（~ 11），下部的分枝有时具叶；花序轴长 5 ~ 7cm，疏被长柔毛或无毛；花梗长 5 ~ 10mm，上部密被白色长柔毛；花萼外面密被紧贴糙伏毛；萼筒钟形，裂片卵形，长约 5mm，宽约 3.5mm，先端渐尖；花冠盘状，直径 2.5 ~ 3cm，花瓣白色，卵形或近圆形，基

山梅花

部急收狭，长 13 ~ 15mm，宽 8 ~ 13mm；雄蕊 30 ~ 35，最长的长达 10mm；花盘无毛；花柱长约 5mm，无毛，近先端稍分裂，柱头棒形，长约 1.5mm，较花药小。蒴果倒卵形，长 7 ~ 9mm，直径 4 ~ 7mm；种子长 1.5 ~ 2.5mm，具短尾。花期 5 ~ 6 月，果期 7 ~ 8 月。

| 生境分布 | 生于海拔 1100 ~ 1700m 的林缘灌丛中。分布于重庆黔江、城口、奉节、丰都、南川、云阳、武隆、巫溪等地。

| 资源情况 | 野生资源一般。药材主要来源于野生，自产自销。

| 采收加工 | 夏季采收，扎把，晒干。

| 药材性状 | 本品茎呈圆柱形，棕褐色，长短不一，直径 0.5 ~ 1cm，有节，节部稍膨大，有叶及小枝的脱落痕，节间长 3 ~ 8cm，皮孔稀疏；质脆，易折断，断面较平坦，黄白色，纤维性。叶片多卷曲皱缩，完整者展平后呈长卵形，长 2 ~ 10cm，宽 1 ~ 5cm，先端尖，边缘具锯齿，表面深灰色至灰褐色，两面及叶柄均被白色小柔毛，主脉基出 3 ~ 5；叶柄长 1 ~ 3mm，扁平；纸质，质脆，易破碎。气微，味甘、淡。

| 功能主治 | 甘、淡，平。清热利湿。用于膀胱炎，黄疸性肝炎。

| 用法用量 | 内服煎汤，3 ~ 6g。

| 附　　注 | 本种适应性强，喜光，稍耐阴，较耐寒，耐干旱，怕水涝，喜湿润、肥沃且排水良好的轻壤土，忌暴晒和过于干燥的土壤。

| 虎耳草科 | Saxifragaceae | 山梅花属 | *Philadelphus* |

紫萼山梅花
Philadelphus purpurascens (Koenne) Rehd.

| 药 材 名 | 紫萼山梅花（药用部位：根皮）。

| 形态特征 | 灌木，高 1.5 ~ 4m。二年生小枝灰棕色或灰褐色，无毛，表皮片状脱落；当年生小枝暗紫红色，被极稀疏白色细柔毛或无毛。叶卵形或椭圆形，长 3.5 ~ 7cm，宽 2.5 ~ 4.5cm，先端渐尖或急尖，基部楔形或阔楔形，全缘或上面具疏齿；叶脉离基出 3 ~ 5；叶柄长 2 ~ 6mm；花枝上叶椭圆状披针形或卵状披针形，较小，长 1.5 ~ 4cm，宽 0.5 ~ 1.5cm，先端急尖或钝，近全缘，两面均无毛或下面叶脉上疏被毛，叶脉基出 3，叶柄长 2 ~ 3mm。总状花序有花 5 ~ 7 (~ 9)；花序轴长 2 ~ 4.5cm，暗紫红色，无毛或疏被毛；花梗长 3 ~ 5mm，无毛；花萼紫红色，有时具暗紫色小点及常具白粉，外面疏被微柔毛或脱落变无毛，萼筒壶形，与裂片间常有缢纹，裂片卵形，长约

紫萼山梅花

5mm，宽约 3.5mm，先端急尖；花冠盘状，直径 2 ～ 2.5cm；花瓣白色，椭圆形、倒卵形或阔倒卵形，长 1 ～ 1.5cm，宽 8 ～ 13mm，先端有时凹入；雄蕊 25 ～ 33，最长的长达 7mm；花盘有时稀疏被白色长柔毛；花柱长约 6mm，先端不裂或稍开裂，基部无毛或有时稀疏被毛，柱头棒形，长 1 ～ 1.5mm，常较花药小。蒴果卵形，长 6 ～ 8mm，直径 4 ～ 6mm；种子长约 3mm，具短尾。花期 5 ～ 6 月，果期 7 ～ 9 月。

| **生境分布** | 生于海拔 800 ～ 1600m 的山地灌丛中。分布于重庆南川、城口等地。

| **资源情况** | 野生资源稀少。药材主要来源于野生，自产自销。

| **采收加工** | 夏、秋季采收根皮，洗净晒干或鲜用。

| **功能主治** | 活血定痛，调经止带。用于扭挫伤，腰肋疼痛，痛经，带下。

| **用法用量** | 内服煎汤，适量。外用适量，捣敷。

虎耳草科 Saxifragaceae 山梅花属 Philadelphus

绢毛山梅花

Philadelphus sericanthus Koehne

| 药 材 名 | 白花杆根皮（药用部位：根皮。别名：土常山）。

| 形态特征 | 灌木，高 1 ~ 3m。二年生小枝黄褐色，表皮纵裂，片状脱落；当年生小枝褐色，无毛或疏被毛。叶纸质，椭圆形或椭圆状披针形，长 3 ~ 11cm，宽 1.5 ~ 5cm，先端渐尖，基部楔形或阔楔形，边缘具锯齿，齿端具角质小圆点，上面疏被糙伏毛，下面仅沿主脉和脉腋被长硬毛；叶脉稍离基 3 ~ 5；叶柄长 8 ~ 12mm，疏被毛。总状花序有花 7 ~ 15（~ 30），下面 1 ~ 3 对分枝先端具 3 ~ 5 花成聚伞状排列；花序轴长 5 ~ 15cm，疏被毛；花梗长 6 ~ 14mm，被糙伏毛；花萼褐色，外面疏被糙伏毛，裂片卵形，长 6 ~ 7mm，宽约 3mm，先端渐尖，尖头长约 1.5mm；花冠盘状，直径 2.5 ~ 3cm；花瓣白色，倒卵形或长圆形，长 1.2 ~ 1.5cm，宽 8 ~ 10mm，外面基部常疏被毛，

绢毛山梅花

先端圆形,有时具不规则齿缺;雄蕊 30 ～ 35,最长的长达 7mm,花药长圆形,长约 1.5mm;花盘和花柱均无毛或稀疏被白色刚毛;花柱长约 6mm,上部稍分裂,柱头桨形或匙形,长 1.5 ～ 2mm。蒴果倒卵形,长约 7mm,直径约 5mm;种子长 3 ～ 3.5mm,具短尾。花期 5 ～ 6 月,果期 8 ～ 9 月。

| 生境分布 | 生于海拔 600 ～ 2400m、向阳的溪谷两旁或山坡林缘灌丛中。分布于重庆城口、巫山、巫溪、奉节、南川等地。

| 资源情况 | 野生资源稀少。药材主要来源于野生,自产自销。

| 采收加工 | 夏、秋季采收,洗净,晒干或鲜用。

| 功能主治 | 苦,平。活血,止痛,截疟。用于扭挫伤,腰肋疼痛,胃痛,头痛,疟疾。

| 用法用量 | 内服煎汤,9 ～ 24g;或炖肉。外用适量,捣敷。

虎耳草科 Saxifragaceae 冠盖藤属 *Pileostegia*

冠盖藤
Pileostegia viburnoides Hook. f. et Thoms.

| 药 材 名 | 青棉花藤（药用部位：根。别名：红棉花藤、猴头藤）、青棉花藤叶（药用部位：枝叶）。

| 形态特征 | 常绿攀缘状灌木，长达 15m。小枝圆柱形，灰色或灰褐色，无毛。叶对生，薄革质，椭圆状倒披针形或长椭圆形，长 10 ~ 18cm，宽 3 ~ 7cm，先端渐尖或急尖，基部楔形或阔楔形，全缘或稍波状，常稍背卷，有时近先端有稀疏蜿蜒状齿缺，上面绿色或暗绿色，具光泽，无毛，下面干后黄绿色，无毛或主脉和侧脉交接处穴孔内被长柔毛，少被稀疏星状柔毛；侧脉每边 7 ~ 10 对，上面凹入或平坦，下面明显隆起，第三级小脉不明显或稀疏；叶柄长 1 ~ 3cm。伞房状圆锥花序顶生，长 7 ~ 20cm，宽 5 ~ 25cm，无毛或稍被褐锈色微柔毛；苞片和小苞片线状披针形，长 4 ~ 5cm，宽 1 ~ 3mm，无

冠盖藤

毛，褐色；花白色；花梗长 3 ~ 5mm；萼筒圆锥状，长约 1.5mm，裂片三角形，无毛；花瓣卵形，长约 2.5mm；雄蕊 8 ~ 10；花丝纤细，长 4 ~ 6mm；花柱长约 1mm，无毛，柱头圆锥形，4 ~ 6 裂。蒴果圆锥形，长 2 ~ 3mm，有 5 ~ 10 肋纹或棱，具宿存花柱和柱头；种子连翅长约 2mm。花期 7 ~ 8 月，果期 9 ~ 12 月。

| **生境分布** | 生于海拔 600 ~ 1000m 的阴湿山谷、山坡岩石旁或山地岩壁上。分布于重庆城口、南川、綦江、北碚等地。

| **资源情况** | 野生资源稀少。药材主要来源于野生，自产自销。

| **采收加工** | 青棉花藤：全年均可采收，洗净，切片，鲜用或晒干。
青棉花藤叶：全年均可采收，鲜用或晒干。

| **药材性状** | 青棉花藤叶：本品多皱缩卷曲，完整者展平后呈椭圆形或椭圆状披针形，长 7 ~ 14cm，宽 2.5 ~ 4cm，先端短尖或渐尖，基部楔形，全缘或上部具浅波状锯齿，下面被稀疏的星状毛。
叶柄长 1 ~ 3cm。叶片薄革质，易碎。气微，味苦。

| **功能主治** | 青棉花藤：辛、微苦，温。祛风除湿，散瘀止痛，消肿解毒。用于腰腿酸痛，风湿麻木，跌打损伤，骨折，外伤出血，痈肿疮毒。
青棉花藤叶：辛、微苦，温。解毒消肿，敛疮止血。用于脓肿，疮疡溃烂，外伤出血。

| **用法用量** | 青棉花藤：内服煎汤，15 ~ 30g；或泡酒。外用适量，捣敷；或研末撒。
青棉花藤叶：外用适量，鲜品捣敷或研末调敷。

虎耳草科 Saxifragaceae 茶藨子属 Ribes

革叶茶藨子 *Ribes davidii Franch.*

| 药 材 名 | 石夹生（药用部位：全株。别名：石甲生、小石生）。

| 形态特征 | 常绿矮灌木，高 0.3 ～ 1m。小枝灰色至灰褐色，皮稍条状或片状剥离，嫩枝短，褐色或红褐色，光滑无毛，无刺，枝顶常具叶 2 ～ 5；芽卵圆形或长卵圆形，长 3 ～ 6mm，先端急尖至短渐尖，鳞片草质，外面无毛。叶倒卵状椭圆形或宽椭圆形，革质，长 2 ～ 5cm，宽 1.5 ～ 3cm，先端微尖或稍钝，具凸尖头，基部楔形，上面暗绿色，有光泽，下面苍白色，两面无毛，不分裂，边缘自中部以上具圆钝粗锯齿，齿顶有凸尖头，基部具明显三出脉；叶柄粗短，长 0.5 ～ 1.5cm，被腺毛。花单性，雌雄异株，形成总状花序；雄花序直立，长 2 ～ 4（～ 6）cm，具花 5 ～ 18；雌花序常腋生，长 2 ～ 3cm，具花 2 ～ 3，稀达 7；果序具果 1 ～ 2；花序轴被柔毛和腺毛；花梗

革叶茶藨子

长 3 ~ 6mm，幼时被稀疏柔毛和腺毛，逐渐脱落至老时无毛；苞片椭圆形或宽椭圆形，长 7 ~ 9mm，宽 3 ~ 5mm，先端微尖或稍钝，无毛，边缘常疏生短腺毛，具单脉；花萼绿白色或浅黄绿色，外面无毛；萼筒盆形，长 2 ~ 4mm，宽 5 ~ 7mm；萼片宽卵圆形或倒卵状长圆形，长 2.5 ~ 4mm，宽 2 ~ 3mm，先端钝；花瓣楔状匙形或倒卵圆形，长约为萼片之半，先端截形或圆状截形；雄蕊短于或约等长于花瓣，花药圆形，雌花中的雄蕊几无花丝，花粉不育；子房光滑无毛，雄花无子房；花柱先端 2 裂，柱头头状。果实椭圆形，稀近圆形，长 8 ~ 11mm，宽 6 ~ 8mm，紫红色，无毛，具 20 ~ 25 细小种子。花期 4 ~ 5 月，果期 6 ~ 7 月。

| 生境分布 | 生于海拔 900 ~ 2200m 的山坡阴湿处、路边、岩石上或林中石壁上。分布于重庆南川等地。

| 资源情况 | 野生资源稀少。药材主要来源于野生。

| 采收加工 | 夏、秋季采收全株，切段，晒干。

| 药材性状 | 本品根细长，灰褐色，直径 1 ~ 2mm，有多数侧根及须根；质脆，易折断，断面红棕色。茎多分枝，直径 1 ~ 2mm，褐色或红棕色，节部有环状托叶痕和叶痕，以及多数不定根或根痕，节间长约 1.5cm；有的茎基部有鲜黄绿色的小鳞叶，芒状；质脆，易折断。叶片卵形，长 2 ~ 5cm，宽 1.5 ~ 2cm，边缘有浅锯齿，棕红色或浅红褐色，革质。气微，味苦、涩。

| 功能主治 | 苦、涩，微温。归肝、脾、肾经。祛风利湿，活血止痛。用于风湿性关节炎，月经不调，经闭腰痛，产后腹痛，痢疾。

| 用法用量 | 内服煎汤，9 ~ 15g。

| 虎耳草科 | Saxifragaceae | 茶藨子属 | Ribes |

冰川茶藨子 *Ribes glaciale* Wall.

| **药 材 名** | 冰川茶藨子（药用部位：叶、茎皮、果实。别名：奶浆子）。

| **形态特征** | 落叶灌木，高 2 ~ 3(~ 5)m。小枝深褐灰色或棕灰色，皮长条状剥落，嫩枝红褐色，无毛或微被短柔毛，无刺；芽长圆形，长 4 ~ 7mm，先端急尖，鳞片数枚，草质，褐红色，外面无毛。叶长卵圆形，稀近圆形，长 3 ~ 5cm，宽 2 ~ 4cm，基部圆形或近截形，上面无毛或疏生腺毛，下面无毛或沿叶脉微被短柔毛，掌状 3 ~ 5 裂，顶生裂片三角状长卵圆形，先端长渐尖，比侧生裂片长 2 ~ 3 倍，侧生裂片卵圆形，先端急尖，边缘具粗大单锯齿，有时混生少数重锯齿；叶柄长 1 ~ 2cm，浅红色，无毛，稀疏生腺毛。花单性，雌雄异株，组成直立总状花序；雄花序长 2 ~ 5cm，具花 10 ~ 30；雌花序短，长 1 ~ 3cm，具花 4 ~ 10；花序轴和花梗被短柔毛和短腺毛，花梗

冰川茶藨子

长 2 ~ 4mm；苞片卵状披针形或长圆状披针形，长 3 ~ 5mm，宽 1 ~ 1.5mm，先端急尖或微钝，边缘被短腺毛，具单脉；花萼近辐状，褐红色，外面无毛；萼筒浅杯形，长 1 ~ 2mm，宽大于长；萼片卵圆形或舌形，长 1 ~ 2.5mm，宽 0.7 ~ 1.3mm，先端圆钝或微尖，直立；花瓣近扇形或楔状匙形，短于萼片，先端圆钝；雄蕊稍长于花瓣或几与花瓣等长，花丝红色，花药圆形，紫红色或紫褐色；雌花的雄蕊退化，长约 0.4mm，花药无花粉；子房倒卵状长圆形，无柔毛，稀微被腺毛，雄花中子房退化；花柱先端 2 裂。果实近球形或倒卵状球形，直径 5 ~ 7mm，红色，无毛。花期 4 ~ 6 月，果期 7 ~ 9 月。

| 生境分布 | 生于海拔 950 ~ 1800m 的山坡、山谷丛林、林缘或岩石上。分布于重庆城口、巫溪、黔江、石柱、南川等地。

| 资源情况 | 野生资源稀少。药材来源于野生，自产自销。

| 采收加工 | 全年均可采收叶，鲜用或晒干。秋季采收茎皮，洗净，切段，晒干。秋季采收果实，洗净，晒干。

| 功能主治 | 叶，用于烫火伤，漆疮，胃痛。茎皮、果实，清热燥湿，健胃。

| 用法用量 | 叶，外用适量，捣敷。茎皮、果实，内服煎汤，适量。

虎耳草科 Saxifragaceae 茶藨子属 Ribes

宝兴茶藨子 *Ribes moupinense* Franch.

宝兴茶藨子

| 药 材 名 |

宝兴茶藨（药用部位：茎皮、果实、根）。

| 形态特征 |

落叶灌木，高 2 ~ 3(~ 5)m。小枝暗紫褐色，皮稍呈长条状纵裂或不裂，嫩枝棕褐色，无毛，无刺；芽卵圆形或长圆形，长 4 ~ 5mm，宽 2 ~ 3mm，先端稍钝，具数枚棕褐色鳞片，外面无毛。叶卵圆形或宽三角状卵圆形，长 5 ~ 9cm，宽几与长相等，基部心形，稀近截形，上面无柔毛或疏生粗腺毛，下面沿叶脉或脉腋间被短柔毛或混生少许腺毛，常 3 ~ 5 裂，裂片三角状长卵圆形或长三角形，顶生裂片长于侧生裂片，先端长渐尖，侧生裂片先端短渐尖或急尖，边缘具不规则的尖锐单锯齿和重锯齿；叶柄长 5 ~ 10cm，沿槽微被柔毛，或近基部被少数腺毛。花两性，开花时直径 4 ~ 6mm；总状花序长 5 ~ 10 (~ 12)cm，下垂，具 9 ~ 25 疏松排列的花；花序轴被短柔毛；花梗极短或几无，稀稍长；苞片宽卵圆形或近圆形，长 1.5 ~ 2mm，宽几与长相等，全缘或稍具小齿，无毛或边缘微具睫毛，位于花序下部的苞片较狭长，长卵圆形或披针状卵圆形，长可达 4mm，先端微尖；花萼绿色而有红晕，外面无毛；萼筒钟形，长 2.5 ~ 4mm，宽稍大于长；萼片卵圆形或舌形，长 2 ~ 3.5mm，宽 1.5 ~ 2.2mm，先端圆钝，不内弯，边缘无睫毛，直立；花瓣倒三角状扇形，长 1 ~ 1.8mm，宽短于长，下部无凸出体；雄蕊几与花瓣等长，着生于与花瓣同一水平上，花丝丝形，花药圆形；子房无毛；花柱短于雄蕊，先端 2 裂。果实球形，几无梗，直径 5 ~ 7mm，黑色，无毛。花期 5 ~ 6 月，果期 7 ~ 8 月。

| 生境分布 |

生于海拔 1000 ~ 1860m 的山坡路边杂木林下、岩石坡地或山谷林下。分布于重庆城口、巫溪、巫山、奉节、南川等地。

| 资源情况 |

野生资源稀少。药材来源于野生，自产自销。

| 功能主治 |

茎皮、果实，清热燥湿。根，祛风除湿，活血调经。

| 用法用量 |

茎皮、果实，内服煎汤，适量。根，内服煎汤，适量；或泡酒。

| 附　　注 |

与本种药材功效相同的还有长果茶藨子 *Ribes stenocarpum* Maxim.（《中国中药资源志要》记载为狭果茶藨），长果茶藨子分布于陕西、甘肃、青海、四川等地。

虎耳草科 Saxifragaceae 鬼灯檠属 Rodgersia

七叶鬼灯檠

Rodgersia aesculifolia Batalin

七叶鬼灯檠

| 药 材 名 |

索骨丹根（药用部位：根茎。别名：慕荷、老蛇盘、猪屎七）。

| 形态特征 |

多年生草本，高 0.8 ~ 1.2m。根茎圆柱形，横生，直径 3 ~ 4cm，内部微紫红色。茎具棱，近无毛。掌状复叶具长柄，叶柄长 15 ~ 40cm，基部扩大成鞘状，被长柔毛，腋部和近小叶处毛较多；小叶片 5 ~ 7，草质，倒卵形至倒披针形，长 7.5 ~ 30cm，宽 2.7 ~ 12cm，先端短渐尖，基部楔形，边缘具重锯齿，腹面沿脉疏生近无柄之腺毛，背面沿脉被长柔毛，基部无柄。多歧聚伞花序圆锥状，长约 26cm，花序轴和花梗均被白色膜片状毛，并混有少量腺毛；花梗长 0.5 ~ 1mm；萼片 5（~ 6），开展，近三角形，长 1.5 ~ 2mm，宽约 1.8mm，先端短渐尖，腹面无毛或具极少（1 ~ 3）近无柄之腺毛，背面和边缘被柔毛和短腺毛，具羽状脉和弧曲脉，脉于先端不汇合、半汇合至汇合（同时存在）；雄蕊长 1.2 ~ 2.6mm；子房近上位，长约 1mm，花柱 2，长 0.8 ~ 1mm。蒴果卵形，具喙；种子多数，褐色，纺锤形，微扁，长 1.8 ~ 2mm。花果期 5 ~ 10 月。

| **生境分布** | 生于海拔 1100 ~ 2700m 的林下、灌丛、草甸或石隙。分布于重庆城口、巫山、巫溪、奉节、万州、南川、云阳、开州等地。

| **资源情况** | 野生资源稀少。药材主要来源于野生。

| **采收加工** | 秋季采挖，除去粗皮及须根，切片，晒干。

| **药材性状** | 本品呈圆片状，多卷缩不平，直径 2 ~ 4cm，厚 0.2 ~ 0.5cm。外皮棕褐色，皱缩，有的有点状根痕，偶有黄色鳞毛。切面红棕色或暗黄色，有多数筋脉点（维管束），呈圆心环状排列，并有多数白色闪亮小点。质脆，易折断，断面粉性。气微，味涩、苦。以片薄、色红棕、白色闪亮点多者为佳。

| **功能主治** | 苦、涩，平。清热解毒，收敛止血。用于腹泻，细菌性痢疾，便血，子宫脱垂，外伤出血。

| **用法用量** | 内服煎汤，9 ~ 15g。外用适量，研末撒布或用油、醋调敷。

虎耳草科 Saxifragaceae 虎耳草属 Saxifraga

扇叶虎耳草

Saxifraga rufescens Balf. f. var. *flabellifolia* C. Y. Wu et J. T. Pan

| 药 材 名 | 扇叶虎耳草（药用部位：全草）。

| 形态特征 | 本种与原变种红毛虎耳草的区别在于叶片基部通常楔形至截形，花瓣 3 ~ 5（~ 8）脉，易与其他变种区别。

| 生境分布 | 生于海拔 625 ~ 2100m 的林下、沟边湿地或石隙。分布于重庆城口、巫山、南川等地。

| 资源情况 | 野生资源稀少。药材主要来源于野生。

| 采收加工 | 夏季采收，鲜用或晒干备用。

| 功能主治 | 甘，凉。清热凉血，祛风镇静。用于风湿痛，惊风。

扇叶虎耳草

| **用法用量** | 内服煎汤，9 ～ 15g。外用适量，鲜品捣烂取汁或涂敷。孕妇慎服。

虎耳草科 Saxifragaceae 虎耳草属 Saxifraga

红毛虎耳草 *Saxifraga rufescens* Balf. f.

| **药 材 名** | 红毛虎耳草（药用部位：全草）。

| **形态特征** | 多年生草本，高 16 ～ 40cm。根茎较长。叶均基生，叶片肾形、圆肾形至心形，长 2.4 ～ 10cm，宽 3.2 ～ 12cm，先端钝，基部心形，9 ～ 11浅裂，裂片阔卵形，具齿牙，有时再次 3 浅裂，两面和边缘均被腺毛；叶柄长 3.7 ～ 15.5cm，被红褐色长腺毛。花葶密被红褐色长腺毛。多歧聚伞花序圆锥形，长 6 ～ 18cm，具 10 ～ 31 花；花序分枝纤细，长 2.2 ～ 9cm，具 2 ～ 4 花，被腺毛；花梗长 0.6 ～ 3.5cm，被腺毛；苞片线形，长 2.3 ～ 6mm，宽 0.5 ～ 1.1mm，边缘被长腺毛；萼片在花期开展至反曲，卵形至狭卵形，长 1.3 ～ 4mm，宽 0.5 ～ 1.8mm，先端钝或短渐尖，腹面无毛，背面和边缘被腺毛，3 脉于先端汇合；花瓣白色至粉红色，5 枚，通常 4 枚较短，披针形至狭披针形，长

红毛虎耳草

4～4.5mm，宽1～2.3mm，先端稍渐尖，边缘多少具腺睫毛，基部具长0.3～0.6mm之爪，具3（～7）脉，为弧曲脉序，1枚最长，披针形至线形，长9.6～18.8mm，宽1.3～4.6mm，先端钝或渐尖，边缘多少具腺睫毛，基部具长0.8～1mm之爪，3～9脉，通常为弧曲脉序；雄蕊长4.5～5.5mm，花丝棒状；子房上位，卵球形，长1.3～2.5mm，花柱长1.6～3mm。蒴果弯垂，长4～4.5mm。

| 生境分布 | 生于海拔1000～2500m的林下、林缘、灌丛、高山草甸或岩壁石隙。分布于重庆城口、石柱、巫山等地。

| 资源情况 | 野生资源稀少。药材主要来源于野生。

| 采收加工 | 夏季采收，鲜用或晒干备用。

| 功能主治 | 清热解毒，祛风，镇痛。用于风湿痛，中风，头晕，胃痛，腹痛，中耳炎。

| 用法用量 | 内服煎汤。煎汤后取汁涂搽，药渣外敷。

虎耳草
Saxifraga stolonifera Curt.

| **药 材 名** | 虎耳草（药用部位：全草。别名：石荷叶、老虎耳、金丝吊芙蓉）。 |

| **形态特征** | 多年生草本，高 8 ~ 45cm。匍匐枝细长，密被卷曲长腺毛，具鳞片状叶。茎被长腺毛，具 1 ~ 4 苞片状叶。基生叶具长柄，叶片近心形、肾形至扁圆形，长 1.5 ~ 7.5cm，宽 2 ~ 12cm，先端钝或急尖，基部近截形、圆形至心形，（5 ~）7 ~ 11 浅裂（有时不明显），裂片边缘具不规则齿牙和腺睫毛，腹面绿色，被腺毛，背面通常红紫色，被腺毛，有斑点，具掌状达缘脉序，叶柄长 1.5 ~ 21cm，被长腺毛；茎生叶披针形，长约 6mm，宽约 2mm。聚伞花序圆锥形，长 7.3 ~ 26cm，具花 7 ~ 61；花序分枝长 2.5 ~ 8cm，被腺毛，具花 2 ~ 5；花梗长 0.5 ~ 1.6cm，细弱，被腺毛；花两侧对称；萼片在花期开展至反曲，卵形，长 1.5 ~ 3.5mm，宽 1 ~ 1.8mm，先端 |

虎耳草

急尖，边缘被腺睫毛，腹面无毛，背面被褐色腺毛，3脉于先端汇合成1疣点；花瓣白色，中上部具紫红色斑点，基部具黄色斑点，5，其中3较短，卵形，长2～4.4mm，宽1.3～2mm，先端急尖，基部具长0.1～0.6mm之爪，羽状脉序，具二级脉（2～）3～6，另2较长，披针形至长圆形，长6.2～14.5mm，宽2～4mm，先端急尖，基部具长0.2～0.8mm之爪，羽状脉序，具二级脉5～10（～11）；雄蕊长4～5.2mm，花丝棒状；花盘半环状，围绕于子房一侧，边缘具瘤突；2心皮下部合生，长3.8～6mm；子房卵球形，花柱2，叉开。花果期4～11月。

| **生境分布** | 生于海拔400～1850m的林下或阴湿岩石上。分布于重庆黔江、綦江、南岸、石柱、秀山、酉阳、奉节、彭水、巫山、万州、城口、丰都、忠县、璧山、南川、永川、武隆、云阳、开州、巫溪、荣昌、合川等地。

| **资源情况** | 野生资源丰富。药材主要来源于野生。

| **采收加工** | 春、夏季采收，除去杂质，洗净，鲜用或干燥。

| **药材性状** | 本品多卷缩成团，全体被毛。根茎短，丛生细短须状根，灰褐色至棕褐色；匍匐枝线状。基生叶数片，密被黄棕色绒毛；叶柄长2～10cm，稍扭曲，有纵皱纹，基部鞘状；叶片稍厚，展平后呈近圆形或肾形，红棕色、棕褐色或墨绿色，长2～6cm，宽3～7cm，边缘具不规则钝齿。狭圆锥花序顶生，花有梗，花瓣5，其中2片较大。无臭，味微苦。

| **功能主治** | 辛、苦，寒；有小毒。归肺、胃经。疏风清热，凉血解毒。用于风热咳嗽，急性中耳炎，大疱性鼓膜炎，风疹瘙痒。

| **用法用量** | 内服煎汤，9～15g。外用适量，鲜品捣烂，取汁涂敷。

| **附 注** | 本种喜阴凉潮湿的环境，要求土壤肥沃湿润，在密茂多湿的林下和阴凉潮湿的坎壁上生长较好。

虎耳草科 Saxifragaceae 钻地风属 Schizophragma

钻地风
Schizophragma integrifolium Oliv.

| 药 材 名 | 钻地风（药用部位：根皮、茎皮、根、茎藤。别名：追地枫、桐叶藤、全叶钻地风）。

| 形态特征 | 木质藤本或藤状灌木。小枝褐色，无毛，具细条纹。叶纸质，椭圆形、长椭圆形或阔卵形，长 8 ~ 20cm，宽 3.5 ~ 12.5cm，先端渐尖或急尖，具狭长或阔短尖头，基部阔楔形、圆形至浅心形，全缘或上部或多或少具仅有硬尖头的小齿，上面无毛，下面有时沿脉被疏短柔毛，后渐变近无毛，脉腋间常具髯毛；侧脉 7 ~ 9 对，弯拱或下部稍直，下面凸起，小脉网状，较密，下面微凸；叶柄长 2 ~ 9cm，无毛。伞房状聚伞花序密被褐色、紧贴短柔毛，结果时毛渐稀少；不育花萼片单生或偶有 2 ~ 3 聚生于花柄上，卵状披针形、披针形或阔椭圆形，结果时长 3 ~ 7cm，宽 2 ~ 5cm，黄白色；孕

钻地风

性花萼筒陀螺状，长 1.5 ～ 2mm，宽 1 ～ 1.5mm，基部略尖，萼齿三角形，长约 0.5mm；花瓣长卵形，长 2 ～ 3mm，先端钝；雄蕊近等长，盛开时长 4.5 ～ 6mm，花药近圆形，长约 0.5mm；子房近下位，花柱和柱头长约 1mm。蒴果钟状或陀螺状，较小，全长 6.5 ～ 8mm，宽 3.5 ～ 4.5mm，基部稍宽，阔楔形，先端突出部分短圆锥形，长约 1.5mm；种子褐色，连翅纺锤形或近纺锤形，扁，长 3 ～ 4mm，宽 0.6 ～ 0.9mm，两端的翅近相等，长 1 ～ 1.5mm。花期 6 ～ 7 月，果期 10 ～ 11 月。

| 生境分布 | 生于海拔 1000 ～ 1800m 的山坡疏林、杂木林中，常蔓生于岩石上或攀缘于树木上。分布于重庆云阳、万州、石柱、南川、彭水等地。

| 资源情况 | 野生资源稀少。药材来源于野生。

| 采收加工 | 全年均可采收，挖取根部及藤茎，除去泥土，切片，晒干。

| 药材性状 | 本品干燥的根皮呈半卷筒状，厚而宽阔，内层有网纹，红棕色。味清香，微带樟脑气。

| 功能主治 | 淡，凉。舒筋活络，祛风活血。用于风湿痹痛，四肢关节酸痛。

| 用法用量 | 内服煎汤，9 ～ 15g；或浸酒。外用适量，煎汤洗。

| 附　　注 | 与本种药材功效相同且作钻地风入药的尚有小齿钻地风 *Schizophragma integrifolium f. denticutatum* （Rehd.）Chun（《中国植物志》将其与钻地风合并）。小齿钻地风又名齿缘钻地风，分布于江苏、安徽、浙江、江西、湖北、湖南、广东、四川等地。《全国中草药汇编》亦将散血藤作钻地风入药。散血藤来源于同属植物白背钻地风 *Schizophragma hypoglaucum* Rehd.。白背钻地风的形态与本种相似，分布于四川。

虎耳草科 Saxifragaceae 黄水枝属 Tiarella

黄水枝 *Tiarella polyphylla* D. Don

黄水枝

| 药 材 名 |

黄水枝（药用部位：全草。别名：博落、高脚铜告牌、紫背金钱）。

| 形态特征 |

多年生草本，高 20 ～ 45cm。根茎横走，深褐色，直径 3 ～ 6mm。茎不分枝，密被腺毛。基生叶具长柄，叶片心形，长 2 ～ 8cm，宽 2.5 ～ 10cm，先端急尖，基部心形，掌状 3 ～ 5 浅裂，边缘具不规则浅齿，两面密被腺毛；叶柄长 2 ～ 12cm，基部扩大成鞘状，密被腺毛；托叶褐色；茎生叶通常 2 ～ 3，与基生叶同型，叶柄较短。总状花序长 8 ～ 25cm，密被腺毛；花梗长达 1cm，被腺毛；萼片在花期直立，卵形，长约 1.5mm，宽约 0.8mm，先端稍渐尖，腹面无毛，背面和边缘被短腺毛，3 至多脉；无花瓣；雄蕊长约 2.5mm，花丝钻形；心皮 2，不等大，下部合生，子房近上位，花柱 2。蒴果长 7 ～ 12mm；种子黑褐色，椭圆球形，长约 1mm。花果期 4 ～ 11 月。

| 生境分布 |

生于海拔 800 ～ 1300m 的林下、灌丛或阴湿地。分布于重庆黔江、忠县、城口、巫山、万州、丰都、石柱、南川、酉阳、云阳、武隆、开州、巫溪、奉节等地。

| 资源情况 | 野生资源丰富。药材主要来源于野生，自产自销。

| 采收加工 | 4 ~ 10 月采收，洗净，鲜用或晒干。

| 药材性状 | 本品根茎呈细圆柱形，直径 3 ~ 6mm；表面褐色，具多数黄褐色鳞片及须根。茎细，有纵沟纹，长 22 ~ 44cm，直径 3 ~ 6mm，灰绿色，被白色柔毛。叶多破碎，基生叶卵圆形或心形，长 2 ~ 8cm，宽 2.2 ~ 10cm，先端急尖，基部心形，边缘具不整齐钝锯齿和腺毛，上面疏被腺毛，叶柄长 2 ~ 12cm，被长柔毛和腺毛；茎生叶较小，掌状脉 5 出，较明显，叶柄短。有时可见枝端有总状花序，密生腺毛，有的可见蒴果，长约 1cm，具 2 角。气微，味苦。

| 功能主治 | 苦、辛，寒。清热解毒，活血祛瘀，消肿止痛。用于疮疖，无名肿痛，咳嗽，气喘，肝炎，跌打损伤。

| 用法用量 | 内服煎汤，9 ~ 15g；或浸酒。外用适量，鲜品捣敷。

| 附 注 | 本种能耐贫瘠的土壤，耐寒性和耐阴性极强。

海桐花科 Pittosporaceae 海桐花属 Pittosporum

大叶海桐
Pittosporum adaphniphylloides Hu et Wang

| 药 材 名 | 山青皮（药用部位：树皮、果实。别名：山枝仁、山枝茶）。

| 形态特征 | 常绿小乔木，高达 5m。当年枝粗壮，直径 5mm，无毛。叶簇生枝顶，二年生，初时薄革质，两面无毛，以后变厚革质，矩圆形或椭圆形，稀为倒卵状矩圆形，长 12 ～ 20cm，宽 4 ～ 8cm；先端收窄而急尖，尖头钝或略尖，基部阔楔形；上面绿色，发亮，下面淡绿色；中脉粗大，宽 2mm，在下面强烈凸起；侧脉 9 ～ 11 对，在上面能见，在下面凸起；网脉在下面稍凸起，网眼宽 2.5mm；叶柄粗大，长 1.5 ～ 3.5cm。复伞房花序 3 ～ 7 组成复伞形花序，生于枝顶叶腋内，长 4 ～ 6cm，被毛，总花序柄极短或不存在，每个伞房花序的花序柄长 3 ～ 4.5cm，次级花序柄长 8 ～ 13mm，花梗长 4 ～ 7mm，苞片早落；花黄色；萼片卵形，长 1.5 ～ 2mm，外侧被柔毛；花瓣窄

大叶海桐

矩圆形，分离，长约 7mm；雄蕊比花瓣略短或几等长；子房卵形，被柔毛；花柱长 2mm；侧膜胎座 2，偶为 3，胚珠 24。蒴果近圆球形，稍压扁，长 9mm，宽 8mm，基部有不明显的子房柄，2 片裂开，果片薄木质，内侧有多数细小的横格，胎座稍超出果片中部；种子 17 ～ 23，红色，干后变黑，多角形，长约 2mm，外侧有黏质，种柄极短。

| 生境分布 |

生于海拔 700 ～ 1500m 的山地林或溪边阔叶林中。分布于重庆酉阳、南川、武隆、江津等地。

| 资源情况 |

野生资源较少。药材来源于野生，自产自销。

| 采收加工 |

春季采剥树皮，切碎，晒干。秋季采收果实，晒干。

| 功能主治 |

苦，凉。退热，通经，活血，敛汗。用于发热，自汗。

| 用法用量 |

内服煎汤，适量。

海桐花科 Pittosporaceae 海桐花属 Pittosporum

狭叶海桐

Pittosporum glabratum Lindl. var. *neriifolium* Rehd. et Wils.

狭叶海桐

| 药 材 名 |

金刚口摆（药用部位：全株或果实。别名：黄栀子、斩蛇剑、金刚摆）。

| 形态特征 |

常绿灌木，高 1.5m。嫩枝无毛。叶带状或狭窄披针形，长 6 ~ 18cm，或更长，宽 1 ~ 2cm，无毛，叶柄长 5 ~ 12mm。伞形花序顶生，有花多朵，花梗长约 1cm，被微毛；萼片长 2mm，被睫毛；花瓣长 8 ~ 12mm；雄蕊比花瓣短；子房无毛。蒴果长 2 ~ 2.5cm，子房柄不明显，3 片裂开；种子红色，长 6mm。花期 4 ~ 5 月，果期 8 ~ 9 月。

| 生境分布 |

生于海拔 800 ~ 1200m 的山地林中或林边。分布于重庆南川、开州、丰都、酉阳、长寿等地。

| 资源情况 |

野生资源稀少。药材来源于野生，自产自销。

| 采收加工 |

秋季采收全株或果实，晒干。

| **功能主治** | 微甘，凉。清热利湿。用于湿热黄疸。

| **用法用量** | 内服煎汤，15 ~ 30g。

海桐花科 Pittosporaceae 海桐花属 Pittosporum

异叶海桐
Pittosporum heterophyllum Franch.

异叶海桐

| 药 材 名 |

臭皮（药用部位：根皮、树皮）。

| 形态特征 |

灌木高 2.5m。嫩枝无毛，灰褐色，老枝无皮孔。叶簇生枝顶，薄革质，二年生，线形、狭窄披针形或倒披针形，长 4 ~ 8cm，宽 1 ~ 1.5cm，有时更狭窄，先端略尖，尖头钝，基部楔形，上面绿色，发亮，下面淡绿色，无毛；侧脉 5 ~ 6 对，与网脉在上下两面均不明显，边缘平展；叶柄长 3 ~ 4mm。花 1 ~ 5 簇生枝顶，作伞形状，花梗长 7 ~ 15mm，无毛，苞片早落；萼片卵形，长 2 ~ 2.5mm，基部稍合生，先端钝，无毛，或被睫毛；花瓣长 8mm，合生，披针形，先端圆；雄蕊长 4 ~ 5mm，花药长 1.5mm；雌蕊比雄蕊稍短，子房被毛，花柱长 1.5mm；侧膜胎座 2，胚珠 5 ~ 8。蒴果近球形，稍压扁，直径 6mm，2 片裂开，果片薄，木质，有种子 5 ~ 8；种子长 2.5mm，干后黑色，种柄极短，宿存花柱长 2mm。

| 生境分布 |

生于海拔 1000 ~ 2500m 的山地或沟谷灌丛中。分布于重庆巫溪、奉节、南川、合川、酉阳等地。

| **资源情况** | 野生资源较少。药材主要来源于野生，自产自销。

| **采收加工** | 春、夏季剥取根皮或树皮，切段，晒干。

| **功能主治** | 苦、涩，凉。祛风止痛，收敛止血，清热解毒。用于风湿痹痛，腰腿痛，跌打肿痛，崩漏，便血，外伤出血，肺热咳嗽，痢疾，黄疸，无名肿毒。

| **用法用量** | 内服煎汤，15～30g；或浸酒。外用适量，捣敷或研末调敷。

海桐花科 Pittosporaceae 海桐花属 Pittosporum

海金子
Pittosporum illicioides Mak.

| 药 材 名 | 山栀茶（药用部位：根。别名：山枝茶、崖花子、海桐树）、山枝仁（药用部位：种子。别名：崖花海桐子）、崖花海桐叶（药用部位：枝叶。别名：吊灯笼、山海桐叶、崖花子叶）。

| 形态特征 | 常绿灌木，高达 5m。嫩枝无毛，老枝有皮孔。叶生于枝顶，3 ~ 8 簇生成假轮生状，薄革质，倒卵状披针形或倒披针形，5 ~ 10cm，宽 2.5 ~ 4.5cm，先端渐尖，基部窄楔形，常向下延，上面深绿色，干后仍发亮，下面浅绿色，无毛；侧脉 6 ~ 8 对，在上面不明显，在下面稍凸起，网脉在下面明显，边缘平展，或略皱折；叶柄长 7 ~ 15mm。伞形花序顶生，有花 2 ~ 10，花梗长 1.5 ~ 3.5cm，纤细，无毛，常向下弯；苞片细小，早落；萼片卵形，长 2mm，先端钝，无毛；花瓣长 8 ~ 9mm；雄蕊长 6mm；子房长卵形，被糠秕或被微

海金子

毛，子房柄短；侧膜胎座 3，每个胎座有胚珠 5 ~ 8，生于子房内壁的中部。蒴果近圆形，长 9 ~ 12mm，多少三角形，或有纵沟 3，子房柄长 1.5mm，3 片裂开，果片薄木质；种子 8 ~ 15，长约 3mm，种柄短而扁平，长 1.5mm；果梗纤细，长 2 ~ 4cm，常向下弯。

| 生境分布 | 生于海拔 300 ~ 1500m 的丘陵或山地沟边林中。分布于重庆石柱、酉阳、秀山、黔江、彭水、梁平、长寿、云阳、武隆、南川、永川、大足、铜梁、北碚、綦江、涪陵、丰都、开州、垫江、合川等地。

| 资源情况 | 野生资源一般。药材主要来源于野生，自产自销。

| 采收加工 | 山栀茶：全年均可采挖，洗净，晒干；或趁鲜切片，晒干。
山枝仁：秋后果实成熟时采收，除去果壳及杂质，干燥。
崖花海桐叶：夏季采摘，晒干；鲜用随时可采。

| 药材性状 | 山栀茶：本品呈圆柱形，有的略扭曲，长 10 ~ 20cm，直径 1 ~ 3cm（也有更大者）。表面灰黄色至黑褐色，较粗糙。上端可见残留的茎基及侧根痕和椭圆形皮孔，栓皮易脱落。质硬，不易折断，切断面木心常偏向一边，木部黄白色，可见环纹，皮部色较木部深，且较易剥离，韧皮部呈棕褐色环状。气微，味苦、涩。
山枝仁：本品呈不规则的多面体形颗粒状，棱面大小各不相同，微下凹，直径 3 ~ 7mm。表面深红棕色至暗褐色，略有光泽。质坚实而具韧性。气香，味微苦、涩。

| 功能主治 | 山栀茶：苦、涩，平。归肺、脾、大肠经。镇静，安神，补虚弱，降血压。用于神经衰弱，失眠多梦，体虚遗精，高血压。
山枝仁：苦，寒。归肺、脾、大肠经。清热利湿，生津止渴，收敛止泻。用于虚热心烦，口渴咽痛，下利后重，体倦乏力。
崖花海桐叶：苦，微温。消肿解毒，止血。用于疮疖肿毒，皮肤湿痒，毒蛇咬伤，外伤出血。

| 用法用量 | 山栀茶：内服煎汤，10 ~ 20g。
山枝仁：内服煎汤，5 ~ 10g。
崖花海桐叶：外用适量，鲜品捣敷或干品研末调敷。

| 附　注 | 本种喜阴凉、干燥的环境，在肥沃而排水良好的砂壤土中生长良好。

海桐花科 Pittosporaceae 海桐花属 Pittosporum

柄果海桐
Pittosporum podocarpum Gagnep.

柄果海桐

药材名

寡鸡蛋树皮（药用部位：树皮）、寡鸡蛋树根（药用部位：根）、寡鸡蛋树叶（药用部位：叶）、寡鸡蛋树子（药用部位：种子）。

形态特征

常绿灌木，高约2m。嫩枝无毛，老枝有皮孔。叶簇生枝顶，二年生或一年生，薄革质，倒卵形或倒披针形，稀为矩圆形，长7～13cm，宽2～4cm，先端渐尖或短急尖，基部收窄，楔形，常向下延，上面绿色，发亮，干后变黄绿色，下面无毛；侧脉6～8对，在上面明显，在下面凸起，网脉不明显，全缘而平展；叶柄长8～15mm。花1～4生于枝顶叶腋内，花梗长2～3cm，无毛，苞片细小，早落；萼片卵形，长3mm，无毛或被睫毛；花瓣长约17mm，宽2～3mm；雄蕊长10～14mm；雌蕊长1cm，子房长卵形，密被褐色柔毛，花柱长3～4mm，无毛，子房柄长2.5mm，侧膜胎座3，有时心皮2，具2胎座，有胚珠8～10。蒴果梨形或椭圆形，长2～3cm，子房柄长5mm，最长可达8mm，3片裂开，有时为2片裂开，果片薄，革质，外表粗糙，内侧有横格，每片有种子3～4；种子长6～7mm，扁圆形，干后淡红色，种柄长 3 ~ 4mm。

| 生境分布 | 生于海拔 500 ~ 2300m 的溪边、林下或灌丛中。分布于重庆南川、江津、铜梁、北碚、綦江、垫江、忠县、彭水、涪陵、武隆、丰都、巴南等地。

| 资源情况 | 野生资源丰富。药材主要来源于野生，自产自销。

| 采收加工 | 寡鸡蛋树皮：全年或秋季剥取树皮，切片，晒干或碾粉；鲜品随采随用。
寡鸡蛋树根：全年均可采挖，洗净，晒干；或趁鲜切片，晒干。
寡鸡蛋树叶：夏季采摘，晒干；鲜用随时可采。
寡鸡蛋树子：果实成熟时采收，取出种子，干燥。

| 功能主治 | 寡鸡蛋树皮：苦、涩，凉。收敛止血，消肿止痛，解毒。用于吐血，鼻衄，崩漏，便血，外伤出血，风湿痹痛，腰腿疼痛，跌打损伤，无名肿毒，毒蛇咬伤。

寡鸡蛋树根：甘、苦、辛，凉。补肺肾，祛风湿，活血通经。用于虚劳咳嗽，遗精早泄，头晕，高血压，风湿关节痛，小儿瘫痪。

寡鸡蛋树叶：苦、辛，微温。消肿解毒。用于毒蛇咬伤，疮疖肿毒。

寡鸡蛋树子：甘、涩，凉。清热生津，止痢。用于虚热心烦，口渴咽痛，泄泻，痢疾。

| 用法用量 | 寡鸡蛋树皮：内服煎汤，15 ~ 30g；或浸酒。外用适量，鲜品捣敷；或干品研末撒。

寡鸡蛋树根：内服煎汤，9 ~ 15g。外用适量，捣敷。

寡鸡蛋树叶：外用适量，鲜品捣敷；或干品研末撒。

寡鸡蛋树子：内服煎汤，9 ~ 15g。

海桐花科 Pittosporaceae 海桐花属 Pittosporum

线叶柄果海桐

Pittosporum podocarpum Gagnep. var. *angustatum* Gowda

| 药 材 名 | 线叶柄果海桐（药用部位：果实）。

| 形态特征 | 常绿灌木，高约2m。嫩枝无毛，老枝有皮孔。叶簇生枝顶，二年生或一年生，薄革质，倒卵形或倒披针形，稀为矩圆形，长7~13cm，宽2~4cm，先端渐尖或短急尖，基部收窄，楔形，常向下延，上面绿色，发亮，干后变黄绿色，下面无毛；侧脉6~8对，在上面明显，在下面凸起，网脉不明显，全缘而平展；叶柄长8~15mm。花1~4生于枝顶叶腋内，花梗长2~3cm，无毛，苞片细小，早落；萼片卵形，长3mm，无毛或被睫毛；花瓣长约17mm，宽2~3mm；雄蕊长10~14mm；雌蕊长1cm，子房长卵形，密被褐色柔毛，花柱长3~4mm，无毛，子房柄长2.5mm，侧膜胎座3，有时心皮2，

线叶柄果海桐

具 2 胎座，有胚珠 8 ～ 10。蒴果梨形或椭圆形，长 2 ～ 3cm，子房柄长 5mm，最长可达 8mm，3 片裂开，有时为 2 片裂开，果片薄，革质，外表粗糙，内侧有横格，每片有种子 3 ～ 4；种子长 6 ～ 7mm，扁圆形，干后淡红色，种柄长 3 ～ 4mm。

| **生境分布** | 生于海拔 1000 ～ 2000m 的山坡林中或路旁。分布于重庆秀山、彭水、黔江、石柱、武隆、南川、江津、合川、北碚等地。

| **资源情况** | 野生资源一般。药材主要来源于野生。

| **采收加工** | 秋季采收果实，晒干。

| **功能主治** | 清热除湿。

| **用法用量** | 内服煎汤，适量。

海桐花科 Pittosporaceae 海桐花属 Pittosporum

海桐
Pittosporum tobira (Thunb.) Ait.

| 药 材 名 | 海桐枝叶（药用部位：枝、叶。别名：七里香叶）。

| 形态特征 | 常绿灌木或小乔木，高达 6m。嫩枝被褐色柔毛，有皮孔。叶聚生枝顶，二年生，革质，嫩时上下两面被柔毛，以后变秃净，倒卵形或倒卵状披针形，长 4 ～ 9cm，宽 1.5 ～ 4cm，上面深绿色，发亮，干后暗晦无光，先端圆形或钝，常微凹入或为微心形，基部窄楔形；侧脉 6 ～ 8 对，在靠近边缘处相结合，有时因侧脉间的支脉较明显而呈多脉状，网脉稍明显，网眼细小，全缘，干后反卷；叶柄长达 2cm。伞形花序或伞房状伞形花序顶生或近顶生，密被黄褐色柔毛，花梗长 1 ～ 2cm；苞片披针形，长 4 ～ 5mm；小苞片长 2 ～ 3mm，均被褐毛；花白色，芳香，后变黄色；萼片卵形，长 3 ～ 4mm，被柔毛；花瓣倒披针形，长 1 ～ 1.2cm，离生；雄蕊二型，退化雄蕊

海桐

的花丝长 2～3mm，花药近于不育，正常雄蕊的花丝长 5～6mm，花药长圆形，长 2mm，黄色；子房长卵形，密被柔毛，侧膜胎座 3，胚珠多数，2 列着生于胎座中段。蒴果圆球形，有棱或呈三角形，直径 12mm，多少被毛，子房柄长 1～2mm，3 片裂开，果片木质，厚 1.5mm，内侧黄褐色，有光泽，具横格；种子多数，长 4mm，多角形，红色，种柄长约 2mm。

生境分布

栽培于庭院。重庆各地均有分布。

资源情况

野生资源稀少，栽培资源丰富。药材来源于栽培，自产自销。

采收加工

全年均可采收，晒干或鲜用。

功能主治

解毒，杀虫。用于疥癣，肿毒。

用法用量

外用适量，煎汤洗；或捣烂涂敷。

附 注

本种为中性树，在强光及半阴处均生长良好，喜温暖湿润气候，具有一定的抗旱、抗寒能力，耐修剪，萌发力强，对氯气、二氧化硫等有毒气体有较强的抗性，要求土壤肥沃、排水良好。

海桐花科 Pittosporaceae 海桐花属 Pittosporum

棱果海桐

Pittosporum trigonocarpum Lévl.

| 药 材 名 | 棱果海桐子（药用部位：种子。别名：山枝仁）。

| 形态特征 | 常绿灌木，高 1 ~ 3m。嫩枝无毛，老枝有皮孔。叶 3 ~ 5 常聚生枝顶，假轮生；叶柄长 5 ~ 10mm；叶片狭倒卵形或长圆状倒披针形，长 6 ~ 15cm，宽 2 ~ 4cm，先端渐尖或锐尖，基部楔形，边缘平展，上面绿色，发亮，下面浅绿色，无毛。花两性；伞房花序 3 ~ 5 聚生枝顶叶腋，组成伞形，花序基部有鳞状苞片；花梗长 1 ~ 2cm，小苞片披针形，外缘被睫毛；萼片 5，卵形，外缘被睫毛；花瓣分离或部分联合；雄蕊 5，长约 8mm；雌蕊与雄蕊等长；子房被锈色柔毛，花柱比子房长。蒴果常单生，椭圆状卵形，干后三角形或圆形，长 2 ~ 2.5cm，被毛，果梗长 1 ~ 2cm，疏被柔毛，3 片裂开，每片有种子 3 ~ 5；种子红色。花期 4 ~ 5 月，果期 8 ~ 9 月。

棱果海桐

| **生境分布** | 生于海拔 600 ～ 2000m 的山谷、沟边、山麓杂木林下、林缘或灌丛中。分布于重庆万州、彭水、酉阳、永川、巫山、城口、石柱等地。 |

| **资源情况** | 野生资源一般。药材来源于野生，自产自销。 |

| **采收加工** | 8 ～ 9 月采摘成熟果实，除去果壳，取出种子，晒干。 |

| **功能主治** | 苦、微涩，微寒。收敛止泻，清热除烦。用于腹泻，痢疾，咽痛，心烦不眠。 |

| **用法用量** | 内服煎汤，9 ～ 15g。 |

崖花子
Pittosporum truncatum Pritz.

| 药 材 名 | 崖花子（药用部位：种子。别名：山茶辣、山枝仁、七里香）、菱叶海桐（药用部位：全株）。

| 形态特征 | 常绿灌木，高 2 ~ 3m。多分枝，嫩枝被灰毛，不久变秃净。叶簇生枝顶，硬革质，倒卵形或菱形，长 5 ~ 8cm，宽 2.5 ~ 3.5cm，中部以上最宽，先端宽而有 1 短急尖，有时有浅裂，中部以下急剧收窄而下延，上面深绿色，发亮，下面初时被白毛，不久变秃净；侧脉 7 ~ 8 对，在上面明显，在下面稍凸起，网脉在上面不明显，在下面能见；叶柄长 5 ~ 8mm。花单生或数朵呈伞形，生于枝顶叶腋内，花梗纤细，无毛，或略被白绒毛，长 1.5 ~ 2cm；萼片卵形，长 2mm，无毛，边缘被睫毛；花瓣倒披针形，长 8mm；雄蕊长 6mm；子房被褐毛，卵圆形，侧膜胎座 2，胚珠 16 ~ 18。蒴果短椭

崖花子

圆形，长 9mm，宽 7mm，2 片裂开，果片薄，内侧有小横格；种子 16 ～ 18，种柄扁而细，长 1.5mm。

| 生境分布 |

生于海拔 500 ～ 1500m 的山坡、山地林、灌丛中或岩崖上。分布于重庆黔江、奉节、酉阳、城口、垫江、云阳、南川、巫溪、长寿、江津、忠县、开州、梁平、巴南等地。

| 资源情况 |

野生资源丰富。药材主要来源于野生，自产自销。

| 采收加工 |

崖花子：秋、冬季采收果实，除去果壳，取种子，晒干。

菱叶海桐：全年均可采收，晒干。

| 功能主治 |

崖花子：苦、涩，平。清热，生津，利咽，止泻。用于口渴，咽痛，泻痢。

菱叶海桐：散瘀止痛，祛风活络。用于胁痛，风湿骨痛。

| 用法用量 |

崖花子：内服煎汤，3 ～ 9g。

菱叶海桐：内服煎汤，15 ～ 30g。外用适量，捣敷。

海桐花科 Pittosporaceae 海桐花属 Pittosporum

管花海桐

Pittosporum tubiflorum Chang et Yan

| 药 材 名 |　管花海桐（药用部位：种子）。

| 形态特征 |　灌木，高 2m。嫩枝无毛，干后黑褐色，老枝灰褐色。叶簇生枝顶，二年生，革质，倒披针形，长 6.5～9cm，宽 1.3～2.6cm，先端渐尖或急锐尖，基部楔形，上面绿色，发亮，干后棕黄色，下面无毛，浅黄绿色；侧脉 5～7 对，在上面隐约可见，在下面稍为凸起，网脉在上下两面均不明显，边缘平坦，不整齐，稍有浅波；叶柄长 3～6mm。伞形花序常 3～5 簇生枝顶，每个伞形花序有花多朵；苞片阔卵形，长 2mm，小苞片披针形，长 1～1.5mm；花序柄长 2～3mm；花梗长约 1cm，纤细，无毛；萼片长 2.5～3mm，合生成浅杯状，裂片卵状三角形，无毛或被睫毛，花瓣长 1.2cm，连成管状，上部 1/3 分离，开花时平展；雄蕊长 8mm；雌蕊比雄蕊

管花海桐

长，子房长筒形，被毛，子房壁薄，子房柄长1.5mm，花柱长 3 ~ 4mm，侧膜胎座 2，胚珠4 ~ 8。果序有蒴果 7 ~ 14，果梗长 7 ~ 12mm；蒴果长椭圆形，长 1.2 ~ 1.5cm，宽 6 ~ 7mm，子房柄长 3mm，2 片裂开，果片薄木质，厚不过 1mm；种子 5 ~ 7，胎座位于果片中部至基部，种柄极短；宿存花柱长 3 ~ 4mm。

| 生境分布 |

生于海拔 800 ~ 1800m 的阔叶林中或路旁灌丛中。分布于重庆南川、彭水、奉节、武隆、开州等地。

| 资源情况 |

野生资源稀少。药材来源于野生，自产自销。

| 功能主治 |

清热，收敛，止泻。用于腹泻，痢疾。

| 用法用量 |

内服煎汤，适量。

海桐花科 Pittosporaceae 海桐花属 Pittosporum

木果海桐

Pittosporum xylocarpum Hu et Wang

| 药 材 名 | 木果海桐（药用部位：种子、根皮。别名：山枝仁、山枝茶）。

| 形态特征 | 常绿灌木，高 3m。嫩枝纤细，无毛，老枝有皮孔。叶聚生枝顶，二年生，薄革质，倒披针形或狭长椭圆形，长 6 ~ 13cm，宽 2 ~ 4.5cm，先端渐尖，基部楔形，上面绿色，发亮，下面无毛，干后黄褐色；侧脉 11 ~ 15 对，在上面隐约可见，在下面稍凸起，网脉不明显，边缘平展；叶柄长 6 ~ 15mm。伞房或伞形花序顶生，无毛，有长约 5mm 的花序柄；花梗长短不一，长 4 ~ 12mm，纤细；苞片细小，长 2mm，膜质，早落；花黄色，有香气；萼片卵形，大小不等，基部略相连，长 1.5 ~ 2mm，略被睫毛；花瓣狭披针形，长 1.2cm，下部 2/3 紧贴或连生成管状；雄蕊长约 8mm，花药长 2mm；子房长卵形，长 5mm，有短的子房柄，被毛，花柱长 3mm；侧膜胎座 3，

木果海桐

有时 2，每个胎座有胚珠 2 ~ 5。蒴果卵圆形，长约 15mm，3 片（2 片）裂开，果片木质，厚 1.5 ~ 2mm，内侧有横格；种子 4 ~ 8，长 3 ~ 4mm，红色，干后变黑色，种柄短，长 1 ~ 1.5mm。

| 生境分布 |

分布于重庆潼南、秀山、涪陵等地。

| 资源情况 |

野生资源稀少。药材主要来源于野生，自产自销。

| 采收加工 |

果实成熟时采收种子，鲜用或晒干。全年均可采收根皮，洗净，晒干。

| 功能主治 |

种子，清热，生津止渴。根皮，补肺肾，祛风湿，通筋活络。

| 用法用量 |

内服煎汤，适量。

| 附　注 |

本种和厚圆果海桐 *Pittosporum rehderianum* Gowda 相似，但厚圆果海桐叶脉较少，子房无毛，蒴果圆球形，种子较多，种柄较长。

蔷薇科 Rosaceae 龙芽草属 Agrimonia

龙芽草
Agrimonia pilosa Ldb.

龙芽草

|药 材 名|

仙鹤草（药用部位：地上部分。别名：龙牙草、施州龙牙草、瓜香草）、鹤草芽（药用部位：带短小根茎的芽。别名：牙子、狼牙、狼齿）、龙芽草根（药用部位：根。别名：地冻风）。

|形态特征|

多年生草本。根多呈块茎状，周围长出若干侧根；根茎短，基部常有1至数个地下芽。茎高 30 ~ 120cm，被疏柔毛及短柔毛，稀下部被稀疏长硬毛。叶为间断奇数羽状复叶，通常有小叶 3 ~ 4 对，稀 2 对，向上减少至 3 小叶，叶柄被稀疏柔毛或短柔毛；小叶片无柄或有短柄，倒卵形、倒卵状椭圆形或倒卵状披针形，长 1.5 ~ 5cm，宽 1 ~ 2.5cm，先端急尖至圆钝，稀渐尖，基部楔形至宽楔形，边缘有急尖到圆钝锯齿，上面被疏柔毛，稀脱落几无毛，下面通常脉上伏生疏柔毛，稀脱落几无毛，有显著腺点；托叶草质，绿色，镰形，稀卵形，先端急尖或渐尖，边缘有尖锐锯齿或裂片，稀全缘，茎下部托叶有时卵状披针形，常全缘。花序穗状总状顶生，分枝或不分枝，花序轴被柔毛，花梗长 1 ~ 5mm，被柔毛；苞片通常深 3 裂，裂片带形，小苞片对生，卵形，全缘或边缘分裂；

花直径 6 ~ 9mm; 萼片 5, 三角状卵形; 花瓣黄色, 长圆形; 雄蕊 (5 ~) 8 ~ 15; 花柱 2, 丝状, 柱头头状。果实倒卵状圆锥形, 外面有 10 肋, 被疏柔毛, 先端有数层钩刺, 幼时直立, 成熟时靠合, 连钩刺长 7 ~ 8mm, 最宽处直径 3 ~ 4mm。花果期 5 ~ 12 月。

| 生境分布 | 生于海拔 100 ~ 2750m 的溪边、路旁、草地、灌丛、林缘或疏林下。重庆各地均有分布。

| 资源情况 | 野生资源丰富。药材主要来源于野生, 自产自销。

| 采收加工 | 仙鹤草: 夏、秋季茎叶茂盛时采割, 除净杂质, 干燥。
鹤草芽: 秋末茎叶枯萎后至翌年春植株萌发前采挖根茎, 掰下带短小根茎的芽, 洗净, 晒干或低温烘干。

龙芽草根：秋后采收，除去地上部分，洗净，晒干。

| 药材性状 | 仙鹤草：本品长 50 ~ 100cm，被白色柔毛。茎下部圆柱形，直径 4 ~ 6mm，红棕色，上部方柱形，四面略凹陷，绿褐色，有纵沟和棱线，有节；体轻，质硬，易折断，断面中空。单数羽状复叶互生，暗绿色，皱缩卷曲；叶片有大、小 2 种，相间生于叶轴上，先端小叶较大，完整者展平后呈卵形或长椭圆形，先端尖，基部楔形，边缘有锯齿；托叶 2，抱茎，斜卵形；质脆，易碎。总状花序细长，花萼下部呈筒状，萼筒上部有钩刺，先端 5 裂，花瓣黄色。气微，味微苦。

鹤草芽：本品茎呈圆锥形，中上部常弯曲，全长 2 ~ 6cm，直径 0.5 ~ 1cm，顶部包以数枚浅棕色膜质芽鳞。根茎短缩，圆柱形，长 1 ~ 3cm；表面棕褐色，有紧密环状节，节上生有棕黑色退化鳞叶，根茎下部有时残存少数不定根；根牙质脆，易碎，折断后断面平坦，黄白色。气微，略有豆腥气，味先微甘而后涩、苦。

| **功能主治** | 仙鹤草：苦、涩，平。归肺、肝、脾经。收敛止血，止痢，杀虫。用于咯血，吐血，尿血，便血，创伤出血，赤白痢，崩漏带下，劳伤脱力，痈肿。

鹤草芽：驱虫，解毒消肿。用于绦虫病，滴虫性阴道炎，疮疡疥癣，疖肿，赤白痢。

龙芽草根：解毒，驱虫，活血调经。用于赤白痢，疮疡，肿毒，疟疾，绦虫病，闭经。

| **用法用量** | 仙鹤草：内服煎汤，10～15g，大剂量可用30g；或入散剂。外用捣敷或熬膏涂敷。

鹤草芽：苦、涩，凉。内服煎汤，10～30g；或研末，15～30g，小儿0.7～0.8g/kg。外用适量，煎汤洗；或鲜品捣敷。

龙芽草根：辛、涩，温。内服煎汤，9～15g；或研末。外用适量，捣敷。

| **附　　注** | 本种对气候适应性强，耐严寒。一般土壤均可种植，在肥沃的砂壤土中种植其产量更高。生产中可采用种子或分根繁殖方式。

薔薇科 Rosaceae 桃属 *Amygdalus*

山桃
Amygdalus davidiana (Carr.) C. de Vos ex Henry

山桃

药材名

桃仁（药用部位：成熟种子。别名：桃核仁、桃核人）、桃花（药用部位：花）、桃胶（药材来源：树脂）、碧桃干（药用部位：未成熟幼果。别名：桃枭、鬼髑髅、桃奴）、桃子（药用部位：果实。别名：桃实）、桃毛（药用部位：果实上的毛）、桃叶（药用部位：叶）、桃枝（药用部位：幼枝）、桃茎白皮（药用部位：去掉栓皮的树皮。别名：桃皮、桃树皮、桃白皮）、桃根（药用部位：根、根皮。别名：桃树根）。

形态特征

乔木，高可达 10m。树冠开展，树皮暗紫色，光滑；小枝细长，直立，幼时无毛，老时褐色。叶片卵状披针形，长 5 ～ 13cm，宽 1.5 ～ 4cm，先端渐尖，基部楔形，两面无毛，叶边缘具细锐锯齿；叶柄长 1 ～ 2cm，无毛，常具腺体。花单生，先于叶开放，直径 2 ～ 3cm；花梗极短或几无梗；花萼无毛，萼筒钟形，萼片卵形至卵状长圆形，紫色，先端圆钝；花瓣倒卵形或近圆形，长 10 ～ 15mm，宽 8 ～ 12mm，粉红色，先端圆钝，稀微凹；雄蕊多数，几与花瓣等长或稍短；子房被柔毛，花柱长于雄蕊或近等长。果实近球形，

直径 2.5 ～ 3.5cm，淡黄色，外面密被短柔毛，果梗短而深入果洼，果肉薄而干，不可食，成熟时不开裂；核球形或近球形，两侧不压扁，先端圆钝，基部截形，表面具纵、横沟纹和孔穴，与果肉分离。花期 3 ～ 4 月，果期 7 ～ 8 月。

| **生境分布** | 生于海拔 800 ～ 2750m 的山坡、山谷沟底、荒野疏林或灌丛内。分布于重庆酉阳、云阳、璧山、永川等地。

| **资源情况** | 野生资源一般，亦有零星栽培。药材主要来源于野生，自产自销。

| **采收加工** | 桃仁：果实成熟后采收，除去果肉及核壳，取出种子，晒干。

桃花：3 月花将开放时采收，阴干。

桃胶：夏季采收，用刀切割树皮，待树脂溢出后收集，水浸，洗去杂质，晒干。

碧桃干：4 ～ 6 月拾取经风吹落的未成熟幼果，翻晒 4 ～ 6 天，待幼果由青色变成青黄色即可。

桃子：果实成熟时采摘。

桃毛：将未成熟果实的毛刮下，晒干。

桃叶：夏季采叶，鲜用或晒干。

桃枝：夏季采收，切段，晒干或鲜用。

桃茎白皮：夏、秋季剥取树皮，除去栓皮，切碎，晒干或鲜用。

桃根：全年均可采挖根，洗净，切片，晒干；或剥取根皮，切碎，晒干。

| **药材性状** | 桃仁：本品呈类卵圆形，较小，肥厚，长约 0.9cm，宽约 0.7cm，厚约 0.5cm。表面黄棕色至红棕色，密布颗粒状突起。一端尖，中部膨大，另一端钝圆，稍扁斜，边缘较薄。尖端一侧有短线形种脐，圆端有色略深、不甚明显的合点，自合点处散出多数纵向维管束。种皮薄，子叶 2，类白色，富油性。气微，味微苦。

桃胶：本品呈不规则块状、泪滴状等，大小不一。表面淡黄色、黄棕色，角质样，半透明。质韧软，干透后较硬，断面有光泽。气微，加水有黏性。

碧桃干：本品呈矩圆形或卵圆形，长 1.8 ~ 3cm，直径 1.5 ~ 2cm，厚 0.9 ~ 1.5cm，先端渐尖，呈鸟喙状，基部不对称，有的残存少数棕红色果柄。表面黄绿色，具网状皱缩的纹理，并密被短柔毛。质坚硬，不易折断，破开后断面内果皮厚而硬化，腹缝线凸出，背缝线明显。含未成熟种子 1。气微，味微酸、涩。

桃叶：本品多卷缩成条状，湿润展平后呈长圆状披针形，长 5 ~ 13cm，宽 2 ~ 3.5cm。先端渐尖，基部宽楔形，边缘具细锯齿或粗锯齿。上面深绿色，较光亮，下面色较淡。质脆。气微，味微苦。

桃枝：本品呈圆柱形，长短不一，直径 0.2 ~ 1cm。表面红褐色，较光滑，有类白色点状皮孔。质脆，断面黄白色，木部占大部分，髓部白色。气微，味微苦、涩。

| **功能主治** | 桃仁：苦、甘，平。归心、肝、大肠经。祛瘀活血，润肠通便。用于经闭，痛经，癥瘕痞块，跌打损伤，肠燥便秘。

桃花：苦，平。归心、肝、大肠经。利水通便，活血化瘀。用于水肿，脚气，痰饮，

砂石淋，便秘，闭经，癫狂，疮疹。

桃胶：甘、苦，平；无毒。归大肠、膀胱经。和血，通淋，止痢。用于石淋，血淋，痢疾，腹痛，糖尿病，乳糜尿。

碧桃干：酸、苦，平。归肺、肝经。敛汗涩精，活血止血，止痛。用于盗汗，遗精，吐血，疟疾，心腹痛，妊娠下血。

桃子：甘、酸，温。归肺、大肠经。生津，润肠，活血，消积。用于津少口渴，肠燥便秘，闭经，积聚。

桃毛：辛，平。活血，行气。用于血瘕，崩漏，带下。

桃叶：苦、辛，平。归脾、肾经。祛风清热，杀虫。用于头风，头痛，风痹，疟疾，湿疹，疮疡，癣疮。

桃枝：苦，平。归肝、胃经。活血通络，解毒，杀虫。用于心腹疼痛，风湿关节痛，腰痛，跌打损伤，疮癣。

桃茎白皮：苦、辛，平。清热利湿，解毒，杀虫。用于水肿，痧气腹痛，风湿关节痛，肺热喘闷，喉痹，牙痛，疮痈肿毒，瘰疬，湿疮，湿癣。

桃根：苦，平。清热利湿，活血止痛，消痈肿。用于黄疸，吐血，衄血，经闭，痈肿，痔疮，风湿痹痛，跌打劳伤疼痛，腰痛，痧气腹痛。

| 用法用量 | 桃仁：内服煎汤，4.5 ~ 9g。

桃花：内服煎汤，3 ~ 6g；或研末，1.5g。外用适量，捣敷或研末调敷。

桃胶：内服煎汤，9 ~ 15g；或入丸、散。

碧桃干：内服煎汤，6 ~ 9g；或入丸、散。外用研末调敷；或烧烟熏。

桃子：内服适量，鲜食或作脯食。外用适量，捣敷。

桃毛：内服煎汤，1 ~ 3g，包煎。

桃叶：内服煎汤，3 ~ 6g。外用煎汤洗；或捣敷。

桃枝：内服煎汤，9 ~ 15g。外用适量，煎汤含漱；或洗浴。

桃茎白皮：内服煎汤，9 ~ 15g。外用适量，研末调敷；煎汤洗；或含漱。

桃根：内服煎汤，15 ~ 30g。外用煎汤洗。

| 附 注 | 本种喜光，在半阴处也能生长，耐寒，耐旱，对土壤要求不严，在贫瘠土地可种植。

蔷薇科 Rosaceae 桃属 *Amygdalus*

桃
Amygdalus persica L.

| 药 材 名 | 桃子（药用部位：果实。别名：桃实）、桃枝（药用部位：枝条）、桃根（药用部位：根、根皮。别名：桃树根）、桃花（药用部位：花）、桃茎白皮（药用部位：去掉栓皮的树皮。别名：桃皮、桃树皮、桃白皮）、桃叶（药用部位：叶）、桃仁（药用部位：种子。别名：桃核人）、碧桃干（药用部位：未成熟果实。别名：桃枭、鬼髑髅、桃奴）、桃毛（药用部位：果实上的毛）、桃胶（药材来源：树皮中分泌出来的树脂）。

| 形态特征 | 乔木，高 3 ~ 8m。树冠宽广而平展，树皮暗红褐色，老时粗糙呈鳞片状；小枝细长，无毛，有光泽，绿色，向阳处转变成红色，具长圆状披针形、椭圆状披针形或倒卵状披针形，长 7 ~ 15cm，宽 2 ~ 3.5cm，先端渐尖，基部宽楔形，具大量小皮孔；冬芽圆锥形，

桃

先端钝，外被短柔毛，常 2 ~ 3 簇生，中间为叶芽，两侧为花芽。叶片上面无毛，下面在脉腋间被少数短柔毛或无毛，叶缘具细锯齿或粗锯齿，齿端具腺体或无腺体；叶柄粗壮，长 1 ~ 2cm，常具 1 至数枚腺体，有时无腺体。花单生，先于叶开放，直径 2.5 ~ 3.5cm；花梗极短或几无梗；萼筒钟形，被短柔毛，稀几无毛，绿色而具红色斑点；萼片卵形至长圆形，先端圆钝，外被短柔毛；花瓣长圆状椭圆形至宽倒卵形，粉红色，罕为白色；雄蕊 20 ~ 30，花药绯红色；花柱几与雄蕊等长或稍短；子房被短柔毛。果实形状和大小均有变异，卵形、宽椭圆形或扁圆形，直径（3 ~ ）5 ~ 7（ ~ 12）cm，长几与宽相等，色泽变化由淡绿白色至橙黄色，常在向阳面具红晕，外面密被短柔毛，稀无毛，腹缝明显，果梗短而深入果洼；果肉白色、浅绿白色、黄色、橙黄色或红色，多汁，有香味，甜或酸甜；核大，离核或粘核，椭圆形或近圆形，两侧扁平，先端渐尖，表面具纵、横沟纹和孔穴；种仁味苦，稀味甜。花期 3 ~ 4 月，果实成熟期因品种而异，通常为 8 ~ 9 月。

| **生境分布** | 栽培于山坡、田园。重庆各地均有分布。

| **资源情况** | 野生资源稀少，栽培资源丰富。药材主要来源于栽培，自产自销。

| **采收加工** | 桃子：果实成熟时采摘，鲜用或作脯。
桃枝：夏季采收，切段，晒干。

桃根：全年均可采挖根，洗净，切片，晒干；或剥取根皮，切碎，晒干。

桃花：3 ~ 4 月花将开放时采收，阴干。

桃茎白皮：夏、秋季剥取树皮，除去栓皮，切碎，晒干或鲜用。

桃叶：果实未成熟前采收，鲜用或干燥。

桃仁：果实成熟后采收，除去果肉及核壳，取出种子，晒干。

碧桃干：春季取其未成熟而落于地上的果实，干燥。

桃毛：将未成熟果实的毛刮下，晒干。

桃胶：夏季采收，用刀切割树皮，待树脂溢出后收集，水浸，洗去杂质，晒干。

| 药材性状 |　桃枝：本品呈圆柱形，长短不一，直径 0.2 ~ 1cm。表面红褐色，较光滑，有类白色点状皮孔。质脆，易折断，切面黄白色，木部占大部分，髓部白色。气微，味微苦、涩。

桃叶：本品呈椭圆状披针形或卵状披针形，长 5 ~ 15cm，宽 1.5 ~ 3.5cm。先端长尖，基部阔楔形，边缘具细锯齿，两面无毛；上表面黄绿色至浅棕色，下表面色较浅。叶脉两面均明显，主脉和侧脉在背面凸出。叶柄长 0.5 ~ 1cm，具暗棕红色腺点。气清香，味苦。

桃仁：本品呈扁长卵形，长 1.2 ~ 1.8cm，宽 0.8 ~ 1.2cm，厚 0.2 ~ 0.4cm。表面黄棕色至红棕色，密布颗粒状突起。一端尖，中部膨大，另一端钝圆，稍扁斜，边缘较薄。尖端一侧有短线形种脐，圆端有色略深、不甚明显的合点，自合点处散出多数纵向维管束。种皮薄，子叶 2，类白色，富油性。气微，味微苦。

碧桃干：本品呈矩圆形或卵圆形，长 1.8 ~ 3cm，直径 1.5 ~ 2cm。先端渐尖，鸟喙状；基部不对称，有的残存棕红色果柄。表面黄绿色，具网状皱缩纹理，密被短柔毛；内果皮腹缝线凸出，背缝线不明显。质坚实，不易折断。气微，味微酸、涩。

桃胶：本品呈不规则块状、泪滴状等，大小不一。表面淡黄色、黄棕色，角质样，半透明。质韧软，干透后较硬，断面有光泽。气微，加水有黏性。

| 功能主治 |　桃子：甘、酸，温。归肺、大肠经。生津，润肠，活血，消积。用于津少口渴，肠燥便秘，闭经，积聚。

桃枝：苦，平。归心、肝经。活血通络，解毒杀虫。用于心腹刺痛，风湿痹痛，跌打损伤，疮癣。

桃根：苦，平。清热利湿，活血止痛，消痈肿。用于黄疸，吐血，衄血，痈肿，痔疮，风湿痹痛，跌打劳伤疼痛，腰痛，疝气腹痛。

桃花：苦，平。归心、肝、大肠经。利水通便，活血化瘀。用于小便不利，水肿，痰饮，脚气，石淋，便秘，闭经，癫狂，疮疹。

桃茎白皮：苦、辛，平。清热利湿，解毒，杀虫。用于水肿，痧气腹痛，风湿关节痛，肺热喘闷，喉痹，牙痛，疮痈肿毒，瘰疬，湿疮，湿癣。

桃叶：苦、辛，平。归脾、肾经。祛风清热，燥湿解毒，杀虫。用于外感风邪，头风，头痛，风痹，湿疹，痈肿疮疡，癣疮，疟疾，滴虫性阴道炎。

桃仁：苦、甘，平。归心、肝、大肠经。活血祛瘀，润肠通便，止咳平喘。用于经闭痛经，癥瘕痞块，肺痈肠痈，跌打损伤，肠燥便秘，咳嗽气喘。

碧桃干：酸、苦，平。归肺、肝经。敛汗涩精，活血止血，止痛。用于盗汗，遗精，心腹痛，吐血，妊娠下血。

桃毛：辛，平。活血，行气。用于血瘕，崩漏，带下。

桃胶：苦，平。和血，通淋，止痢。用于石淋，痢疾，腹痛，糖尿病，乳糜尿。

| 用法用量 | 桃子：内服适量，鲜食或作脯食。外用适量，捣敷。不宜多食。

桃枝：内服煎汤，9～15g。外用适量，煎汤洗浴。

桃根：内服煎汤，15～30g。外用煎汤洗；或捣敷。

桃花：内服煎汤，3～6g；或研末，1.5g。外用适量，捣敷或研末调敷。

桃茎白皮：内服煎汤，9～15g。外用研末调敷；煎汤洗；或含漱。

桃叶：内服煎汤，3～6g。外用适量，煎汤洗；鲜品捣敷；或捣汁涂。

桃仁：内服煎汤，5～10g。

碧桃干：内服煎汤，6～9g；或入丸、散。外用适量，研末调敷；或烧烟熏。

桃毛：内服煎汤，1～3g，包煎。

桃胶：内服煎汤，9～15g；或入丸、散。

| 附　注 | 本种喜阳光充足、温暖的环境，在肥沃、高燥的砂壤土中生长最好；怕涝，在低洼碱性土壤中生长不良。幼树抗寒力弱，容易冻梢。本种耐修剪，寿命较短。

薔薇科 Rosaceae 桃属 Amygdalus

榆叶梅

Amygdalus triloba (Lindl.) Ricker

榆叶梅

药材名

郁李仁（药用部位：种仁。别名：山樱桃、郁子、李仁肉）、郁李根（药用部位：根）。

形态特征

灌木，稀小乔木，高 2 ~ 3m。枝条开展，具多数短小枝，小枝灰色，一年生枝灰褐色，无毛或幼时微被短柔毛；冬芽短小，长 2 ~ 3mm。短枝上的叶常簇生，一年生枝上的叶互生；叶片宽椭圆形至倒卵形，长 2 ~ 6cm，宽 1.5 ~ 3（~ 4）cm，先端短渐尖，常 3 裂，基部宽楔形，上面被疏柔毛或无毛，下面被短柔毛，叶缘具粗锯齿或重锯齿；叶柄长 5 ~ 10mm，被短柔毛。花 1 ~ 2，先于叶开放，直径 2 ~ 3cm；花梗长 4 ~ 8mm；萼筒宽钟形，长 3 ~ 5mm，无毛或幼时微被毛；萼片卵形或卵状披针形，无毛，近先端疏生小锯齿；花瓣近圆形或宽倒卵形，长 6 ~ 10mm，先端圆钝，有时微凹，粉红色；雄蕊 25 ~ 30，短于花瓣；子房密被短柔毛，花柱稍长于雄蕊。果实近球形，直径 1 ~ 1.8cm，先端具短小尖头，红色，外被短柔毛，果梗长 5 ~ 10mm，果肉薄，成熟时开裂；核近球形，具厚硬壳，直径 1 ~ 1.6cm，两侧几不压扁，先端圆钝，表面具不整齐的网纹。花期 4 ～ 5 月，果期 5 ～ 7 月。

| 生境分布 | 生于低至中海拔的坡地或沟旁乔木、灌木林下或林缘。分布于重庆南川等地。

| 资源情况 | 野生和栽培资源均稀少。药材主要来源于栽培，自产自销。

| 采收加工 | 郁李仁：5 月中旬至 6 月初果实呈鲜红色时采收，将果实堆放在阴湿处，待果肉腐烂后，取其果核，除去杂质，稍晒干，将果核压碎，去壳，即得种仁。

郁李根：秋、冬季采挖，洗净，切段，晒干。

| 药材性状 | 郁李仁：本品呈圆锥形，长 7 ～ 8mm，直径约 6mm。种皮红棕色，具皱纹。合点深棕色，直径约 2mm。

| 功能主治 | 郁李仁：辛、苦、甘，平。归脾、大肠、小肠经。润燥滑肠，下气利水。用于大肠气滞，肠燥便秘，水肿腹满，脚气，小便不利。

郁李根：苦、酸，凉。归胃经。清热，杀虫，行气破积。用于龋齿疼痛，小儿发热，气滞积聚。

| 用法用量 | 郁李仁：内服煎汤，3 ～ 10g；或入丸、散。

郁李根：内服煎汤，3 ～ 10g。外用适量，煎汤含漱；或洗浴。

| 附　　注 | 本种喜光，耐旱，喜湿润，忌涝，对气候条件要求不严，在冬季 -15℃环境下能自然越冬，在夏季 40℃时，若水分充足，本种也能安全度过高温期。本种对土壤适应性强，在砂壤土、黏壤土、黏土、黄土中均可生长。但因本种吸收根系分布较浅，故在保水、保肥力较强的黏壤土中生长佳。

蔷薇科 Rosaceae 杏属 Armeniaca

梅
Armeniaca mume Sieb.

| 药 材 名 | 乌梅（药用部位：近成熟的果实。别名：梅实、黑梅、熏梅）、白梅（药材来源：盐渍的果实。别名：盐梅、霜梅、白霜梅）、青梅（药用部位：未成熟果实。别名：生梅子、梅子）、梅核仁（药用部位：种仁）、白梅花（药用部位：花蕾）。

| 形态特征 | 小乔木，稀灌木，高 4 ~ 10m。树皮浅灰色或带绿色，平滑；小枝绿色，光滑无毛。叶片卵形或椭圆形，长 4 ~ 8cm，宽 2.5 ~ 5cm，先端尾尖，基部宽楔形至圆形，叶缘常具小锐锯齿，灰绿色，幼嫩时两面被短柔毛，成长时逐渐脱落，或仅下面脉腋间被短柔毛；叶柄长 1 ~ 2cm，幼时被毛，老时脱落，常有腺体。花单生或有时 2 朵同生于 1 芽内，直径 2 ~ 2.5cm，香味浓，先于叶开放；花梗短，长 1 ~ 3mm，常无毛；花萼通常红褐色，但有些品种的花萼为绿色或绿紫色；萼筒宽钟形，

梅

无毛或有时被短柔毛；萼片卵形或近圆形，先端圆钝；花瓣倒卵形，白色至粉红色；雄蕊短或稍长于花瓣；子房密被柔毛，花柱短或稍长于雄蕊。果实近球形，直径 2 ~ 3cm，黄色或绿白色，被柔毛，味酸，果肉与核粘贴；核椭圆形，先端圆形而有小凸尖头，基部渐狭成楔形，两侧微扁，腹棱稍钝，腹面和背棱上均有明显纵沟，表面具蜂窝状孔穴。花期冬季至翌年春季，果期 5 ~ 6 月（在华北果期延至 7 ~ 8 月）。

| **生境分布** | 栽培于庭院、公园等。重庆各地均有分布。

| **资源情况** | 野生资源稀少。药材主要来源于栽培。

| **采收加工** | 乌梅：夏季果实近成熟时采收，低温烘干后闷至色变黑。

白梅：采摘未成熟果实，用盐水浸渍，日晒夜渍，约 10 天即成，久则表面生霜。

青梅：果实未成熟时采摘，鲜用。

梅核仁：将成熟果实除去果肉，砸开核，取种仁，晒干。

白梅花：1月采摘，晒干或阴干。

| **药材性状** | 乌梅：本品呈类球形或扁球形，直径 1 ~ 3cm。表面乌黑色或棕黑色，皱缩不平，基部有圆形果梗痕。果核坚硬，椭圆形，棕黄色，表面有凹点；种子扁卵形，淡黄色。气微，味极酸。

白梅：本品近球形或扁球形，直径 2 ~ 3cm。表面绿白色或黄棕色，有白霜，果肉肉质。剥开果肉可见椭圆形果核，类白色，表面可见蜂窝状小孔。气微香，味酸、咸。

青梅：本品类球形，直径 2 ~ 3cm。表面青黄色或黄棕色，可见柔毛。果肉稍厚，肉质。果核椭圆形。气清香，味酸、甘。

白梅花：本品呈圆球形，直径 0.4 ~ 0.8cm，基部常带有小梗。苞片 3 ~ 4 层，褐色，鳞片状。苞片内有萼片 5，淡黄褐色，微带绿色，卵圆形，覆瓦状排列，基部于花托愈合。花瓣 5 或多数，白色或黄白色，紧紧相抱。花瓣内含许多黄色丝状的雄蕊。中央有 1 枚雄蕊。子房呈卵形而有细长的花柱。体轻，质脆。气香，味淡、涩。

| **功能主治** | 乌梅：酸、涩，平。归肝、脾、肺、大肠经。敛肺，涩肠，生津，安蛔。用于肺虚久咳，久泻久痢，虚热消渴，蛔厥呕吐腹痛。

白梅：酸、涩、咸，平。利咽生津，涩肠止泻，除痰开噤，消疮，止血。用于咽喉肿痛，烦渴呕恶，久泻久痢，便血，崩漏，中风惊痫，痰厥口噤，梅核气，痈疽肿毒，外伤出血。

青梅：酸，平。归肺、胃、大肠经。利咽，生津，涩肠止泻，利筋脉。用于咽喉肿痛，喉痹，津伤口渴，泻痢，筋骨疼痛。

梅核仁：酸，平。清暑，除烦，明目。用于暑热霍乱，烦热，视物不清。

白梅花：酸、涩，平。归肝、肺经。疏肝，和胃，化痰。用于肝胃气痛，梅核气，食欲不振，头晕，瘰疬。

| **用法用量** | 乌梅：内服煎汤，6 ~ 12g。

白梅：内服煎汤，6 ~ 9g；或噙咽津液；或入丸剂。外用适量，擦牙；或捣敷；或煅存性，研末调敷。

青梅：内服煎汤，6 ~ 9g；或噙咽津液；或入丸剂。外用适量，浸酒擦；或熬膏点眼。

梅核仁：内服煎汤，2 ~ 5g；或入丸剂。外用适量，捣敷。

白梅花：内服煎汤，2.5 ~ 5g。

| **附 注** | 本种喜温暖湿润气候，需阳光充足，花期温度对产量影响极大，低于 −6℃或高于20℃对坐果率有明显影响。本种对土壤要求不严，但以疏松、肥沃、土层深厚、排水良好的砂壤土栽种为好。因本种怕涝、耐干旱，故低洼多湿之地不宜栽种。

杏 *Armeniaca vulgaris* Lam.

| 药 材 名 | 苦杏仁（药用部位：种子。别名：杏核仁、杏子、木落子）、甜杏仁（药用部位：味甜种子。别名：巴蛋杏、叭哒杏）、杏子（药用部位：果实。别名：杏实）、杏叶（药用部位：叶。别名：杏树叶）、杏花（药用部位：花）、杏枝（药用部位：枝条）、杏树皮（药用部位：树皮）、杏树根（药用部位：根）。

| 形态特征 | 乔木，高 5 ~ 8（~ 12）m。树冠圆形、扁圆形或长圆形，树皮灰褐色，纵裂；多年生枝浅褐色，皮孔大而横生，一年生枝浅红褐色，有光泽，无毛，具多数小皮孔。叶片宽卵形或圆卵形，长 5 ~ 9cm，宽 4 ~ 8cm，先端急尖至短渐尖，基部圆形至近心形，叶缘有圆钝锯齿，两面无毛或下面脉腋间被柔毛；叶柄长 2 ~ 3.5cm，无毛，基部常具 1 ~ 6 腺体。花单生，直径 2 ~ 3cm，先于叶开放；花梗短，长 1 ~ 3mm，

杏

被短柔毛；花萼紫绿色；萼筒圆筒形，外面基部被短柔毛；萼片卵形至卵状长圆形，先端急尖或圆钝，花后反折；花瓣圆形至倒卵形，白色或带红色，具短爪；雄蕊 20 ～ 45，稍短于花瓣；子房被短柔毛，花柱稍长或几与雄蕊等长，下部被柔毛。果实球形，稀倒卵形，直径约 2.5cm 以上，白色、黄色至黄红色，常具红晕，微被短柔毛，果肉多汁，成熟时不开裂；核卵形或椭圆形，两侧扁平，先端圆钝，基部对称，稀不对称，表面稍粗糙或平滑，腹棱较圆，常稍钝，背棱较直，腹面具龙骨状棱，种仁味苦或甜。花期 3 ～ 4 月，果期 6 ～ 7 月。

| **生境分布** | 生于海拔 700 ～ 2000m 的丘陵、草原。重庆各地均有分布。

| **资源情况** | 野生资源稀少。药材主要来源于栽培，自产自销。

| **采收加工** | 苦杏仁：夏季采收成熟果实，除去果肉和核壳，取出种子，晒干。
甜杏仁：夏季采收成熟果实，除去果肉和核壳，取出种子，晒干。
杏子：6 ～ 7 月果实成熟时采收，鲜用或晒干。
杏叶：夏、秋季叶生长茂盛时采收，鲜用或晒干。
杏花：3 ～ 4 月采花，阴干。
杏枝：夏、秋季采收，切段，晒干。
杏树皮：春、秋季采收，剥取树皮，削去外面栓皮，切碎，晒干。
杏树根：全年均可采挖，洗净，切碎，晒干。

| **药材性状** | 苦杏仁：本品呈扁心形，长 1 ~ 1.9cm，宽 0.8 ~ 1.5cm，厚 0.5 ~ 0.8cm。表面黄棕色至深棕色，一端尖，另一端钝圆，肥厚，左右不对称。尖端一侧有短线形种脐，圆端合点处向上具多数深棕色脉纹。种皮薄，子叶 2，乳白色，富油性。气微，味苦。 |

甜杏仁：本品呈扁心形，长 1.6 ~ 2.6cm，宽 1.2 ~ 1.6cm，厚 0.5 ~ 0.6cm。表面淡棕色至暗棕色，一端尖锐，有珠孔，旁有种脐，另一端钝圆，肥厚，左右不对称，在合点处分出多数深棕色脉纹。除去种皮，可见乳白色子叶 2，富油性。气微，味微甘。

| **功能主治** | 苦杏仁：苦，微温；有小毒。归肺、大肠经。降气止咳平喘，润肠通便。用于咳嗽气喘，胸满痰多，肠燥便秘。 |

甜杏仁：甘，平。归肺、大肠经。止咳平喘，润肠通便。用于肺虚咳嗽，便秘。

杏子：味酸、甘，性温。归肺、心经。润肺定喘，生津止渴。用于肺燥咳嗽，津伤口渴。

杏叶：祛风利湿，明目。用于水肿，皮肤瘙痒，目疾多泪，痈疮瘰疬。

杏花：苦，温。活血补虚。用于妇女不孕，肢体痹痛，手足逆冷。

杏枝：活血散瘀。用于跌打损伤。

杏树皮：解毒。用于杏仁中毒。

杏树根：解毒。用于杏仁中毒。

| 用法用量 | 苦杏仁：内服煎汤，5 ~ 10g，后下。内服不宜过量，以免中毒。

甜杏仁：内服煎汤，4.5 ~ 9g。

杏子：内服煎汤，6 ~ 12g；或适量生食；或晒干为脯。不宜多食。

杏叶：内服煎汤，3 ~ 10g。外用适量，煎汤洗；研末调敷或捣敷。

杏花：内服煎汤，5 ~ 10g；或研末。

杏枝：内服煎汤，30 ~ 90g。

杏树皮：内服煎汤，30 ~ 60g。

杏树根：内服煎汤，30 ~ 60g。

| 附　　注 | 本种适应性强，耐旱，耐寒，耐瘠薄，抗盐碱；对土壤要求不严，可栽种于平地或坡地。

蔷薇科 Rosaceae 假升麻属 Aruncus

假升麻
Aruncus sylvester Kostel.

| 药 材 名 | 棣棠升麻（药用部位：全草或根。别名：火把杆）。

| 形态特征 | 多年生草本，基部木质化，高达 1 ~ 3m。茎圆柱形，无毛，带暗紫色。大型羽状复叶，通常二回，稀三回，总叶柄无毛；小叶片 3 ~ 9，菱状卵形、卵状披针形或长椭圆形，长 5 ~ 13cm，宽 2 ~ 8cm，先端渐尖，稀尾尖，基部宽楔形，稀圆形，边缘有不规则的尖锐重锯齿，近于无毛或沿叶边被疏生柔毛；小叶柄长 4 ~ 10mm 或近于无柄；不具托叶。大型穗状圆锥花序，长 10 ~ 40cm，直径 7 ~ 17cm，外被柔毛与稀疏星状毛，逐渐脱落，果期较少；花梗长约 2mm；苞片线状披针形，微被柔毛；花直径 2 ~ 4mm；萼筒杯状，微被毛；萼片三角形，先端急尖，全缘，近于无毛；花瓣倒卵形，先端圆钝，白色；雄花具雄蕊 20，着生于萼筒边缘，花丝比花瓣长约 1 倍，有

假升麻

退化雌蕊；花盘盘状，边缘有 10 圆形突起；雌花心皮 3 ~ 4，稀 5 ~ 8，花柱顶生，微倾斜于背部，雄蕊短于花瓣。蓇葖果并立，无毛，果梗下垂，萼片宿存，开展，稀直立。花期 6 月，果期 8 ~ 9 月。

| **生境分布** | 生于海拔 1800 ~ 2750m 的山沟、山坡杂木林下。分布于重庆云阳、武隆、城口、巫溪、奉节、酉阳、秀山、南川等地。

| **资源情况** | 野生资源一般。药材主要来源于野生。

| **采收加工** | 秋季采挖根，洗净，晒干。夏季采收全草，晒干。

| **功能主治** | 补虚，止痛。用于虚劳乏力，跌打损伤，筋骨酸痛。

| **用法用量** | 内服煎汤，5 ~ 10g。

蔷薇科 Rosaceae 樱属 Cerasus

尾叶樱桃

Cerasus dielsiana (Schneid.) Yü et Li

尾叶樱桃

药 材 名

尾叶樱桃（药用部位：树皮）。

形态特征

乔木或灌木，高 5 ～ 10m。小枝灰褐色，无毛，嫩枝无毛或密被褐色长柔毛；冬芽卵圆形，无毛。叶片长椭圆形或倒卵状长椭圆形，长 6 ～ 14cm，宽 2.5 ～ 4.5cm，先端尾状渐尖，基部圆形至宽楔形，叶缘有尖锐单齿或重锯齿，齿端有圆钝腺体，上面暗绿色，无毛，下面淡绿色，中脉和侧脉密被开展柔毛，其余被疏柔毛，有侧脉 10 ～ 13 对；叶柄长 0.8 ～ 1.7cm，密被开展柔毛，以后脱落变疏，先端或上部有 1 ～ 3 腺体；托叶狭带形，长 0.8 ～ 1.5cm，边缘有腺齿。花序伞形或近伞形，有花 3 ～ 6，先叶开放或近先叶开放；总苞褐色，长椭圆形，内面密被伏生柔毛；总梗长 0.6 ～ 2cm，被黄色开展柔毛；苞片卵圆形，直径 3 ～ 6mm，边缘撕裂状，有长柄腺体；花梗长 1 ～ 3.5cm，被褐色开展柔毛；萼筒钟形，长 3.5 ～ 5mm，被疏柔毛，萼片长椭圆形或椭圆披针形，约为萼筒的 2 倍，先端急尖或钝，边缘有缘毛；花瓣白色或粉红色，卵圆形，先端 2 裂；雄蕊 32 ～ 36，与花瓣近等长，花柱比雄蕊稍短

或较长，无毛。核果红色，近球形，直径 8 ~ 9mm；核卵形，表面较光滑。花期
3 ~ 4 月。

| 生境分布 | 生于海拔 500 ~ 900m 的山谷、溪边、林中。分布于重庆奉节、巫山、云阳、万州、石柱、南川、北碚、黔江、酉阳、武隆等地。

| 资源情况 | 野生资源稀少。药材主要来源于野生。

| 采收加工 | 春、秋季采收，剥取树皮，削去外面栓皮，切碎，晒干。

| 功能主治 | 收敛止泻，润肺止咳。

| 用法用量 | 内服煎汤；或浸酒。外用浸酒涂擦；或捣敷。

薔薇科 Rosaceae 櫻属 *Cerasus*

麦李
Cerasus glandulosa (Thunb.) Lois.

| 药 材 名 | 麦李（药用部位：种子）。

| 形态特征 | 灌木，高 0.5 ～ 1.5m，稀达 2m。小枝灰棕色或棕褐色，无毛或嫩枝被短柔毛；冬芽卵形，无毛或被短柔毛。叶片长圆状披针形或椭圆状披针形，长 2.5 ～ 6cm，宽 1 ～ 2cm，先端渐尖，基部楔形，最宽处在中部，边缘有细钝重锯齿，上面绿色，下面淡绿色，两面均无毛或在中脉上被疏柔毛，侧脉 4 ～ 5 对；叶柄长 1.5 ～ 3mm，无毛或上面被疏柔毛；托叶线形，长约 5mm。花单生或 2 朵簇生，花、叶同开或近同开；花梗长 6 ～ 8mm，几无毛；萼筒钟状，长、宽近相等，无毛，萼片三角状椭圆形，先端急尖，边缘有锯齿；花瓣白色或粉红色，倒卵形；雄蕊 30；花柱稍比雄蕊长，无毛或基部被疏柔毛。核果红色或紫红色，近球形，直径 1 ～ 1.3cm。花期 3 ～ 4 月，

麦李

果期 5 ~ 8 月。

| **生境分布** | 生于海拔 800m 左右的山坡、沟边或灌丛中。分布于重庆奉节、石柱、涪陵等地。

| **资源情况** | 野生资源稀少。药材主要来源于栽培,自产自销。

| **采收加工** | 5 月中旬至 6 月初当果实呈鲜红色时采收。将果实堆放在阴湿处,待果肉腐烂后取其种子。

| **功能主治** | 辛、苦、甘,平。润燥滑肠,下气,利水。用于津枯肠燥,食积气滞,腹胀便秘,水肿,脚气,小便淋痛。

| **用法用量** | 内服煎汤,适量。

蔷薇科 Rosaceae 樱属 Cerasus

樱桃
Cerasus pseudocerasus (Lindl.) G. Don

樱桃

药材名

樱桃核（药用部位：果核。别名：樱桃米）、樱桃（药用部位：果实。别名：朱桃、朱樱桃、紫樱）、樱桃叶（药用部位：叶）、樱桃枝（药用部位：枝条）、樱桃根（药用部位：根）、樱桃花（药用部位：花）。

形态特征

乔木，高 2 ~ 6m。树皮灰白色；小枝灰褐色，嫩枝绿色，无毛或被疏柔毛；冬芽卵形，无毛。叶片卵形或长圆状卵形，长 5 ~ 12cm，宽 3 ~ 5cm，先端渐尖或尾状渐尖，基部圆形，边缘有尖锐重锯齿，齿端有小腺体，上面暗绿色，近无毛，下面淡绿色，沿脉或脉间被稀疏柔毛，侧脉 9 ~ 11 对；叶柄长 0.7 ~ 1.5cm，被疏柔毛，先端有 1 或 2 大腺体；托叶早落，披针形，有羽裂腺齿。花序伞房状或近伞形，有花 3 ~ 6，先叶开放；总苞倒卵状椭圆形，褐色，长约 5mm，宽约 3mm，边缘有腺齿；花梗长 0.8 ~ 1.9cm，被疏柔毛；萼筒钟状，长 3 ~ 6mm，宽 2 ~ 3mm，外面被疏柔毛，萼片三角状卵圆形或卵状长圆形，先端急尖或钝，全缘，长为萼筒的一半或过半；花瓣白色，卵圆形，先端下凹或二裂；雄蕊 30 ~ 35，栽培者可达 50；花柱与雄蕊近等长，无毛。核果近球形，红色，直径 0.9 ~ 1.3cm。花期 3 ~ 4 月，果期 5 ~ 6 月。

| 生境分布 | 生于或栽培于海拔 300 ~ 600m 的山坡阳处或沟边。重庆各地均有分布。

| 资源情况 | 野生资源稀少。药材来源于野生。

| 采收加工 | 樱桃核：夏季采收，洗净，晒干。

樱桃：早熟品种一般 5 月中旬采收，中、晚熟品种随后也可陆续采收。采收樱桃要带果柄，轻摘轻放，多鲜用。

樱桃叶：夏、秋季采收，鲜用或晒干。

樱桃枝：全年均可采收，切段，晒干。

樱桃根：全年均可采挖，洗净，切段，晒干或鲜用。

樱桃花：花盛开时采摘，晒干。

| 药材性状 | 樱桃核：本品呈扁卵形，长 0.8 ~ 1.2cm，直径 0.7 ~ 0.9cm。先端如鸟喙状；另一端有圆形凹入的小孔。外表面白色或淡黄色，有不明显的小凹点，腹缝线微凸出，背缝线明显而凸出，其两侧具 2 条纵向凸起的肋纹。质坚硬，不易破碎。种子 1，呈不规则皱缩，红黄色，久置呈褐色。种仁淡黄色。气微香，味微苦。

| 功能主治 | 樱桃核：辛，温。归肺经。发表透疹，消瘤祛瘢，行气止痛。用于痘疹初期透发不畅，皮肤瘢痕，瘿瘤，疝气疼痛。

樱桃：甘、酸，温。归脾、肾经。补脾益肾。用于脾虚泄泻，肾虚遗精，腰腿疼痛，四肢不仁，瘫痪。

樱桃叶：甘、苦，温。归肝、脾、肺经。温中健脾，止咳止血，解毒杀虫。用于胃寒食积，腹泻，咳嗽，吐血，疮疡痛肿，蛇虫咬伤，滴虫性阴道炎。

樱桃枝：辛、甘，温。温中行气，止咳，祛斑。用于胃寒脘痛，咳嗽，雀斑。

樱桃根：甘，平。杀虫，调经，益气阴。用于绦虫、蛔虫、蛲虫病，经闭，劳倦内伤。

樱桃花：养颜祛斑。用于面部粉刺。

| 用法用量 | 樱桃核：内服煎汤，3 ~ 9g。外用适量，研末调敷；或煎汤熏洗。

樱桃：内服煎汤，30 ~ 150g；或浸酒。外用适量，浸酒涂搽；或捣敷。不宜多食。

樱桃叶：内服煎汤，15 ~ 30g；或捣汁。外用适量，捣敷；或煎汤熏洗。

樱桃枝：内服煎汤，3 ~ 10g。外用适量，煎汤洗。

樱桃根：内服煎汤，9 ~ 15g，鲜品 30 ~ 60g。外用适量，煎汤洗。

樱桃花：外用适量，煎汤洗。

蔷薇科 Rosaceae 樱属 Cerasus

细齿樱桃

Cerasus serrula (Franch.) Yü et Li

细齿樱桃

| 药 材 名 |

野樱桃（药用部位：果实、果皮。别名：缠条子）、野樱桃核（药用部位：果核）、野樱桃根（药用部位：根）。

| 形态特征 |

乔木，高 2 ~ 12m。树皮灰褐色或紫褐色；小枝紫褐色，无毛，嫩枝伏生疏柔毛；冬芽尖卵形，鳞片外面无毛或被稀疏伏毛。叶片披针形至卵状披针形，长 3.5 ~ 7cm，宽 1 ~ 2cm，先端渐尖，基部圆形，边缘有尖锐单锯齿或重锯齿，齿端有小腺体，叶片茎部有 3 ~ 5 大型腺体，上面深绿色，疏被柔毛，下面淡绿色，无毛或中脉下部两侧被疏柔毛，侧脉 11 ~ 16 对；叶柄长 5 ~ 8mm，被稀疏柔毛或脱落几无毛；托叶线形，比叶柄短或近等长，花后脱落。花单生或有 2 朵，花、叶同开，花直径约 1cm；总苞片褐色，狭长椭圆形，长约 6mm，宽约 3mm，外面无毛，内面被疏柔毛，边缘有腺齿；总梗短或无；苞片褐色，卵状狭长圆形，长 2 ~ 2.5mm，有腺齿；花梗长 6 ~ 12mm，被稀疏柔毛；萼筒管形钟状，长 5 ~ 6mm，宽约 3mm，基部被稀疏柔毛，萼片卵状三角形，长 3mm；花瓣白色，倒卵状椭圆形，先端圆钝；雄蕊 38 ～ 44；花柱比雄蕊长，无毛。核果成熟时紫红色，卵圆形，纵径约 1cm，横径 6 ～ 7mm；核表面有显著棱纹；果梗长 1.5 ～ 2cm，先端稍膨大。花期 5 ～ 6 月，果期 7 ～ 9 月。

| **生境分布** | 生于海拔 2600 ～ 2790m 的山坡、山谷林中、林缘或山坡草地。分布于重庆黔江、巫山、酉阳等地。

| **资源情况** | 野生资源稀少。药材来源于野生。

| **采收加工** | 野樱桃：7 ～ 8 月果实成熟时采收。
野樱桃核：7 ～ 8 月采摘成熟果实，除去果肉，取核洗净，晒干生用。
野樱桃根：夏、秋季采挖，洗净，切段，晒干。

| **功能主治** | 野樱桃：甘，微凉。清肺利咽，止咳。用于咽喉肿痛，声音嘶哑，咳嗽。
野樱桃核：辛，平。清肺透疹。用于麻疹初起，疹出不畅。
野樱桃根：甘，平。调气活血，杀虫。用于月经不调，绦虫病。

| **用法用量** | 野樱桃：内服煎汤，15 ～ 30g；或捣汁服。
野樱桃核：内服煎汤，3 ～ 10g。
野樱桃根：内服煎汤，10 ～ 15g。

| **附　注** | 四川樱桃与本种同作野樱桃入药。

蔷薇科 Rosaceae 樱属 Cerasus

毛樱桃
Cerasus tomentosa (Thunb.) Wall.

| 药 材 名 | 山樱桃（药用部位：果实。别名：朱桃、婴桃、英豆）。

| 形态特征 | 灌木，通常高 0.3 ~ 1m，稀呈小乔木状，高可达 2 ~ 3m。小枝紫褐色或灰褐色，嫩枝密被绒毛到无毛；冬芽卵形，疏被短柔毛或无毛。叶片卵状椭圆形或倒卵状椭圆形，长 2 ~ 7cm，宽 1 ~ 3.5cm，先端急尖或渐尖，基部楔形，边缘有急尖或有粗锐锯齿，上面暗绿色或深绿色，被疏柔毛，下面灰绿色，密被灰色绒毛或以后变为稀疏，侧脉 4 ~ 7 对；叶柄长 2 ~ 8mm，被绒毛或脱落稀疏；托叶线形，长 3 ~ 6mm，被长柔毛。花单生或 2 朵簇生，花、叶同开，近先叶开放或先叶开放；花梗长达 2.5mm 或近无梗；萼筒管状或杯状，长 4 ~ 5mm，外被短柔毛或无毛，萼片三角状卵形，先端圆钝或急尖，长 2 ~ 3mm，内外两面内被短柔毛或无毛；花瓣白色或粉红色，倒

毛樱桃

卵形，先端圆钝；雄蕊 20 ～ 25，短于花瓣；花柱伸出，与雄蕊近等长或稍长；子房全部被毛或仅先端或基部被毛。核果近球形，红色，直径 0.5 ～ 1.2cm；核表面除棱脊两侧有纵沟外，无棱纹。花期 4 ～ 5 月，果期 6 ～ 9 月。

| 生境分布 | 生于海拔 1200 ～ 2000m 的山地或溪沟边杂木林中。分布于重庆城口、奉节、南川、开州、巫溪等地。

| 资源情况 | 野生资源较少。药材主要来源于野生，自产自销。

| 采收加工 | 6 ～ 9 月果实成熟时采摘，晒干。

| 功能主治 | 甘、辛，平。健脾，益气，固精。用于食积泻痢，便秘，脚气，遗精滑泄。

| 用法用量 | 内服煎汤，100 ～ 300g。

薔薇科 Rosaceae 木瓜属 Chaenomeles

木瓜
Chaenomeles sinensis (Thouin) Koehne

木瓜

| 药 材 名 |

光皮木瓜（药用部位：果实。别名：木李、蛮楂、木梨）。

| 形态特征 |

灌木或小乔木，高达 5 ~ 10m。树皮呈片状脱落；小枝无刺，圆柱形，幼时被柔毛，不久即脱落，紫红色，二年生枝无毛，紫褐色；冬芽半圆形，先端圆钝，无毛，紫褐色。叶片椭圆状卵形或椭圆状长圆形，稀倒卵形，长 5 ~ 8cm，宽 3.5 ~ 5.5cm，先端急尖，基部宽楔形或圆形，边缘有刺芒状尖锐锯齿，齿尖有腺，幼时下面密被黄白色绒毛，不久即脱落无毛；叶柄长 5 ~ 10mm，微被柔毛，有腺齿；托叶膜质，卵状披针形，先端渐尖，边缘具腺齿，长约 7mm。花单生叶腋，花梗短粗，长 5 ~ 10mm，无毛；花直径 2.5 ~ 3cm；萼筒钟状，外面无毛；萼片三角状披针形，长 6 ~ 10mm，先端渐尖，边缘有腺齿，外面无毛，内面密被浅褐色绒毛，反折；花瓣倒卵形，淡粉红色；雄蕊多数，长不及花瓣之半；花柱 3 ~ 5，基部合生，被柔毛，柱头头状，有不显明分裂，约与雄蕊等长或稍长。果实长椭圆形，长 10 ~ 15cm，暗黄色，木质，味芳香，果梗短。花期 4 月，果期 9 ~ 10 月。

| 生境分布 |

栽培于山地或庭院。分布于重庆南川、綦江、璧山、江津、巫山等地。

| 资源情况 |

野生资源较少，栽培资源较丰富。药材主要来源于栽培，自产自销。

| 采收加工 |

夏、秋季果实呈绿色或黄色时采摘，纵剖成 2 ~ 4 瓣，晾晒至水分渐干、色变红时，再翻晒至干。

| 药材性状 |

本品呈瓣状或片状，长 4 ~ 8cm，宽 3 ~ 6cm。外表面红棕色或紫红色，平滑不皱；基部凹陷并残留果柄痕，先端有花柱残留。剖面较平坦或边缘稍向内翻，果肉厚 0.5 ~ 2cm，粗糙，显颗粒性。种子呈扁平三角形，紫褐色，紧密排列成行或脱落。气微，味涩、微酸，嚼之有沙粒感。

| 功能主治 |

酸、涩，平。归胃、肝、肺经。和胃舒筋，祛风湿，消痰止咳。用于吐泻转筋，风湿痹痛，咳嗽痰多，泄泻，痢疾，跌打伤痛，脚气水肿。

| 用法用量 |

内服煎汤，3 ~ 10g。

薔薇科 Rosaceae 枸子属 Cotoneaster

泡叶枸子

Cotoneaster bullatus Bois

| 药 材 名 | 泡叶枸子（药用部位：根、叶）。

| 形态特征 | 落叶开展灌木，高达 2m。小枝粗壮，圆柱形，稍弯曲，灰黑色，幼嫩时被糙伏毛。叶片长圆卵形或椭圆卵形，长 3.5 ~ 7cm，宽 2 ~ 4cm，先端渐尖，有时急尖，基部楔形或圆形，全缘，上面有明显皱纹并呈泡状隆起，无毛或微被柔毛，下面被疏生柔毛，沿叶脉毛较密，有时近无毛；叶柄长 3 ~ 6mm，被柔毛；托叶披针形，被柔毛，早落。花 5 ~ 13 成聚伞花序，总花梗和花梗均被柔毛；花梗长 1 ~ 3mm；花直径 7 ~ 8mm；花萼筒钟状，外面无毛或被稀疏柔毛，内面无毛，萼片三角形，先端急尖，外面无毛或被稀疏柔毛，内面仅先端被柔毛；花瓣直立，倒卵形，长约 4.5mm，先端圆钝，浅红色；雄蕊 20 ~ 22，比花瓣短；花柱 4 ~ 5，离生，甚短；子房

泡叶枸子

先端被柔毛。果实球形或倒卵形，长 6 ～ 8mm，直径 6 ～ 8mm，红色，具 4 ～ 5 小核。花期 5 ～ 6 月，果期 8 ～ 9 月。

| **生境分布** | 生于海拔 1500 ～ 3200m 的坡地疏林内、河岸旁或山沟边。分布于重庆城口、奉节、石柱、南川、武隆等地。

| **资源情况** | 野生资源较少。药材主要来源于野生。

| **采收加工** | 全年均可采收，洗净，切片，晒干。

| **功能主治** | 清热解毒，止痛。用于麻疹。

| **用法用量** | 内服煎汤，适量。

薔薇科 Rosaceae 栒子属 Cotoneaster

木帚栒子

Cotoneaster dielsianus Pritz.

| 药 材 名 |　木帚栒子（药用部位：根）。

| 形态特征 |　落叶灌木，高 1 ~ 2m。枝条开展下垂；小枝通常细瘦，圆柱形，灰黑色或黑褐色，幼时密被长柔毛。叶片椭圆形至卵形，长 1 ~ 2.5cm，宽 0.8 ~ 1.5cm，先端多数急尖，稀圆钝或缺凹，基部宽楔形或圆形，全缘，上面微被稀疏柔毛，下面密被黄色或灰色绒毛；叶柄长 1 ~ 2mm，被绒毛；托叶线状披针形，幼时被毛，至果期部分宿存。花 3 ~ 7 成聚伞花序，总花梗和花梗被柔毛；花梗长 1 ~ 3mm；花直径 6 ~ 7mm；萼筒钟状，外面被柔毛；萼片三角形，先端急尖，外面被柔毛，内面先端被少数柔毛；花瓣直立，几圆形或宽倒卵形，长与宽均 3 ~ 4mm，先端圆钝，浅红色；雄蕊 15 ~ 20，比花瓣短；花柱通常 3，甚短，离生；子房顶部被柔毛。果实近球形或倒卵形，直径 5 ~ 6mm，红色，具 3 ~ 5 小核。花期 6 ~ 7 月，果期 9 ~ 10 月。

木帚栒子

| 生境分布 | 生于海拔 700 ～ 1900m 的荒坡或灌丛中。分布于重庆黔江、城口、巫山、彭水、石柱、忠县、奉节、丰都、南川、云阳、武隆、酉阳、江津、万州等地。

| 资源情况 | 野生资源丰富。药材主要来源于野生，自产自销。

| 采收加工 | 全年均可采收，除去茎枝及须根，洗净，切片，晒干或鲜用。

| 功能主治 | 清热，利湿，止血。用于痢疾，吐血。

| 用法用量 | 内服煎汤，适量。外用适量，鲜品捣敷。

蔷薇科 Rosaceae 栒子属 Cotoneaster

平枝栒子
Cotoneaster horizontalis Dcne.

| 药 材 名 | 水莲沙（药用部位：枝叶、根。别名：栒刺木、岩楞子、铺地蜈蚣）。

| 形态特征 | 落叶或半常绿匍匐灌木，高不超过0.5m。枝水平开展成整齐2列状；小枝圆柱形，幼时外被糙伏毛，老时脱落，黑褐色。叶片近圆形或宽椭圆形，稀倒卵形，长5～14mm，宽4～9mm，先端多数急尖，基部楔形，全缘，上面无毛，下面被稀疏平贴柔毛；叶柄长1～3mm，被柔毛；托叶钻形，早落。花1～2，近无梗，直径5～7mm；花萼筒钟状，外面被稀疏短柔毛，内面无毛，萼片三角形，先端急尖，外面微被短柔毛，内面边缘被柔毛；花瓣直立，倒卵形，先端圆钝，长约4mm，宽3mm，粉红色；雄蕊约12，短于花瓣；花柱常为3，有时为2，离生，短于雄蕊；子房先端被柔毛。

平枝栒子

果实近球形，直径 4 ～ 6mm，鲜红色，常具 3 小核，稀 2 小核。花期 5 ～ 6 月，果期 9 ～ 10 月。

| **生境分布** | 生于海拔 800 ～ 2500m 的灌丛中或岩石坡上。分布于重庆城口、奉节、巫山、巫溪、开州、万州、云阳、秀山、酉阳、石柱、南川等地。

| **资源情况** | 野生资源稀少。药材来源于野生，自产自销。

| **采收加工** | 全年均可采收，洗净，切片，晒干。

| **功能主治** | 酸、涩、凉。清热利湿，化痰止咳，止血止痛。用于痢疾，泄泻，腹痛，咳嗽，吐血，痛经，带下。

| **用法用量** | 内服煎汤，10 ～ 15g。

蔷薇科 Rosaceae 枸子属 Cotoneaster

小叶枸子
Cotoneaster microphyllus Wall. ex Lindl.

| 药 材 名 | 黑牛筋（药用部位：叶。别名：刀口药、铺地蜈蚣）。

| 形态特征 | 常绿矮生灌木，高达 1m。枝条开展，小枝圆柱形，红褐色至黑褐色，幼时被黄色柔毛，逐渐脱落。叶片厚革质，倒卵形至长圆状倒卵形，长 4 ~ 10mm，宽 3.5 ~ 7mm，先端圆钝，稀微凹或急尖，基部宽楔形，上面无毛或被稀疏柔毛，下面被灰白色短柔毛，叶边反卷；叶柄长 1 ~ 2mm，被短柔毛；托叶细小，早落。花通常单生，稀 2 ~ 3，直径约 1cm，花梗甚短；萼筒钟状，外面被稀疏短柔毛，内面无毛，萼片卵状三角形，先端钝，外面稍被短柔毛，内面无毛或仅先端边缘上被少数柔毛；花瓣平展，近圆形，长与宽均约 4mm，先端钝，白色；雄蕊 15 ~ 20，短于花瓣；花柱 2，离生，稍短于雄蕊；子房先端被短柔毛。果实球形，直径 5 ~ 6mm，红色，内常具 2 小核。花期 5 ~ 6 月，果期 8 ~ 9 月。

小叶枸子

| 生境分布 | 生于多石山坡或灌丛中。分布于重庆忠县、奉节、巫溪、南川、开州、武隆等地。

| 资源情况 | 野生资源较少。药材来源于野生，自产自销。

| 采收加工 | 秋季采收，鲜用或晒干。

| 功能主治 | 甘、微酸、涩，温；有毒。止血，生肌。用于刀伤出血。

| 用法用量 | 外用适量，研末撒。

蔷薇科 Rosaceae 栒子属 Cotoneaster

宝兴栒子

Cotoneaster moupinesis Franch.

| 药 材 名 | 宝兴栒子（药用部位：枝、叶）。

| 形态特征 | 落叶灌木，高达 5m。枝条开展，小枝圆柱形，稍曲折，灰黑色，具显明皮孔，幼时被糙伏毛，以后逐渐脱落。叶片椭圆卵形或菱状卵形，长 4 ~ 12cm，宽 2 ~ 4.5cm，先端渐尖，基部宽楔形或近圆形，全缘，上面微被稀疏柔毛，具皱纹和泡状隆起，下面沿显明网状脉上被短柔毛；叶柄长 2 ~ 3mm，被短柔毛；托叶早落。聚伞花序有多数花朵，通常 9 ~ 25，总花梗和花梗被短柔毛；苞片披针形，被稀疏短柔毛；花梗长 2 ~ 3mm；花直径 8 ~ 10mm；萼筒钟状，外面被短柔毛，内面无毛，萼片三角形，先端急尖，外面微被短柔毛，内面近无毛；花瓣直立，卵形或近圆形，长 3 ~ 4mm，宽 2 ~ 3mm，先端圆钝，粉红色；雄蕊约 20，短于花瓣；花柱 4 ~ 5，离生，比雄蕊短；子

宝兴栒子

房顶部被短柔毛。果实近球形或倒卵形，直径 6 ~ 8mm，黑色，内具 4 ~ 5 小核。花期 6 ~ 7 月，果期 9 ~ 10 月。

| **生境分布** |　生于海拔 1300 ~ 2700m 的荒坡或疏林下。分布于重庆城口、巫溪、巫山、奉节、南川等地。

| **资源情况** |　野生资源较少。药材主要来源于野生，自产自销。

| **采收加工** |　6 ~ 8 月采收，切段，晒干。

| **功能主治** |　凉血止血，收敛固涩。用于牙龈出血，月经过多。

| **用法用量** |　内服煎汤，适量。

蔷薇科 Rosaceae 枸子属 *Cotoneaster*

柳叶枸子

Cotoneaster salicifolius Franch.

| **药 材 名** | 翻白柴（药用部位：全株。别名：木帚子、把把柴、山米麻）。

| **形态特征** | 半常绿或常绿灌木，高达 5m。枝条开展，小枝灰褐色，一年生枝红褐色，嫩时被绒毛，老时脱落。叶片椭圆状长圆形至卵状披针形，长 4 ~ 8.5cm，宽 1.5 ~ 2.5cm，先端急尖或渐尖，基部楔形，全缘，上面无毛；侧脉 12 ~ 16 对，下陷，具浅皱纹，下面被灰白色绒毛及白霜，叶脉明显凸起；叶柄粗壮，长 4 ~ 5mm，被绒毛，通常红色。花多而密呈复聚伞花序，总花梗和花梗密被灰白色绒毛，长 3 ~ 5cm；苞片细小，线形，微被柔毛，早落；花梗长 2 ~ 4mm；花直径 5 ~ 6mm；萼筒钟状，外面密生灰白色绒毛，内面无毛，萼片三角形，先端短渐尖，外面密被灰白色绒毛，内面无毛或仅先端被少许柔毛；花瓣平展，卵形或近圆形，直径 3 ~ 4mm，先端圆钝，

柳叶枸子

基部有短爪，白色；雄蕊 20，稍长于花瓣或与花瓣近等长，花药紫色；花柱 2 ~ 3，离生，比雄蕊稍短；子房先端被柔毛。果实近球形，直径 5 ~ 7mm，深红色，具小核 2 ~ 3。花期 6 月，果期 9 ~ 10 月。

| **生境分布** | 生于海拔 750 ~ 2700m 的山地或沟边杂木林中。分布于重庆城口、巫溪、奉节、南川、巫山、武隆等地。

| **资源情况** | 野生资源较少。药材来源于野生，自产自销。

| **采收加工** | 夏、秋季采收，切碎或切片，晒干。

| **功能主治** | 苦，凉。清热解毒，止血利尿。用于干咳失音，湿热发黄，肠风下血，小便短少。

| **用法用量** | 内服煎汤，15 ~ 30g。

蔷薇科 Rosaceae 枸子属 Cotoneaster

皱叶柳叶枸子

Cotoneaster salicifolius Franch. var. *rugosus* (Pritz.) Rehd. et Wils.

| **药 材 名** | 皱叶柳叶枸子（药用部位：根、叶）。 |

| **形态特征** | 本变种与原种柳叶枸子的区别在于叶片较宽大，椭圆状长圆形，上面暗褐色，具深皱纹，叶脉深陷，叶边反卷，下面叶脉显著凸起，密被绒毛；果实红色，直径约 6mm，具小核 2 ～ 3。 |

| **生境分布** | 生于海拔 1800 ～ 2200m 的山地或沟边杂木林中。分布于重庆丰都、酉阳、武隆、南川、綦江、涪陵等地。 |

| **资源情况** | 野生资源较少。药材主要来源于野生，自产自销。 |

| **采收加工** | 全年均可采收，洗净，切片，晒干。 |

皱叶柳叶枸子

| **功能主治** | 清热解毒，利湿止血。用于痢疾，吐血。

| **用法用量** | 内服煎汤，适量。

蔷薇科 Rosaceae 山楂属 Crataegus

野山楂
Crataegus cuneata Sieb. et Zucc.

| 药 材 名 | 野山楂（药用部位：果实。别名：南山楂、小叶山楂、红果子）、山楂核（药用部位：种子）、山楂叶（药用部位：叶）、山楂根（药用部位：根。别名：野山楂根）、山楂木（药用部位：木材）。

| 形态特征 | 落叶灌木，高达 15m。分枝密，通常具细刺，刺长 5 ~ 8mm；小枝细弱，圆柱形，有棱，幼时被柔毛，一年生枝紫褐色，无毛，老枝灰褐色，散生长圆形皮孔；冬芽三角卵形，先端圆钝，无毛，紫褐色。叶片宽倒卵形至倒卵状长圆形，长 2 ~ 6cm，宽 1 ~ 4.5cm，先端急尖，基部楔形，下延连于叶柄，边缘有不规则重锯齿，先端常有 3或稀 5 ~ 7 浅裂片，上面无毛，有光泽，下面被稀疏柔毛，沿叶脉

野山楂

较密，以后脱落，叶脉显著；叶柄两侧有叶翼，长 4 ~ 15mm；托叶草质，镰刀状，边缘有齿。伞房花序，直径 2 ~ 2.5cm，具花 5 ~ 7，总花梗和花梗均被柔毛；花梗长约 1cm；苞片草质，披针形，条裂或有锯齿，长 8 ~ 12mm，脱落很迟；花直径约 1.5cm；萼筒钟状，外被长柔毛，萼片三角卵形，长约 4mm，约与萼筒等长，先端尾状渐尖，全缘或有齿，内外两面均被柔毛；花瓣近圆形或倒卵形，长 6 ~ 7mm，白色，基部有短爪；雄蕊 20；花药红色；花柱 4 ~ 5，基部被绒毛。果实近球形或扁球形，直径 1 ~ 1.2cm，红色或黄色，常具有宿存反折萼片或 1 苞片；小核 4 ~ 5，内面两侧平滑。花期 5 ~ 6 月，果期 9 ~ 11 月。

| 生境分布 | 生于海拔 250 ~ 2000m 的山谷斜坡、丛林中。分布于重庆奉节、城口、巫溪、南川、江津等地。

| 资源情况 | 野生资源稀少。药材来源于野生，自产自销。

| 采收加工 | 野山楂：秋季果实成熟时采摘，横切或纵切成 2 瓣，干燥；或直接干燥。
山楂核：加工野山楂时收集种子，晒干。
山楂叶：夏、秋季采收，晒干。
山楂根：秋季采挖，除去泥沙，锯段或劈开后晒干。
山楂木：修剪时留较粗茎枝，去皮，切片，晒干。

| **药材性状** | 野山楂：本品呈半球形或类球形，直径 1 ~ 1.2cm。外皮红色、褐红色或红棕色，具皱纹或皱缩不平，斑点不明显。果肉黄棕色或棕红色。中部横切者具果核 4 ~ 5 或脱落。可见残留果梗或花萼残迹。质坚硬。气微清香，味酸、微甘而涩。
山楂核：本品呈橘瓣状椭圆形或卵形，长 3 ~ 5mm，宽 2 ~ 3mm。表面黄棕色，背面稍隆起，左右两面平坦或有凹痕。质坚硬，不易碎。气微。
山楂根：本品呈短圆柱形或不规则段块，长 5 ~ 9cm，直径 0.5 ~ 5cm。表面浅棕色至灰棕色，光滑或稍粗糙，有细横纹、纵向皱纹或细裂纹，裂纹多呈棱形，常有侧根及侧根痕。质坚硬，难折断，断面皮部黄棕色，木部淡黄白色，纤维性。气微，味淡。 |

| **功能主治** | 野山楂：酸、甘，微温。归脾、胃、肝经。消食健胃，行滞散瘀。用于肉食积滞，胃脘胀满，泻痢腹痛，瘀血经闭，产后瘀阻，心腹刺痛，疝气疼痛。
山楂核：苦，平。归胃、肝经。消食，散结，催生。用于食积不化，疝气，睾丸偏坠，难产。
山楂叶：酸，平。归肝经。止痒，敛疮，降血压。用于漆疮，溃疡不敛，高血压。
山楂根：甘，平。消积，祛风，止血。用于食积，痢疾，关节痛，咯血。 |

山楂木：苦，寒。祛风燥湿，止痒。用于痢疾，头风，身痒。

| **用法用量** | 野山楂：内服煎汤，9～12g。

山楂核：内服煎汤，3～10g；或研末吞。气虚便溏者慎用。

山楂叶：内服煎汤，3～10g；或泡茶饮。外用适量，煎汤洗。

山楂根：内服煎汤，9～15g。

山楂木：内服煎汤，3～10g。外用适量，煎汤洗。

蔷薇科 Rosaceae 山楂属 Crataegus

山楂
Crataegus pinnatifida Bge.

| 药 材 名 | 山楂（药用部位：成熟果实。别名：野山楂、南山楂）、山楂叶（药用部位：叶）、山楂糕（药材来源：果实经过加工后的糕点成品）、山楂核（药用部位：种子）、山楂花（药用部位：花）、山楂木（药用部位：木材）、山楂根（药用部位：根）。

| 形态特征 | 落叶乔木，高达 6m。树皮粗糙，暗灰色或灰褐色；刺长 1 ~ 2cm，有时无刺；小枝圆柱形，当年生枝紫褐色，无毛或近于无毛，疏生皮孔，老枝灰褐色；冬芽三角状卵形，先端圆钝，无毛，紫色。叶片宽卵形或三角状卵形，稀菱状卵形，长 5 ~ 10cm，宽 4 ~ 7.5cm，先端短渐尖，基部截形至宽楔形，通常两侧各有 3 ~ 5 羽状深裂片，裂片卵状披针形或带形，先端短渐尖，边缘有尖锐稀疏不规则重锯齿，上面暗绿色，有光泽，下面沿叶脉被疏生短柔毛或在脉腋被髯

山楂

毛；侧脉 6 ~ 10 对，有的达裂片先端，有的达裂片分裂处；叶柄长 2 ~ 6cm，无毛；托叶草质，镰形，边缘有锯齿。伞房花序具多花，直径 4 ~ 6cm，总花梗和花梗均被柔毛，花后脱落，减少，花梗长 4 ~ 7mm；苞片膜质，线状披针形，长 6 ~ 8mm，先端渐尖，边缘具腺齿，早落；花直径约 1.5cm；萼筒钟状，长 4 ~ 5mm，外面密被灰白色柔毛，萼片三角状卵形至披针形，先端渐尖，全缘，约与萼筒等长，内外两面均无毛，或在内面先端被髯毛；花瓣倒卵形或近圆形，长 7 ~ 8mm，宽 5 ~ 6mm，白色；雄蕊 20，短于花瓣，花药粉红色；花柱 3 ~ 5，基部被柔毛，柱头头状。果实近球形或梨形，直径 1 ~ 1.5cm，深红色，有浅色斑点；小核 3 ~ 5，外面稍具棱，内面两侧平滑；萼片脱落很迟，先端留 1 圆形深洼。花期 5 ~ 6 月，果期 9 ~ 10 月。

| 生境分布 | 生于海拔 100 ~ 1500m 的山坡林边或灌丛中，或果园栽培。分布于重庆云阳、忠县、奉节、梁平、南川等地。

| 资源情况 | 野生资源较少。药材主要来源于栽培。

| 采收加工 | 山楂：秋季果实成熟时采收，切片，干燥。
山楂叶：夏、秋季采收，晒干。
山楂糕：将成熟的果实加工后制成糕。
山楂核：加工山楂或山楂糕时收集种子，晒干。

山楂花：5 ~ 6 月采摘，晒干。

山楂木：修剪时留较粗茎枝，去皮，切片，晒干。

山楂根：春、秋季采收，洗净，切段，晒干。

| 药材性状 |　山楂：本品为圆形片，皱缩不平，直径 1 ~ 1.5cm，厚 0.2 ~ 0.4cm。外皮红色，具皱纹，有灰白色小斑点。果肉深黄色至浅棕色。中部横切片具 3 ~ 5 粒浅黄色果核，但核多脱落而中空。有的片上可见短而细的果梗或花萼残迹。气微清香，味酸、微甘。

山楂叶：本品多已破碎，完整者展开后呈宽卵形，长 5 ~ 10cm，宽 4 ~ 7.5cm，绿色至棕黄色，先端渐尖，基部宽楔形，具 3 ~ 5 对羽状裂片，边缘具尖锐重锯齿；叶柄长 2 ~ 6cm，托叶卵圆形至卵状披针形。气微，味涩、微苦。

山楂糕：本品多制成长方块状，长短、厚薄不一。表面红色，有光泽，具糖黏性。质软，极易切成各种形状。气微香，味甘，具山楂特殊的酸味。

山楂核：本品呈橘瓣状椭圆形或卵形，长 3 ~ 5mm，宽 2 ~ 3mm。表面黄棕色，背面稍隆起，左右两面平坦或有凹痕。质坚硬，不易碎。气微。

山楂根：本品为类圆形或椭圆形厚片。表面皮部棕红色，木部淡黄色，具细密的放射状纹理，纤维性；周边灰绿色或红棕色。质硬。气微，味淡而涩。

| 功能主治 |　山楂：酸、甘，微温。归脾、胃、肝经。消食健胃，行气散瘀，化浊降脂。用于肉食积滞，胃脘胀满，泻痢腹痛，瘀血经闭，产后瘀阻，心腹刺痛，胸痹心痛，疝气疼痛，高脂血症。

山楂叶：酸，平。归肝经。活血化瘀，理气通脉，化浊降脂。用于胸痹心痛，胸闷憋气，心悸健忘，眩晕耳鸣，高脂血症。

山楂糕：酸、甘，微温。归脾、胃经。消食，导滞，化积。用于食积停滞，肉积不消，脘腹胀满，大便秘结。

山楂核：苦，平。归胃、肝经。消食，散结，催生。用于食积不化，疝气，睾丸偏坠，难产。

山楂花：苦，平。归肝经。降血压。用于高血压。

山楂木：苦，寒。祛风燥湿，止痒。用于痢疾，头风，身痒。

山楂根：苦，平。归胃、肝经。消食和胃，祛风，止血，消肿。用于食积，反胃，痢疾，风湿痹痛，咯血，痔漏，水肿。

| 用法用量 |　山楂：内服煎汤，9 ~ 12g。

山楂叶：内服煎汤，3～10g；或泡茶饮。

山楂糕：内服嚼食，15～30g。

山楂核：内服煎汤，3～10g；或研末吞。

山楂花：内服煎汤，3～10g；或泡茶饮。

山楂木：内服煎汤，3～10g。外用适量，煎汤洗。

山楂根：内服煎汤，10～15g。外用适量，煎汤熏洗。

蔷薇科 Rosaceae 山楂属 Crataegus

华中山楂

Crataegus wilsonii Sarg.

| **药 材 名** | 野山楂（药用部位：果实）。 |

| **形态特征** | 落叶灌木，高达7m。刺粗壮，光滑，直立或微弯曲，长1～2.5cm；小枝圆柱形，稍有棱角，当年生枝被白色柔毛，深黄褐色，老枝灰褐色或暗褐色，无毛或近于无毛，疏生浅色长圆形皮孔；冬芽三角状卵形，先端急尖，无毛，紫褐色。叶片卵形或倒卵形，稀三角状卵形，长4～6.5cm，宽3.5～5.5cm，先端急尖或圆钝，基部圆形、楔形或心形，边缘有尖锐锯齿，幼时齿尖有腺，通常在中部以上有3～5对浅裂片，裂片近圆形或卵形，先端急尖或圆钝，幼嫩时上面散生柔毛，下面中脉或沿侧脉微被柔毛；叶柄长2～2.5cm，有窄叶翼，幼时被白色柔毛，以后脱落；托叶披针形、镰形或卵形，边缘有腺齿，脱落很早。伞房花序具多花，直径3～4cm；总花梗 |

华中山楂

和花梗均被白色绒毛；花梗长 4～7mm；苞片草质至膜质，披针形，先端渐尖，边缘有腺齿，脱落较迟；花直径 1～1.5cm；萼筒钟状，外面通常被白色柔毛或无毛，萼片卵形或三角状卵形，长 3～4mm，稍短于萼筒，先端急尖，边缘具齿，外面被柔毛；花瓣近圆形，长 6～7mm，宽 5～6mm，白色；雄蕊 20，花药玫瑰紫色；花柱 2～3，稀 1，基部被白色绒毛，比雄蕊稍短。果实椭圆形，直径 6～7mm，红色，肉质，外面光滑无毛；萼片宿存，反折；小核 1～3，两侧有深凹痕。花期 5 月，果期 8～9 月。

| 生境分布 | 生于海拔 1000～2200m 的山坡阴处密林中。分布于重庆城口、巫溪、奉节等地。

| 资源情况 | 野生资源较少。药材主要来源于野生，自产自销。

| 采收加工 | 果期果实变红色、果点明显时采收，用剪刀剪断果柄或摘下果实，横切成 2 瓣或切片，晒干。

| 药材性状 | 本品呈椭圆形，直径 6～7mm，红色。

| 功能主治 | 酸、甘，微温。归肝、胃经。健脾消食，活血化瘀。用于食滞内积，脘腹胀痛，产后瘀痛，漆疮，冻疮。

| 用法用量 | 内服煎汤，3～10g。外用适量，煎汤洗搽。

蔷薇科 Rosaceae 蛇莓属 Duchesnea

蛇莓 *Duchesnea indica* (Andr.) Focke

| 药 材 名 |
蛇莓（药用部位：全草。别名：三匹风、三叶藨、蛇泡草）、蛇莓根（药用部位：根。别名：三皮风根、蛇泡草根）。

| 形态特征 |
多年生草本。根茎短，粗壮。匍匐茎多数，长 30 ~ 100cm，被柔毛。小叶片倒卵形至菱状长圆形，长 2 ~ 3.5（~ 5）cm，宽 1 ~ 3cm，先端圆钝，边缘有钝锯齿，两面皆被柔毛，或上面无毛，具小叶柄；叶柄长 1 ~ 5cm，被柔毛；托叶窄卵形至宽披针形，长 5 ~ 8mm。花单生叶腋；直径 1.5 ~ 2.5cm；花梗长 3 ~ 6cm，被柔毛；萼片卵形，长 4 ~ 6mm，先端锐尖，外面被散生柔毛；副萼片倒卵形，长 5 ~ 8mm，比萼片长，先端常具 3 ~ 5 锯齿；花瓣倒卵形，长 5 ~ 10mm，黄色，先端圆钝；雄蕊 20 ~ 30；心皮多数，离生；花托在果期膨大，海绵质，鲜红色，有光泽，直径 10 ~ 20mm，外面

蛇莓

被长柔毛。瘦果卵形，长约 1.5mm，光滑或具不明显凸起，鲜时有光泽。花期 6 ~ 8 月，果期 8 ~ 10 月。

| **生境分布** | 生于海拔 1800m 以下的山坡、河岸、草地、潮湿地。重庆各地均有分布。

| **资源情况** | 野生资源丰富，亦有零星栽培。药材主要来源于野生，自产自销。

| **采收加工** | 蛇莓：花期前后采收，洗净，鲜用或晒干。
蛇莓根：夏、秋季采挖，除去茎叶，洗净，晒干或鲜用。

| **药材性状** | 蛇莓：本品根茎粗短，有多数长而纤细的匍匐茎，全体有白色柔毛。叶互生，掌状复叶，小叶 3，顶生小叶较大，侧生 2 小叶较小，完整者展平后呈菱状卵形，边缘具钝齿；托叶窄卵形至宽披针形。花黄色，单生于叶腋，具长柄，柔软，被疏长毛。果序扁球形或长椭圆形，棕色至棕褐色。气微，味微酸。

| **功能主治** | 蛇莓：甘、苦，寒；有小毒。归肝、肺、大肠经。清热解毒，凉血止血，散结消肿。用于热病，惊痫，咳嗽，吐血，咽喉肿痛，痢疾，痈肿，疔疮。
蛇莓根：苦、微甘，寒；有小毒。归肺、肝、胃经。清热泻火，解毒消肿。用于热病，小儿惊风，目赤红肿，疟腮，牙龈肿痛，咽喉肿痛，热毒疮疡。

| **用法用量** | 蛇莓：内服煎汤，10 ~ 15g。外用适量，敷患处。孕妇及儿童慎服。
蛇莓根：内服煎汤，3 ~ 6g。外用适量，捣敷。

蔷薇科 Rosaceae 枇杷属 Eriobotrya

枇杷 *Eriobotrya japonica* (Thunb.) Lindl.

| 药 材 名 | 枇杷（药用部位：果实）、枇杷叶（药用部位：叶。别名：巴叶、芦桔叶）、枇杷叶露（药材来源：叶的蒸馏液。别名：枇杷露）、枇杷核（药用部位：种子）、枇杷根（药用部位：根）、枇杷木白皮（药用部位：树干的韧皮部。别名：枇杷树二层皮）、枇杷花（药用部位：花。别名：土冬花）。

| 形态特征 | 常绿小乔木，高可达 10m。小枝粗壮，黄褐色，密生锈色或灰棕色绒毛。叶片革质，披针形、倒披针形、倒卵形或椭圆状长圆形，长12 ～ 30cm，宽 3 ～ 9cm，先端急尖或渐尖，基部楔形或渐狭成叶柄，上部边缘有疏锯齿，基部全缘，上面光亮，多皱，下面密生灰棕色绒

枇杷

毛，侧脉 11 ~ 21 对；叶柄短或几无柄，长 6 ~ 10mm，被灰棕色绒毛；托叶钻形，长 1 ~ 1.5cm，先端急尖，被毛。圆锥花序顶生，长 10 ~ 19cm，具多花；总花梗和花梗密生锈色绒毛；花梗长 2 ~ 8mm；苞片钻形，长 2 ~ 5mm，密生锈色绒毛；花直径 12 ~ 20mm；萼筒浅杯状，长 4 ~ 5mm，萼片三角状卵形，长 2 ~ 3mm，先端急尖，萼筒及萼片外面被锈色绒毛；花瓣白色，长圆形或卵形，长 5 ~ 9mm，宽 4 ~ 6mm，基部具爪，被锈色绒毛；雄蕊 20，远短于花瓣，花丝基部扩展；花柱 5，离生，柱头头状，无毛，子房先端被锈色柔毛，5 室，每室有 2 胚珠。果实球形或长圆形，直径 2 ~ 5cm，黄色或橘黄色，外被锈色柔毛，不久脱落；种子 1 ~ 5，球形或扁球形，直径 1 ~ 1.5cm，褐色，光亮，种皮纸质。花期 10 ~ 12 月，果期 5 ~ 6 月。

| 生境分布 | 常栽种于村边、平地或坡地。重庆各地均有分布。

| 资源情况 | 栽培资源丰富。药材来源于栽培，自产自销。

| 采收加工 | 枇杷：因枇杷果实成熟时间不一致，宜分次采收，采黄留青，采熟留生。

枇杷叶：全年均可采收，晒至七八成干，扎成小把，晒干。

枇杷叶露：采鲜枇杷叶，用水煎熬，浓缩成膏剂。

枇杷核：春、夏季果实成熟时鲜用，捡拾果核，晒干。

枇杷根：全年均可采挖，洗净泥土，切片，晒干。

枇杷木白皮：全年均可采收，剥取树皮，除去外层粗皮，晒干或鲜用。

枇杷花：冬、春季花未开放时采收，除去杂质，晒干。

| 药材性状 |

枇杷：本品呈球形或椭圆形，直径 2 ~ 5cm。外果皮黄色或橙黄色，具柔毛，顶部具黑色宿存萼齿，除去萼齿可见 1 小空室。基部有短果柄，具糙毛。外果皮薄，中果皮肉质，厚 3 ~ 7mm，内果皮纸膜质，棕色，内有 1 至多颗种子。气微清香，味甘、酸。

枇杷叶：本品呈长圆形或倒卵形，长 12 ~ 30cm，宽 4 ~ 9cm，先端尖，基部楔形，边缘有疏锯齿，近基部全缘。上表面灰绿色、黄棕色或红棕色，较光滑；下表面密被黄色绒毛，主脉于下表面显著突起，侧脉羽状；叶柄极短，被棕黄色绒毛。革质而脆，易折断。无臭，味微苦。

枇杷核：本品呈球形或扁球形，直径 1 ~ 1.5cm。表面棕褐色，有光泽。种皮纸质，子叶 2，外表面淡绿色或类白色，内表面白色，富油性。气微香，味涩。

枇杷根：本品表面棕褐色，较平，无纵沟纹。质坚韧，不易折断，断面不平整，类白色。气清香，味苦、涩。

枇杷木白皮：本品表面类白色，易被氧化成淡棕色，外表面粗糙，内表面光滑，带有黏性分泌物。质柔韧。气清香，味苦。

枇杷花：本品多为花蕾密聚的花序小分枝，呈不规则圆锥形，长 1 ~ 5cm；表面黄褐色或淡黄色，密被淡黄色绒毛。花萼呈壶形，上端 5 齿裂，萼片卵形，长 2 ~ 3mm，宽约 2.5mm，外表面黄褐色或淡黄色，被细绒毛，内表面深褐色，无毛；花冠 5，白色，倒卵形，先端急尖，长约 8mm，宽约 4mm；雄蕊 18 ~ 22，着生于花冠筒上，花丝长约 7mm。子房下位，无毛或少毛，5 室，花柱长约 4mm，柱头 5 裂。质硬。气香，味苦。

| **功能主治** | 枇杷：甘、酸，凉。归肺、脾经。润肺下气，止渴。用于肺热咳喘，吐逆，烦渴。

枇杷叶：苦，微寒。归肺、胃经。清肺止咳，降逆止呕。用于肺热咳嗽，气逆喘急，胃热呕逆，烦热口渴。

枇杷叶露：淡，平。清肺止咳，和胃下气。用于肺热咳嗽，呕逆，口渴。

枇杷核：苦，平；有小毒。归肺、肝经。化痰止咳，疏肝行气，利水消肿。用于咳嗽痰多，疝气，瘰疬，水肿。

枇杷根：清肺止咳，清热解暑，降逆止呕。用于咳嗽痰喘，多痰呕吐，肺热气逆，烦热口渴，咯血，衄血，食欲不振。

枇杷木白皮：降逆和胃，止咳，止泻，解毒。用于呕吐，呃逆，久咳，久泻，痈疡肿痛。

枇杷花：淡，平。归肺经。疏散风邪，止咳，通鼻窍。用于外感风邪伤肺之咳嗽，鼻塞流涕，虚劳久嗽，痰中带血。

| **用法用量** | 枇杷：内服生食或煎汤，30～60g。

枇杷叶：内服煎汤，6～10g。

枇杷叶露：内服隔水炖温，30～60ml。

枇杷核：内服煎汤，6～15g。外用适量，研末调敷。

枇杷根：内服煎汤，6～30g，鲜品用至120g。外用适量，捣敷。

枇杷木白皮：内服煎汤，3～9g；或研末，3～6g。外用适量，研末调敷。

枇杷花：内服煎汤，6～12g；或研末，每次3～6g，吞服；或入丸、散。外用适量，捣敷。

蔷薇科 Rosaceae 草莓属 *Fragaria*

草莓
Fragaria×ananassa Duch.

| 药 材 名 | 草莓（药用部位：果实或全草。别名：荷兰草莓、凤梨草莓）。

| 形态特征 | 多年生草本，高 10 ~ 40cm。茎低于叶或近相等，密被开展黄色柔毛。叶三出，小叶具短柄，质地较厚，倒卵形或菱形，稀几圆形，长 3 ~ 7cm，宽 2 ~ 6cm，先端圆钝，基部阔楔形，侧生小叶基部偏斜，边缘具缺刻状锯齿，锯齿急尖，上面深绿色，几无毛，下面淡白绿色，疏生毛，沿脉较密；叶柄长 2 ~ 10cm，密被开展黄色柔毛。聚伞花序，有花 5 ~ 15，花序下面具一短柄的小叶；花两性，直径 1.5 ~ 2cm；萼片卵形，比副萼片稍长，副萼片椭圆状披针形，全缘，稀深 2 裂，果时扩大；花瓣白色，近圆形或倒卵椭圆形，基部具不显的爪；雄蕊 20，不等长；雌蕊极多。聚合果大，直径达 3cm，鲜红色，宿存萼片直立，紧贴于果实；瘦果尖卵形，光滑。花期 4 ~ 5 月，果期 6 ~ 7 月。

草莓

| 生境分布 | 栽培于大田。重庆各地均有栽培。

| 资源情况 | 栽培资源丰富。药材来源于栽培，自产自销。

| 采收加工 | 花开后约 30 天果实即可成熟，当果面着色 75% ～ 80% 时即可采收，每隔 1 ～ 2 天采收 1 次，可连续采摘 2 ～ 3 周，采摘时不要伤及花萼，必须带有果柄，轻采轻放，保证果品质量。花期采收全草，除去杂质及须根，晾干。

| 药材性状 | 本品聚合果肉质，膨大成球形或卵球形，直径 1.5 ～ 3cm，鲜红色，瘦果多数嵌生在肉质膨大的花托上。气清香，味甘、酸。本品茎细弱，柔软，节上生根，黄绿色，具柔毛。三出复叶，叶片皱缩，易破碎，完整者倒卵形或菱状卵形，边缘有缺刻锯齿，两面散生柔毛，侧脉平行。花乳白色，5 基数，花托近球形；雄蕊多数，花药红褐色。气微，味酸、涩。

| 功能主治 | 果实，甘、微酸，凉。清凉止渴，健胃消食。用于口渴，食欲不振，消化不良。全草，微甘，温。引吐肺痰，托引脑腔脓血。用于血热化脓性疾病，肺胃瘀血，黄水疮。

| 用法用量 | 果实，内服适量，用作食品。全草，内服煎汤，5 ～ 9g。

蔷薇科 Rosaceae 草莓属 Fragaria

西南草莓
Fragaria moupinensis (Franch.) Card.

| **药 材 名** | 西南草莓（药用部位：带根全草。别名：白泡）。

| **形态特征** | 多年生草本，高 5 ~ 15cm。茎被开展的白色绢状柔毛。通常为 5 小叶，或 3 小叶，小叶具短柄或无柄，小叶片椭圆形或倒卵圆形，长 0.7 ~ 4cm，宽 0.6 ~ 2.5cm，先端圆钝，顶生小叶基部楔形，侧生小叶基部偏斜，边缘具缺刻状锯齿，上面绿色，被疏柔毛，下面被白色绢状柔毛，沿脉较密；叶柄长 2 ~ 8cm，被开展白色绢状柔毛。花序呈聚伞状，有花 1 ~ 4，基部苞片绿色呈小叶状；花梗被白色开展的毛，稀伏生；花两性，直径 1 ~ 2cm；萼片卵状披针形，副萼片披针形或线状披针形；花瓣白色，倒卵圆形或近圆形，基部具短爪；雄蕊 20 ~ 34，不等长。聚合果椭圆形或卵球形，宿存萼片直

西南草莓

立，紧贴于果实；瘦果卵形，表面具少数不明显脉纹。花期 5 ~ 6（~ 8）月，果期 6 ~ 7 月。

| **生境分布** | 生于海拔 1400 ~ 2500m 的山坡、草地、林下。分布于重庆城口等地。

| **资源情况** | 野生资源稀少。药材主要来源于野生。

| **采收加工** | 夏季采收，洗净，晒干。

| **功能主治** | 甘、苦，凉。清热解毒，止咳，止泻。用于风热咳嗽，痢疾，疔疮，烫火伤。

| **用法用量** | 内服煎汤，15 ~ 30g。

薔薇科 Rosaceae 草莓属 *Fragaria*

黄毛草莓
Fragaria nilgerrensis Schlecht. ex Gay

| 药 材 名 | 白草莓（药用部位：全草。别名：三匹风、野杨莓、草莓）。

| 形态特征 | 多年生草本，粗壮，密集成丛，高 5 ~ 25cm。茎密被黄棕色绢状柔毛，几与叶等长。叶三出，小叶具短柄，质地较厚，小叶片倒卵形或椭圆形，长 1 ~ 4.5cm，宽 0.8 ~ 3cm，先端圆钝，顶生小叶基部楔形，侧生小叶基部偏斜，边缘具缺刻状锯齿，锯齿先端急尖或圆钝，上面深绿色，被疏柔毛，下面淡绿色，被黄棕色绢状柔毛，沿叶脉上毛长而密；叶柄长 4 ~ 18cm，密被黄棕色绢状柔毛。聚伞花序，有花（1 ~）2 ~ 5（~ 6），花序下部具一或三出有柄的小叶；花两性，直径 1 ~ 2cm；萼片卵状披针形，比副萼片宽或近相等，副萼片披针形，全缘或 2 裂，果时增大；花瓣白色，圆形，基部有短爪；雄蕊 20，不等长。聚合果圆形，白色、淡白黄色或红色，宿存萼片

黄毛草莓

直立，紧贴果实；瘦果卵形，光滑。花期 4 ~ 7 月，果期 6 ~ 8 月。

| 生境分布 | 生于海拔 1000 ~ 1700m 的山坡草地或沟边林下。分布于重庆巫山、黔江、綦江、城口、奉节、石柱、丰都、酉阳、忠县、云阳、南川、武隆、巫溪等地。

| 资源情况 | 野生资源丰富。药材来源于野生，自产自销。

| 采收加工 | 春、夏季采收，洗净，切段，阴干或鲜用。

| 药材性状 | 本品被柔毛。根呈长圆锥形，被鳞片，具多数须根。茎具黄棕色柔毛。基生叶有长柄，披散状；三出复叶，小叶片卵圆形，先端钝圆，基部宽楔形，边缘有粗锯齿，长 2 ~ 3cm，宽 1.5 ~ 2cm。有的可见皱缩的淡黄色小花。球形聚合果白黄色或红色，小瘦果卵圆形。

| 功能主治 | 甘、苦，凉。清肺止咳，解毒消肿。用于肺热咳嗽，百日咳，口舌生疮，疔疮，蛇咬伤，烫火伤。

| 用法用量 | 内服煎汤，15 ~ 30g。外用适量，捣敷。

蔷薇科 Rosaceae 草莓属 Fragaria

东方草莓
Fragaria orientalis Lozinsk.

| 药 材 名 | 东方草莓（药用部位：未成熟果实。别名：野草莓）。

| 形态特征 | 多年生草本，高 5 ~ 30cm。茎被开展柔毛，上部较密，下部有时脱落。三出复叶，小叶几无柄，倒卵形或菱状卵形，长 1 ~ 5cm，宽 0.8 ~ 3.5cm，先端圆钝或急尖，顶生小叶基部楔形，侧生小叶基部偏斜，边缘有缺刻状锯齿，上面绿色，散生疏柔毛，下面淡绿色，被疏柔毛，沿叶脉较密；叶柄被开展柔毛，有时上部较密。花序聚伞状，有花（1 ~ ）2 ~ 5（~ 6），基部苞片淡绿色或具一有柄之小叶，花梗长 0.5 ~ 1.5cm，被开展柔毛；花两性，稀单性，直径 1 ~ 1.5cm；萼片卵圆状披针形，先端尾尖，副萼片线状披针形，偶有 2 裂；花瓣白色，几圆形，基部具短爪；雄蕊 18 ~ 22，近等长；雌蕊多数。聚合果半圆形，成熟后紫红色，宿存萼片开展或微反折；瘦果卵形，

东方草莓

宽约 0.5mm，表面脉纹明显或仅基部具皱纹。花期 5 ~ 7 月，果期 7 ~ 9 月。

| **生境分布** | 生于海拔 600 ~ 2790m 的山坡草地或林下。分布于重庆黔江、丰都、忠县、巫山、万州、巫溪、南川、云阳等地。

| **资源情况** | 野生资源一般。药材来源于野生，自产自销。

| **采收加工** | 7 ~ 9 月采摘未成熟果实，鲜用。

| **药材性状** | 本品呈半球形，黄绿色至紫红色，直径 1 ~ 2cm，宿萼平展或微反折。瘦果卵圆形，宽约 0.5mm。表面有明显的脉纹。质坚硬。气微香，味酸、微甘。

| **功能主治** | 微酸、甘，平。止渴生津，化石祛湿。用于口渴，肾结石，湿疹。

| **用法用量** | 内服适量，用作食品。外用捣汁涂。

路边青

路边青 *Geum aleppicum* Jacq.

| 药 材 名 |

蓝布正（药用部位：全草。别名：五气朝阳草、水杨梅）。

| 形态特征 |

多年生草本。须根簇生。茎直立，高 30 ～ 100cm，被开展粗硬毛，稀几无毛。基生叶为大头羽状复叶，通常有小叶 2 ～ 6 对，连叶柄长 10 ～ 25cm，叶柄被粗硬毛，小叶大小极不相等，顶生小叶最大，菱状广卵形或宽扁圆形，长 4 ～ 8cm，宽 5 ～ 10cm，先端急尖或圆钝，基部宽心形至宽楔形，边缘常浅裂，有不规则粗大锯齿，锯齿急尖或圆钝，两面绿色，疏生粗硬毛；茎生叶为羽状复叶，有时重复分裂，向上小叶逐渐减少，顶生小叶披针形或倒卵状披针形，先端常渐尖或短渐尖，基部楔形；茎生叶托叶大，绿色，叶状，卵形，边缘有不规则粗大锯齿。花序顶生，疏散排列，花梗被短柔毛或微硬毛；花直径 1 ～ 1.7cm；花瓣黄色，几圆形，比萼片长；萼片卵状三角形，先端渐尖，副萼片狭小，披针形，先端渐尖，稀 2 裂，比萼片短 1 倍多，外面被短柔毛及长柔毛；花柱顶生，在上部 1/4 处扭曲，成熟后自扭曲处脱落，脱落部分下部被疏柔毛。聚合果倒卵球形，瘦果被长硬毛，花柱宿存部分无毛，先端有小钩；果托被短硬毛，长约 1mm。花果期 7 ～ 10 月。

| **生境分布** | 生于海拔 200 ～ 2790m 的山坡草地、沟边、地边、河滩、林间隙地或林缘。重庆各地均有分布。

| **资源情况** | 野生资源丰富。药材主要来源于野生，自产自销。

| **采收加工** | 夏、秋季采收，洗净，晒干。

| **药材性状** | 本品长 20 ～ 100cm。主根短，有多数细根，褐棕色。茎圆柱形，被毛或近无毛。基生叶有长柄，羽状全裂或近羽状复叶，顶裂片较大，卵形或宽卵形，边缘有粗大锯齿，两面被毛或几无毛；侧生裂片小，边缘有不规则粗齿；茎生叶互生，卵形，3 浅裂或羽状分裂。花顶生，常脱落。聚合瘦果近球形。气微，味辛、微苦。

| **功能主治** | 甘、微苦，凉。归肝、脾、肺经。益气健脾，补血养阴，润肺化痰。用于气血不足，虚痨咳嗽，脾虚带下。

| **用法用量** | 内服煎汤，9 ～ 30g。

蔷薇科 Rosaceae 路边青属 Geum

柔毛路边青(变种) Geum japonicum Thunb. var. chinense F. Bolle

| 药 材 名 | 蓝布正(药用部位:全草。别名:五气朝阳草、水杨梅)。

| 形态特征 | 多年生草本。须根簇生。茎直立,高 25 ~ 60cm,被黄色短柔毛及粗硬毛。基生叶为大头羽状复叶,通常有小叶 1 ~ 2 对,其余侧生小叶呈附片状,连叶柄长 5 ~ 20cm,叶柄被粗硬毛及短柔毛,顶生小叶最大,卵形或广卵形,浅裂或不裂,长 3 ~ 8cm,宽 5 ~ 9cm,先端圆钝,基部阔心形或宽楔形,边缘有粗大圆钝或急尖锯齿,两面绿色,被稀疏糙伏毛;下部茎生叶具 3 小叶,上部茎生叶为单叶,3 浅裂,裂片圆钝或急尖;茎生叶托叶草质,绿色,边缘有不规则粗大锯齿。花序疏散,顶生数朵,花梗密被粗硬毛及短柔毛;花直径 1.5 ~ 1.8cm;萼片三角卵形,先端渐尖,副萼片狭小,椭圆状披针形,先端急尖,比萼片短 1 倍多,外面被短柔毛;花瓣黄色,几

柔毛路边青(变种)

圆形，比萼片长；花柱顶生，在上部 1/4 处扭曲，成熟后自扭曲处脱落，脱落部分下部被疏柔毛。聚合果卵球形或椭球形，瘦果被长硬毛，花柱宿存部分光滑，先端有小钩，果托被长硬毛，长 2 ～ 3mm。花果期 5 ～ 10 月。

| **生境分布** | 生于海拔 200 ～ 1800m 的山坡草地、田边、河边、灌丛或疏林下。分布于重庆黔江、丰都、綦江、彭水、巫山、万州、城口、酉阳、石柱、璧山、涪陵、南川、武隆、开州、北碚、垫江、荣昌等地。

| **资源情况** | 野生资源丰富。药材主要来源于野生，自产自销。

| **采收加工** | 参见"路边青"条。

| **药材性状** | 参见"路边青"条。

| **功能主治** | 参见"路边青"条。

| **用法用量** | 参见"路边青"条。

| 蔷薇科 | Rosaceae | 棣棠花属 | Kerria

棣棠花
Kerria japonica (L.) DC.

| 药 材 名 |　棣棠花（药用部位：花。别名：小通花、地团花、金钱花）、棣棠小通草（药用部位：茎髓）、棣棠枝叶（药用部位：枝叶）、棣棠根（药用部位：根）。

| 形态特征 |　落叶灌木，高1～2m，稀达3m。小枝绿色，圆柱形，无毛，常拱垂，嫩枝有棱角。叶互生，三角状卵形或卵圆形，先端长渐尖，基部圆形、截形或微心形，边缘有尖锐重锯齿，两面绿色，上面无毛或被稀疏柔毛，下面沿脉或脉腋被柔毛；叶柄长5～10mm，无毛；托叶膜质，带状披针形，有缘毛，早落。单花，着生于当年生侧枝先端，花梗无毛；花直径2.5～6cm；萼片卵状椭圆形，先端急尖，有小尖头，全缘，无毛，果时宿存；花瓣黄色，宽椭圆形，先端下凹，比萼片长1～4倍。瘦果倒卵形至半球形，褐色或黑褐色，表面无毛，有皱褶。花期4～6月，果期6～8月。

棣棠花

| **生境分布** | 生于海拔 200 ～ 2790m 的山坡灌丛中。分布于重庆黔江、垫江、城口、石柱、酉阳、涪陵、南川、巫溪、云阳、武隆、开州、北碚、巫山、荣昌、巴南、江津、奉节等地。 |

| **资源情况** | 野生资源丰富。药材主要来源于野生，自产自销。 |

| **采收加工** | 棣棠花：春末夏初花盛开时采收，干燥。
棣棠小通草：秋季割取茎，趁鲜取出髓部，理顺，干燥。
棣棠枝叶：7 ～ 8 月采收，晒干。
棣棠根：7 ～ 8 月采收，洗净，切段，晒干。 |

| **药材性状** | 棣棠花：本品呈不规则球形，直径 0.5 ~ 2.5cm，金黄色或橙黄色。花萼绿色，先端 5 裂，裂片卵形，疏被白色柔毛。花单瓣或重瓣，皱缩，展开后呈广卵圆形或长卵圆形，下部丝状，心皮 5，离生，花柱丝状，被白色柔毛。体轻，质松软。气微，味淡。

棣棠小通草：本品呈圆柱形，直径 0.3 ~ 1.1cm。表面白色或略带黄色。体轻，质松软，手指轻捏易变扁，断面平坦，显银白色光泽，中央实心。水浸泡 10 分钟后，药材表面无黏滑感。无臭，味淡。

棣棠枝叶：本品茎枝绿色，表面粗糙；质硬脆，易折断，断面不整齐。叶多皱缩，展平后卵形或卵状披针形，长 5 ~ 10cm，宽 1.5 ~ 4cm，边缘有锯齿，上面无毛，下面沿叶脉间疏生短毛。气微，味苦、涩。

| **功能主治** | 棣棠花：苦、涩，平。止咳化痰，利湿消肿，润肺，祛风。用于久咳不愈，肺燥咳嗽，小儿风热咳嗽，风湿痹痛，水肿，小便不利，湿疹，小儿风疹。

棣棠小通草：甘、淡，凉。归肺、胃、膀胱经。清热，利尿，下乳。用于湿热尿赤，淋证涩痛，水肿，乳汁不下。

棣棠枝叶：微苦、涩，平。祛风除湿，解毒消肿。用于风湿关节痛，荨麻疹，湿疹，痈疽肿毒。

棣棠根：涩、微苦，平。祛风止痛，解毒消肿。用于关节疼痛，痈疽肿毒。

| **用法用量** | 棣棠花：内服煎汤，6 ~ 15g。外用适量，煎汤洗。

棣棠小通草：内服煎汤，2.5 ~ 4.5g。

棣棠枝叶：内服煎汤，9 ~ 15g。外用适量，煎汤熏洗。

棣棠根：内服煎汤，9 ~ 15g；或浸酒。

| 附　注 | 重瓣棣棠花 Kerria japonica (L.) DC. f. *pleniflora* (Witte) Rehd. 为本种的变型，生于湖南、四川和云南等地，我国南北各地普遍栽培。此外，本种还有金边棣棠花 Kerria japonica f. *aureo-variegata* Rehd. 和银边棣棠花 Kerria japonica f. *picta* (Sieb.) Rehd. 等变型，二者叶边分别呈黄色和白色，常栽培于庭园。

蔷薇科 Rosaceae 棣棠花属 Kerria

重瓣棣棠花

Kerria japonica (L.) DC. f. *pleniflora* (Witte) Rehd.

| 药 材 名 | 棣棠花（药用部位：花。别名：清明花、小通花、画眉顿）。

| 形态特征 | 落叶灌木。高 1 ~ 2m，稀达 3m。小枝绿色，圆柱形，无毛，常拱垂，嫩枝有棱角，枝条折断后可见白色的髓。叶互生；叶柄长 5 ~ 10mm，无毛；托叶膜质，带状披针形，有缘毛，早落；叶片三角状卵形或卵圆形，先端长渐尖，基部圆形、截形或微心形，边缘有尖锐重锯齿，上面无毛或被稀疏柔毛，下面沿脉或脉腋被柔毛。花两性，大而单生，着生于当年生侧枝先端，花梗无毛；花直径 2.5 ~ 6cm；萼片 5，覆瓦状排列，卵状椭圆形，先端急尖，有小尖头，全缘，无毛，果时宿存；花瓣 5，重瓣，宽椭圆形，先端下凹，比萼片长 1 ~ 4 倍，黄色，具短爪；雄蕊多数，排列成数组，疏被柔毛；雌蕊 5 ~ 8，分离，生于萼筒内；花柱直立。瘦果倒卵形至半球形，褐色或黑褐色，

重瓣棣棠花

表面无毛，有皱褶。花期 4 ~ 6 月，果期 6 ~ 8 月。

| 生境分布 | 栽培于庭园。重庆各地均有分布。

| 资源情况 | 栽培资源丰富。药材主要来源于栽培，自产自销。

| 采收加工 | 参见"棣棠花"条。

| 药材性状 | 参见"棣棠花"条。

| 功能主治 | 参见"棣棠花"条。

| 用法用量 | 参见"棣棠花"条。

蔷薇科 Rosaceae　苹果属 Malus

花红
Malus asiatica Nakai

| 药 材 名 | 林檎（药用部位：果实。别名：文林朗果、来禽、花红果）、林檎根（药用部位：根）、花红叶（药用部位：叶）。

| 形态特征 | 小乔木，高 4 ~ 6m。小枝粗壮，圆柱形，嫩枝密被柔毛，老枝暗紫褐色，无毛，有稀疏浅色皮孔；冬芽卵形，先端急尖，初时密被柔毛，逐渐脱落，灰红色。叶片卵形或椭圆形，长 5 ~ 11cm，宽 4 ~ 5.5cm，先端急尖或渐尖，基部圆形或宽楔形，边缘有细锐锯齿，上面被短柔毛，逐渐脱落，下面密被短柔毛；叶柄长 1.5 ~ 5cm，被短柔毛；托叶小，膜质，披针形，早落。伞房花序，具花 4 ~ 7，集生于小枝先端；花梗长 1.5 ~ 2cm，密被柔毛；花直径 3 ~ 4cm；萼筒钟状，外面密被柔毛，萼片三角状披针形，长 4 ~ 5mm，先端渐尖，全缘，内外两面密被柔毛，萼片比萼筒稍长；花瓣倒卵形或长圆状倒卵形，

花红

长 8 ~ 13mm，宽 4 ~ 7mm，基部有短爪，淡粉色；雄蕊 17 ~ 20，花丝长短不等，比花瓣短；花柱 4（~ 5），基部被长绒毛，比雄蕊长。果实卵形或近球形，直径 4 ~ 5cm，黄色或红色，先端渐狭，不具隆起，基部陷入，宿存萼肥厚隆起。花期 4 ~ 5 月，果期 8 ~ 9 月。

| **生境分布** | 生于庭园或宅旁。重庆各地均有分布。

| **资源情况** | 栽培资源较少。药材主要来源于栽培，自产自销。

| **采收加工** | 林檎：8 ~ 9 月果实将成熟时采摘，鲜用或切片晒干。

林檎根：全年均可采挖，洗净，切片，晒干。

花红叶：夏季采收，鲜用或晒干。

| **药材性状** | 林檎：本品呈扁球形，直径 2.5 ~ 4cm。表面黄色至深红色，有点状黄色皮孔。先端凹而有竖起的残存萼片，底部深陷。气清香，味微甘、酸。

| **功能主治** | 林檎：酸、甘，温。归胃、大肠经。下气宽胸，生津止渴，和中止痛。用于痰饮积食，胸膈痞塞，消渴，霍乱，吐泻腹痛，痢疾。

林檎根：杀虫，止渴。用于蛔虫病，绦虫病，消渴。

花红叶：泻火明目，杀虫解毒。用于眼目青盲，翳膜遮睛，小儿疥疮。

| **用法用量** | 林檎：内服煎汤，30 ~ 90g；或捣汁。外用适量，研末调敷。不宜多食。

林檎根：内服煎汤，15 ~ 30g。

花红叶：内服煎汤，3 ~ 9g。外用适量，煎汤洗。

蔷薇科 Rosaceae 苹果属 Malus

垂丝海棠
Malus halliana Koehne

| 药 材 名 | 垂丝海棠（药用部位：花）。

| 形态特征 | 乔木，高达 5m。树冠开展；小枝细弱，微弯曲，圆柱形，最初被毛，不久脱落，紫色或紫褐色；冬芽卵形，先端渐尖，无毛或仅在鳞片边缘被柔毛，紫色。叶片卵形或椭圆形至长椭卵形，长 3.5 ~ 8cm，宽 2.5 ~ 4.5cm，先端长渐尖，基部楔形至近圆形，边缘有圆钝细锯齿，中脉有时被短柔毛，其余部分均无毛，上面深绿色，有光泽并常带紫晕；叶柄长 5 ~ 25mm，幼时被稀疏柔毛，老时近于无毛；托叶小，膜质，披针形，内面被毛，早落。伞房花序，具花 4 ~ 6 朵，花梗细弱，长 2 ~ 4cm，下垂，被稀疏柔毛，紫色；花直径 3 ~ 3.5cm；萼筒外面无毛，萼片三角卵形，长 3 ~ 5mm，先端钝，全缘，外面无毛，内面密被绒毛，与萼筒等长或稍短；花瓣倒卵形，长约 1.5cm，

垂丝海棠

基部有短爪，粉红色，常在 5 数以上；雄蕊 20 ~ 25，花丝长短不齐，约等于花瓣之半；花柱 4 或 5，较雄蕊为长，基部被长绒毛，顶花有时缺少雌蕊。果实梨形或倒卵形，直径 6 ~ 8mm，略带紫色，成熟很迟，萼片脱落；果梗长 2 ~ 5cm。花期 3 ~ 4 月，果期 9 ~ 10 月。

| 生境分布 | 栽培于庭园或街道。重庆各地均有分布。

| 资源情况 | 药材主要来源于栽培，自产自销。

| 采收加工 | 3 ~ 4 月花盛开时采收，晒干。

| 药材性状 | 本品呈暗红色，下垂；萼筒紫红色，5 裂，裂片卵形，边缘有毛，外面无毛，内面密生白色绒毛。花瓣十余片，倒卵形，表面光滑无毛，内面疏生白色绒毛；雄蕊多数，花柱 5，基部密生绒毛；花柄细长，紫色，长 2 ~ 4cm，疏生绒毛。气微，味微苦、涩。

| 功能主治 | 淡、苦，平。调经和血。用于血崩。

| 用法用量 | 内服煎汤，6 ~ 15g。孕妇禁服。

蔷薇科 Rosaceae 苹果属 *Malus*

湖北海棠
Malus hupehensis (Pamp.) Rehd.

| 药 材 名 | 湖北海棠（药用部位：叶。别名：秋子、野海棠、小石枣）、湖北海棠根（药用部位：根）。

| 形态特征 | 乔木，高达 8m。小枝最初被短柔毛，不久脱落，老枝紫色至紫褐色；冬芽卵形，先端急尖，鳞片边缘被疏生短柔毛，暗紫色。叶片卵形至卵状椭圆形，长 5 ~ 10cm，宽 2.5 ~ 4cm，先端渐尖，基部宽楔形，稀近圆形，边缘有细锐锯齿，嫩时被稀疏短柔毛，不久脱落无毛，常呈紫红色；叶柄长 1 ~ 3cm，嫩时被稀疏短柔毛，逐渐脱落；托叶草质至膜质，线状披针形，先端渐尖，被疏生柔毛，早落。伞房花序，具花 4 ~ 6，花梗长 3 ~ 6cm，无毛或稍被长柔毛；苞片膜质，披针形，早落；花直径 3.5 ~ 4cm；萼筒外面无毛或稍被长柔毛，萼片三角卵形，先端渐尖或急尖，长 4 ~ 5mm，外面无毛，内面被

湖北海棠

柔毛，略带紫色，与萼筒等长或稍短；花瓣倒卵形，长约 1.5cm，基部有短爪，粉白色或近白色；雄蕊 20，花丝长短不齐，约等于花瓣之半；花柱 3，稀 4，基部被长绒毛，较雄蕊稍长。果实椭圆形或近球形，直径约 1cm，黄绿色稍带红晕，萼片脱落；果梗长 2 ~ 4cm。花期 4 ~ 5 月，果期 8 ~ 9 月。

| 生境分布 | 生于海拔 200 ~ 2700m 的山坡或山谷杂木林中。分布于重庆彭水、潼南、城口、奉节、万州、丰都、云阳、石柱、合川、巫溪、巫山、巴南、南川等地。

| 资源情况 | 野生资源较丰富。药材来源于野生。

| 采收加工 | 湖北海棠：春季采收嫩叶，堆积发酵至叶表面成金黄色，干燥。
湖北海棠根：夏、秋季采收，洗净，切片，鲜用或晒干。

| 药材性状 | 湖北海棠：本品多皱缩，完整者展平后呈卵形至卵状长圆形，表面金黄色至黄褐色，背面淡黄色至金黄色，长 5 ~ 10cm，宽 2.5 ~ 4cm，先端渐尖，基部宽楔形，少数呈圆形，边缘有细锐锯齿；背面叶脉及叶柄可见短柔毛；叶柄长 1 ~ 3cm。气微，味微甘。

| 功能主治 | 湖北海棠：微甘，平。归肝、胃经。养肝和胃，生津止渴，消积化滞。用于肝病胁痛，消渴，眩晕等。
湖北海棠根：活血通络。用于跌打损伤。

| 用法用量 | 湖北海棠：内服煎汤，2 ~ 5g；或泡茶饮用。
湖北海棠根：内服煎汤，鲜品 60 ~ 90g。外用适量，研末调敷。

蔷薇科 Rosaceae 苹果属 *Malus*

陇东海棠 *Malus kansuensis* (Batal.) Schneid.

| 药 材 名 | 大石枣（药用部位：果实。别名：甘肃海棠、野海棠果）。

| 形态特征 | 灌木至小乔木，高 3 ~ 5m。小枝粗壮，圆柱形，嫩时被短柔毛，不久脱落，老时紫褐色或暗褐色；冬芽卵形，先端钝，鳞片边缘被绒毛，暗紫色。叶片卵形或宽卵形，长 5 ~ 8cm，宽 4 ~ 6cm，先端急尖或渐尖，基部圆形或截形，边缘有细锐重锯齿，通常 3 浅裂，稀有不规则分裂或不裂，裂片三角卵形，先端急尖，下面被稀疏短柔毛；叶柄长 1.5 ~ 4cm，被疏生短柔毛；托叶草质，线状披针形，先端渐尖，边缘有疏生腺齿，长 6 ~ 10mm，稍被柔毛。伞形总状花序，具花 4 ~ 10，直径 5 ~ 6.5cm，总花梗和花梗嫩时被稀疏柔毛，不久即脱落，花梗长 2.5 ~ 3.5cm；苞片膜质，线状披针形，很早脱落；花直径 1.5 ~ 2cm；萼筒外面被长柔毛，萼片三角状卵形至三角状披针形，

陇东海棠

先端渐尖，全缘，外面无毛，内面被长柔毛，与萼筒等长或稍长；花瓣宽倒卵形，基部有短爪，内面上部被稀疏长柔毛，白色；雄蕊 20，花丝长短不一，约等于花瓣之半；花柱 3，稀 2 或 4，基部无毛，比雄蕊稍长。果实椭圆形或倒卵形，直径 1 ~ 1.5cm，黄红色，有少数石细胞，萼片脱落，果梗长 2 ~ 3.5cm。花期 5 ~ 6 月，果期 7 ~ 8 月。

| **生境分布** | 生于海拔 1500 ~ 2790m 的杂木林或灌丛中。分布于重庆城口、巫溪、开州等地。

| **资源情况** | 野生资源较少。药材主要来源于野生，自产自销。

| **采收加工** | 7 ~ 8 月果实成熟时采摘，鲜用。

| **药材性状** | 本品呈椭圆形或倒卵形，直径 1 ~ 1.5cm。表面黄色或红黄色；萼片脱落，果梗长 2 ~ 3.5cm。气微香，味微甘而酸、涩。

| **功能主治** | 酸，平。健胃消积。用于食积。

| **用法用量** | 内服煎汤，9 ~ 15g。

蔷薇科 Rosaceae 苹果属 *Malus*

苹果
Malus pumila Mill.

| **药 材 名** | 苹果（药用部位：果实。别名：柰、柰子、平波）、苹果皮（药用部位：果皮）、苹果叶（药用部位：叶）。

| **形态特征** | 乔木，高达 15m。小枝幼嫩时密被绒毛，老枝紫褐色，无毛。叶互生；叶柄长 1.5 ~ 3cm，被短柔毛；托叶披针形，全缘，早落；叶片椭圆形、卵形至宽椭圆形，长 4.5 ~ 10cm，宽 3 ~ 5.5cm，边缘有圆钝锯齿，幼时两面被短柔毛。花两性；伞房花序，具花 3 ~ 7 朵，集生小枝先端；花梗长 1 ~ 2.5cm，密被绒毛；花白色或带粉红色，直径 3 ~ 4cm；雄蕊 20；花柱 5。果实扁球形，直径在 2cm 以上，先端常有隆起，萼柱下陷，花萼裂片宿存，果梗粗短。花期 5 月，果期 7 ~ 10 月。

苹果

| **生境分布** | 栽培于山坡。分布于重庆城口、巫溪、巫山、南川等地。

| **资源情况** | 栽培资源较少。药材来源于栽培，自产自销。

| **采收加工** | 苹果：7～8 月采收早熟品种，9～10 月采收晚熟品种，鲜用。
苹果皮：采收成熟苹果，洗净，留皮，晒干。
苹果叶：6～10 月采摘，晒干。

| **药材性状** | 苹果：本品呈梨形或扁球形，青色、黄色或红色，直径 5～10cm，或更大，顶部及基部均凹陷；外皮薄、革质，果肉肉质，内果皮坚韧，分为 5 室，每室有种子 2。气清香，味甘、微酸。

| **功能主治** | 苹果：甘、酸，凉。益胃，生津，除烦，醒酒。用于津少口渴，脾虚泄泻，食后腹胀，饮酒过度。
苹果皮：降逆和胃。用于反胃。
苹果叶：凉血解毒。用于产后血晕，月经不调，发热，热毒疮疡，烫伤。

| **用法用量** | 苹果：内服适量，生食；或捣汁；或熬膏。不宜多食，过量易致腹胀。
苹果皮：内服煎汤，15～30g；或沸汤泡饮。
苹果叶：内服煎汤，30～60g。外用适量，鲜叶贴敷；烧灰存性，调搽。

蔷薇科 Rosaceae 苹果属 Malus

海棠花
Malus spectabilis (Ait.) Borkh.

| 药 材 名 | 海棠花（药用部位：果实）。

| 形态特征 | 乔木，高可达 8m。小枝粗壮，圆柱形，幼时被短柔毛，逐渐脱落，老时红褐色或紫褐色，无毛；冬芽卵形，先端渐尖，微被柔毛，紫褐色，有数枚外露鳞片。叶片椭圆形至长椭圆形，长 5 ~ 8cm，宽 2 ~ 3cm，先端短渐尖或圆钝，基部宽楔形或近圆形，边缘有紧贴细锯齿，有时部分近于全缘，幼嫩时上下两面被稀疏短柔毛，以后脱落，老叶无毛；叶柄长 1.5 ~ 2cm，被短柔毛；托叶膜质，窄披针形，先端渐尖，全缘，内面被长柔毛。花序近伞形，有花 4 ~ 6，花梗长 2 ~ 3cm，被柔毛；苞片膜质，披针形，早落；花直径 4 ~ 5cm；萼筒外面无毛或被白色绒毛，萼片三角卵形，先端急尖，全缘，外面无毛或偶被稀疏绒毛，内面密被白色绒毛，萼片比萼筒稍短；花

海棠花

瓣卵形，长 2 ~ 2.5cm，宽 1.5 ~ 2cm，基部有短爪，白色，在芽中呈粉红色；雄蕊 20 ~ 25，花丝长短不等，长约花瓣之半；花柱 5，稀 4，基部被白色绒毛，比雄蕊稍长。果实近球形，直径 2cm，黄色，萼片宿存，基部不下陷，梗洼隆起；果梗细长，先端肥厚，长 3 ~ 4cm。花期 4 ~ 5 月，果期 8 ~ 9 月。

| **生境分布** | 生于山坡。分布于重庆武隆等地。

| **资源情况** | 栽培资源较少。药材主要来源于栽培，自产自销。

| **采收加工** | 8 ~ 9 月果实成熟时采摘，鲜用或晒干。

| **功能主治** | 理气健脾，消食导滞。用于饮食积滞。

| **用法用量** | 内服煎汤，适量。

蔷薇科 Rosaceae 绣线梅属 Neillia

毛叶绣线梅
Neillia ribesioides Rehd.

| 药 材 名 | 钓杆柴（药用部位：根。别名：钓鱼竿、黑楂子、杆杆梢）。

| 形态特征 | 灌木，高1～2m。小枝圆柱形，微屈曲，密被短柔毛，幼时黄褐色，老时暗灰褐色；冬芽卵形，先端微尖，深褐色，具2～4外露鳞片。叶片三角形至卵状三角形，长4～6cm，宽3.5～4cm，先端渐尖，基部截形至近心形，边缘有5～7浅裂片和尖锐重锯齿，上面被稀疏平铺柔毛，下面密被柔毛，在中脉和侧脉上更为显著；叶柄长约5mm，密被短柔毛；托叶长圆形至披针形，长5～10mm，先端钝或急尖，全缘或具少数锯齿，微被短柔毛。顶生总状花序，有花10～15，长4～5cm；苞片线状披针形，长约6mm，两面微被柔毛；花梗长3～4mm，近于无毛；花直径约6mm；萼筒筒状，长8～9mm，外面无毛，基部被少数腺毛，内面被柔毛；萼片三角

毛叶绣线梅

形，先端尾尖，长约 2mm，内面被柔毛；花瓣倒卵形，先端圆钝，白色或淡粉色，稍长于萼片；雄蕊 10 ~ 15，花丝短，药紫色，着生于萼筒边缘；子房仅先端微被柔毛，内含 4 ~ 5 胚珠。蓇葖果长椭圆形，萼宿存，外被疏生腺毛。花期 5 月，果期 7 ~ 9 月。

| **生境分布** | 生于海拔 1000 ~ 2500m 的山地丛林中。分布于重庆彭水、城口、南川、忠县、石柱等地。

| **资源情况** | 野生资源稀少。药材来源于野生，自产自销。

| **采收加工** | 夏、秋季采挖，除去茎枝，洗净，切片，晒干。

| **功能主治** | 苦、酸、甘，凉。利水除湿，清热止血。用于水肿，咯血。

| **用法用量** | 内服煎汤，30 ~ 60g。

蔷薇科 Rosaceae 绣线梅属 Neillia

中华绣线梅 *Neillia sinensis Oliv.*

| **药 材 名** | 钓杆柴（药用部位：根。别名：钓鱼竿、黑楂子、杆杆梢）、中华绣线梅（药用部位：全株）。

| **形态特征** | 灌木，高达 2m。小枝圆柱形，无毛，幼时紫褐色，老时暗灰褐色；冬芽卵形，先端钝，微被短柔毛或近于无毛，红褐色。叶片卵形至卵状长椭圆形，长 5 ~ 11cm，宽 3 ~ 6cm，先端长渐尖，基部圆形或近心形，稀宽楔形，边缘有重锯齿，常不规则分裂，稀不裂，两面无毛或在下面脉腋被柔毛；叶柄长 7 ~ 15mm，微被毛或近于无毛；托叶线状披针形或卵状披针形，先端渐尖或急尖，全缘，长 0.8 ~ 1cm，早落。顶生总状花序，长 4 ~ 9cm，花梗长 3 ~ 10mm，无毛；花直径 6 ~ 8mm；萼筒筒状，长 1 ~ 1.2cm，外面无毛，内面被短柔毛，萼片三角形，先端尾尖，全缘，长 3 ~ 4mm；花瓣倒

中华绣线梅

卵形，长约 3mm，宽约 2mm，先端圆钝，淡粉色；雄蕊 10 ~ 15，花丝不等长，着生于萼筒边缘，排成不规则的 2 轮；心皮 1 ~ 2，子房先端被毛，花柱直立，内含 4 ~ 5 胚珠。蓇葖果长椭圆形，萼筒宿存，外被疏生长腺毛。花期 5 ~ 6 月，果期 8 ~ 9 月。

| 生境分布 | 生于海拔 1000 ~ 2500m 的山坡、山谷或沟边杂木林中。分布于重庆城口、巫山、巫溪、奉节、黔江、南川、秀山、云阳等地。

| 资源情况 | 野生资源一般。药材来源于野生。

| 采收加工 | 钓杆柴：夏、秋季采挖，除去茎枝，洗净，切片，晒干。
中华绣线梅：全年均可采收，晒干或鲜用。

| 功能主治 | 钓杆柴：苦、酸、甘，凉。利水消肿，清热止血。用于水肿，咯血。
中华绣线梅：辛，平。祛风解表，和中止泻。用于感冒，泄泻。

| 用法用量 | 钓杆柴：内服煎汤，30 ~ 60g。
中华绣线梅：内服煎汤，30 ~ 60g。

蔷薇科 Rosaceae 稠李属 Padus

灰叶稠李

Padus grayana (Maxim.) Schneid.

| 药 材 名 | 灰叶稠李（药用部位：根皮）。

| 形态特征 | 落叶小乔木，高 8 ~ 10m，稀达 16m。老枝黑褐色；小枝红褐色或灰绿色，幼时被短绒毛，以后脱落无毛；冬芽卵圆形，通常无毛，或鳞片边被稀疏柔毛。叶片灰绿色，卵状长圆形或长圆形，长 4 ~ 10cm，宽 1.8 ~ 4cm，先端长渐尖或长尾尖，基部圆形或近心形，边缘有尖锐锯齿或缺刻状锯齿，两面无毛或下面沿中脉被柔毛；叶柄长 5 ~ 10mm，通常无毛，无腺体；托叶膜质，线形，长可达 12mm，比幼叶柄长，先端渐尖，边缘有带腺锯齿，早落。总状花序具多花，长 8 ~ 10cm，基部有 2 ~ 4（~ 5）叶，叶片与枝生叶同形，通常较小；花梗长 2 ~ 4mm，总花梗和花梗通常无毛；花直径 7 ~ 8mm；萼筒钟状，比萼片长近 2 倍，萼片长三角状卵形，先端

灰叶稠李

急尖，边缘有细齿，萼筒和萼片外面无毛，内面被疏柔毛；花瓣白色，长圆状倒卵形，先端 2/3 部分啮蚀状，基部楔形，有短爪；雄蕊 20 ～ 32，花丝长短不等，排成紧密不规则 2 轮，长花丝比花瓣稍长，花盘圆盘状；雌蕊 1，心皮无毛，柱头盘状，花柱长，通常伸出雄蕊和花瓣之外，有时与雄蕊近等长。核果卵球形，先端短尖，直径 5 ～ 6mm，黑褐色，光滑；花梗较短，长 2 ～ 4mm，无毛；萼片脱落，核光滑。花期 4 ～ 5 月，果期 6 ～ 10 月。

| 生境分布 | 生于海拔 800 ～ 2300m 的山谷杂木林中、山坡半阴处或路旁。分布于重庆城口、石柱、黔江、南川、巫山等地。

| 资源情况 | 野生资源稀少。药材主要来源于野生。

| 采收加工 | 秋、冬季挖根，洗净，晒干。

| 功能主治 | 祛风除湿。用于风湿痹痛。

| 用法用量 | 内服煎汤，适量。

蔷薇科 Rosaceae 稠李属 Padus

细齿稠李

Padus obtusata (Koehne) Yü et Ku.

细齿稠李

| 药 材 名 |

细齿稠李（药用部位：根皮）。

| 形 态 特 征 |

落叶乔木，高 6 ～ 20m。老枝紫褐色或暗
褐色，无毛，散生浅色皮孔；小枝幼时红
褐色，被短柔毛或无毛；冬芽卵圆形，无
毛。叶片窄长圆形、椭圆形或倒卵形，长
4.5 ～ 11cm，宽 2 ～ 4.5cm，先端急尖或渐
尖，稀圆钝，基部近圆形或宽楔形，稀亚
心形，边缘有细密锯齿，上面暗绿色，无
毛，下面淡绿色，无毛，中脉和侧脉以及网
脉均明显凸起；叶柄长 1 ～ 2.2cm，被短柔
毛或无毛，通常先端两侧各具 1 腺体；托叶
膜质，线形，先端渐尖，边缘有带腺锯齿，
早落。总状花序具多花，长 10 ～ 15cm，
基部有 2 ～ 4 叶片，叶片与枝生叶同形，
但明显较小；花梗长 3 ～ 7mm，总花梗
和花梗被短柔毛；苞片膜质，早落；萼筒
钟状，内外两面被短柔毛，比萼片长 2 ～ 3
倍，萼片三角状卵形，先端急尖，边缘有
细齿，内外两面近无毛；花瓣白色，开
展，近圆形或长圆形，先端 2/3 部分啮蚀状
或波状，基部楔形，有短爪；雄蕊多数，
花丝长短不等；排成紧密不规则 2 轮，长

花丝和花瓣近等长；雌蕊 1，心皮无毛；柱头盘状，花柱比雄蕊稍短。核果卵球形，先端有短尖头，直径 6 ~ 8mm，黑色，无毛；果梗被短柔毛；萼片脱落。花期 4 ~ 5 月，果期 6 ~ 10 月。

| **生境分布** | 生于海拔 1000 ~ 2790m 的山坡杂木林、密林中或疏林下、山谷、沟底或溪边。分布于重庆南川、城口、巫溪、巫山、奉节、云阳等地。

| **资源情况** | 野生资源稀少。药材来源于野生，自产自销。

| **采收加工** | 秋、冬季挖根，洗净，晒干。

| **功能主治** | 祛风除湿，强筋壮骨，止血生肌。用于风湿痹痛，劳伤疲乏。

| **用法用量** | 内服煎汤，适量。

蔷薇科 Rosaceae 稠李属 Padus

绢毛稠李

Padus wilsonii Schneid.

绢毛稠李

|药材名|

绢毛稠李（药用部位：根皮、树皮）。

|形态特征|

落叶乔木，高 10 ~ 30m。树皮灰褐色，有长圆形皮孔；多年生小枝粗壮，紫褐色或黑褐色，有明显密而浅色皮孔，被短柔毛或近于无毛，当年生小枝红褐色，被短柔毛；冬芽卵圆形，无毛或仅鳞片边缘被短柔毛。叶片椭圆形、长圆形或长圆状倒卵形，长 6 ~ 14（~ 17）cm，宽 3 ~ 8cm，先端短渐尖或短尾尖，基部圆形、楔形或宽楔形，叶边缘有疏生圆钝锯齿，有时带尖头，上面深绿色或带紫绿色，中脉和侧脉均下陷，下面淡绿色，幼时密被白色绢状柔毛，随叶片的成长颜色变深，毛被由白色变为棕色，尤其沿主脉和侧脉更为明显，中脉和侧脉明显凸起；叶柄长 7 ~ 8mm，无毛或被短柔毛，先端两侧各有 1 腺体或在叶片基部边缘各有 1 腺体；托叶膜质，线形，先端长渐尖，幼时边缘常被毛，早落。总状花序具有多数花朵，长 7 ~ 14cm，基部有 3 ~ 4 叶片，长圆形或长圆状披针形，长不超过 8cm；花梗长 5 ~ 8mm，总花梗和花梗随花成长而增粗，皮孔长大，毛被由白色逐渐变深；花直径

6 ～ 8mm，萼筒钟状或杯状，比萼片长约 2 倍，萼片三角状卵形，先端急尖，边缘有细齿，萼筒和萼片外面被绢状短柔毛，内面被疏柔毛，边缘较密；花瓣白色，倒卵状长圆形，先端 1 啮蚀状，基部楔形，有短爪；雄蕊约 20，排成紧密不规则 2 轮，着生于花盘边缘，长花丝比花瓣稍长，短花丝则比花瓣短很多；雌蕊 1，心皮无毛，柱头盘状，花柱比长雄蕊短。核果球形或卵球形，直径 8 ～ 11mm，先端有短尖头，无毛，幼果红褐色，老时黑紫色；果梗明显增粗，被短柔毛，皮孔显著变大，色淡，长圆形；萼片脱落；核平滑。花期 4 ～ 5 月，果期 6 ～ 10 月。

| **生境分布** | 生于海拔 750 ～ 2500m 的山坡、山谷或沟底。分布于重庆城口、酉阳、南川、巫山、奉节等地。

| **资源情况** | 野生资源稀少。药材来源于野生，自产自销。

| **采收加工** | 全年均可采挖，剥取根皮，洗净，切片，晒干。

| **功能主治** | 祛风除湿，收敛止泻，润肺止咳。用于痢疾，泄泻，风湿痹痛。

| **用法用量** | 内服煎汤，适量。

蔷薇科 Rosaceae 石楠属 Photinia

中华石楠 *Photinia beauverdiana* Schneid.

| **药 材 名** | 中华石楠（药用部位：根、叶。别名：波氏石楠、假思桃、牛筋木）、中华石楠果（药用部位：果实）。

| **形态特征** | 落叶灌木或小乔木，高 3 ~ 10m。小枝无毛，紫褐色，有散生灰色皮孔。叶片薄纸质，长圆形、倒卵状长圆形或卵状披针形，长 5 ~ 10cm，宽 2 ~ 4.5cm，先端凸渐尖，基部圆形或楔形，边缘有疏生具腺锯齿，上面光亮，无毛，下面中脉疏生柔毛，侧脉 9 ~ 14 对；叶柄长 5 ~ 10mm，微被柔毛。花多数，呈复伞房花序，直径 5 ~ 7cm；总花梗和花梗无毛，密生疣点，花梗长 7 ~ 15mm；花直径 5 ~ 7mm；萼筒杯状，长 1 ~ 1.5mm，外面微被毛，萼片三角状卵形，长 1mm；花瓣白色，卵形或倒卵形，长 2mm，先端圆钝，无毛；雄蕊 20；花柱（2 ~）3，基部合生。果实卵形，长 7 ~ 8mm，

中华石楠

直径 5 ~ 6mm，紫红色，无毛，微有疣点，先端有宿存萼片；果梗长 1 ~ 2cm。花期 5 月，果期 7 ~ 8 月。

| 生境分布 | 生于海拔 700 ~ 1700m 的山坡或山谷林下。分布于重庆云阳、城口、巫溪、巫山、奉节、南川等地。

| 资源情况 | 野生资源稀少。药材主要来源于野生，自产自销。

| 采收加工 | 中华石楠：夏、秋季采收叶，晒干；全年均可采挖根，洗净，切片，晒干。
中华石楠果：7 ~ 8 月果实成熟时采摘，鲜用。

| 药材性状 | 中华石楠：本品叶呈长圆形、倒卵状长圆形或卵状披针形，长 5 ~ 10cm，宽 2 ~ 4cm，先端渐尖或突渐尖，基部渐狭成楔形，边缘有疏锯齿；上面无毛，下面脉上有毛；叶脉网状，侧脉 9 ~ 14 对；叶柄长 5 ~ 10mm，微被毛。叶纸质，质脆，易碎。气微，味淡。

| 功能主治 | 中华石楠：辛、苦，平。行气活血，祛风止痛。用于风湿痹痛，肾虚脚膝酸软，头风头痛，跌打损伤。
中华石楠果：补肾强筋。用于劳伤疲乏。

| 用法用量 | 中华石楠：内服煎汤，5 ~ 9g。
中华石楠果：内服煎汤，鲜品 120 ~ 150g。

蔷薇科 Rosaceae 石楠属 Photinia

椤木石楠
Photinia davidsoniae Rehd. et Wils.

| 药 材 名 | 椤木石楠（药用部位：根、叶。别名：水红树花、椤木、凿树）。

| 形态特征 | 常绿乔木，高 6 ~ 15m。幼枝黄红色，后成紫褐色，被稀疏平贴柔毛，老时灰色，无毛，有时具刺。叶片革质，长圆形、倒披针形，或稀为椭圆形，长 5 ~ 15cm，宽 2 ~ 5cm，先端急尖或渐尖，有短尖头，基部楔形，边缘稍反卷，有具腺的细锯齿，上面光亮；中脉初被贴生柔毛，后渐脱落无毛，侧脉 10 ~ 12 对；叶柄长 8 ~ 15mm，无毛。花多数，密集成顶生复伞房花序，直径 10 ~ 12mm；总花梗和花梗被平贴短柔毛，花梗长 5 ~ 7mm；苞片和小苞片微小，早落；花直径 10 ~ 12mm；萼筒浅杯状，直径 2 ~ 3mm，外面被疏生平贴短柔毛，萼片阔三角形，长约 1mm，先端急尖，被柔毛；花瓣圆形，直径 3.5 ~ 4mm，先端圆钝，基部有极短爪，内外两面皆无毛；雄

椤木石楠

蕊 20，较花瓣短；花柱 2，基部合生并密被白色长柔毛。果实球形或卵形，直径 7 ~ 10mm，黄红色，无毛；种子 2 ~ 4，卵形，长 4 ~ 5mm，褐色。花期 5月，果期 9 ~ 10 月。

| **生境分布** | 生于海拔 500 ~ 2600m 的灌丛中，亦有栽培。分布于重庆城口、巫溪、石柱、大足、沙坪坝、南岸、北碚、彭水、九龙坡、忠县、铜梁等地。

| **资源情况** | 野生资源一般，常栽培于庭院。药材主要来源于野生，自产自销。

| **采收加工** | 全年均可采挖，洗净，切碎晒干或鲜用。

| **功能主治** | 清热解毒。用于痈肿疮疖。

| **用法用量** | 内服煎汤，适量。外用适量，捣敷。

| **附　　注** | 在 FOC 中，本种被修订为贵州石楠 *Photinia bodinieri* Lévl.。

薔薇科 Rosaceae 石楠属 *Photinia*

光叶石楠 *Photinia glabra* (Thunb.) Maxim.

| 药 材 名 | 醋林子（药用部位：果实。别名：红檬子）、光叶石楠（药用部位：叶。别名：千年红、石眼树）。

| 形态特征 | 常绿乔木，高 3 ～ 5m，可达 7m。老枝灰黑色，无毛，皮孔棕黑色，近圆形，散生。叶片革质，幼时及老时皆呈红色，椭圆形、长圆形或长圆状倒卵形，长 5 ～ 9cm，宽 2 ～ 4cm，先端渐尖，基部楔形，边缘有疏生浅钝细锯齿，两面无毛，侧脉 10 ～ 18 对；叶柄长 1 ～ 1.5cm，无毛。花多数，呈顶生复伞房花序，直径 5 ～ 10cm；总花梗和花梗均无毛；花直径 7 ～ 8mm；萼筒杯状，无毛，萼片三角形，长 1mm，先端急尖，外面无毛，内面被柔毛；花瓣白色，反卷，倒卵形，长约 3mm，先端圆钝，内面近基部被白色绒毛，基部有短爪；雄蕊 20，约与花瓣等长或较短；花柱 2，稀为 3，离生或下部合生，

光叶石楠

柱头头状，子房先端被柔毛。果实卵形，长约 5mm，红色，无毛。花期 4 ~ 5 月，果期 9 ~ 10 月。

| **生境分布** | 生于海拔 500 ~ 2500m 的山坡杂木林中。分布于重庆奉节、南川、垫江、北碚、酉阳等地。

| **资源情况** | 野生资源稀少，亦有零星栽培。药材主要来源于野生，自产自销。

| **采收加工** | 醋林子：9 ~ 10 月果实成熟时采收，晒干。
光叶石楠：全年均可采收，晒干，切丝。

| **药材性状** | 光叶石楠：本品呈椭圆形、长圆形或椭圆状倒卵形，长 5 ~ 9cm，宽 2 ~ 4cm，先端渐尖或短渐尖，基部楔形，边缘具细锯齿，两面均无毛；叶柄长 0.5 ~ 1.5cm，无毛。叶革质。气微，味苦。

| **功能主治** | 醋林子：酸，温。杀虫，止血，涩肠，生津，解酒。用于蛔虫腹痛，痔漏下血，久痢。
光叶石楠：苦、辛，凉。清热利尿，消肿止痛。用于小便不利，跌打损伤，头痛。

| **用法用量** | 醋林子：内服研末，1 ~ 3g，酒调；或盐、醋淹渍，生食。
光叶石楠：内服煎汤，3 ~ 9g。外用适量，捣敷。

蔷薇科 Rosaceae　石楠属 Photinia

小叶石楠 *Photinia parvifolia* (Pritz.) Schneid.

| 药 材 名 | 小叶石楠（药用部位：根。别名：牛筋木、牛李紫、山红子）。

| 形态特征 | 落叶灌木，高 1 ～ 3m。枝纤细，小枝红褐色，无毛，有黄色散生皮孔；冬芽卵形，长 3 ～ 4mm，先端急尖。叶片草质，椭圆形、椭圆卵形或菱状卵形，长 4 ～ 8cm，宽 1 ～ 3.5cm，先端渐尖或尾尖，基部宽楔形或近圆形，边缘有具腺尖锐锯齿，上面光亮，初疏生柔毛，以后无毛，下面无毛，侧脉 4 ～ 6 对；叶柄长 1 ～ 2mm，无毛。花 2 ～ 9，呈伞形花序，生于侧枝先端，无总花梗；苞片及小苞片钻形，早落；花梗细，长 1 ～ 2.5cm，无毛，有疣点；花直径 0.5 ～ 1.5cm；萼筒杯状，直径约 3mm，无毛，萼片卵形，长约 1mm，先端急尖，外面无毛，内面疏生柔毛；花瓣白色，圆形，直径 4 ～ 5mm，先端钝，有极短爪，内面基部疏生长柔毛；雄蕊 20，较花瓣短；花柱

小叶石楠

2 ～ 3，中部以下合生，较雄蕊稍长，子房先端密生长柔毛。果实椭圆形或卵形，长 9 ～ 12mm，直径 5 ～ 7mm，橘红色或紫色，无毛，有直立宿存萼片，内含 2 ～ 3 卵形种子；果梗长 1 ～ 2.5cm，密布疣点。花期 4 ～ 5 月，果期 7 ～ 8 月。

| 生境分布 | 生于海拔 1000m 以下的低山丘陵灌丛中。分布于重庆城口、巫山、奉节、石柱、黔江、南川、綦江等地。

| 资源情况 | 野生资源一般。药材主要来源于野生。

| 采收加工 | 秋、冬季采挖，洗净，晒干。

| 功能主治 | 苦，微寒。归肝经。清热解毒，活血止痛。用于黄疸，乳痈，牙痛。

| 用法用量 | 内服煎汤，15 ～ 60g。

| 蔷薇科 | Rosaceae | 石楠属 | Photinia |

石楠
Photinia serrulata Lindl.

| 药 材 名 | 石楠叶（药用部位：叶。别名：石南叶、红树叶、石岩树叶）、石南（药用部位：叶、带叶的嫩枝。别名：风药、栾茶）、石南实（药用部位：果实。别名：鬼目、南实、石南果）、石楠根（药用部位：根、根皮）。

| 形态特征 | 常绿灌木或小乔木，高 4 ~ 6m，有时可达 12m。枝褐灰色，无毛；冬芽卵形，鳞片褐色，无毛。叶革质，长椭圆形、长倒卵形或倒卵状椭圆形，长 9 ~ 22cm，宽 3 ~ 6.5cm，先端尾尖，基部圆形或宽楔形，边缘疏生具腺细锯齿，近基部全缘，上面光亮，幼时中脉被绒毛，成熟后两面皆无毛；中脉显著，侧脉 25 ~ 30 对；叶柄粗壮，长 2 ~ 4cm，幼时被绒毛，以后无毛。复伞房花序顶生，直径 10 ~ 16cm；总花梗和花梗无毛，花梗长 3 ~ 5mm；花密生，直径 6 ~ 8mm；萼筒杯状，长约 1mm，无毛，萼片阔三角形，长约 1mm，先端急尖，无毛；花瓣白色，近圆形，直径 3 ~ 4mm，内外两面皆无毛；雄蕊 20，外轮

石楠

较花瓣长，内轮较花瓣短，花药带紫色；花柱 2，有时为 3，基部合生，柱头头状，子房先端被柔毛。果实球形，直径 5 ~ 6mm，红色，后呈褐紫色；种子 1，卵形，长 2mm，棕色，平滑。花期 4 ~ 5 月，果期 10 月。

| **生境分布** | 生于海拔 700 ~ 2500m 的杂木林中。分布于重庆南岸、潼南、长寿、城口、九龙坡、秀山、涪陵、北碚、垫江、奉节、巫溪、巴南、南川、开州、巫山、石柱等地。

| **资源情况** | 栽培资源丰富。药材主要来源于栽培。

| **采收加工** | 石楠叶：夏、秋季采收，晒干。
石南：全年均可采收，以夏、秋季采收者为佳，采后晒干。
石南实：果期果实成熟时采收，晾干。
石楠根：全年均可采挖，洗净，切碎，晒干或鲜用。

| **药材性状** | 石楠叶：本品呈长椭圆形或长倒卵形，长 8 ~ 16cm，宽 2.5 ~ 6.5cm，先端短尖，基部近圆形或宽楔形，边缘具细密锯齿；上表面暗绿色至棕紫色，较光滑，主脉处稍凹陷；下表面色较浅，主脉凸起，侧脉羽状排列。革质。气微，味微苦、涩。
石南：本品茎呈圆柱形，直径 0.4 ~ 0.8cm，有分枝；表面暗灰棕色，有纵皱纹，皮孔呈细点状；质坚脆，易折断，断面皮部薄，暗棕色，木部黄白色，裂片状。叶互生，具柄，长 1 ~ 4cm，上面有 1 纵槽；叶长椭圆形或倒卵状椭圆形，长 8 ~ 15cm，宽 2 ~ 6cm；先端尖或突尖，基部近圆形或楔形，边缘具细密锯齿，齿端棕色，但在幼时及萌芽枝上的叶缘具芒状锯齿；上面棕色或棕绿色，无毛，羽状脉，中脉凹入，下面中脉明显凸出。叶革质而脆。气微，茎味微苦，叶味微涩。

| **功能主治** | 石楠叶：辛、苦，平；有小毒。祛风，通络，益肾。用于风湿痹痛，腰背酸痛，足膝无力，偏头痛。
石南：辛、苦，平；有小毒。归肝、肾经。祛风湿，止痒，强筋骨，益肝肾。用于风湿痹痛，头风头痛，风疹，脚膝痿弱，肾虚腰痛，阳痿，遗精。
石南实：辛、苦，平。祛风除湿，消积聚。用于风痹积聚。
石楠根：辛、苦，平。祛风除湿，活血解毒。用于风痹，历节痛风，外感咳嗽，疮痈肿痛，跌打损伤。

| **用法用量** | 石楠叶：内服煎汤，4.5 ~ 9g。
石南：内服煎汤，3 ~ 10g；或入丸、散。外用适量，研末撒或吹鼻。
石南实：内服煎汤，6 ~ 9g；或浸酒。
石南根：内服煎汤，6 ~ 9g。外用适量，捣敷。

蔷薇科 Rosaceae 委陵菜属 Potentilla

委陵菜 *Potentilla chinensis* Ser.

| 药 材 名 | 委陵菜（药用部位：全草。别名：翻白菜、白头翁、天青地白）。

| 形态特征 | 多年生草本。根粗壮，圆柱形，稍木质化。花茎直立或上升，高20～70cm，被稀疏短柔毛及白色绢状长柔毛。基生叶为羽状复叶，有小叶5～15对，间隔0.5～0.8cm，连叶柄长4～25cm，叶柄被短柔毛及绢状长柔毛，小叶片对生或互生，上部小叶较长，向下逐渐减小，无柄，长圆形、倒卵形或长圆状披针形，长1～5cm，宽0.5～1.5cm，边缘羽状中裂，裂片三角卵形、三角状披针形或长圆状披针形，先端急尖或圆钝，边缘向下反卷，上面绿色，被短柔毛或脱落几无毛，中脉下陷，下面被白色绒毛，沿脉被白色绢状长柔毛；茎生叶与基生叶相似，唯叶片对数较少；基生叶托叶近膜质，褐色，外面被白色绢状长柔毛；茎生叶托叶草质，绿色，边缘锐裂。伞房状聚伞花序，

委陵菜

花梗长 0.5 ～ 1.5cm，基部有披针形苞片，外面密被短柔毛；花直径通常 0.8 ～ 1cm，稀达 1.3cm；萼片三角卵形，先端急尖，副萼片带形或披针形，先端尖，比萼片短约 1 倍且狭窄，外面被短柔毛及少数绢状柔毛；花瓣黄色，宽倒卵形，先端微凹，比萼片稍长；花柱近顶生，基部微扩大，稍有乳头或不明显，柱头扩大。瘦果卵球形，深褐色，有明显皱纹。花果期 4 ～ 10 月。

| 生境分布 |　生于海拔 1100 ～ 2600m 的山坡、草地、沟谷、林缘、灌丛或疏林下。分布于重庆巫山、綦江、巫溪、城口、黔江、彭水、秀山、南川、开州、奉节等地。

| 资源情况 |　野生资源稀少，亦有零星栽培。药材主要来源于野生，自产自销。

| 采收加工 |　春末抽茎时采挖，除去泥沙，晒干。

| 药材性状 |　本品根呈圆柱形或类圆锥形，略扭曲，有的有分枝，长 5 ～ 17cm，直径 0.5 ～ 1.5cm；表面暗棕色或暗紫红色，有纵纹，粗皮易成片状剥落；根头部稍膨大；质硬，易折断，断面皮部薄，暗棕色，常与木部分离，射线呈放射状排列。叶基生，单数羽状复叶，有柄；小叶狭长椭圆形，边缘羽状深裂，下表面和叶柄均密被白色柔毛。气微，味涩、微苦。

| 功能主治 |　苦，寒。归肝、大肠经。凉血止痢，清热解毒。用于赤痢腹痛，久痢不止，痔疮出血，疮痈肿毒。

| 用法用量 |　内服煎汤，9 ～ 15g。外用适量。

蔷薇科 Rosaceae 委陵菜属 Potentilla

翻白草
Potentilla discolor Bge.

| 药 材 名 | 翻白草（药用部位：全草。别名：鸡腿儿、天藕儿、湖鸡腿）。

| 形态特征 | 多年生草本。根粗壮，下部常肥厚，呈纺锤形。花茎直立，上升或微铺散，高 10 ~ 45cm，密被白色绵毛。基生叶有小叶 2 ~ 4 对，间隔 0.8 ~ 1.5cm，连叶柄长 4 ~ 20cm，叶柄密被白色绵毛，有时并被长柔毛，小叶对生或互生，无柄，小叶片长圆形或长圆状披针形，长 1 ~ 5cm，宽 0.5 ~ 0.8cm，先端圆钝，稀急尖，基部楔形、宽楔形或偏斜圆形，边缘具圆钝锯齿，稀急尖，上面暗绿色，被稀疏白色绵毛或脱落几无毛，下面密被白色或灰白色绵毛，脉不显或微显；茎生叶 1 ~ 2，有掌状小叶 3 ~ 5；基生叶托叶膜质，褐色，外面被白色长柔毛，茎生叶托叶草质，绿色，卵形或宽卵形，边缘常有缺刻状牙齿，稀全缘，下面密被白色绵毛。聚伞花序有花数朵至多朵，

翻白草

疏散，花梗长 1 ~ 2.5cm，外被绵毛；花直径 1 ~ 2cm；萼片三角状卵形，副萼片披针形，比萼片短，外面被白色绵毛；花瓣黄色，倒卵形，先端微凹或圆钝，比萼片长；花柱近顶生，基部具乳头状膨大，柱头稍微扩大。瘦果近肾形，宽约 1mm，光滑。花果期 5 ~ 9 月。

| **生境分布** | 生于海拔 100 ~ 1800m 的荒地、山谷、沟边、山坡草地或疏林下。分布于重庆丰都、忠县、石柱、云阳、万州、巫山、綦江、武隆、开州、巫溪、梁平、奉节、南川、巴南、南岸、北碚、江津等地。

| **资源情况** | 野生资源较丰富，亦有零星栽培。药材主要来源于野生，自产自销。

| **采收加工** | 夏、秋季花开前采挖，除去泥沙和杂质，干燥。

| **药材性状** | 本品块根呈纺锤形或圆柱形，长 4 ~ 8cm，直径 0.4 ~ 1cm；表面黄棕色或暗褐色，有不规则扭曲沟纹；质硬而脆，折断面平坦，呈灰白色或黄白色。基生叶丛生，单数羽状复叶，多皱缩弯曲，展平后长 4 ~ 13cm；小叶 5 ~ 9，柄短或无，长圆形或长椭圆形，先端小叶片较大，上表面暗绿色或灰绿色，下表面密被白色绒毛，边缘有粗锯齿。气微，味甘、微涩。

| **功能主治** | 甘、微苦，平。归肝、胃、大肠经。清热解毒，止痢，止血。用于湿热泻痢，痈肿疮毒，血热吐衄，便血，崩漏。

| **用法用量** | 内服煎汤，9 ~ 15g。

蔷薇科 Rosaceae 委陵菜属 Potentilla

莓叶委陵菜
Potentilla fragarioides L.

莓叶委陵菜

| 药 材 名 |

雉子筵根（药用部位：根、根茎）、莓叶委陵菜（药用部位：全草。别名：雉子筵、瓢子、满山红）。

| 形态特征 |

多年生草本。根极多，簇生。花茎多数，丛生，上升或铺散，长 8 ~ 25cm，被开展长柔毛。基生叶羽状复叶，有小叶 2 ~ 3 对，间隔 0.8 ~ 1.5cm，稀 4 对，连叶柄长 5 ~ 22cm，叶柄被开展疏柔毛，小叶有短柄或几无柄，小叶片倒卵形、椭圆形或长椭圆形，长 0.5 ~ 7 cm，宽 0.4 ~ 3cm，先端圆钝或急尖，基部楔形或宽楔形，边缘有多数急尖或圆钝锯齿，近基部全缘，两面绿色，被平铺疏柔毛，下面沿脉较密，锯齿边缘有时密被缘毛；茎生叶，常有 3 小叶，小叶与基生叶小叶相似或长圆形，先端有锯齿而下半部全缘，叶柄短或几无柄；基生叶托叶膜质，褐色，外面被稀疏开展长柔毛，茎生叶托叶草质，绿色，卵形，全缘，先端急尖，外被平铺疏柔毛。伞房状聚伞花序顶生，多花，松散，花梗纤细，长 1.5 ~ 2cm，外被疏柔毛；花直径 1 ~ 1.7cm；萼片三角状卵形，先端急尖至渐尖，副萼片长圆状披针形，先端急尖，与萼片近等长或稍短；花瓣黄色，倒卵形，先端圆钝或微凹；花柱近顶生，上部大，基部小。成熟瘦果近肾形，直径约 1mm，表面有脉纹。花期 4 ~ 6 月，果期 6 ~ 8 月。

| 生境分布 | 生于海拔 350 ~ 2400m 的地边、沟边、草地、灌丛或疏林下。分布于重庆奉节、开州、石柱、酉阳、南川、巫山等地。

| 资源情况 | 野生资源较少。药材主要来源于野生，自产自销。

| 采收加工 | 雉子筵根：秋、冬季采挖，除去泥沙，晒干。
莓叶委陵菜：全年均可采收，除去杂质，晒干。

| 药材性状 | 雉子筵根：本品根茎呈短圆柱状或块状，有的略弯曲，长 0.5 ~ 2cm，直径 0.3 ~ 1.5cm；表面棕褐色，粗糙，周围着生多数须根，或有圆形根痕，先端有棕色叶基，有的可见密被淡黄色绒毛的芽，叶基边缘膜质，被淡黄色绒毛；质坚硬，断面黄棕色至棕色，皮部较薄，木部可见淡棕色小点排列成断续的环状，中心有髓。根细长，弯曲，长 5 ~ 10cm，直径 0.1 ~ 0.4cm；表面具纵沟纹；质脆，易折断，断面略平坦，黄棕色至棕色。无臭，味涩。
莓叶委陵菜：本品根茎呈短圆柱状或块状；表面棕褐色，被绒毛。须根细长，暗褐色。羽状复叶，基生叶先端 3 小叶较大，小叶呈宽倒卵形、卵圆形或椭圆形，先端尖或稍钝，基部楔形或圆形，边缘具粗锯齿；茎生叶为三出复叶。无臭，味涩。

| 功能主治 | 雉子筵根：甘、微苦，平。归肺、肝经。止血。用于月经过多，功能失调性子宫出血，子宫肌瘤出血。
莓叶委陵菜：苦，平。归肝、脾、胃、大肠经。活血化瘀，养阴清热。用于疝气，干血痨。

| 用法用量 | 雉子筵根：内服煎汤，3 ~ 6g；或入丸、散。
莓叶委陵菜：内服煎汤，9 ~ 15g。外用适量。

蔷薇科 Rosaceae 委陵菜属 Potentilla

三叶委陵菜 *Potentilla freyniana* Bornm.

| 药 材 名 | 地蜂子（药用部位：全草或根、根茎。别名：铁秤砣、山蜂子、三爪金）。

| 形态特征 | 多年生草本，有纤匍枝或不明显。根分枝多，簇生。花茎纤细，直立或上升，高 8 ~ 25cm，被平铺或开展疏柔毛。基生叶为掌状三出复叶，连叶柄长 4 ~ 30cm，宽 1 ~ 4cm，小叶片长圆形、卵形或椭圆形，先端急尖或圆钝，基部楔形或宽楔形，边缘有多数急尖锯齿，两面绿色，疏生平铺柔毛，下面沿脉较密；茎生叶 1 ~ 2，小叶与基生叶小叶相似，唯叶柄很短，叶边缘锯齿减少；基生叶托叶膜质，褐色，外面被稀疏长柔毛，茎生叶托叶草质，绿色，呈缺刻状锐裂，被稀疏长柔毛。伞房状聚伞花序顶生，多花，松散，花梗纤细，长 1 ~ 1.5cm，外被疏柔毛；花直径 0.8 ~ 1cm；萼片三角状卵形，先端渐尖，副萼片披针形，先端渐尖，与萼片近等长，外面被平铺柔

三叶委陵菜

毛；花瓣淡黄色，长圆倒卵形，先端微凹或圆钝；花柱近顶生，上部粗，基部细。成熟瘦果卵球形，直径 0.5 ～ 1mm，表面有显著脉纹。花果期 3 ～ 6 月。

| **生境分布** | 生于海拔 300 ～ 1700m 的山坡草地、溪边或疏林下阴湿处。重庆各地均有分布。

| **资源情况** | 野生资源丰富。药材主要来源于野生，自产自销。

| **采收加工** | 秋季采挖，除去茎叶及泥沙，洗净，干燥。

| **药材性状** | 本品根茎呈纺锤形、圆柱形或哑铃形，微弯曲，有的形似蜂腹，长 1.5 ～ 4cm，直径 0.5 ～ 1.2cm。表面灰褐色或黄绿褐色，粗糙，有皱纹和凸起的根痕及须根，先端有叶柄残基，被柔毛。质坚硬，不易折断，断面颗粒状，深棕色或黑褐色，中央色深，在放大镜下可见细小结晶。气微，味微苦而涩，微具清凉感。

| **功能主治** | 苦、涩，微寒。归胃、肾、大肠经。清热，解毒，凉血，止痛。用于痢疾，腹泻，腹痛，胃痛，腰痛，牙痛，火眼，胃肠出血，月经过多，产后或流产后出血过多，痔疮，带下，骨痛流脓，跌打损伤。外用于创伤出血，骨疽，烫火伤，痈肿疔疮，毒蛇咬伤等。

| **用法用量** | 内服煎汤，6 ～ 12g。

蔷薇科 Rosaceae 委陵菜属 Potentilla

西南委陵菜 *Potentilla fulgens* Wall. ex Hook.

| 药 材 名 | 管仲（药用部位：带根全草或根。别名：番白叶、翻白地榆、槟榔仁）。

| 形态特征 | 多年生草本。根粗壮，圆柱形。花茎直立或上升，高 10 ~ 60cm，密被开展长柔毛及短柔毛。基生叶为间断羽状复叶，有小叶 6 ~ 13（~ 15）对，连叶柄长 6 ~ 30cm，叶柄密被开展长柔毛及短柔毛，小叶片无柄或有时顶生小叶片有柄，倒卵长圆形或倒卵椭圆形，长 16.5cm，宽 0.5 ~ 3.5cm，先端圆钝，基部楔形或宽楔形，边缘有多数尖锐锯齿，上面绿色或暗绿色，伏生疏柔毛，下面密被白色绢毛及绒毛；茎生叶与基生叶相似，唯向上部小叶对数逐渐减少；基生叶托叶膜质，褐色，外被长柔毛，茎生叶托叶草质，下面被白色绢毛，上面绿色，被长柔毛，边缘有锐锯齿。伞房状聚伞花序顶生；花直径 1.2 ~ 1.5cm；萼片三角卵圆形，先端急尖，外面绿色，被长柔毛，

西南委陵菜

副萼片椭圆形，先端急尖，全缘，稀有齿，外面密生白色绢毛，与萼片近等长；花瓣黄色，先端圆钝，比萼片稍长；花柱近基生，两端渐狭，中间粗，子房无毛。瘦果光滑。花果期 6 ～ 10 月。

| **生境分布** | 生于海拔 600 ～ 1800m 的山坡草地、灌丛、林缘或林中。分布于重庆奉节、武隆、巫溪、南川等地。

| **资源情况** | 野生资源较少。药材来源于野生，自产自销。

| **采收加工** | 夏、秋季采挖带根的全草，洗净，晒干或鲜用。

| **药材性状** | 本品根呈不规则圆柱形，弯曲或扭曲，直径 0.5 ～ 1.5cm，有的具分枝，根头部膨大，残留多数灰白色绒毛状叶柄残基。表面灰棕色至暗棕色，栓皮脱落，脱落后显红棕色，有须根或须根痕。质硬脆，易折断，断面平坦，皮部薄，红棕色或棕褐色，有的可见白色小点。气微，味微苦、涩。

| **功能主治** | 涩，凉。归胃、大肠、肝经。清热止血，收敛止泻。用于食积腹痛，泻痢，咯血，吐血，衄血，痔疮出血，崩漏，带下，痛经，烫火伤。

| **用法用量** | 内服煎汤，15 ～ 30g。外用适量。

| **附　　注** | 在 FOC 中，本种的拉丁学名被修订为 *Potentilla lineata* Treviranus。

蔷薇科 Rosaceae 委陵菜属 Potentilla

蛇含委陵菜
Potentilla kleiniana Wight et Arn.

| 药 材 名 | 蛇含（药用部位：全草或带根全草。别名：五匹风、五匹草、五皮风）。

| 形态特征 | 一年生、二年生或多年生宿根草本。须根多。花茎上升或匍匐，常于节处生根并发育出新植株，长 10 ~ 50cm，被疏柔毛或开展长柔毛。基生叶具近于鸟足状 5 小叶，连叶柄长 3 ~ 20cm，叶柄被疏柔毛或开展长柔毛，小叶几无柄稀有短柄，小叶片倒卵形或长圆倒卵形，长 0.5 ~ 4cm，宽 0.4 ~ 2cm，先端圆钝，基部楔形，边缘有多数急尖或圆钝锯齿，两面绿色，被疏柔毛，有时上面脱落几无毛，或下面沿脉密被伏生长柔毛；下部茎生叶有 5 小叶，上部茎生叶有 3 小叶，小叶与基生小叶相似，唯叶柄较短；基生叶托叶膜质，淡褐色，外面被疏柔毛或脱落几无毛，茎生叶托叶草质，绿色，卵形至卵状披针形，全缘，稀有 1 ~ 2 齿，先端急尖或渐尖，外被稀疏长柔毛。

蛇含委陵菜

聚伞花序密集枝顶如假伞形，花梗长 1 ~ 1.5cm，密被开展长柔毛，下有茎生叶如苞片状；花直径 0.8 ~ 1cm；萼片三角卵圆形，先端急尖或渐尖，副萼片披针形或椭圆状披针形，先端急尖或渐尖，花时比萼片短，果时略长或近等长，外被稀疏长柔毛；花瓣黄色，倒卵形，先端微凹，长于萼片；花柱近顶生，圆锥形，基部膨大，柱头扩大。瘦果近圆形，一面稍平，直径约 0.5mm，具皱纹。花果期 4 ~ 9 月。

| **生境分布** | 生于海拔 200 ~ 1800m 的田边、水旁、沟边或山坡草地。重庆各地均有分布。

| **资源情况** | 野生资源丰富，亦有零星栽培。药材主要来源于野生，自产自销。

| **采收加工** | 夏、秋季采收，鲜用或晒干。

| **药材性状** | 本品主根短，侧根须状。茎细长，多分枝，被疏毛。叶掌状复叶；基生叶 5 小叶，茎生叶 3 ~ 5 小叶，椭圆形或狭倒卵形，长 1 ~ 4cm，宽 0.5 ~ 1.5cm，边缘有粗锯齿，上下表面均被毛。花多，黄色。果实表面微有皱纹。气微，味苦、微涩。

| **功能主治** | 苦，微寒。归肝、心、肺经。清热解毒，清心定惊，活血通络。用于疮痈肿毒，咽喉肿痛，热毒泻痢，高热惊风，疟疾发热，跌打损伤，风湿痹证。

| **用法用量** | 内服煎汤，干品 9 ~ 15g，鲜品加倍。外用适量，干品煎汤洗或含漱，鲜品捣汁敷或涂。

蔷薇科 Rosaceae 委陵菜属 Potentilla

银叶委陵菜 *Potentilla leuconota* D. Don

| 药 材 名 | 涩草（药用部位：全草或根。别名：涩叶、锦标草、金线标）。

| 形态特征 | 多年生草本。茎粗壮，圆柱形。花茎直立或上升，高 10 ~ 45cm，被伏生或稍微开展长柔毛。基生叶为间断羽状复叶，稀不间断，有小叶 10 ~ 17 对，间距 0.5 ~ 1cm，连叶柄长 10 ~ 25cm，叶柄被伏生或稍微开展长柔毛，小叶对生或互生，最上面 2 ~ 3 对小叶基部下延与叶轴汇合，其余小叶无柄，小叶片长圆形、椭圆形或椭圆状卵形，长 0.5 ~ 3cm，宽 0.3 ~ 1.5cm，向下逐渐缩小，在基部多呈附片状，先端圆钝或急尖，基部圆形或阔楔形，边缘有多数急尖或渐尖锯齿，上面疏被伏生长柔毛，稀脱落几无毛，下面密被银白色绢毛，脉不明显；茎生叶 1 ~ 2，与基生叶相似，唯小叶对数较少，3 ~ 7 对；基生叶托叶膜质，褐色，外面被白色绢毛；茎生叶托叶

银叶委陵菜

草质，绿色，边缘深撕裂状，或有深齿。花序集生花茎先端，呈假伞形花序，花梗近等长，长 1.5 ～ 2cm，密被白色伏生长柔毛，基部有叶状总苞，果时花序略伸长；花直径通常 0.8cm，稀达 1cm；萼片三角状卵形，先端急尖或渐尖，副萼片披针形或长圆状披针形，与萼片近等长，外面密被白色长柔毛；花瓣黄色，倒卵形，先端圆钝，稍长于萼片；花柱侧生，小枝状，柱头扩大。瘦果光滑无毛。花果期5 ～ 10 月。

| 生境分布 | 生于海拔 1300 ～ 2600m 的山坡草地或林下。分布于重庆开州、巫山、城口、巫溪、石柱、南川等地。

| 资源情况 | 野生资源稀少。药材来源于野生，自产自销。

| 采收加工 | 夏、秋季采挖，洗净，晒干。

| 药材性状 | 本品根圆柱形，长 10cm 以上，直径 1 ～ 1.5cm；外表棕红色，粗糙，有裂纹，有时具疤痕；质坚硬，不易折断，断面木心亦呈棕红色，具车轮纹。无臭，味涩。

| 功能主治 | 涩、甘，微寒。归肺、肝、大肠经。清热解毒，止痢，止带。用于风热喑哑，腹痛下痢，妇女带下，肺痈。

| 用法用量 | 内服煎汤，15 ～ 30g。

蔷薇科 Rosaceae 委陵菜属 Potentilla

下江委陵菜 *Potentilla limprichtii* J. Krause

| 药 材 名 | 浮尸草（药用部位：全草）。

| 形态特征 | 多年生草本。根肥厚，圆柱形。花茎纤弱，基部弯曲上升，稀铺散，高 15 ~ 30cm，被疏柔毛及稀疏绵毛，下部常脱落几无毛。基生叶为羽状复叶，有小叶片 4 ~ 8 对，间隔 1 ~ 2.5cm，连叶柄长 6 ~ 20cm，叶柄被疏柔毛及少数白色绵毛，常脱落几无毛，小叶片对生，稀互生，纸质，有短柄或几无柄，卵形，椭圆卵形或长圆倒卵形，长 1 ~ 2.5cm，宽 0.5 ~ 1.5cm，前部有 4 ~ 7 个牙齿状裂片或锯齿，基部楔形或阔楔形，最下部小叶仅有 2 ~ 3 个牙齿状裂片，两面绿色，上面伏生疏柔毛或脱落几无毛，下面被灰白色绵毛及疏柔毛；茎生叶具掌状 3 小叶，小叶形状与基生叶小叶上部小叶相似；基生叶托叶膜质，淡褐色，外被疏柔毛，常脱落稀几无毛，茎生叶托叶纸质，绿色，

下江委陵菜

卵形，全缘。花序疏散，有花数朵；花梗纤细，长 3 ～ 4cm，被疏柔毛或绵毛；
花直径 1 ～ 1.5cm；萼片三角状卵形，先端渐尖或急尖，副萼片带状披针形或椭
圆状披针形，比萼片短稀近等长，外面被疏柔毛及白色绵毛；花瓣黄色，倒卵形，
先端微凹，比萼片长 0.5 ～ 1 倍；花柱近顶生，基部微扩大，柱头头状。瘦果光滑。
花果期 10 月。

| **生境分布** | 生于海拔 150 ～ 2300m 的河边石缝中。分布于重庆万州、长寿、九龙坡、合川等地。

| **资源情况** | 野生资源较少。药材来源于野生。

| **采收加工** | 春、夏季采挖，洗净，晒干。

| **功能主治** | 甘，温。归脾、肾经。健脾补肾，敛汗，止血。用于久病体虚，阴虚盗汗，崩漏，
带下。

| **用法用量** | 内服煎汤，30 ～ 60g；或炖鸡、炖肉服。

蔷薇科 Rosaceae 委陵菜属 Potentilla

朝天委陵菜 *Potentilla supina* L.

朝天委陵菜

| 药 材 名 |

朝天委陵菜（药用部位：全草。别名：涝洼筋）。

| 形态特征 |

一年生或二年生草本。主根细长，并有稀疏侧根。茎平展，上升或直立，叉状分枝，长 20 ～ 50cm，被疏柔毛或脱落几无毛。基生叶为羽状复叶，有小叶 2 ～ 5 对，间隔 0.8 ～ 1.2cm，连叶柄长 4 ～ 15cm，叶柄被疏柔毛或脱落几无毛，小叶互生或对生，无柄，最上面 1 ～ 2 对小叶基部下延与叶轴合生，小叶片长圆形或倒卵状长圆形，通常长 1 ～ 2.5cm，宽 0.5 ～ 1.5cm，先端圆钝或急尖，基部楔形或宽楔形，边缘有圆钝或缺刻状锯齿，两面绿色，被稀疏柔毛或脱落几无毛；茎生叶与基生叶相似，向上小叶对数逐渐减少；基生叶托叶膜质，褐色，外面被疏柔毛或几无毛，茎生叶托叶草质，绿色，全缘，有齿或分裂。花茎上多叶，下部花自叶腋生，先端呈伞房状聚伞花序；花梗长 0.8 ～ 1.5cm，常密被短柔毛；花直径 0.6 ～ 0.8cm；萼片三角状卵形，先端急尖，副萼片长椭圆形或椭圆状披针形，先端急尖，比萼片稍长或近等长；

花瓣黄色，倒卵形，先端微凹，与萼片近等长或较短；花柱近顶生，基部乳头状膨大，花柱扩大。瘦果长圆形，先端尖，表面具脉纹，腹部鼓胀若翅或有时不明显。花果期 3 ～ 10 月。

| **生境分布** | 生于海拔 100 ～ 2000m 的田边、荒地、河岸沙地、草甸、山坡湿地。分布于重庆长寿、奉节、北碚等地。

| **资源情况** | 野生资源稀少。药材来源于野生，自产自销。

| **采收加工** | 夏季枝叶茂盛时采割，除去杂质，扎成把晒干。

| **药材性状** | 本品茎圆柱形，直立，中空，直径约 0.3cm；表面灰绿色或黄绿色，有的带淡紫色，有时可见黄褐色的细长根部。叶皱缩破碎，灰绿色，背面疏生细毛，完整基生叶为单数羽状复叶，茎生叶多为三出复叶，小叶边缘具不规则深裂。花单生于叶腋，多数已成果实，具长柄，长 0.8 ～ 1.2cm。聚合果扁圆球形，直径 0.3 ～ 0.5cm，基部有宿萼。小瘦果卵圆形，直径约 0.1cm，黄绿色或淡黄棕色。气微弱，味淡。

| **功能主治** | 甘、酸，寒。收敛止泻，凉血止血，滋阴益肾。用于泄泻，吐血，尿血，便血，血痢，须发早白，牙齿不固。

| **用法用量** | 内服煎汤，6 ～ 15g。外用适量，煎汤熏洗。